큐브수학 개념 무료 스마트러닝

첫째 QR코드 스캔하여 1초 만에 바로 강의 시청

둘째 최적화된 강의 커리큘럼으로 학습 효과 UP!

❶ **수학 개념 설명 강의**
교재의 개념 학습과 동영상을 함께 보면 개념이 쉽게 이해됩니다.

❷ **익힘 문제 풀이 강의**
수학 익힘 문제를 틀렸을 때 수학 전문 선생님의 강의를 보면서 문제 푸는 방법을 쉽게 이해합니다.

❸ **서술형 문제 풀이 강의**
서술형 잡기에서 풀이를 쓰기 어려울 때 문제 해결 전략 강의를 통해 서술형 풀이를 체계적으로 완성합니다.

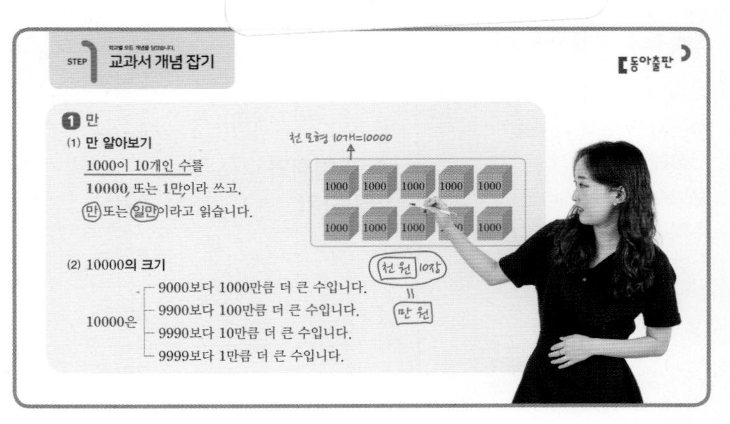

#큐브수학 #초등수학 #무료

큐브수학 개념 **초등수학 5학년** 강의 목록

단원명	학습 내용
1. 수의 범위와 어림하기	**개념 강의** ❶ 이상과 이하 ❷ 초과와 미만 ❸ 수의 범위 활용하기 ❹ 올림 ❺ 버림 ❻ 반올림 ❼ 올림, 버림, 반올림 활용하기 **문제 강의** 수학 익힘 문제 잡기 **서술형 강의** 서술형 잡기
2. 분수의 곱셈	**개념 강의** ❶ (분수)×(자연수) ❷ (자연수)×(분수) ❸ 진분수의 곱셈 ❹ 대분수의 곱셈 / ❺ 세 분수의 곱셈 **문제 강의** 수학 익힘 문제 잡기 **서술형 강의** 서술형 잡기
3. 합동과 대칭	**개념 강의** ❶ 도형의 합동 ❷ 합동인 도형의 성질 ❸ 선대칭도형과 그 성질 ❹ 점대칭도형과 그 성질 **문제 강의** 수학 익힘 문제 잡기 **서술형 강의** 서술형 잡기
4. 소수의 곱셈	**개념 강의** ❶ (1보다 작은 소수)×(자연수) ❷ (1보다 큰 소수)×(자연수) ❸ (자연수)×(1보다 작은 소수) ❹ (자연수)×(1보다 큰 소수) ❺ 1보다 작은 소수끼리의 곱셈 ❻ 1보다 큰 소수끼리의 곱셈 ❼ 곱의 소수점 위치 **문제 강의** 수학 익힘 문제 잡기 **서술형 강의** 서술형 잡기
5. 직육면체	**개념 강의** ❶ 직육면체 / ❷ 정육면체 ❸ 직육면체의 성질 / ❹ 직육면체의 겨냥도 ❺ 정육면체의 전개도 / ❻ 직육면체의 전개도 **문제 강의** 수학 익힘 문제 잡기 **서술형 강의** 서술형 잡기
6. 평균과 가능성	**개념 강의** ❶ 평균 / ❷ 평균 구하기 ❸ 평균 이용하기 ❹ 일이 일어날 가능성을 말로 표현하기 ❺ 일이 일어날 가능성을 비교하기 ❻ 일이 일어날 가능성을 수로 표현하기 **문제 강의** 수학 익힘 문제 잡기 **서술형 강의** 서술형 잡기

큐브수학

초등수학 5학년

학습 계획표

학습 계획표를 따라
차근차근 수학 공부를
시작해 보세요.
큐브수학과 함께라면
수학 공부, 어렵지 않습니다.

단원명	공부한 날			공부할 내용	
				진도북	매칭북
1. 수의 범위와 어림하기	1일차	월	일	008~011쪽	01~02쪽
	2일차	월	일	012~015쪽	03쪽
	3일차	월	일	016~019쪽	04~05쪽
	4일차	월	일	020~023쪽	06쪽
	5일차	월	일	024~027쪽	31~37쪽
	6일차	월	일	028~030쪽	
2. 분수의 곱셈	7일차	월	일	034~037쪽	07~10쪽
	8일차	월	일	038~041쪽	11쪽
	9일차	월	일	042~046쪽	12쪽
	10일차	월	일	047~051쪽	38~41쪽
	11일차	월	일	052~054쪽	
3. 합동과 대칭	12일차	월	일	058~061쪽	13~16쪽
	13일차	월	일	062~067쪽	17~18쪽
	14일차	월	일	068~073쪽	42~45쪽
	15일차	월	일	074~076쪽	
4. 소수의 곱셈	16일차	월	일	080~083쪽	19~22쪽
	17일차	월	일	084~087쪽	23~24쪽
	18일차	월	일	088~091쪽	25쪽
	19일차	월	일	092~094쪽	46~49쪽
	20일차	월	일	095~097쪽	50~52쪽
	21일차	월	일	098~100쪽	
5. 직육면체	22일차	월	일	104~107쪽	
	23일차	월	일	108~111쪽	26쪽
	24일차	월	일	112~117쪽	27~28쪽
	25일차	월	일	118~121쪽	53~58쪽
	26일차	월	일	122~124쪽	
6. 평균과 가능성	27일차	월	일	128~133쪽	29쪽
	28일차	월	일	134~139쪽	30쪽
	29일차	월	일	140~143쪽	59~64쪽
	30일차	월	일	144~146쪽	

진도북

큐브 수학 개념

5·2

구성과 특징

“큐브수학 개념
이렇게 활용하세요.”

진도북

추천1

개념 반복 학습과 수학 익힘 반복 학습으로 기본을 다지는 방법

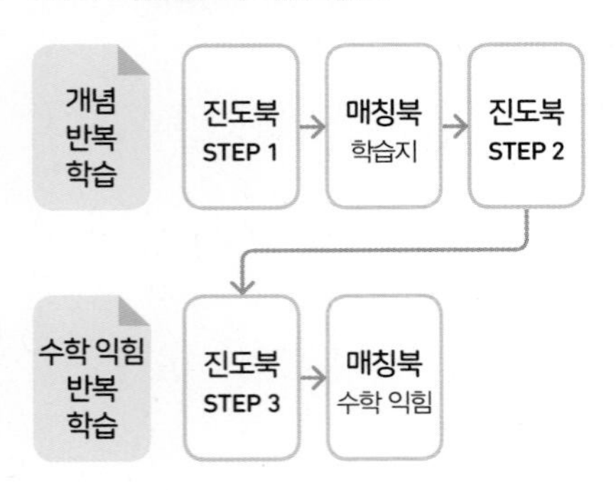

추천2

예습과 복습으로 개념을 쉽고 빠르게 이해하는 방법

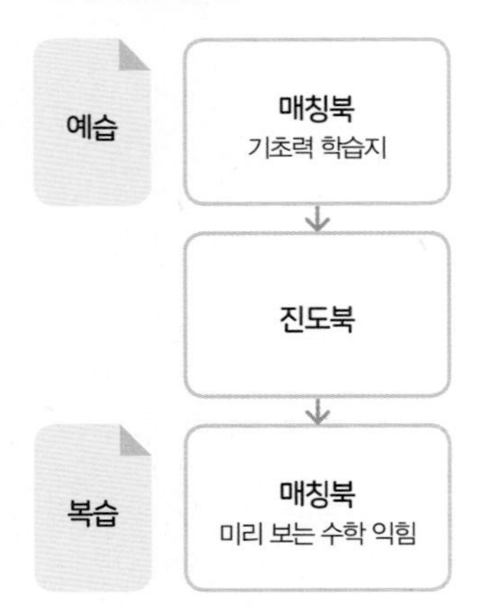

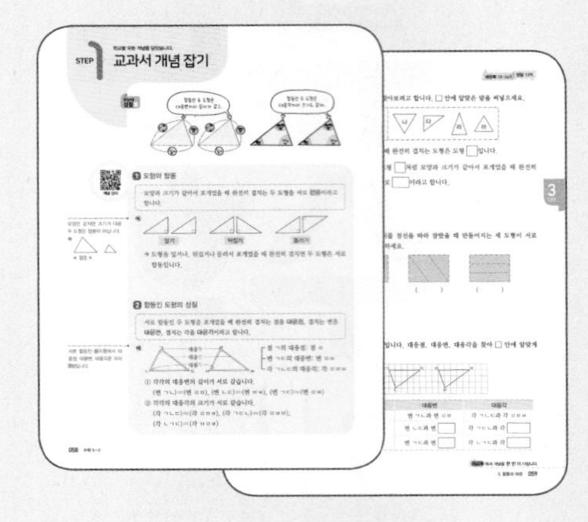

STEP 1 교과서 개념 잡기

교과서 개념과 문제로 개념을 쉽게 이해할 수 있습니다.

한눈에 쏙 그림으로 공부할 개념에 대해 흥미를 가집니다.

교과서 공통 꼭 알아야 할 교과서 핵심 문제입니다.

▶ 개념 강의 동영상 제공

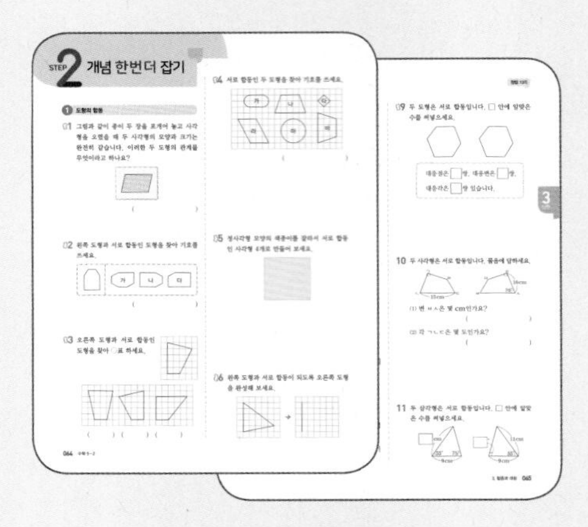

STEP 2 개념 한 번 더 잡기

〈교과서 개념 잡기〉의 유사 문제로 개념을 한 번 더 공부하여 완벽하게 다집니다.

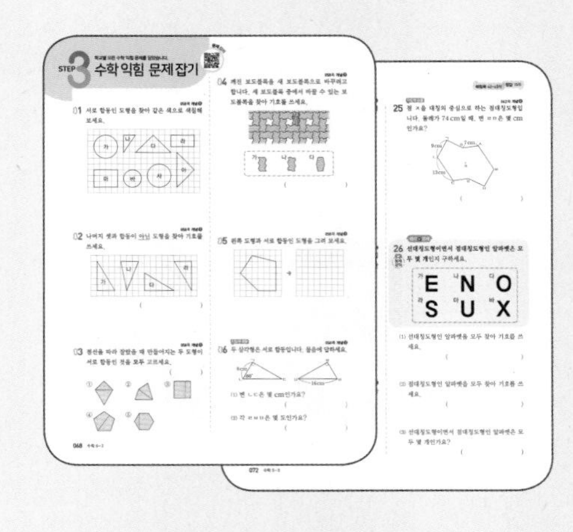

STEP 3 수학 익힘 문제 잡기

수학 익힘 문제 유형으로 실력을 다집니다.

익힘책 공통 꼭 알아야 할 익힘책의 중요 문제를 익힙니다.

생각+문제 문제 해결 능력과 교과 역량을 키우는 문제입니다.

▶ 문제 강의 동영상 제공

큐브수학 개념은 학교별 모든 교과서 개념과 수학 익힘 문제를 한 권에 담은 기본 개념서입니다. **무료 스마트러닝**과 함께 큐브수학 개념으로 수학의 자신감을 키우세요.

매칭북

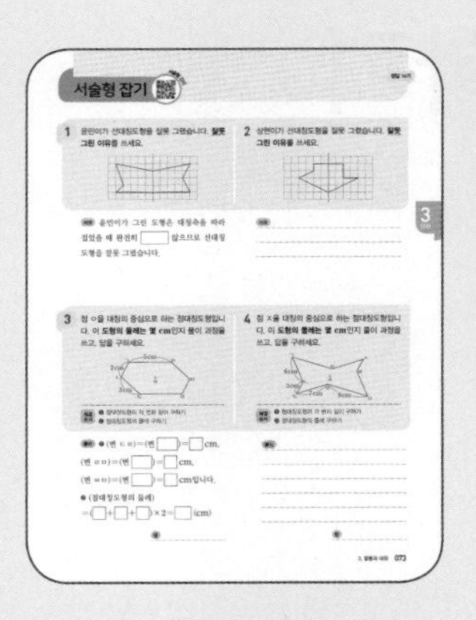

서술형 잡기

풀이 과정을 따라 익히며 체계적으로 서술형 문제를 해결합니다.

서술형 강의 동영상 제공

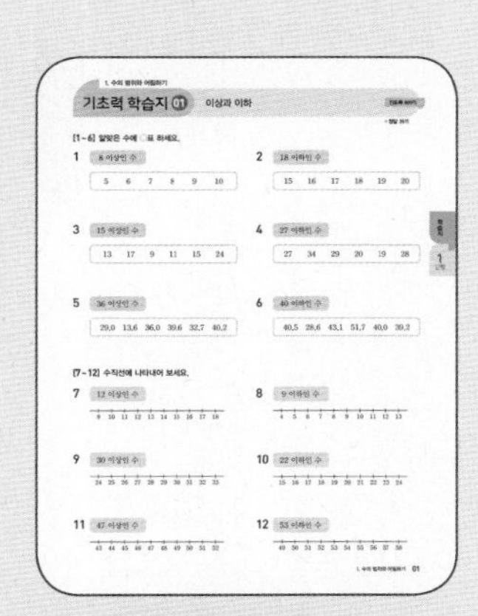

기초력 학습지

개념별 기초 문제입니다. 진도북의 〈교과서 개념 잡기〉를 공부한 다음 학습지로 개념별 기초력을 완성합니다.

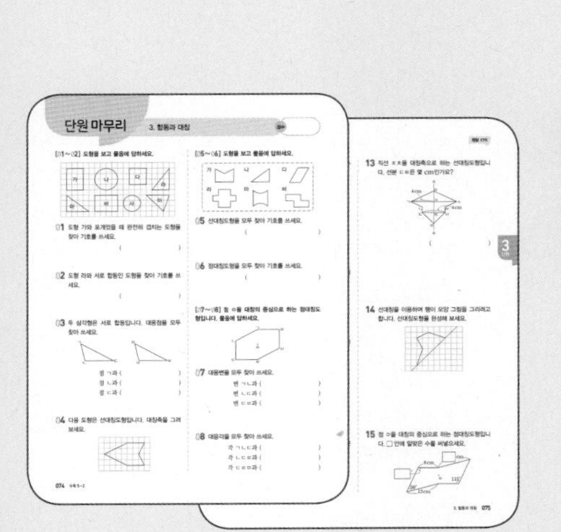

단원 마무리

해당 단원을 잘 공부했는지 확인하여 실력을 점검합니다.

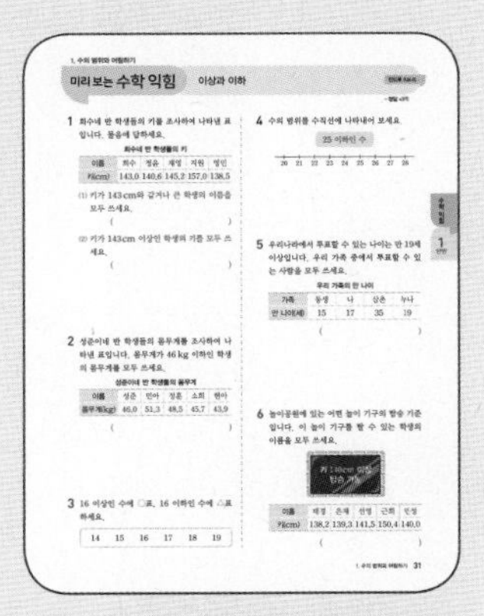

미리 보는 수학 익힘

수학 익힘의 유사 문제입니다. 진도북의 〈수학 익힘 문제 잡기〉를 공부한 다음 반복 학습하여 수학 실력을 완성합니다.

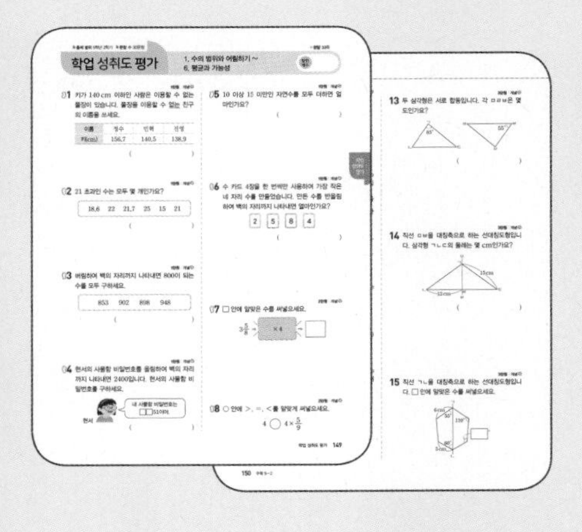

학업 성취도 평가

한 학기를 마무리 하며 나의 수준을 평가하고, 다음 학기를 대비합니다.

차례

078~101쪽

소수의 곱셈

5

102~125쪽

직육면체

126~147쪽

평균과 가능성

1 수의 범위와 어림하기

적당히 좀 하지~.
너무 가혹해!
하루 1회 이상 게임 금지

컴퓨터 게임을 너무 많이 해서 엄마한테 혼나고 벌칙을 받았어.
1회 이상에는 1회도 포함되니까 게임을 하루에 한 번도 못해~.

동영상 강의와 함께 계획을 세워 공부합니다.
동영상 강의를 시청했으면 ☐에 ∨표 하세요.

공부한 날	동영상 확인	쪽수	학습 내용
월 일	▶ ☐	008~013쪽	**교과서 개념 잡기** ❶ 이상과 이하 ❷ 초과와 미만 ❸ 수의 범위 활용하기
월 일		014~015쪽	**개념 한 번 더 잡기**
월 일	▶ ☐	016~021쪽	**교과서 개념 잡기** ❹ 올림 ❺ 버림 ❻ 반올림 ❼ 올림, 버림, 반올림 활용하기
월 일		022~023쪽	**개념 한 번 더 잡기**
월 일	▶ ☐	024~026쪽	**수학 익힘 문제 잡기**
월 일	▶ ☐	027쪽	**서술형 잡기**
월 일		028~030쪽	**단원 마무리**

학교별 모든 개념을 담았습니다.

STEP 1 교과서 개념 잡기

한눈에 핵심쏙

개념 강의

1 이상과 이하

(1) 이상인 수

㉮ 30 이상인 수

30.0, 31.2, 35.7 등과 같이 30과 같거나 큰 수를 30 이상인 수라고 합니다.

■ 이상인 수 중에서 가장 작은 수는 ■입니다.

① 30 이상인 수에는 30이 포함되고,
30 이상인 수 중에서 가장 작은 수는 30입니다.

② 30 이상인 수를 수직선에 나타내기

30이 포함됩니다.
27 28 29 30 31 32 33 34 35

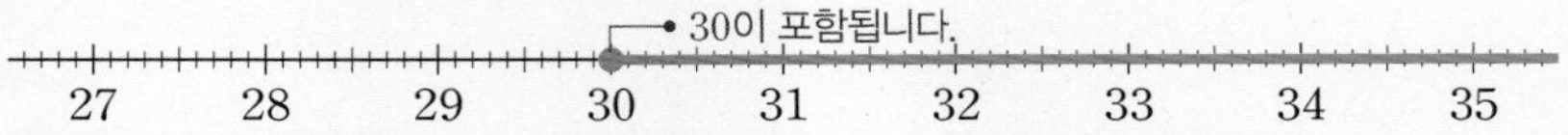

30이 포함되므로 기준이 되는 수 30을 점 ●으로 나타냅니다.
30과 같거나 큰 수이므로 오른쪽 방향으로 선을 긋습니다.

(2) 이하인 수

㉮ 50 이하인 수

50.0, 49.3, 48.1 등과 같이 50과 같거나 작은 수를 50 이하인 수라고 합니다.

● 이하인 수 중에서 가장 큰 수는 ●입니다.

① 50 이하인 수에는 50이 포함되고,
50 이하인 수 중에서 가장 큰 수는 50입니다.

② 50 이하인 수를 수직선에 나타내기

50이 포함됩니다.
45 46 47 48 49 50 51 52 53

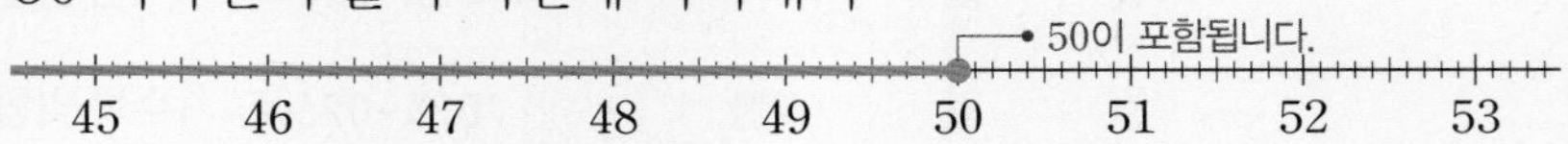

50이 포함되므로 기준이 되는 수 50을 점 ●으로 나타냅니다.
50과 같거나 작은 수이므로 왼쪽 방향으로 선을 긋습니다.

1 승준이네 모둠 학생들의 줄넘기 횟수를 조사하여 나타낸 표를 보고 이상, 이하의 범위에 있는 수를 알아보려고 합니다. □ 안에 알맞은 수를 써넣고, 알맞은 것에 ○표 하세요.

승준이네 모둠 학생들의 줄넘기 횟수

이름	승준	하늘	민영	주원	보라
횟수(회)	76	152	105	140	113

(1) 줄넘기 횟수가 140회와 같거나 많은 학생의 줄넘기 횟수는 □회, □회입니다.

(2) 140과 같거나 큰 수를 140 (이상 , 이하)인 수라고 합니다.

(3) 줄넘기 횟수가 105회와 같거나 적은 학생의 줄넘기 횟수는 □회, □회입니다.

(4) 105와 같거나 작은 수를 105 (이상 , 이하)인 수라고 합니다.

2 수를 보고 □ 안에 알맞은 수를 써넣으세요.

30 10 45 28 51 40 32

(1) 40 이상인 수: □, □, □

(2) 30 이하인 수: □, □, □

교과서 공통 **3** 20 이상인 수에 ○표, 15 이하인 수에 △표 하세요.

21 19 30 20 12 16 15

4 수의 범위를 수직선에 나타내어 보세요.

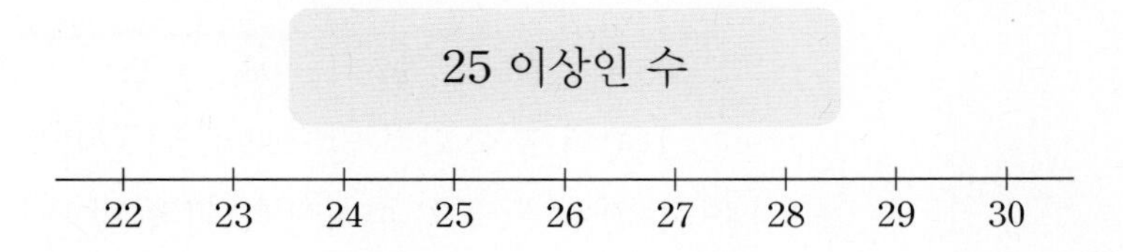

014쪽에서 개념을 한 번 더 다집니다.

STEP 1

학교별 모든 개념을 담았습니다.

교과서 개념 잡기

한눈에 핵심쏙

2 초과와 미만

(1) 초과인 수

예 40 초과인 수

40.2, 41.9, 43.5, 45.7 등과 같이 40보다 큰 수를 40 **초과**인 수라고 합니다.

■가 자연수일 때, ■ 초과인 자연수 중에서 가장 작은 수는 (■+1)입니다.

① 40 초과인 수에는 40이 포함되지 않고,
40 초과인 자연수 중에서 가장 작은 수는 41입니다.

② 40 초과인 수를 수직선에 나타내기

40이 포함되지 않습니다.

37 38 39 40 41 42 43 44 45

- 40이 포함되지 않으므로 기준이 되는 수 40을 점 ○으로 나타냅니다.
- 40보다 큰 수이므로 오른쪽 방향으로 선을 긋습니다.

(2) 미만인 수

예 100 미만인 수

99.6, 97.3, 96.0, 95.2 등과 같이 100보다 작은 수를 100 **미만**인 수라고 합니다.

●가 자연수일 때, ● 미만인 자연수 중에서 가장 큰 수는 (●−1)입니다.

① 100 미만인 수에는 100이 포함되지 않고,
100 미만인 자연수 중에서 가장 큰 수는 99입니다.

② 100 미만인 수를 수직선에 나타내기

100이 포함되지 않습니다.

95 96 97 98 99 100 101 102 103

- 100이 포함되지 않으므로 기준이 되는 수 100을 점 ○으로 나타냅니다.
- 100보다 작은 수이므로 왼쪽 방향으로 선을 긋습니다.

1 지선이네 모둠 학생들의 수학 점수를 조사하여 나타낸 표를 보고 초과, 미만의 범위에 있는 수를 알아보려고 합니다. □ 안에 알맞은 수를 써넣고, 알맞은 것에 ○표 하세요.

지선이네 모둠 학생들의 수학 점수

이름	지선	광현	영지	재환	건우
점수(점)	92	85	89	75	94

(1) 수학 점수가 85점보다 높은 학생의 점수는 □점, □점, □점입니다.

(2) 85보다 큰 수를 85 (초과 , 미만)인 수라고 합니다.

(3) 수학 점수가 80점보다 낮은 학생의 점수는 □점입니다.

(4) 80보다 작은 수를 80 (초과 , 미만)인 수라고 합니다.

2 수를 보고 □ 안에 알맞은 수를 써넣으세요.

25 30 37 45 18 61 33 29

(1) 33 초과인 수: □, □, □

(2) 30 미만인 수: □, □, □

교과서 공통 **3** 51 초과인 수에 ○표, 45 미만인 수에 △표 하세요.

48 77 44 45 52 37 51 40

4 수의 범위를 수직선에 나타내어 보세요.

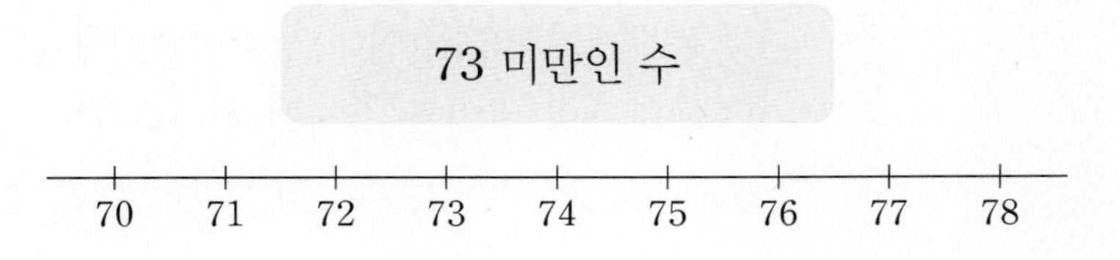

014쪽에서 개념을 한 번 더 다집니다.

학교별 모든 개념을 담았습니다.

교과서 개념 잡기

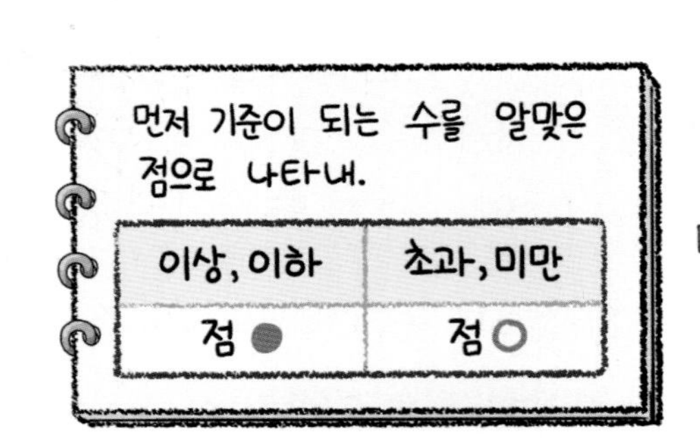

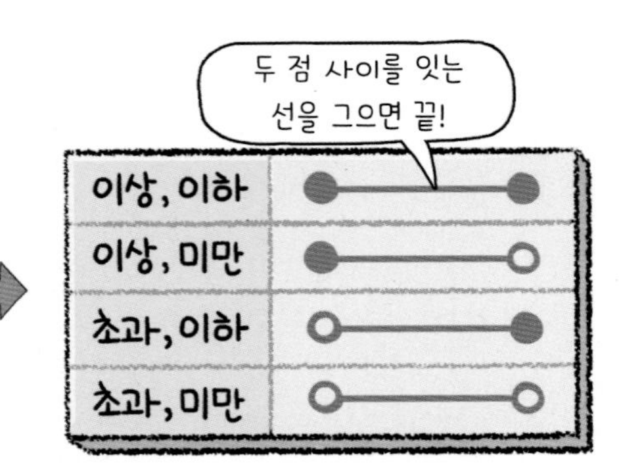

두 점 사이를 잇는 선을 그으면 끝!
이상, 이하
이상, 미만
초과, 이하
초과, 미만

3 수의 범위 활용하기

(1) 수의 범위를 수직선에 나타내기

예)

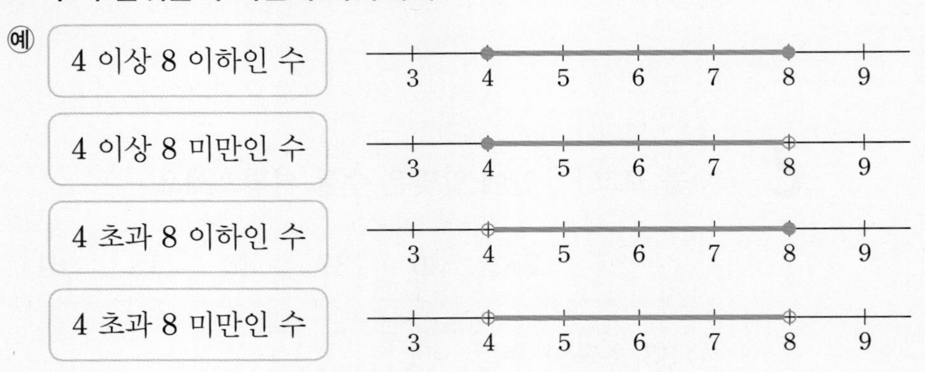

기준이 되는 수가 포함되면 점 ●으로, 기준이 되는 수가 포함되지 않으면 점 ○으로 나타냅니다.

[두 수 사이의 수의 범위를 수직선에 나타내는 방법]

① 이상과 이하는 점 ●으로, 초과와 미만은 점 ○으로 나타냅니다.

② 두 점 사이를 잇는 선을 긋습니다.

(2) 등급의 범위를 수직선에 나타내기

예) 몸무게가 36 kg인 학생이 속한 체급의 범위를 수직선에 나타내기

태권도 대회의 체급별 몸무게(초등학교 남학생용)

체급	몸무게(kg)
밴텀급	32 초과 34 이하
페더급	34 초과 37 이하 → 36 kg이 속한 범위
라이트급	37 초과 40 이하

(출처: 초등부 고학년부(5~6학년) 남자, 대한 태권도 협회, 2019.)

① 몸무게가 36 kg인 학생이 속한 체급: 페더급

② 페더급의 범위를 수직선에 나타내기 → 34 초과 37 이하

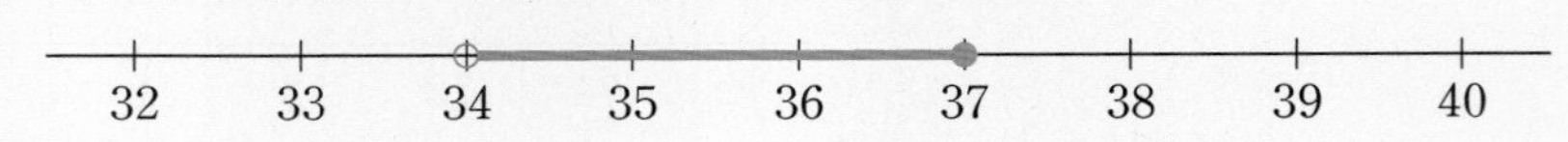

1

윤하가 우체국에서 편지를 보내려고 합니다. 윤하가 보낼 편지의 무게가 45 g일 때 내야 하는 우편 요금은 얼마인지 알아보려고 합니다. 물음에 답하세요.

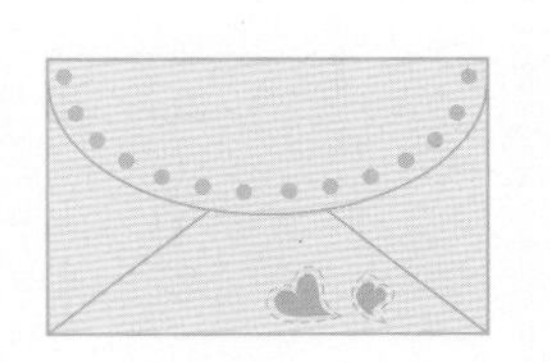

무게별 우편 요금

무게(g)	요금(원)
5 이하	300
5 초과 25 이하	330
25 초과 50 이하	350

(출처: 우체국, 2019.)

(1) □ 안에 알맞은 수를 써넣으세요.

윤하가 보낼 편지의 무게가 속한 범위는 □ 초과 □ 이하입니다.

윤하가 내야 하는 우편 요금은 □원입니다.

(2) 위의 표에서 45 g이 속한 무게 범위를 수직선에 나타내어 보세요.

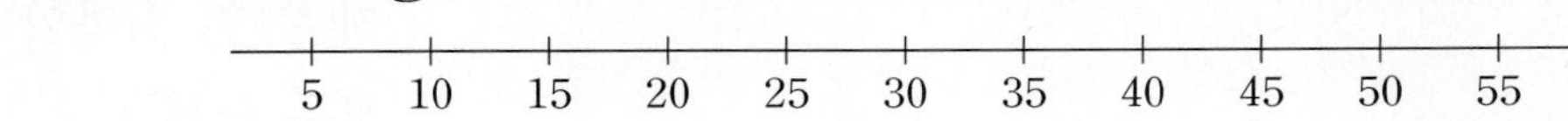

교과서 공통 2

28 초과 32 이하인 수에 **모두** ○표 하세요.

27 28 29 30 31 32 33 34

3

수직선을 보고 보기 에서 알맞은 말을 골라 □ 안에 써넣으세요.

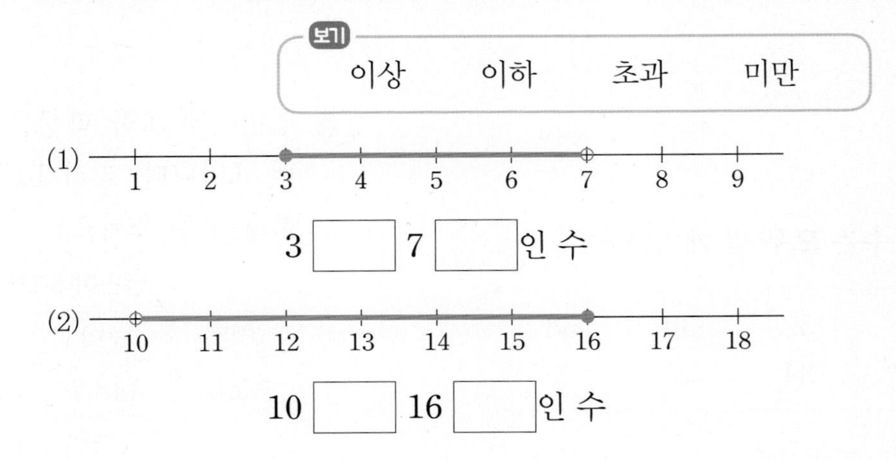

015쪽에서 개념을 **한 번 더** 다집니다.

STEP 2 개념 한번더 잡기

1 이상과 이하

01 지희네 모둠 학생들이 한 달 동안 읽은 책의 수를 조사하여 나타낸 표입니다. 읽은 책의 수가 14 이상인 학생의 책의 수에 **모두** ○표 하세요.

지희네 모둠 학생들이 읽은 책의 수

이름	책의 수(권)	이름	책의 수(권)
지희	15	성민	9
승현	17	은성	14
정원	13	효진	12

02 민우네 학교의 학년별 학생 수를 나타낸 표입니다. 학생 수가 150명 이하인 학년을 **모두** 쓰세요.

민우네 학교의 학년별 학생 수

학년	3	4	5	6
학생 수(명)	164	142	150	159

( )

03 35 이상인 수는 **모두** 몇 개인가요?

35	32	30	38
100	34	40	5

( )

04 수의 범위를 수직선에 나타내어 보세요.

31 이하인 수

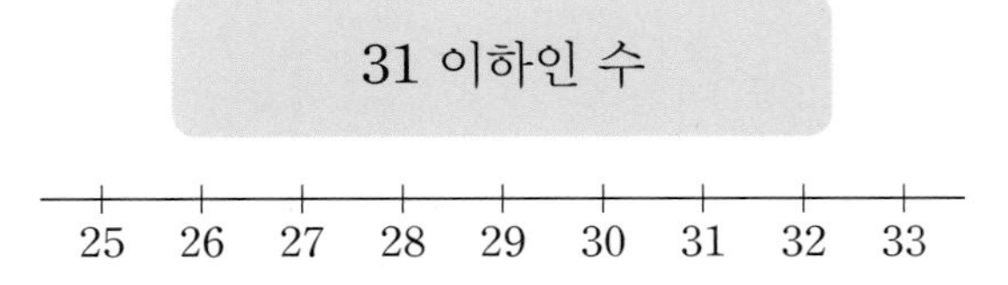

2 초과와 미만

05 지윤이네 모둠 학생들의 팔 굽혀 펴기 횟수를 조사하여 나타낸 표입니다. 팔 굽혀 펴기 횟수가 21회 초과인 학생의 팔 굽혀 펴기 횟수를 **모두** 쓰세요.

지윤이네 모둠 학생들의 팔 굽혀 펴기 횟수

이름	횟수(회)	이름	횟수(회)
지윤	23	유진	24
민기	19	채연	21
현주	25	정석	20

( )

06 영민이네 모둠 학생들의 키를 조사하여 나타낸 표입니다. 키가 145 cm 미만인 학생의 이름을 **모두** 쓰세요.

영민이네 모둠 학생들의 키

이름	영민	송화	지원	가은
키(cm)	148.2	143.9	145.0	142.5

( )

정답 01쪽

07 38 미만인 수를 **모두** 찾아 쓰세요.

39.2	35	47	33.5
34.7	45	38	90

( )

08 수의 범위를 수직선에 나타내어 보세요.

46 초과인 수

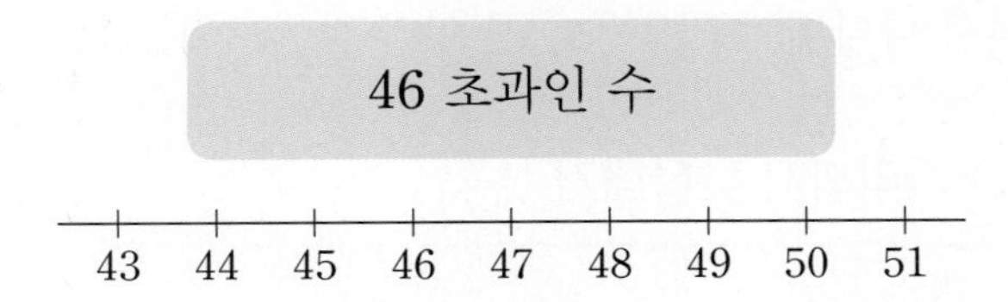

3 수의 범위 활용하기

09 47 이상 51 미만인 수에 **모두** ○표 하세요.

47	38.6	47.8	39
51	42.7	50.5	48

10 수직선에 나타낸 수의 범위를 쓰세요.

5 6 7 8 9 10 11 12 13

( )

11 수의 범위를 수직선에 나타내어 보세요.

15 이상 20 미만인 수

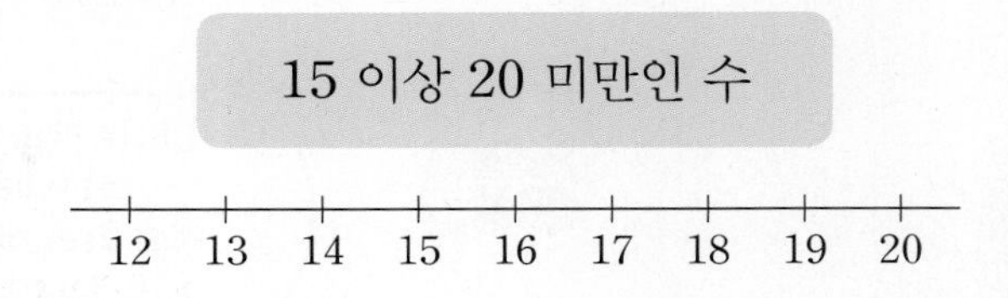

12 성준이가 초등학교 씨름 대회에 참가하려고 합니다. 성준이의 몸무게가 50 kg일 때 어느 체급에 속하는지 쓰세요.

씨름 대회의 체급별 몸무게(초등학교 남학생용)

체급	몸무게(kg)
경장급	40 이하
소장급	40 초과 45 이하
청장급	45 초과 50 이하
용장급	50 초과 55 이하

(출처: 씨름 경기 규칙, 대한 씨름 협회, 2019.)

( )

13 25가 포함되는 수의 범위를 찾아 기호를 쓰세요.

㉠ 25 초과 30 미만인 수
㉡ 26 이상 29 미만인 수
㉢ 23 초과 28 이하인 수

( )

학교별 모든 개념을 담았습니다.

STEP 1 교과서 개념 잡기

올림하여 백의 자리까지
나타내려면
백의 자리 아래 수인
15를 100으로 올려!
315→400

버림하여 백의 자리까지
나타내려면
백의 자리 아래 수인
15를 0으로 버려!
315→300

개념 강의

4 올림

구하려는 자리의 아래 수를 올려서 나타내는 방법을 **올림**이라고 합니다.

올림하여 나타낼 때는 구하려는 자리의 숫자에 1을 더하고, 그 아래 수를 모두 0으로 씁니다.

예 자연수 1374를 올림하여 주어진 자리까지 나타내기

십의 자리	백의 자리	천의 자리
1374 → 1380	1374 → 1400	1374 → 2000
4를 10으로 봅니다.	74를 100으로 봅니다.	374를 1000으로 봅니다.

예 소수 2.719를 올림하여 주어진 자리까지 나타내기

일의 자리	소수 첫째 자리	소수 둘째 자리
2.719 → 3	2.719 → 2.8	2.719 → 2.72
0.719를 1로 봅니다.	0.019를 0.1로 봅니다.	0.009를 0.01로 봅니다.

5 버림

구하려는 자리의 아래 수를 버려서 나타내는 방법을 **버림**이라고 합니다.

버림하여 나타낼 때는 구하려는 자리의 아래 수를 모두 0으로 씁니다.

예 자연수 2586을 버림하여 주어진 자리까지 나타내기

십의 자리	백의 자리	천의 자리
2586 → 2580	2586 → 2500	2586 → 2000
6을 0으로 봅니다.	86을 0으로 봅니다.	586을 0으로 봅니다.

예 소수 1.457을 버림하여 주어진 자리까지 나타내기

일의 자리	소수 첫째 자리	소수 둘째 자리
1.457 → 1	1.457 → 1.4	1.457 → 1.45
0.457을 0으로 봅니다.	0.057을 0으로 봅니다.	0.007을 0으로 봅니다.

1 학생 163명에게 지우개를 한 개씩 나누어 주려고 합니다. 문구점에서 지우개를 10개씩 묶음으로 판다면 최소 몇 개를 사야 하는지 알아보려고 합니다. 물음에 답하세요.

(1) 지우개를 최소 몇 개 사야 하나요?

( )

(2) 163을 올림하여 십의 자리까지 나타내면 얼마인가요?

( )

교과서 공통 **2** 올림하여 주어진 자리까지 나타내어 보세요.

(1) 156을 올림하여 십의 자리까지 → ( )

(2) 36.2를 올림하여 일의 자리까지 → ( )

3 사탕 647개를 한 봉지에 100개씩 담으려고 합니다. 봉지에 담을 수 있는 사탕은 최대 몇 개인지 알아보려고 합니다. 물음에 답하세요.

(1) 사탕을 최대 몇 개까지 담을 수 있나요?

( )

(2) 647을 버림하여 백의 자리까지 나타내면 얼마인가요?

( )

교과서 공통 **4** 버림하여 주어진 자리까지 나타내어 보세요.

(1) 485를 버림하여 십의 자리까지 → ( )

(2) 7.98을 버림하여 소수 첫째 자리까지 → ( )

022쪽에서 개념을 한 번 더 다집니다.

STEP 1

학교별 모든 개념을 담았습니다.

교과서 개념 잡기

한눈에 방법쏙

6 반올림

구하려는 자리 바로 아래 자리의 숫자가 0, 1, 2, 3, 4이면 버리고, 5, 6, 7, 8, 9이면 올려서 나타내는 방법을 **반올림**이라고 합니다.

(1) 수직선을 이용하여 반올림하기

수직선에서 주어진 수에 더 가까운 수를 찾아 몇십 또는 몇백으로 반올림하여 나타냅니다.

예 8362를 반올림하여 주어진 자리까지 나타내기

① 8362는 8360과 8370 중에서 8360에 더 가깝습니다.

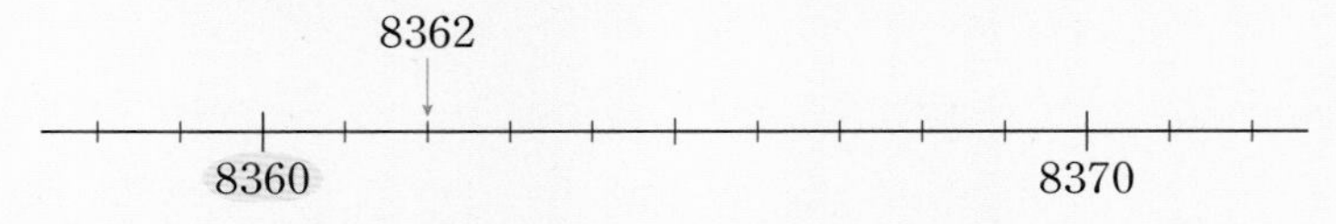

➔ 8362를 반올림하여 십의 자리까지 나타내면 8360입니다.

② 8362는 8300과 8400 중에서 8400에 더 가깝습니다.

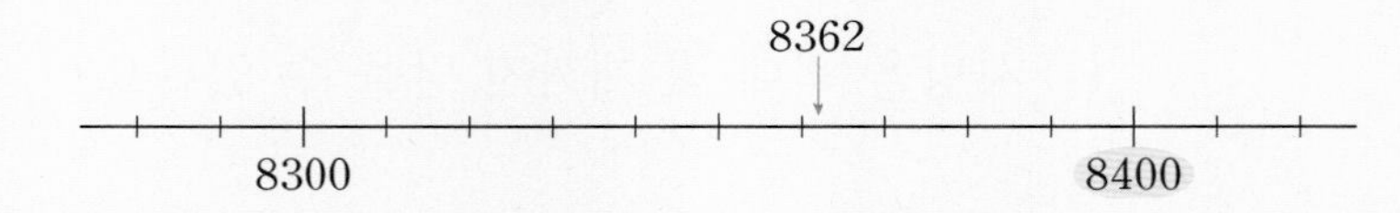

➔ 8362를 반올림하여 백의 자리까지 나타내면 8400입니다.

(2) 자연수와 소수를 반올림하여 나타내기

올림과 버림은 구하려는 자리의 아래 수를 모두 확인해야 하지만 반올림은 구하려는 자리 바로 아래 한 자리 숫자만 확인하면 됩니다.

예 자연수 3574를 반올림하여 주어진 자리까지 나타내기

십의 자리	백의 자리	천의 자리
3574 ➔ 3570	3574 ➔ 3600	3574 ➔ 4000
4이므로 버립니다.	7이므로 올립니다.	5이므로 올립니다.

예 소수 4.731을 반올림하여 주어진 자리까지 나타내기

일의 자리	소수 첫째 자리	소수 둘째 자리
4.731 ➔ 5	4.731 ➔ 4.7	4.731 ➔ 4.73
7이므로 올립니다.	3이므로 버립니다.	1이므로 버립니다.

매칭북 06쪽 정답 02쪽

1 오늘 야구장에 입장한 어린이는 3476명입니다. 야구장에 입장한 어린이의 수를 어림하는 방법을 알아보려고 합니다. 물음에 답하세요.

(1) 어린이의 수를 수직선에 ↓로 나타내어 보세요.

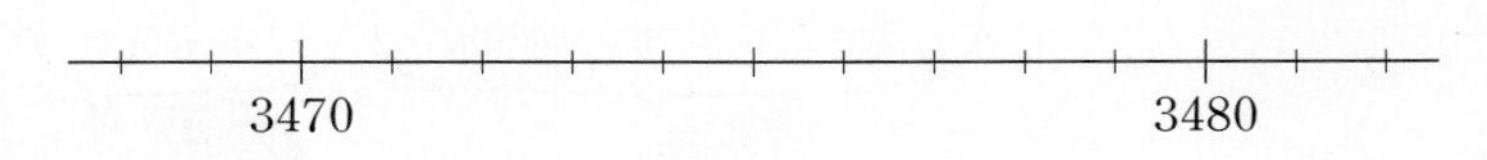

(2) 알맞은 수에 ○표 하세요.

3476은 3470과 3480 중에서 (3470 , 3480)에 더 가깝습니다.

(3) 오늘 야구장에 입장한 어린이는 약 몇십 명이라고 할 수 있나요?

( )

교과서 공통 2 반올림하여 백의 자리까지 나타내어 보세요.

(1) 1779 → ( )

(2) 6134 → ( )

3 반올림하여 천의 자리까지 나타내면 3000이 되는 수에 ○표 하세요.

2256 3184 3921

교과서 공통 4 반올림하여 주어진 자리까지 나타내어 보세요.

수	십의 자리	백의 자리	천의 자리
5713			

023쪽 에서 개념을 **한 번 더** 다집니다.

STEP 1 학교별 모든 개념을 담았습니다.

교과서 개념 잡기

한눈에 핵심쏙

올림
종이꽃을 만드는 데 최소 필요한 색종이의 수는 올림해서 모자라지 않게 사야 해.

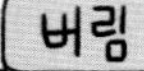
버림
모은 동전을 지폐로 바꿀 때 최대로 바꿀 수 있는 금액은 버림하여 구할 수 있어.

반올림
오늘 출국한 외국인의 수를 말할 때는 반올림하여 약 몇천 명이라고 할 수 있어.

개념 강의

7 올림, 버림, 반올림 활용하기

(1) 올림을 활용하여 문제 해결하기

예) 책꽂이 한 칸에 책을 10권씩 꽂을 수 있습니다. 책 156권을 꽂으려면 책꽂이는 최소 몇 칸이 필요한지 알아보세요.

→ 한 칸에 10권씩 150권을 꽂고 남은 6권도 꽂아야 하므로 156권을 160권으로 올림하면 책꽂이는 최소 $160 \div 10 = 16$(칸)이 필요합니다.

156을 올림하여 십의 자리까지 나타내기: 156 → 160 (올림)

(2) 버림을 활용하여 문제 해결하기

예) 과수원에서 수확한 복숭아 207개를 한 상자에 10개씩 담아서 팔려고 합니다. 팔 수 있는 복숭아는 최대 몇 상자인지 알아보세요.

→ 복숭아가 10개보다 적은 상자는 팔 수 없으므로 207개를 200개로 버림하면 팔 수 있는 복숭아는 최대 $200 \div 10 = 20$(상자)입니다.

207을 버림하여 십의 자리까지 나타내기: 207 → 200 (버림)

(3) 반올림을 활용하여 문제 해결하기

예) 축구장에 입장한 관람객의 수는 3792명입니다. 관람객의 수는 약 몇천 명이라고 할 수 있는지 알아보세요.

→ 3792명이 3000명과 4000명 중에서 어느 쪽에 더 가까운지 구해야 하므로 반올림하여 천의 자리까지 나타내야 합니다.
3792의 백의 자리 숫자가 7이므로 올림하면 관람객의 수는 약 4000명이라고 할 수 있습니다.
(7: 5 이상인 수이므로 올립니다.)

정답 03쪽

1단원

1 관광객 125명이 전망대에 오르려고 케이블카 앞에 줄을 서 있습니다. 케이블카 한 대에 탈 수 있는 정원이 10명일 때 케이블카를 최소 몇 번 운행해야 하는지 알아보려고 합니다. 알맞은 것에 ○표 하고, □ 안에 알맞은 수를 써넣으세요.

(1) 관광객 125명을 (올림 , 버림 , 반올림)하여 (120 , 130)명으로 생각합니다.

(2) 관광객 125명이 모두 케이블카를 타고 전망대에 오르려면 케이블카를 최소 □번 운행해야 합니다.

2 수현이가 저금통에 동전을 모았습니다. 모은 돈이 54950원일 때 10000원짜리 지폐로 최대 몇 장까지 바꿀 수 있는지 알아보려고 합니다. 물음에 답하세요.

(1) 올림, 버림, 반올림 중에서 어떤 방법으로 어림해야 하나요?

( )

(2) 10000원짜리 지폐로 최대 몇 장까지 바꿀 수 있나요?

( )

교과서 공통 **3** 서하네 모둠 학생들의 제자리멀리뛰기 기록을 조사하여 나타낸 표입니다. 각 학생들이 뛴 거리는 몇 cm인지 반올림하여 일의 자리까지 나타내어 보세요.

서하네 모둠 학생들의 제자리멀리뛰기 기록

이름	서하	연경	유미
뛴 거리(cm)	159.3	138.7	142.1
반올림한 거리(cm)	159		

023쪽에서 개념을 한 번 더 다집니다.

개념 한번더 잡기

4 올림

01 1000원짜리 지폐로만 4500원짜리 물건을 사려고 합니다. 최소 얼마를 내야 하나요?

(　　　　　　　　)

02 올림하여 십의 자리까지 나타낸 수에 ○표 하세요.

5664

(5650 , 5660 , 5670)

03 올림하여 백의 자리까지 나타내어 보세요.

(1) 3584 → (　　　　　　　　)

(2) 7801 → (　　　　　　　　)

04 소수를 올림해 보세요.

(1) 1.828을 올림하여 소수 첫째 자리까지 나타내어 보세요.

(　　　　　　　　)

(2) 6.452를 올림하여 소수 둘째 자리까지 나타내어 보세요.

(　　　　　　　　)

5 버림

05 초콜릿 546개를 한 상자에 10개씩 담으려고 합니다. 상자에 담을 수 있는 초콜릿은 최대 몇 개인가요?

(　　　　　　　　)

06 버림하여 주어진 자리까지 나타내어 보세요.

수	십의 자리	백의 자리
137		

07 □ 안에 알맞은 수를 써넣으세요.

7.813을 버림하여 소수 둘째 자리까지 나타내면 □입니다.

08 버림하여 백의 자리까지 나타내면 4200이 되는 수에 ○표 하세요.

4289　　4120　　4310

6 반올림

09 오늘 박물관 입장객은 2887명입니다. 입장객의 수를 수직선에 ↓로 나타내고, 입장객은 약 몇백 명이라고 할 수 있는지 구하세요.

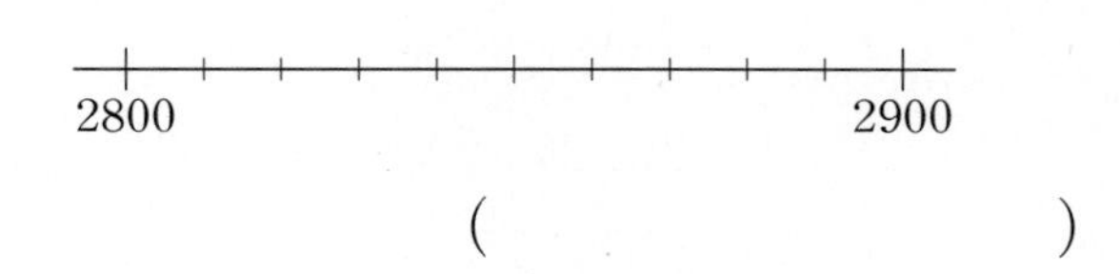

(　　　　　　　　)

10 반올림하여 천의 자리까지 나타내어 보세요.

(1) 2086 → (　　　　　　　　)

(2) 5998 → (　　　　　　　　)

11 2.437을 반올림하여 주어진 자리까지 나타내어 보세요.

소수 첫째 자리 (　　　　　　　　)
소수 둘째 자리 (　　　　　　　　)

12 반올림하여 백의 자리까지 나타내면 5600이 되는 수를 찾아 기호를 쓰세요.

㉠ 5511　㉡ 5670　㉢ 5624

(　　　　　　　　)

7 올림, 버림, 반올림 활용하기

13 놀이공원에 한 번에 10명씩 탈 수 있는 범퍼카가 있습니다. 208명이 모두 타려면 범퍼카는 최소 몇 번 운행해야 하나요?

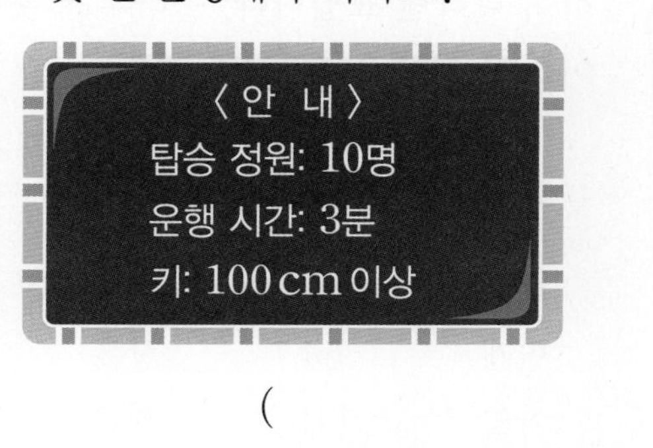

(　　　　　　　　)

14 선물 한 개를 포장하는 데 끈 1 m가 필요합니다. 끈 935 cm로 선물을 최대 몇 개까지 포장할 수 있나요?

(　　　　　　　　)

15 영호네 모둠 학생들의 몸무게를 조사하여 나타낸 표입니다. 각 학생들의 몸무게는 몇 kg인지 반올림하여 일의 자리까지 나타내어 보세요.

영호네 모둠 학생들의 몸무게

이름	영호	수아	유리
몸무게(kg)	47.2	45.8	51.5

영호 (　　　　　　　　)
수아 (　　　　　　　　)
유리 (　　　　　　　　)

학교별 모든 수학 익힘 문제를 담았습니다.

STEP 3 수학 익힘 문제 잡기

문제 강의

008쪽 개념 ❶

01 연우네 모둠 학생들의 훌라후프 횟수를 조사하여 나타낸 표입니다. 훌라후프 횟수가 100회 이하인 학생은 **모두** 몇 명인가요?

연우네 모둠 학생들의 훌라후프 횟수

이름	횟수(회)	이름	횟수(회)
연우	104	다현	89
민재	54	상윤	75
아영	110	혜주	130

(　　　　　)

008쪽 개념 ❶

02 대한민국에서 투표할 수 있는 나이는 만 18세 이상입니다. 세희네 가족 중에서 투표할 수 있는 사람을 **모두** 쓰세요.

세희네 가족의 나이

가족	오빠	어머니	나	아버지	언니
나이(만 세)	18	45	12	51	17

(　　　　　)

010쪽 개념 ❷

03 어느 항공사는 수하물의 무게가 23 kg을 초과할 때 요금을 더 내야 합니다. 요금을 더 내야 하는 수하물을 **모두** 찾아 기호를 쓰세요.

수하물의 무게

수하물	㉠	㉡	㉢	㉣
무게(kg)	21.8	25.3	23.0	24.1

(　　　　　)

익힘책 공통 010쪽 개념 ❷

04 바르게 설명한 것에 ○표, 잘못 설명한 것에 ×표 하세요.

(1) 92는 92 미만인 수에 포함됩니다.

(　　　　　)

(2) 25, 26, 27 중에서 26 초과인 수는 27뿐입니다.

(　　　　　)

012쪽 개념 ❸

05 수의 범위를 수직선에 나타내고, 범위에 포함되는 자연수를 **모두** 쓰세요.

10 이상 12 이하인 수

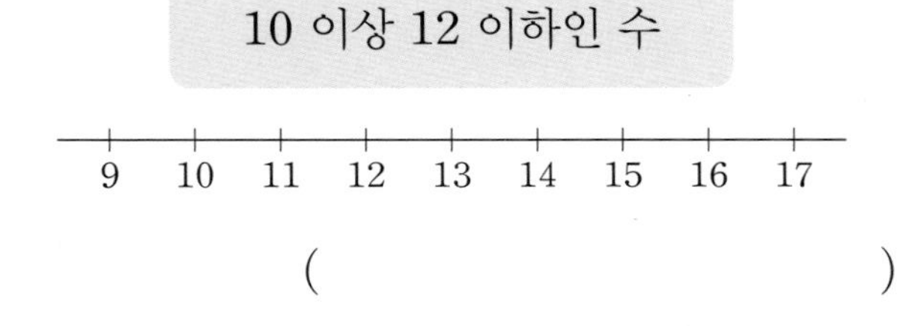

(　　　　　)

012쪽 개념 ❸

06 다음 수의 범위를 나타내려고 합니다. □ 안에 이상, 이하, 초과, 미만 중에서 알맞은 말을 써넣으세요.

문제 강의

21 22 23 24 25 26 27

20 □ 28 □인 자연수

012쪽 개념 ❸

07 진아네 가족은 13세인 진아, 43세인 아버지, 39세인 어머니로 모두 3명입니다. 진아네 가족이 모두 박물관에 입장하려면 입장료를 얼마 내야 하는지 알아보려고 합니다. □ 안에 알맞은 수나 말을 써넣으세요.

박물관 입장료

구분	어린이	청소년	어른
요금(원)	1000원	2000원	3000원

- 어린이: 8세 이상 13세 이하
- 청소년: 13세 초과 20세 미만
- 어른: 20세 이상 65세 미만
- 8세 미만과 65세 이상은 무료

(1) 어린이, 청소년, 어른 중에서 진아의 나이가 속한 범위는 □이므로 진아의 입장료는 □원입니다.

(2) 아버지와 어머니의 입장료는 각각 □원입니다.

(3) 진아네 가족은 입장료를 □원 내야 합니다.

016쪽 개념 ❹

08 민호의 사물함 비밀번호를 올림하여 백의 자리까지 나타내면 9500입니다. 민호의 사물함 비밀번호를 구하세요.

(　　　　　　　　)

익힘책 공통 016쪽 개념 ❹

09 8923을 올림하여 천의 자리까지 나타낸 수와 올림하여 십의 자리까지 나타낸 수의 차를 구하세요.

문제 강의

(　　　　　　　　)

016쪽 개념 ❺

10 어림한 후, 크기를 비교하여 ○ 안에 >, =, <를 알맞게 써넣으세요.

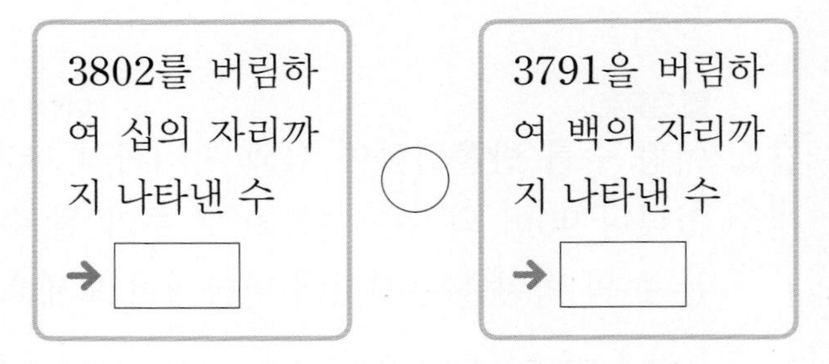

3802를 버림하여 십의 자리까지 나타낸 수
➔ □
3791을 버림하여 백의 자리까지 나타낸 수
➔ □

016쪽 개념 ❺

11 버림하여 천의 자리까지 나타내면 6000이 되는 자연수 중에서 가장 큰 수를 쓰세요.

(　　　　　　　　)

018쪽 개념 ❻

12 주어진 수를 반올림하여 십의 자리까지 나타내었더니 4260이 되었습니다. □ 안에 들어갈 수 있는 일의 자리 수를 **모두** 구하세요.

425□

(　　　　　　　　)

1 단원

매칭북 31~37쪽 정답 04쪽

018쪽 개념 ❻

13 수 카드 4장을 한 번씩만 사용하여 가장 큰 네 자리 수를 만들었습니다. 만든 네 자리 수를 반올림하여 백의 자리까지 나타내면 얼마인가요?

1　8　6　3

(　　　　　　　)

익힘책 공통

018쪽 개념 ❻

14 문제 강의

어떤 수를 반올림하여 십의 자리까지 나타내었더니 90이 되었습니다. 어떤 수가 될 수 있는 수의 범위를 수직선에 나타내어 보세요.

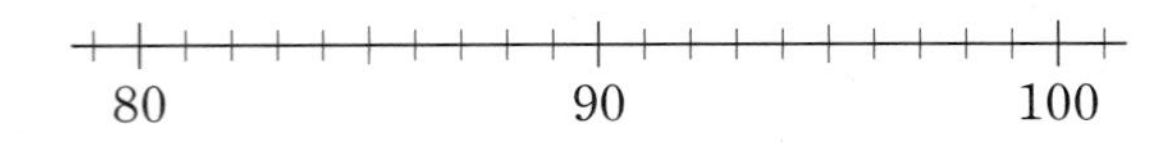

020쪽 개념 ❼

15 어림하는 방법이 다른 한 친구를 찾아 이름을 쓰세요.

연재: 공책 185권을 10권씩 묶어서 팔면 모두 180권을 팔 수 있어.
아현: 한 개에 10명까지 앉을 수 있는 의자에 79명이 앉으려면 의자는 최소 8개가 필요해.
석희: 동전 4350원을 1000원짜리 지폐로 바꾼다면 최대 4000원까지 바꿀 수 있어.

(　　　　　　　)

020쪽 개념 ❼

16 두 물건을 사는 데 필요한 돈을 어림했습니다. 돈이 부족하지 않게 잘 어림한 친구는 누구인가요?

지혜: 나는 8000원, 6000원으로 어림했어. 14000원으로 살 수 있을 거야.

현민: 나는 9000원, 6000원으로 어림했어. 15000원이면 충분해.

(　　　　　　　)

생각+문제

17 문제 강의

자연수 부분이 4 초과 6 이하이고, 소수 첫째 자리 숫자가 7 이상 9 미만인 소수 한 자리 수를 만들려고 합니다. **만들 수 있는 소수 한 자리 수를 모두** 쓰세요.

(1) 자연수 부분이 될 수 있는 수를 모두 쓰세요.

(　　　　　　　)

(2) 소수 첫째 자리 숫자가 될 수 있는 수를 모두 쓰세요.

(　　　　　　　)

(3) 만들 수 있는 소수 한 자리 수를 모두 쓰세요.

(　　　　　　　)

서술형 잡기

서술형 강의

1 **15 이상 20 미만인 자연수를 모두 더하면 얼마**인지 풀이 과정을 쓰고, 답을 구하세요.

해결 순서
❶ 15 이상 20 미만인 자연수 모두 구하기
❷ 15 이상 20 미만인 자연수를 모두 더한 값 구하기

풀이 ❶ 15 이상 20 미만인 자연수를 모두 구하면 ☐, ☐, ☐, ☐, ☐입니다.

❷ 15 이상 20 미만인 자연수를 모두 더하면 ☐+☐+☐+☐+☐=☐입니다.

답

2 **6 초과 11 이하인 자연수를 모두 더하면 얼마**인지 풀이 과정을 쓰고, 답을 구하세요.

해결 순서
❶ 6 초과 11 이하인 자연수 모두 구하기
❷ 6 초과 11 이하인 자연수를 모두 더한 값 구하기

풀이

답

3 호진이가 문구점에서 물건을 사고 1000원짜리 지폐로만 물건값을 낸다면 **최소 얼마를 내야** 하는지 풀이 과정을 쓰고, 답을 구하세요.

호진
나는 3600원짜리 수첩 한 개와 4500원짜리 필통 한 개를 살 거야.

해결 순서
❶ 호진이가 산 물건값 구하기
❷ 1000원짜리 지폐로만 낼 때 내야 하는 금액 구하기

풀이 ❶ 호진이가 산 물건값은 ☐+☐=☐(원)입니다.

❷ 물건값인 ☐원을 올림하여 천의 자리까지 나타내면 내야 하는 금액은 ☐원입니다.

답

4 서윤이가 빵집에서 빵을 사고 1000원짜리 지폐로만 빵값을 낸다면 **최소 얼마를 내야** 하는지 풀이 과정을 쓰고, 답을 구하세요.

서윤
나는 1700원짜리 크림빵 한 개와 1500원짜리 단팥빵 두 개를 샀어.

해결 순서
❶ 서윤이가 산 빵값 구하기
❷ 1000원짜리 지폐로만 낼 때 내야 하는 금액 구하기

풀이

답

단원 마무리

1. 수의 범위와 어림하기

점수

01 □ 안에 알맞은 말을 써넣으세요.

17과 같거나 작은 수를 17 □인 수라고 합니다.

02 올림하여 십의 자리까지 나타내어 보세요.

1063

(　　　　　　　)

03 버림하여 백의 자리까지 나타내어 보세요.

3160

(　　　　　　　)

04 수의 범위를 수직선에 나타내어 보세요.

31 초과 36 이하인 수

30 31 32 33 34 35 36 37 38

05 50 이상인 수에 ○표, 50 이하인 수에 △표 하세요.

49　50　51　52　53

06 성규네 모둠 학생들의 15 m 왕복 오래달리기 기록을 조사하여 나타낸 표입니다. 왕복 오래달리기 횟수가 70회 초과인 학생의 이름을 모두 쓰세요.

성규네 모둠 학생들의 왕복 오래달리기 기록

이름	성규	지희	혜민	민겸
횟수(회)	68	63	75	80

(　　　　　　　)

07 반올림하여 주어진 자리까지 나타내어 보세요.

수	십의 자리	백의 자리	천의 자리
4307			
91824			

08 수를 올림, 버림, 반올림하여 백의 자리까지 나타내어 보세요.

수	올림	버림	반올림
1321			

09 버림하여 백의 자리까지 나타내면 800이 되는 수를 모두 쓰세요.

853　902　898　948

(　　　　　　　　)

10 배 297상자를 트럭에 모두 실으려고 합니다. 트럭 한 대에 100상자씩 실을 수 있을 때 트럭은 최소 몇 대 필요한가요?

(　　　　　　　　)

11 하영이가 저금통에 동전을 모았습니다. 모은 돈이 29400원일 때 1000원짜리 지폐로 최대 몇 장까지 바꿀 수 있나요?

(　　　　　　　　)

12 지수네 모둠 학생들의 키를 조사하여 나타낸 표입니다. 각 학생들의 키는 몇 cm인지 반올림하여 일의 자리까지 나타내어 보세요.

지수네 모둠 학생들의 키

이름	키(cm)	반올림한 키(cm)
지수	137.9	
채윤	150.2	
서하	148.1	
영규	142.5	

[13～14] 준영이네 모둠 학생들이 1분 동안 한 윗몸 말아 올리기 기록을 보고 물음에 답하세요.

준영이네 모둠 학생들의 윗몸 말아 올리기 기록

이름	준영	민선	정훈	지선
횟수(회)	28	32	21	18

윗몸 말아 올리기 횟수별 상품

횟수(회)	상품
20 이상 24 이하	연필
25 이상 29 이하	공책
30 이상	필통

13 윗몸 말아 올리기 횟수가 28회 이상인 학생의 이름을 모두 쓰세요.

(　　　　　　　　)

14 상품으로 필통을 받는 학생은 누구인가요?

(　　　　　　　　)

15 진호네 모둠 학생들의 봉사 활동 시간을 조사하여 나타낸 표입니다. 봉사 활동 시간이 25시간 이상인 학생은 모두 몇 명인가요?

진호네 모둠 학생들의 봉사 활동 시간

이름	시간(시간)	이름	시간(시간)
진호	16	지윤	14
연우	4	승호	30
민재	26	정민	10

( )

16 높이가 2 m 미만인 차만 통과할 수 있는 도로가 있습니다. 이 도로를 통과할 수 있는 자동차를 모두 찾아 기호를 쓰세요.

자동차	㉠	㉡	㉢	㉣
높이(m)	1.95	2.85	2.07	1.64

( )

17 4562를 버림하여 천의 자리까지 나타낸 수와 버림하여 백의 자리까지 나타낸 수의 차를 구하세요.

( )

18 어떤 수를 반올림하여 십의 자리까지 나타내었더니 50이 되었습니다. 어떤 수가 될 수 있는 수의 범위를 수직선에 나타내어 보세요.

40 50 60

서술형

19 10 이상 15 미만인 자연수를 모두 더하면 얼마인지 풀이 과정을 쓰고, 답을 구하세요.

풀이

답

서술형

20 진욱이는 마트에서 6400원짜리 인형 한 개와 8500원짜리 로봇 한 개를 샀습니다. 10000원짜리 지폐로만 물건값을 낸다면 최소 얼마를 내야 하는지 풀이 과정을 쓰고, 답을 구하세요.

풀이

답

창의력 쑥쑥

민경이는 창고를 정리하다가 보물 상자를 발견했어요.
그런데 비밀번호를 알아야 보물 상자를 열 수 있어요.
힌트를 보고 도형에 숨어 있는 비밀번호를 찾아보세요.

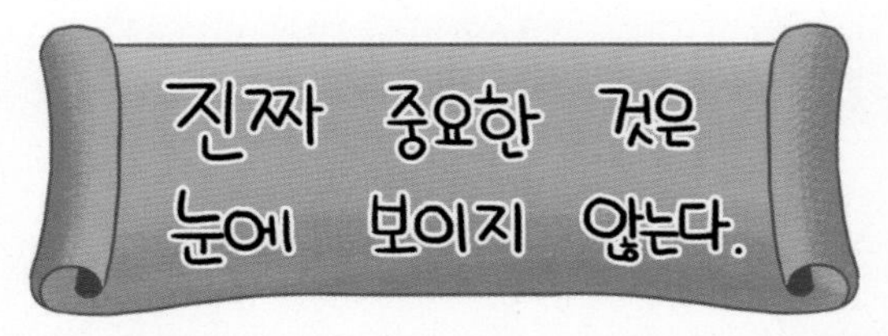

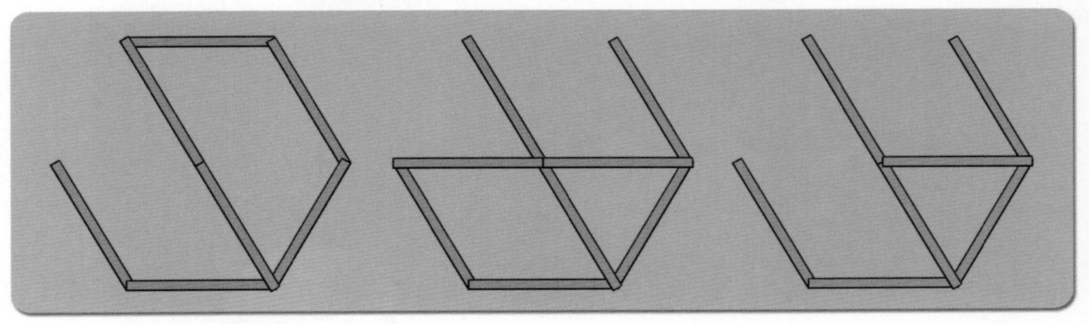

● 정답은 진도북 **148**쪽에서 확인하세요.

2 분수의 곱셈

오늘은 간식으로 떡볶이를 만들어 먹자!
물이 1 L의 $\frac{4}{5}$만큼이면 몇 mL를 넣어야 하는 걸까?

동영상 강의와 함께 계획을 세워 공부합니다.
동영상 강의를 시청했으면 ▢에 ∨표 하세요.

공부한 날	동영상 확인	쪽수	학습 내용
월 일	▶ ▢	034~037쪽	교과서 개념 잡기 ❶ (분수)×(자연수) ❷ (자연수)×(분수)
월 일		038~039쪽	개념 한 번 더 잡기
월 일	▶ ▢	040~043쪽	교과서 개념 잡기 ❸ 진분수의 곱셈 ❹ 대분수의 곱셈 ❺ 세 분수의 곱셈
월 일		044~046쪽	개념 한 번 더 잡기
월 일	▶ ▢	047~050쪽	수학 익힘 문제 잡기
월 일	▶ ▢	051쪽	서술형 잡기
월 일		052~054쪽	단원 마무리

학교별 모든 개념을 담았습니다.

STEP 1 교과서 개념 잡기

한눈에 방법쏙

어! 왜 틀린 거지?

$\frac{1}{2}\times 3$은 $\frac{1}{2}$을 3번 더한 것과 같으니까 분모는 그대로 두고, 분자에만 자연수를 곱해야 해!

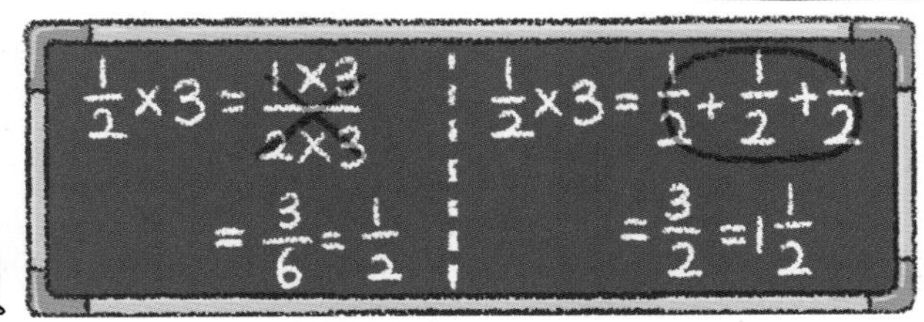

개념 강의

1 (분수) × (자연수)

(1) (진분수) × (자연수)

예 $\frac{5}{6}\times 3$의 계산

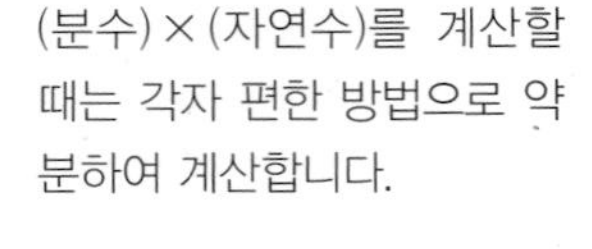

(분수) × (자연수)를 계산할 때는 각자 편한 방법으로 약분하여 계산합니다.

방법 1 분수의 곱셈을 다 한 후 약분하기

$$\frac{5}{6}\times 3=\frac{5\times 3}{6}=\frac{\overset{5}{\cancel{15}}}{\underset{2}{\cancel{6}}}=\frac{5}{2}=2\frac{1}{2}$$

방법 2 분수의 곱셈을 하는 과정에서 약분하기

$$\frac{5}{6}\times 3=\frac{5\times \overset{1}{\cancel{3}}}{\underset{2}{\cancel{6}}}=\frac{5}{2}=2\frac{1}{2} \qquad \frac{5}{\underset{2}{\cancel{6}}}\times \overset{1}{\cancel{3}}=\frac{5}{2}=2\frac{1}{2}$$

분수의 분모는 그대로 두고, 분자와 자연수를 곱합니다. $\frac{●}{■}\times ▲=\frac{●\times ▲}{■}$

(2) (대분수) × (자연수)

예 $1\frac{1}{3}\times 2$의 계산

방법 1 대분수를 가분수로 바꾸어 계산하기

$$1\frac{1}{3}\times 2=\frac{4}{3}\times 2=\frac{4\times 2}{3}=\frac{8}{3}=2\frac{2}{3}$$

방법 2 대분수를 자연수와 진분수의 합으로 바꾸어 계산하기

$$1\frac{1}{3}\times 2=(1\times 2)+\left(\frac{1}{3}\times 2\right)=2+\frac{2}{3}=2\frac{2}{3}$$

방법 1은 반드시 대분수를 가분수로 바꾼 후 약분하여 계산해야 합니다.

예 $2\frac{1}{\underset{1}{\cancel{4}}}\times \overset{2}{\cancel{8}}=2\times 2=4(\times)$

$2\frac{1}{4}\times 8=\frac{9}{\underset{1}{\cancel{4}}}\times \overset{2}{\cancel{8}}=18(○)$

대분수를 가분수로 바꾸어 (진분수) × (자연수)의 방법으로 계산하거나 대분수의 자연수 부분과 진분수 부분에 각각 자연수를 곱하여 계산합니다.

1 그림을 보고 $\frac{3}{4}\times 3$을 계산하려고 합니다. □ 안에 알맞은 수를 써넣으세요.

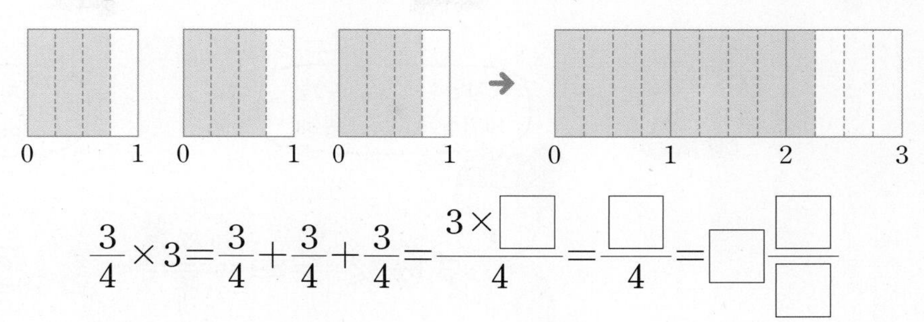

$$\frac{3}{4}\times 3=\frac{3}{4}+\frac{3}{4}+\frac{3}{4}=\frac{3\times\square}{4}=\frac{\square}{4}=\square\frac{\square}{\square}$$

2 □ 안에 알맞은 수를 써넣으세요.

$$\frac{5}{\underset{3}{\cancel{6}}}\times\overset{\square}{\cancel{8}}=\frac{5\times\square}{3}=\frac{\square}{\square}=\square\frac{\square}{\square}$$

교과서 공통 **3** $1\frac{2}{7}\times 2$를 두 가지 방법으로 계산하려고 합니다. □ 안에 알맞은 수를 써넣으세요.

(1) $1\frac{2}{7}\times 2=\frac{\square}{7}\times 2=\frac{\square\times\square}{7}=\frac{\square}{\square}=\square\frac{\square}{\square}$

(2) $1\frac{2}{7}\times 2=(1+1)+\left(\frac{2}{7}+\frac{\square}{\square}\right)=(\square\times 2)+\left(\frac{\square}{7}\times 2\right)$

$=2+\frac{\square}{\square}=\square\frac{\square}{\square}$

4 계산해 보세요.

(1) $\frac{1}{5}\times 6$ (2) $\frac{5}{8}\times 2$ (3) $2\frac{1}{3}\times 4$

038쪽 에서 개념을 **한 번 더** 다집니다.

학교별 모든 개념을 담았습니다.

STEP 1 교과서 개념 잡기

한눈에 방법쏙

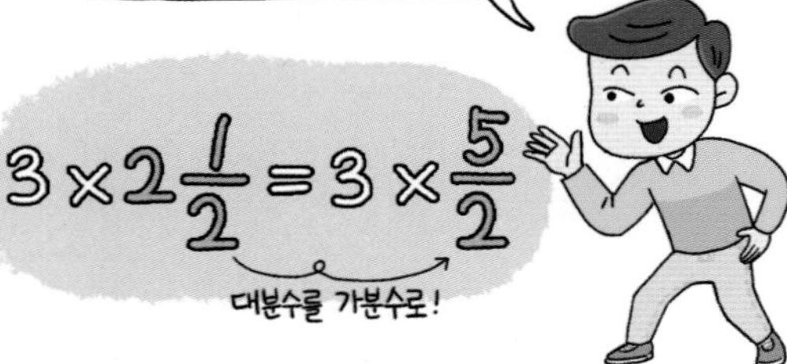

개념 강의

2 (자연수)×(분수)

(1) (자연수)×(진분수)

예 $3\times\frac{3}{4}$의 계산

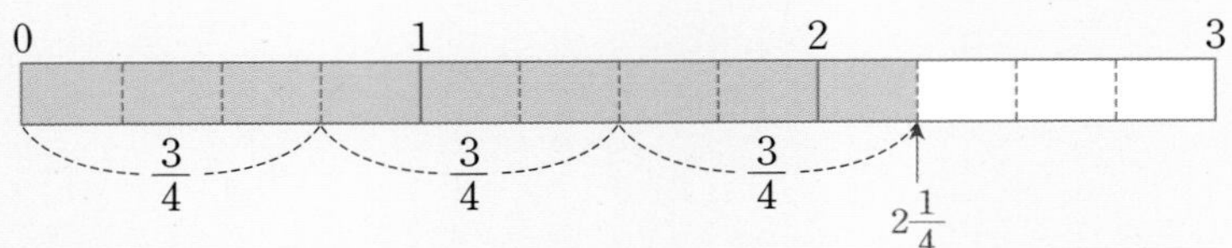

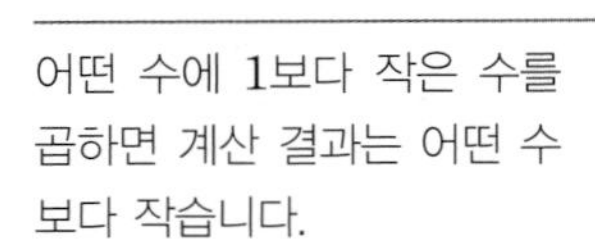

어떤 수에 1보다 작은 수를 곱하면 계산 결과는 어떤 수보다 작습니다.

→ ■×(진분수)<■ (진분수: 1보다 작은 수)

3의 $\frac{3}{4}$배는 3을 4등분한 것 중 3입니다.

→ $3\times\frac{3}{4}=\frac{3\times3}{4}=\frac{9}{4}=2\frac{1}{4}$

> 분수의 분모는 그대로 두고, 자연수와 분자를 곱합니다. $▲\times\frac{●}{■}=\frac{▲\times●}{■}$

(2) (자연수)×(대분수)

예 $9\times1\frac{1}{6}$의 계산

어떤 수에 1보다 큰 수를 곱하면 계산 결과는 어떤 수보다 큽니다.

→ ■×(대분수)>■ (대분수: 1보다 큰 수)

방법1 대분수를 가분수로 바꾸어 계산하기

$9\times1\frac{1}{6}=\overset{3}{\cancel{9}}\times\frac{7}{\underset{2}{\cancel{6}}}=\frac{3\times7}{2}=\frac{21}{2}=10\frac{1}{2}$

방법2 대분수를 자연수와 진분수의 합으로 바꾸어 계산하기

$9\times1\frac{1}{6}=(9\times1)+\left(\overset{3}{\cancel{9}}\times\frac{1}{\underset{2}{\cancel{6}}}\right)=9+\frac{3}{2}=9+1\frac{1}{2}=10\frac{1}{2}$

> 대분수를 가분수로 바꾸어 (자연수)×(진분수)의 방법으로 계산하거나
> 자연수에 대분수의 자연수 부분과 진분수 부분을 각각 곱하여 계산합니다.

매칭북 09~10쪽 정답 06쪽

2 단원

1 그림을 보고 $12\times\frac{5}{6}$를 계산하려고 합니다. □ 안에 알맞은 수를 써넣으세요.

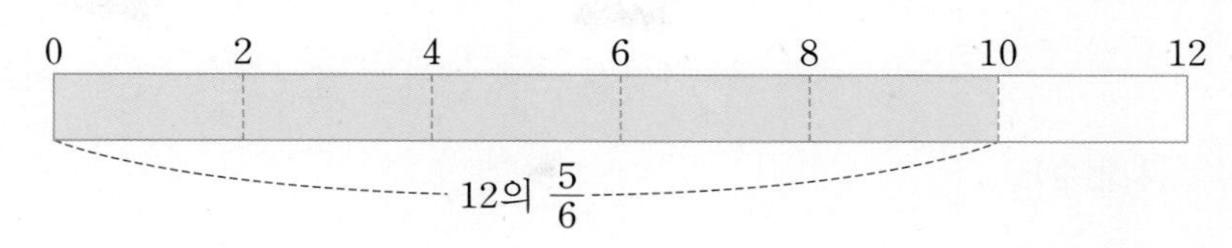

$$12\times\frac{5}{6}=\frac{\overset{\square}{\cancel{12}}\times 5}{\underset{\square}{\cancel{6}}}=\square$$

2 □ 안에 알맞은 수를 써넣으세요.

$$6\times\frac{4}{9}=\frac{6\times 4}{9}=\frac{\overset{\square}{\cancel{24}}}{\underset{\square}{\cancel{9}}}=\frac{\square}{\square}=\square\frac{\square}{\square}$$

교과서 공통 **3** $3\times1\frac{1}{5}$을 두 가지 방법으로 계산해 보세요.

방법 1 대분수를 가분수로 바꾸어 계산하기

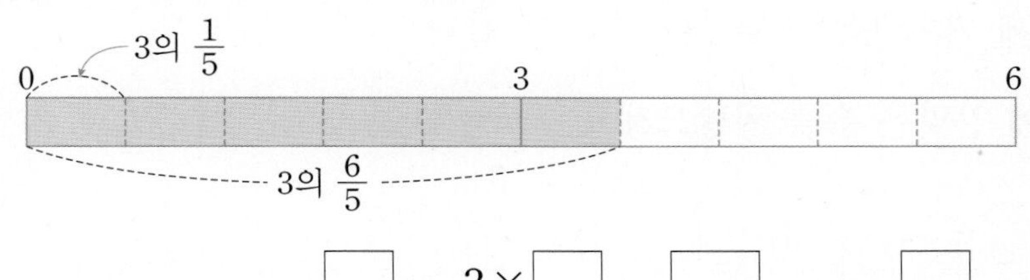

$$3\times1\frac{1}{5}=3\times\frac{\square}{\square}=\frac{3\times\square}{\square}=\frac{\square}{\square}=\square\frac{\square}{\square}$$

방법 2 대분수를 자연수와 진분수의 합으로 바꾸어 계산하기

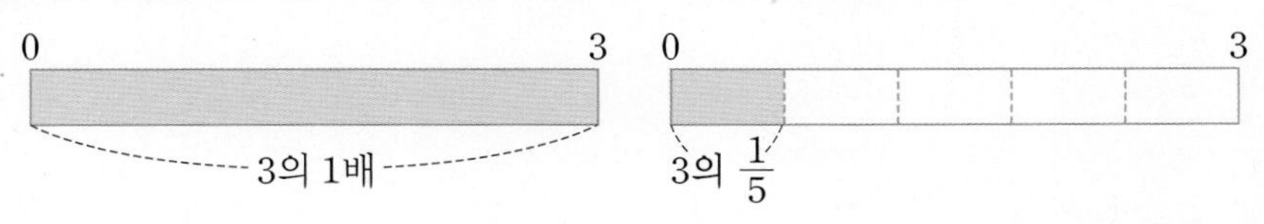

$$3\times1\frac{1}{5}=(3\times1)+\left(3\times\frac{\square}{\square}\right)=\square+\frac{\square}{\square}=\square\frac{\square}{\square}$$

4 계산해 보세요.

(1) $10\times\frac{1}{4}$　　(2) $16\times\frac{3}{8}$　　(3) $9\times2\frac{1}{12}$

039쪽에서 개념을 **한 번 더** 다집니다.

STEP 2 개념 한번더 잡기

1 (분수)×(자연수)

01 $\frac{2}{3}\times 4$에 알맞게 수직선에 나타내고, □ 안에 알맞은 수를 써넣으세요.

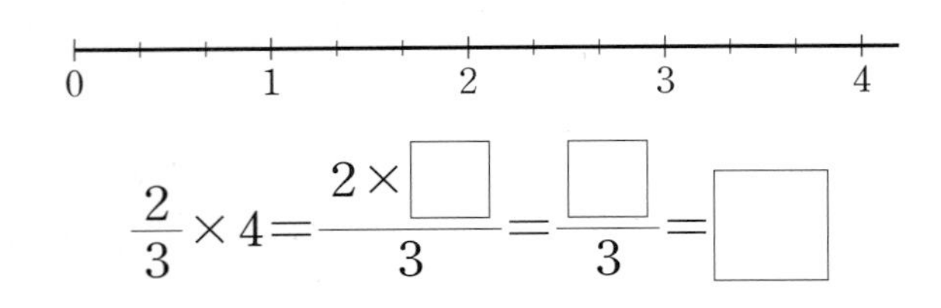

$\frac{2}{3}\times 4=\frac{2\times\square}{3}=\frac{\square}{3}=\square$

02 $\frac{5}{8}\times 6$을 세 가지 방법으로 계산하려고 합니다. □ 안에 알맞은 수를 써넣으세요.

(1) $\frac{5}{8}\times 6=\frac{5\times 6}{8}=\frac{\overset{\square}{\cancel{30}}}{\underset{\square}{\cancel{8}}}=\frac{\square}{\square}$

$=\square\frac{\square}{\square}$

(2) $\frac{5}{8}\times 6=\frac{5\times\overset{\square}{\cancel{6}}}{\underset{\square}{\cancel{8}}}=\frac{5\times\square}{\square}=\frac{\square}{\square}$

$=\square\frac{\square}{\square}$

(3) $\frac{5}{\underset{\square}{\cancel{8}}}\times\overset{\square}{\cancel{6}}=\frac{5\times\square}{\square}=\frac{\square}{\square}=\square\frac{\square}{\square}$

03 $\frac{2}{7}\times 4$에 알맞게 색칠하고, 계산해 보세요.

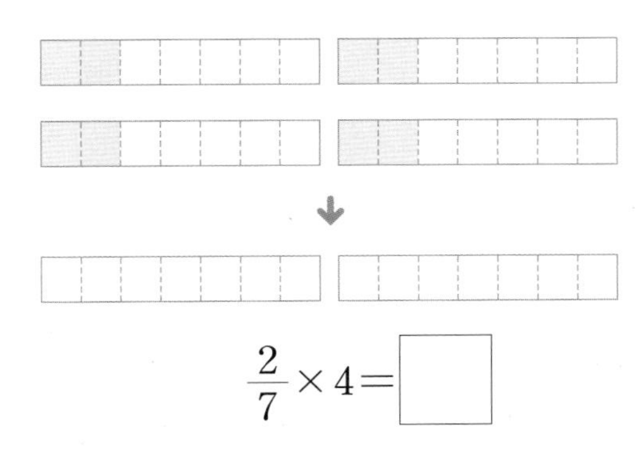

$\frac{2}{7}\times 4=\square$

04 보기와 같이 계산해 보세요.

보기

$3\frac{5}{6}\times 4=(3\times 4)+\left(\frac{5}{\underset{3}{\cancel{6}}}\times\overset{2}{\cancel{4}}\right)$

$=12+\frac{10}{3}=12+3\frac{1}{3}$

$=15\frac{1}{3}$

$1\frac{5}{12}\times 6$

05 빈칸에 알맞은 수를 써넣으세요.

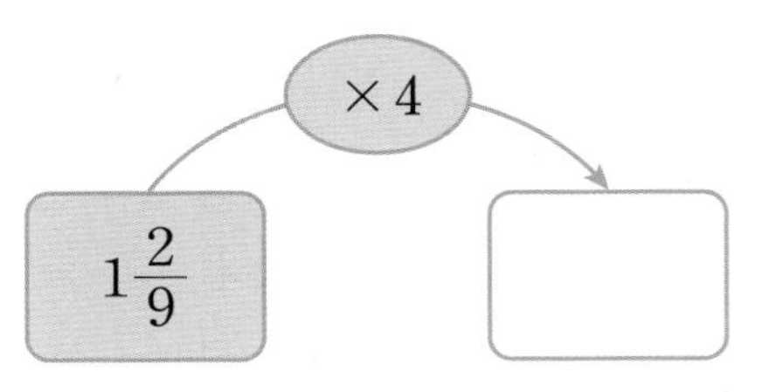

2 (자연수)×(분수)

06 $12\times\frac{2}{3}$에 알맞게 색칠하고, 계산해 보세요.

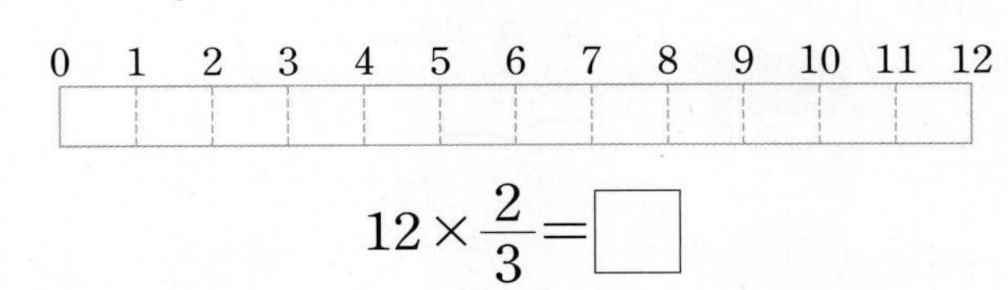

$12\times\frac{2}{3}=\square$

07 $10\times\frac{3}{5}$을 세 가지 방법으로 계산하려고 합니다. □ 안에 알맞은 수를 써넣으세요.

(1) $10\times\frac{3}{5}=\frac{10\times3}{5}=\frac{\overset{\square}{\cancel{30}}}{\underset{\square}{\cancel{5}}}=\frac{\square}{\square}=\square$

(2) $10\times\frac{3}{5}=\frac{\overset{\square}{\cancel{10}}\times\square}{\underset{\square}{\cancel{5}}}=\frac{\square}{\square}=\square$

(3) $\overset{\square}{\cancel{10}}\times\frac{3}{\underset{\square}{\cancel{5}}}=\frac{\square}{\square}=\square$

08 보기와 같이 계산해 보세요.

보기

$9\times\frac{5}{6}=\frac{9\times5}{6}=\frac{\overset{15}{\cancel{45}}}{\underset{2}{\cancel{6}}}=\frac{15}{2}=7\frac{1}{2}$

$6\times\frac{3}{8}$

09 $5\times2\frac{5}{6}$를 두 가지 방법으로 계산해 보세요.

방법 1 대분수를 가분수로 바꾸어 계산하기

$5\times2\frac{5}{6}=5\times\frac{\square}{6}=\frac{5\times\square}{6}$

$=\frac{\square}{6}=\square\frac{\square}{6}$

방법 2 대분수를 자연수와 진분수의 합으로 바꾸어 계산하기

$5\times2\frac{5}{6}=(5\times\square)+\left(5\times\frac{\square}{6}\right)$

$=10+\frac{\square}{6}=10+\square\frac{\square}{6}$

$=\square\frac{\square}{6}$

10 다음이 나타내는 수를 구하세요.

3을 $4\frac{1}{7}$배 한 수

( )

11 □ 안에 알맞은 수를 써넣으세요.

15 → $\times1\frac{3}{10}$ → □

2 단원

STEP 

학교별 모든 개념을 담았습니다.

교과서 개념 잡기

한눈에 방법쏙

개념 강의

3 진분수의 곱셈

(1) **(단위분수)×(단위분수)**

예 $\frac{1}{6}\times\frac{1}{3}$의 계산

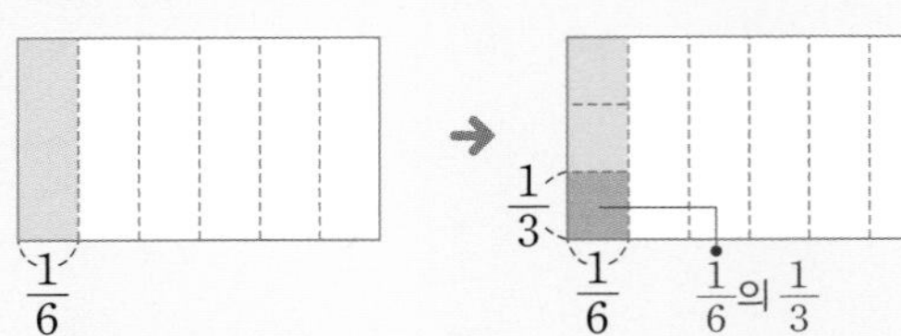

$$\frac{1}{6}\times\frac{1}{3}=\frac{1\times1}{6\times3}=\frac{1}{18}$$

단위분수는 1보다 작으므로 단위분수끼리의 곱은 처음 단위분수보다 작습니다.

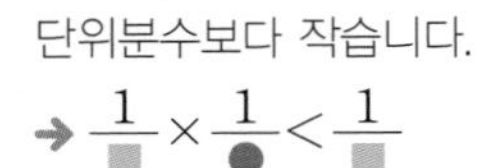

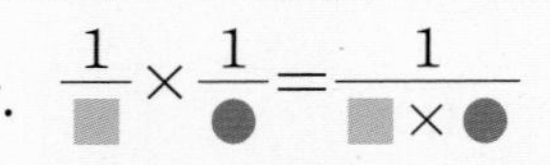

분자는 그대로 두고, 분모끼리 곱합니다.

(2) **(진분수)×(진분수)**

진분수는 1보다 작으므로 진분수끼리의 곱은 1보다 작습니다.

예 $\frac{2}{3}\times\frac{5}{6}$의 계산

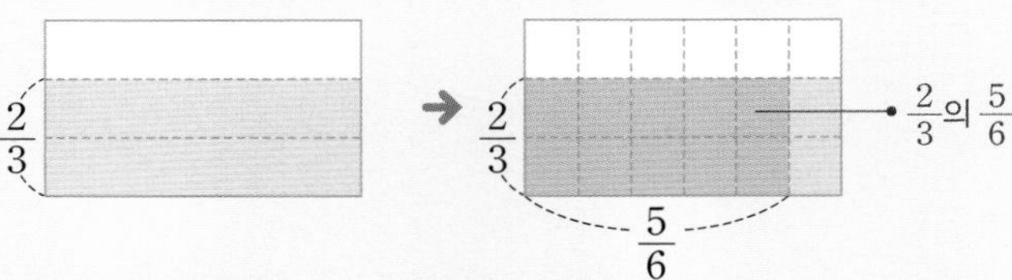

방법1 분수의 곱셈을 다 한 후 약분하기

$$\frac{2}{3}\times\frac{5}{6}=\frac{2\times5}{3\times6}=\frac{\cancel{10}^{5}}{\cancel{18}_{9}}=\frac{5}{9}$$

방법2 분수의 곱셈을 하는 과정에서 약분하기

$$\frac{2}{3}\times\frac{5}{6}=\frac{\cancel{2}^{1}\times5}{3\times\cancel{6}_{3}}=\frac{5}{9}$$

$$\frac{\cancel{2}^{1}}{3}\times\frac{5}{\cancel{6}_{3}}=\frac{5}{9}$$

분자는 분자끼리, 분모는 분모끼리 곱합니다. $\frac{▲}{■}\times\frac{♥}{●}=\frac{▲\times♥}{■\times●}$

1 $\frac{1}{5}\times\frac{1}{7}$을 계산하는 방법을 알아보려고 합니다. 물음에 답하세요.

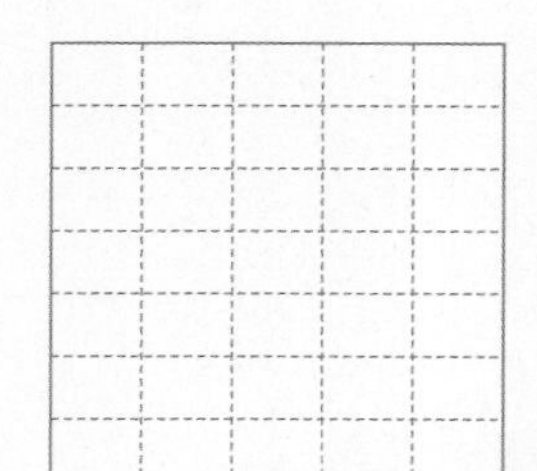

(1) 오른쪽 그림에 전체의 $\frac{1}{5}$만큼 색칠하고, 색칠한 부분의 $\frac{1}{7}$만큼 빗금으로 나타내어 보세요.

(2) □ 안에 알맞은 수를 써넣으세요.

$$\frac{1}{5}\times\frac{1}{7}=\frac{1\times1}{\square\times\square}=\frac{1}{\square}$$

교과서 공통 **2** 그림을 보고 $\frac{5}{6}\times\frac{1}{4}$을 계산하려고 합니다. □ 안에 알맞은 수를 써넣으세요.

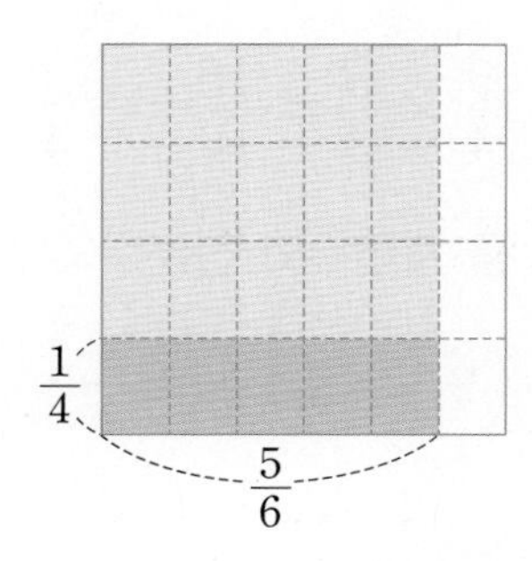

$$\frac{5}{6}\times\frac{1}{4}=\frac{5\times\square}{6\times\square}=\frac{\square}{\square}$$

3 □ 안에 알맞은 수를 써넣으세요.

$$\frac{3}{4}\times\frac{5}{6}=\frac{3\times5}{4\times6}=\frac{\overset{\square}{\cancel{15}}}{\underset{\square}{\cancel{24}}}=\frac{\square}{\square}$$

4 계산해 보세요.

(1) $\frac{1}{8}\times\frac{1}{9}$ (2) $\frac{2}{5}\times\frac{3}{7}$ (3) $\frac{5}{6}\times\frac{9}{10}$

044쪽 에서 개념을 **한 번 더** 다집니다.

STEP 1 학교별 모든 개념을 담았습니다.

교과서 개념 잡기

한눈에 방법쏙

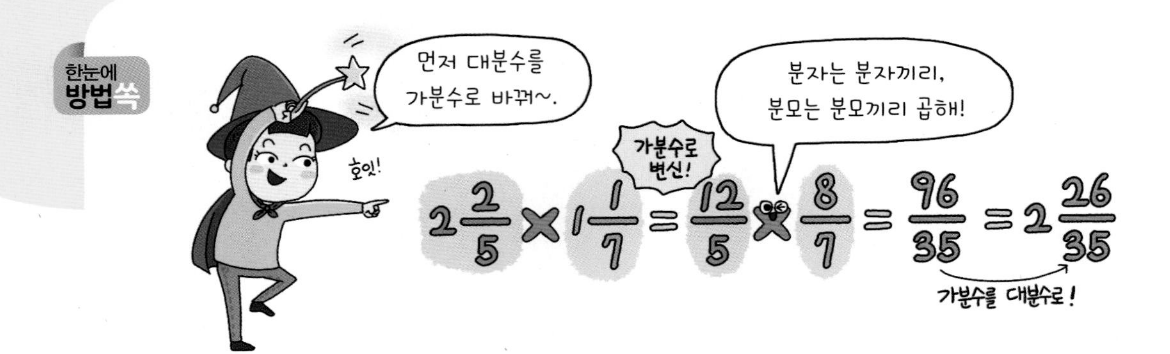

먼저 대분수를
가분수로 바꿔~.
분자는 분자끼리,
분모는 분모끼리 곱해!
호잇!
가분수로 변신!
$2\frac{2}{5}\times1\frac{1}{7}=\frac{12}{5}\times\frac{8}{7}=\frac{96}{35}=2\frac{26}{35}$
가분수를 대분수로!

개념 강의

4 대분수의 곱셈

예 $2\frac{1}{4}\times1\frac{2}{3}$의 계산

방법 1 대분수를 가분수로 바꾸어 계산하기

$$2\frac{1}{4}\times1\frac{2}{3}=\frac{\overset{3}{\cancel{9}}}{4}\times\frac{5}{\underset{1}{\cancel{3}}}=\frac{15}{4}=3\frac{3}{4}$$

방법 2 곱하는 대분수를 자연수와 진분수의 합으로 바꾸어 계산하기

$$2\frac{1}{4}\times1\frac{2}{3}=\left(2\frac{1}{4}\times1\right)+\left(2\frac{1}{4}\times\frac{2}{3}\right)=2\frac{1}{4}+\left(\frac{\overset{3}{\cancel{9}}}{\underset{2}{\cancel{4}}}\times\frac{\overset{1}{\cancel{2}}}{\underset{1}{\cancel{3}}}\right)$$

$$=2\frac{1}{4}+\frac{3}{2}=2\frac{1}{4}+1\frac{1}{2}=2\frac{1}{4}+1\frac{2}{4}=3\frac{3}{4}$$

방법 2 에서 대분수와 진분수를 곱할 때 대분수를 가분수로 나타낸 후 분자는 분자끼리, 분모는 분모끼리 곱합니다.

대분수를 가분수로 바꾸어 진분수의 곱셈과 같은 방법으로 계산하거나 곱하는 대분수를 자연수와 진분수의 합으로 바꾸어 계산합니다.

5 세 분수의 곱셈

예 $\frac{3}{4}\times\frac{4}{7}\times\frac{7}{9}$의 계산

방법 1 앞에서부터 두 분수씩 차례로 계산하기

$$\frac{3}{4}\times\frac{4}{7}\times\frac{7}{9}=\left(\frac{3}{\underset{1}{\cancel{4}}}\times\frac{\overset{1}{\cancel{4}}}{7}\right)\times\frac{7}{9}=\frac{\overset{1}{\cancel{3}}}{\underset{1}{\cancel{7}}}\times\frac{\overset{1}{\cancel{7}}}{\underset{3}{\cancel{9}}}=\frac{1}{3}$$

방법 2 세 분수를 한꺼번에 계산하기

$$\frac{3}{4}\times\frac{4}{7}\times\frac{7}{9}=\frac{\overset{1}{\cancel{3}}\times\overset{1}{\cancel{4}}\times\overset{1}{\cancel{7}}}{\underset{1}{\cancel{4}}\times\underset{1}{\cancel{7}}\times\underset{3}{\cancel{9}}}=\frac{1}{3}$$

→ 분자는 분자끼리, 분모는 분모끼리 곱하여 약분합니다.

세 분수의 곱셈은 순서를 바꾸어 곱해도 계산 결과가 같습니다.

앞에서부터 두 분수씩 차례로 계산하거나 세 분수를 한꺼번에 계산합니다.

매칭북 12쪽 정답 08쪽

1 $2\frac{2}{5}\times1\frac{5}{6}$를 두 가지 방법으로 계산해 보세요.

방법 1 대분수를 가분수로 바꾸어 계산하기

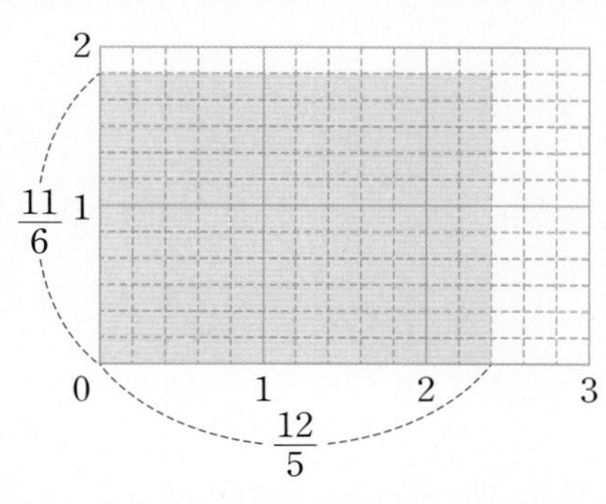

$$2\frac{2}{5}\times1\frac{5}{6}=\frac{\overset{2}{\cancel{12}}}{\square}\times\frac{\square}{\underset{1}{\cancel{6}}}$$

$$=\frac{\square}{\square}=\square\frac{\square}{\square}$$

방법 2 곱하는 대분수를 자연수와 진분수의 합으로 바꾸어 계산하기

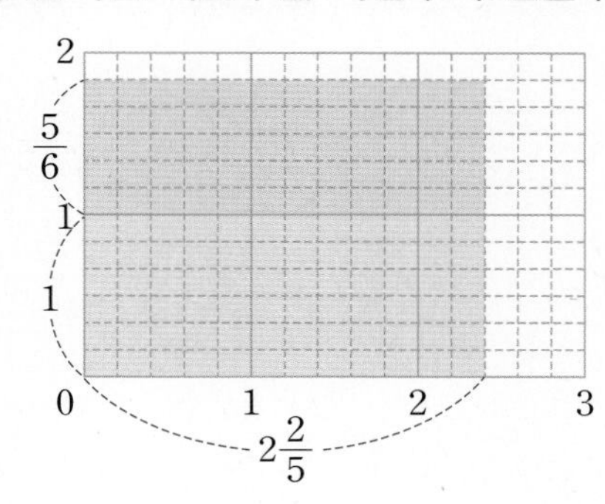

$$2\frac{2}{5}\times1\frac{5}{6}=\left(2\frac{2}{5}\times1\right)+\left(2\frac{2}{5}\times\frac{5}{6}\right)$$

$$=2\frac{2}{5}+\left(\frac{\square}{5}\times\frac{\square}{6}\right)$$

$$=2\frac{2}{5}+\square=\square\frac{\square}{\square}$$

교과서 공통 **2** 그림을 보고 $\frac{1}{3}\times\frac{1}{2}\times\frac{1}{4}$을 계산하려고 합니다. □ 안에 알맞은 수를 써넣으세요.

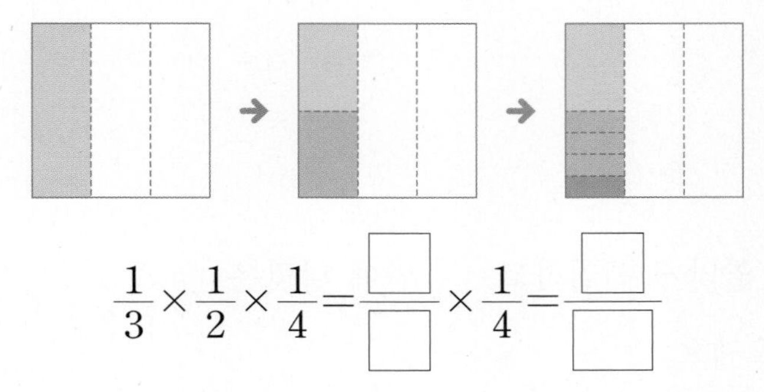

$$\frac{1}{3}\times\frac{1}{2}\times\frac{1}{4}=\frac{\square}{\square}\times\frac{1}{4}=\frac{\square}{\square}$$

3 계산해 보세요.

(1) $4\frac{8}{9}\times3\frac{3}{4}$

(2) $\frac{1}{4}\times\frac{8}{15}\times\frac{5}{7}$

045쪽에서 개념을 한 번 더 다집니다.

STEP 2 개념 한번더 잡기

3 진분수의 곱셈

01 $\frac{1}{3}\times\frac{1}{4}$에 알맞게 색칠하고, □ 안에 알맞은 수를 써넣으세요.

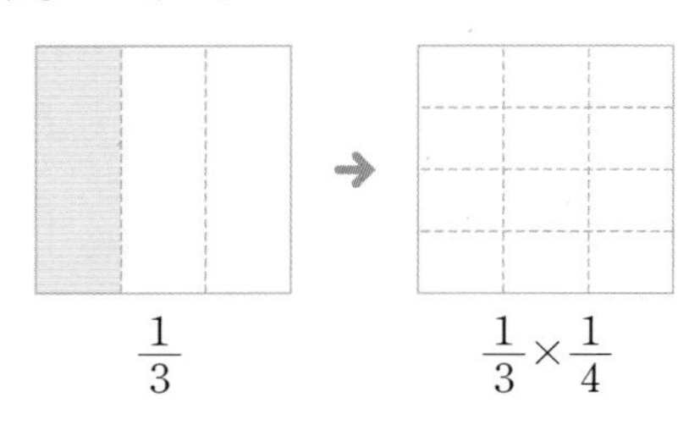

$$\frac{1}{3}\times\frac{1}{4}=\frac{1\times1}{\square\times\square}=\frac{\square}{\square}$$

02 □ 안에 알맞은 수를 써넣으세요.

$$\frac{1}{3}\times\frac{5}{9}=\frac{1\times\square}{\square\times9}=\frac{\square}{\square}$$

03 $\frac{3}{5}\times\frac{3}{8}$에 알맞게 색칠하고, □ 안에 알맞은 수를 써넣으세요.

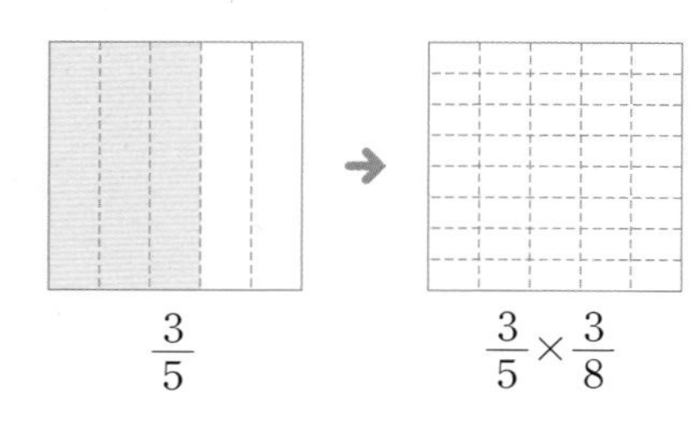

$$\frac{3}{5}\times\frac{3}{8}=\frac{3\times\square}{\square\times8}=\frac{\square}{\square}$$

04 $\frac{5}{8}\times\frac{4}{9}$를 세 가지 방법으로 계산하려고 합니다. □ 안에 알맞은 수를 써넣으세요.

(1) $\frac{5}{8}\times\frac{4}{9}=\frac{5\times4}{8\times9}=\frac{\overset{\square}{\cancel{20}}}{\underset{\square}{\cancel{72}}}=\frac{\square}{18}$

(2) $\frac{5}{8}\times\frac{4}{9}=\frac{\square\times\overset{\square}{\cancel{4}}}{\underset{\square}{\cancel{8}}\times\square}=\frac{\square}{18}$

(3) $\frac{5}{\underset{\square}{\cancel{8}}}\times\frac{\overset{\square}{\cancel{4}}}{9}=\frac{\square}{18}$

05 빈칸에 알맞은 수를 써넣으세요.

$\times$	$\frac{1}{8}$	$\frac{14}{15}$
$\frac{3}{7}$		

06 보기와 같이 계산해 보세요.

보기

$$\frac{3}{4}\times\frac{2}{7}=\frac{3\times\overset{1}{\cancel{2}}}{\underset{2}{\cancel{4}}\times7}=\frac{3}{14}$$

$$\frac{4}{5}\times\frac{7}{10}$$

07 다음이 나타내는 수를 구하세요.

(1) $\frac{5}{6}$를 $\frac{8}{9}$배 한 수

(　　　　　　　　)

(2) $\frac{9}{10}$를 $\frac{4}{11}$배 한 수

(　　　　　　　　)

08 □ 안에 알맞은 수를 써넣으세요.

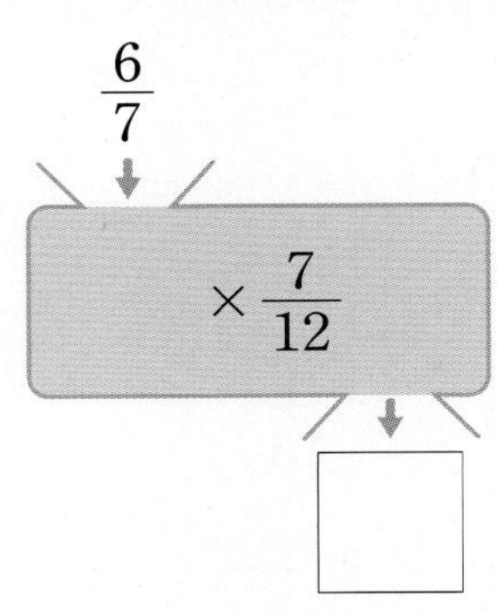

09 직사각형의 넓이는 몇 m^2인가요?

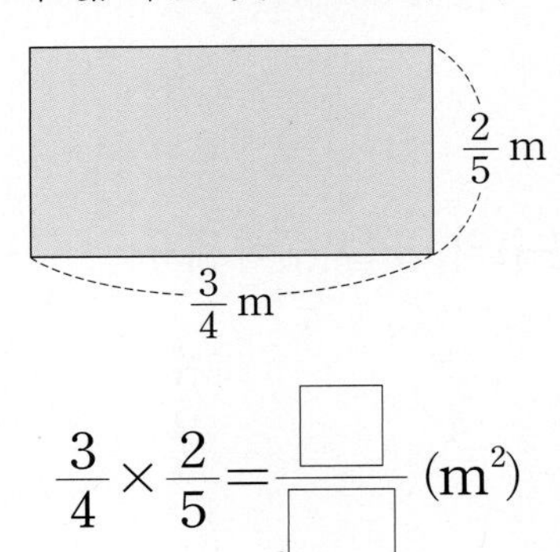

$\frac{3}{4} \times \frac{2}{5} = \frac{\square}{\square}$ (m^2)

4 대분수의 곱셈

10 $3\frac{1}{4} \times 1\frac{2}{5}$에 알맞게 색칠하고, □ 안에 알맞은 수를 써넣으세요.

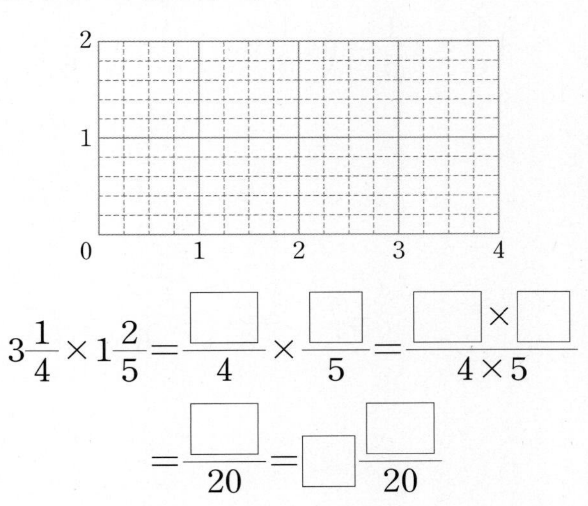

$3\frac{1}{4} \times 1\frac{2}{5} = \frac{\square}{4} \times \frac{\square}{5} = \frac{\square \times \square}{4 \times 5}$

$= \frac{\square}{20} = \square\frac{\square}{20}$

11 □ 안에 알맞은 수를 써넣으세요.

$3\frac{3}{5} \times 2\frac{1}{6} = \frac{18}{5} \times \frac{\square}{6} = \frac{\overset{3}{\cancel{18}} \times \square}{5 \times \underset{1}{\cancel{6}}}$

$= \frac{\square}{5} = \square\frac{\square}{\square}$

12 보기와 같은 방법으로 계산해 보세요.

보기

$1\frac{1}{6} \times 2\frac{1}{4} = \frac{7}{\underset{2}{\cancel{6}}} \times \frac{\overset{3}{\cancel{9}}}{4} = \frac{7 \times 3}{2 \times 4}$

$= \frac{21}{8} = 2\frac{5}{8}$

$4\frac{1}{5} \times 1\frac{5}{7}$

2 단원

정답 08쪽

13 곱하는 대분수를 자연수 부분과 진분수 부분으로 나누어 계산하려고 합니다. □ 안에 알맞은 수를 써넣으세요.

$$4\frac{1}{6}\times1\frac{1}{5}=\left(4\frac{1}{6}\times\square\right)+\left(4\frac{1}{6}\times\frac{\square}{5}\right)$$

$$=\square\frac{\square}{6}+\left(\frac{\overset{\square}{25}}{6}\times\frac{\square}{\underset{\square}{5}}\right)$$

$$=\square\frac{\square}{6}+\frac{\square}{6}=\square$$

14 왼쪽의 계산 결과를 찾아 ○표 하세요.

$2\frac{1}{3}\times1\frac{3}{7}$	$2\frac{1}{7}$ $3\frac{1}{3}$ $3\frac{3}{7}$ $4\frac{2}{3}$

5 세 분수의 곱셈

15 그림을 보고 $\frac{1}{3}\times\frac{1}{5}\times\frac{1}{2}$을 계산하려고 합니다. □ 안에 알맞은 수를 써넣으세요.

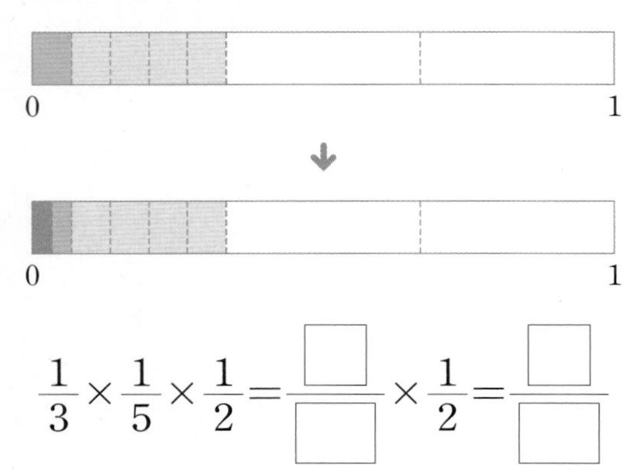

$$\frac{1}{3}\times\frac{1}{5}\times\frac{1}{2}=\frac{\square}{\square}\times\frac{1}{2}=\frac{\square}{\square}$$

16 □ 안에 알맞은 수를 써넣으세요.

$$\frac{1}{8}\times\frac{9}{10}\times\frac{3}{5}=\frac{1\times\square\times\square}{8\times\square\times5}$$

$$=\frac{\square}{\square}$$

17 보기와 같이 계산해 보세요.

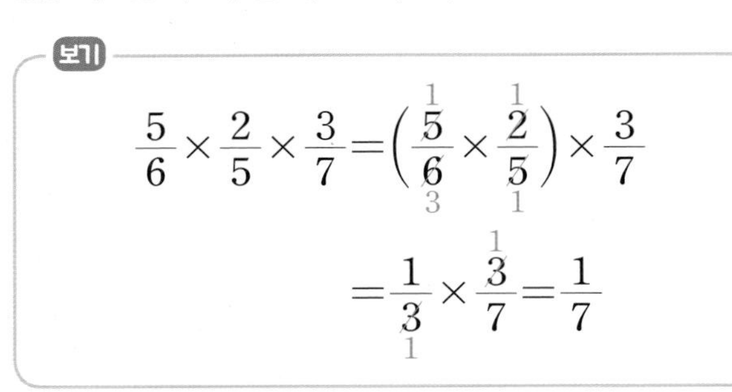

(1) $\frac{2}{3}\times\frac{5}{8}\times\frac{4}{15}$

(2) $\frac{9}{10}\times\frac{5}{7}\times\frac{13}{18}$

18 세 분수의 곱을 구하세요.

(　　　　　　　　)

학교별 모든 수학 익힘 문제를 담았습니다.

수학 익힘 문제 잡기

문제 강의

매칭북 38~41쪽 정답 09쪽

034쪽 개념 ❶

01 두 수의 곱을 빈칸에 써넣으세요.

$\frac{1}{6}$	5

034쪽 개념 ❶

02 $2\frac{1}{7}\times3$을 두 가지 방법으로 계산해 보세요.

034쪽 개념 ❶

03 바르게 계산한 친구의 이름을 쓰세요.

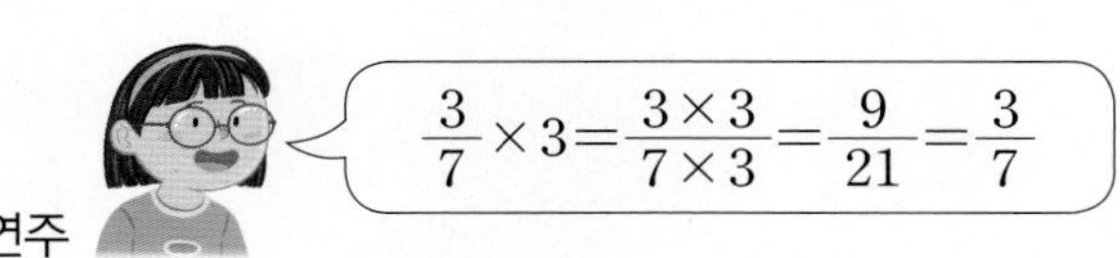

연주
$\frac{3}{7}\times3=\frac{3\times3}{7\times3}=\frac{9}{21}=\frac{3}{7}$
민혁
$\frac{3}{7}\times3=\frac{3\times3}{7}=\frac{9}{7}=1\frac{2}{7}$

(　　　　　　)

034쪽 개념 ❶

04 주스가 $\frac{7}{9}$ L씩 들어 있는 병이 5개 있습니다. 주스는 **모두** 몇 L인가요?

식 ______

답 ______

036쪽 개념 ❷

05 계산 결과가 같은 것끼리 이어 보세요.

(1) $4\times3\frac{2}{3}$ •

(2) $6\times1\frac{5}{9}$ •

• $\frac{5}{3}\times4$

• $\frac{14}{9}\times6$

• $4\times\frac{11}{3}$

익힘책 공통 036쪽 개념 ❷

06 계산 결과가 10보다 큰 식에 ○표, 10보다 작은 식에 △표 하세요.

문제 강의

$10\times\frac{1}{3}$ (　　)　　$10\times2\frac{2}{5}$ (　　)

$10\times\frac{7}{4}$ (　　)　　$10\times\frac{5}{9}$ (　　)

2 단원

036쪽 개념❷

07 다음에서 계산이 처음으로 잘못된 곳을 찾아 ◯표 하고, 바르게 계산해 보세요.

$$6\times2\frac{3}{8}=(6\times2)+\left(6\times\frac{3}{8}\right)$$
$$=12+\frac{3}{6\times8}=12+\frac{\overset{1}{\cancel{3}}}{\underset{16}{\cancel{48}}}$$
$$=12+\frac{1}{16}=12\frac{1}{16}$$

바른 계산

$6\times2\frac{3}{8}$

036쪽 개념❷

익힘책 공통

08 □ 안에 알맞은 수를 써넣으세요.

(1) 1시간=60분이므로

1시간의 $\frac{1}{2}$은 □분입니다.

(2) 1 m=100 cm이므로

1 m의 $\frac{1}{4}$은 □cm입니다.

(3) 1 L=1000 mL이므로

1 L의 $\frac{1}{5}$은 □mL입니다.

(4) 1 kg=1000 g이므로

1 kg의 $\frac{1}{10}$은 □g입니다.

036쪽 개념❷

09 어머니의 몸무게는 56 kg이고, 태민이의 몸무게는 어머니 몸무게의 $\frac{5}{8}$입니다. 태민이의 몸무게는 몇 kg인가요?

식

답

036쪽 개념❷

10 평행사변형의 넓이는 몇 m^2인가요?

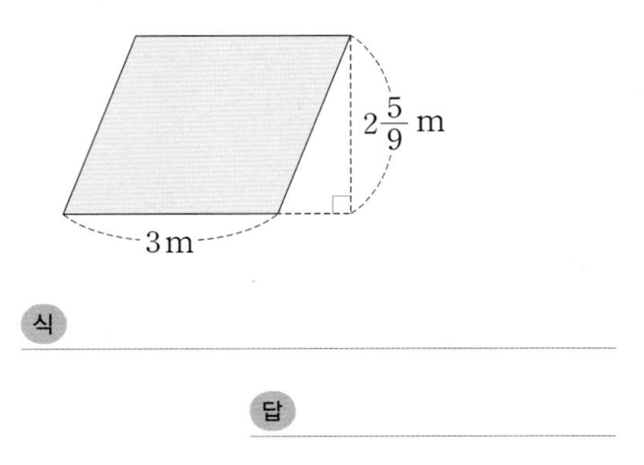

식

답

040쪽 개념❸

11 빈칸에 알맞은 수를 써넣으세요.

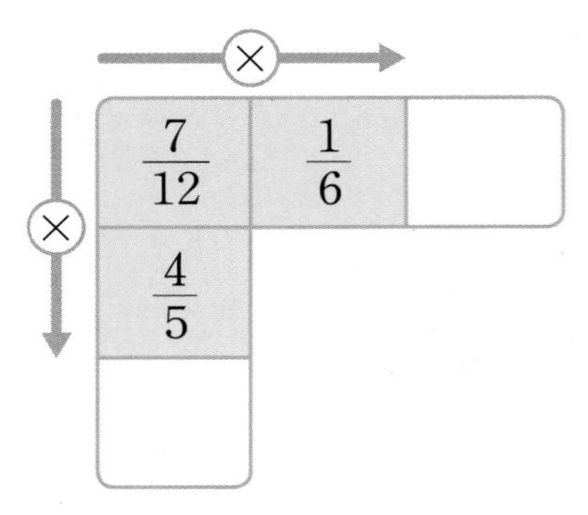

040쪽 개념 ③

12 계산 결과를 비교하여 ○ 안에 $>$, $=$, $<$를 알맞게 써넣으세요.

(1) $\frac{1}{2}$ ○ $\frac{1}{2}\times\frac{1}{6}$

(2) $\frac{1}{9}\times\frac{1}{7}$ ○ $\frac{1}{9}\times\frac{1}{5}$

익힘책 공통 040쪽 개념 ③

13 다음 수 카드 중 2장을 사용하여 분수의 곱셈 식을 만들려고 합니다. 계산 결과가 가장 작은 식을 만들고, 계산해 보세요.

문제 강의

2 3 4 6 7

$\frac{1}{\square}\times\frac{1}{\square}=\frac{1}{\square}$

040쪽 개념 ③

14 색 테이프 $\frac{6}{7}$ m의 $\frac{2}{9}$를 사용하여 선물을 포장했습니다. 선물을 포장하는 데 사용한 색 테이프의 길이는 몇 m인가요?

식

답

042쪽 개념 ④

15 두 계산 결과의 차는 얼마인지 구하세요.

㉠ $1\frac{1}{4}\times2\frac{2}{15}$ ㉡ $3\frac{6}{7}\times1\frac{1}{6}$

( )

042쪽 개념 ④

16 계산 결과가 큰 것부터 차례로 ○ 안에 1, 2, 3을 써넣으세요.

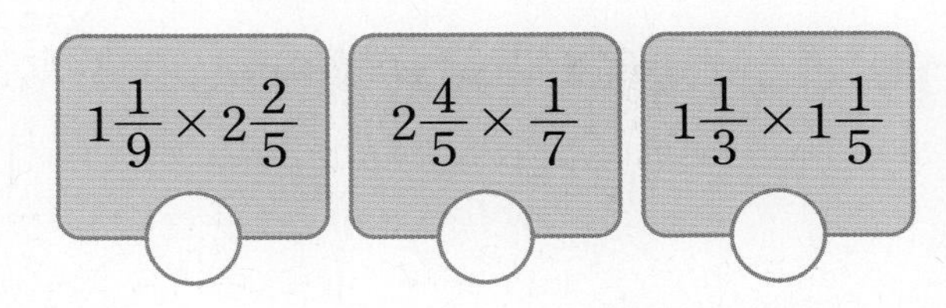

042쪽 개념 ④

17 정사각형 가와 직사각형 나가 있습니다. 가와 나 중에서 어느 것이 더 넓은가요?

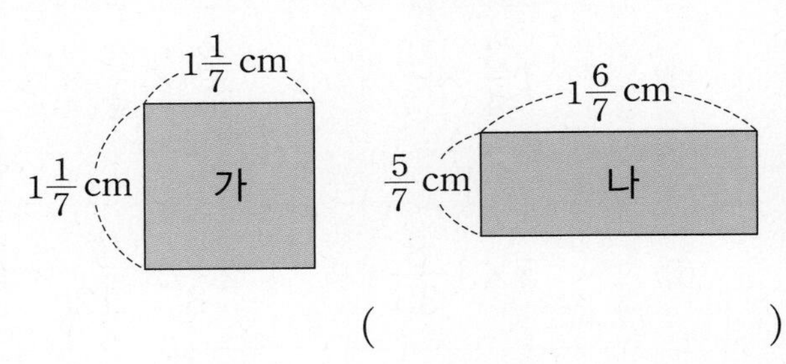

( )

2 단원

익힘책 공통

042쪽 개념 4

18 수 카드를 한 번씩만 사용하여 대분수를 만들려고 합니다. 만들 수 있는 가장 큰 대분수와 가장 작은 대분수의 곱을 구하세요.

문제 강의

1   3   5

가장 큰 대분수: □

가장 작은 대분수: □

→ □

042쪽 개념 5

19 빈칸에 알맞은 수를 써넣으세요.

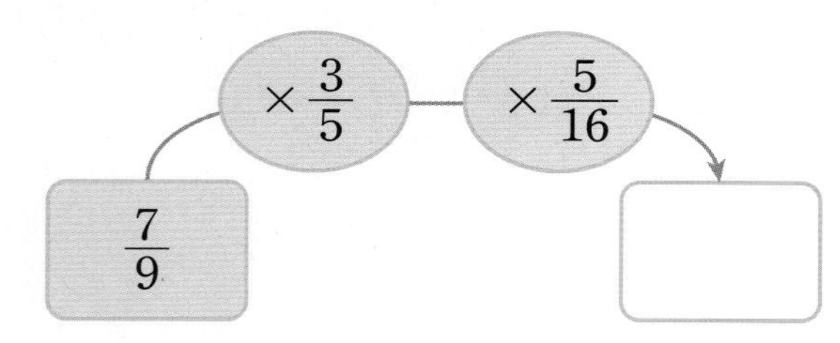

042쪽 개념 5

20 계산 결과가 더 큰 것에 색칠하세요.

(1) $1\frac{3}{4}\times\frac{3}{7}$ | $\frac{2}{5}\times\frac{3}{4}\times\frac{5}{7}$

(2) $5\times1\frac{8}{35}$ | $2\frac{2}{3}\times\frac{7}{12}\times4$

042쪽 개념 5

21 성주네 학교의 5학년 학생 수는 전체 학생 수의 $\frac{3}{10}$입니다. 5학년 학생 수의 $\frac{4}{9}$는 여학생이고, 그중 $\frac{5}{12}$는 수학을 좋아합니다. 수학을 좋아하는 5학년 여학생은 전체 학생의 얼마인가요?

식

답

생각+문제

22 현수는 어제 책 한 권의 $\frac{1}{5}$을 읽었습니다. 오늘은 어제 읽고 난 나머지의 $\frac{3}{8}$을 읽었습니다. 책 한 권이 160쪽일 때, **오늘 읽은 양은 몇 쪽**인지 구하세요.

문제 강의

(1) 어제 읽고 난 나머지는 책 전체의 얼마인가요?

(　　　　　　　)

(2) 오늘 읽은 양은 책 전체의 얼마인가요?

(　　　　　　　)

(3) 오늘 읽은 양은 몇 쪽인가요?

(　　　　　　　)

서술형 잡기

서술형 강의

정답 11쪽

1 **계산이 잘못된 이유**를 쓰고, **바르게 계산**해 보세요.

$$1\frac{1}{\cancel{15}_{5}}\times\cancel{9}^{3}=1\frac{1}{5}\times3=\frac{6}{5}\times3$$
$$=\frac{18}{5}=3\frac{3}{5}$$

이유 대분수를 ☐로 바꾸지 않고 그대로 약분하여 잘못 계산했습니다.

바른 계산

2 **계산이 잘못된 이유**를 쓰고, **바르게 계산**해 보세요.

$$\cancel{6}^{3}\times1\frac{3}{\cancel{14}_{7}}=3\times1\frac{3}{7}=3\times\frac{10}{7}$$
$$=\frac{30}{7}=4\frac{2}{7}$$

이유

바른 계산

2 단원

3 어느 문구점에 연필이 100자루 있었습니다. 그중 $\frac{2}{5}$를 팔았다면 문구점에 **남은 연필은 몇 자루**인지 풀이 과정을 쓰고, 답을 구하세요.

해결 순서
❶ 남은 연필은 전체의 얼마인지 구하기
❷ 남은 연필은 몇 자루인지 구하기

풀이 ❶ 문구점에 있는 연필 전체를 1이라고 하면 남은 연필은 전체의 $1-\frac{☐}{5}=\frac{☐}{5}$입니다.

❷ 남은 연필은 $\cancel{100}^{☐}\times\frac{☐}{\cancel{5}_{1}}=☐$(자루)입니다.

답

4 어느 가게에 인형이 72개 있었습니다. 그중 $\frac{5}{6}$를 팔았다면 가게에 **남은 인형은 몇 개**인지 풀이 과정을 쓰고, 답을 구하세요.

해결 순서
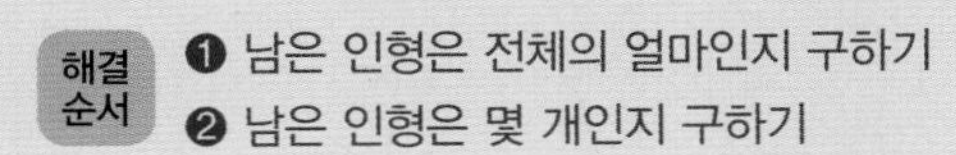
❶ 남은 인형은 전체의 얼마인지 구하기
❷ 남은 인형은 몇 개인지 구하기

풀이

답

단원 마무리

2. 분수의 곱셈

점수

01 그림을 보고 $\frac{4}{9}\times 2$를 계산하려고 합니다. □ 안에 알맞은 수를 써넣으세요.

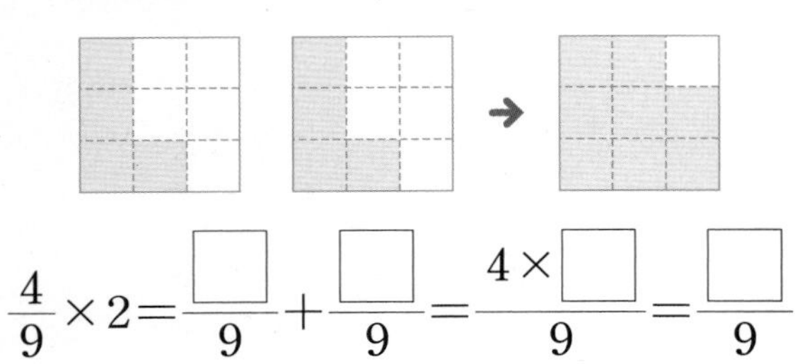

$$\frac{4}{9}\times 2=\frac{\square}{9}+\frac{\square}{9}=\frac{4\times\square}{9}=\frac{\square}{9}$$

02 그림을 보고 $8\times\frac{3}{4}$을 계산하려고 합니다. □ 안에 알맞은 수를 써넣으세요.

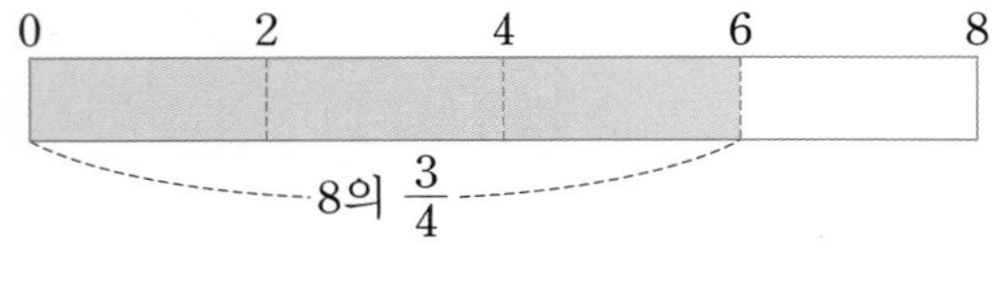

$$8\times\frac{3}{4}=\frac{\overset{\square}{\cancel{8}}\times 3}{\underset{\square}{\cancel{4}}}=\frac{\square}{\square}=\square$$

03 대분수를 가분수로 바꿔서 계산해 보세요.

$$7\times 1\frac{2}{9}=7\times\frac{\square}{9}=\frac{\square}{\square}=\square$$

04 대분수를 자연수와 진분수의 합으로 바꾸어 계산해 보세요.

$$2\frac{1}{8}\times 7=(\square\times 7)+\left(\frac{\square}{8}\times 7\right)$$

$$=\square+\frac{\square}{8}=\square$$

05 □ 안에 알맞은 수를 써넣으세요.

$$\frac{\overset{\square}{\cancel{6}}}{7}\times\frac{5}{\underset{\square}{\cancel{9}}}=\frac{\square\times 5}{7\times\square}=\frac{\square}{\square}$$

06 보기와 같이 계산해 보세요.

> 보기
>
> $$1\frac{4}{5}\times 4\frac{1}{6}=\frac{\overset{3}{\cancel{9}}}{\underset{1}{\cancel{5}}}\times\frac{\overset{5}{\cancel{25}}}{\underset{2}{\cancel{6}}}=\frac{15}{2}=7\frac{1}{2}$$

$$2\frac{5}{8}\times 1\frac{1}{14}$$

[07~08] 계산해 보세요.

07 $\frac{2}{3}\times\frac{1}{16}$

08 $\frac{3}{4}\times\frac{1}{14}\times\frac{7}{12}$

09 빈칸에 알맞은 수를 써넣으세요.

→ ⊗ →

$\frac{1}{11}$	3	
$\frac{5}{14}$	12	

10 계산 결과가 $\frac{5}{9}$보다 큰 식을 모두 찾아 ○표 하세요.

$\frac{5}{9}\times 6$	$\frac{3}{4}\times\frac{5}{9}$	$\frac{5}{9}\times 1\frac{1}{2}$
(　　　)	(　　　)	(　　　)

11 빈칸에 알맞은 수를 써넣으세요.

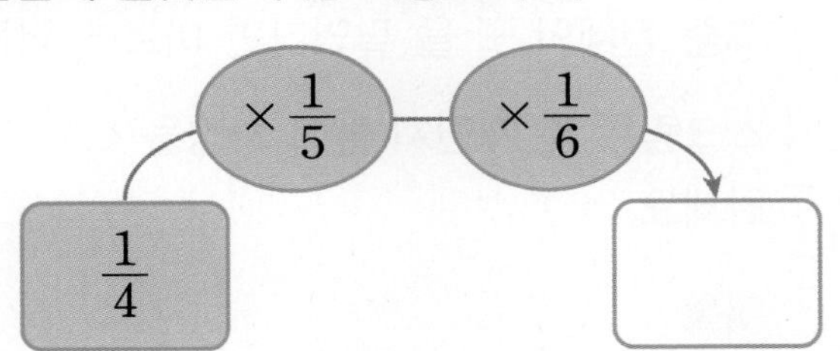

12 평행사변형의 넓이는 몇 m^2인가요?

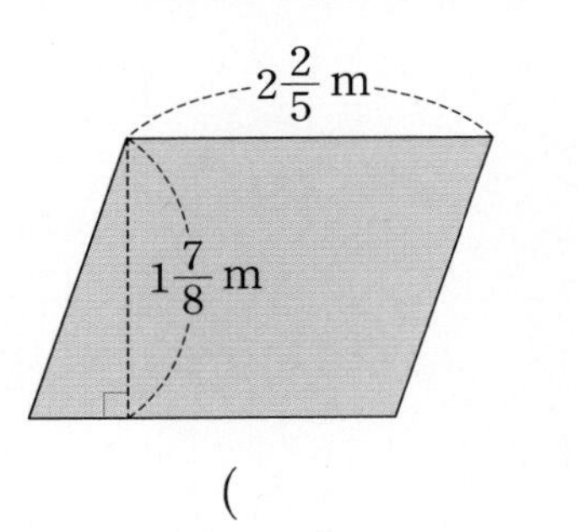

(　　　　　　　　　)

13 계산 결과를 찾아 이어 보세요.

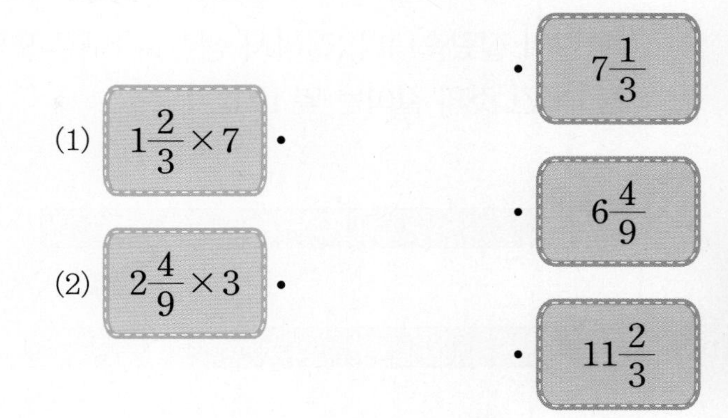

14 계산 결과를 비교하여 ○ 안에 >, =, <를 알맞게 써넣으세요.

$\frac{5}{7}\times 9$ ○ $1\frac{3}{4}\times 5$

15 바르게 설명한 친구의 이름을 쓰세요.

1시간의 $\frac{1}{5}$은 10분이야.
1 m의 $\frac{1}{10}$은 10 cm야.
재현
은하

(　　　　　　　　　)

정답 12쪽

16 길이가 $\frac{8}{9}$ m인 나무 막대를 4등분하여 다음과 같이 잘랐습니다. 잘라서 생긴 두 나무 도막 중 더 긴 것의 길이는 몇 m인가요?

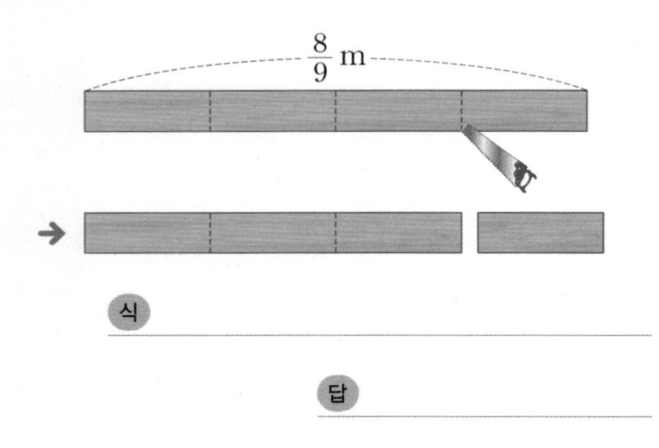

식

답

17 정육각형의 둘레는 몇 cm인가요?

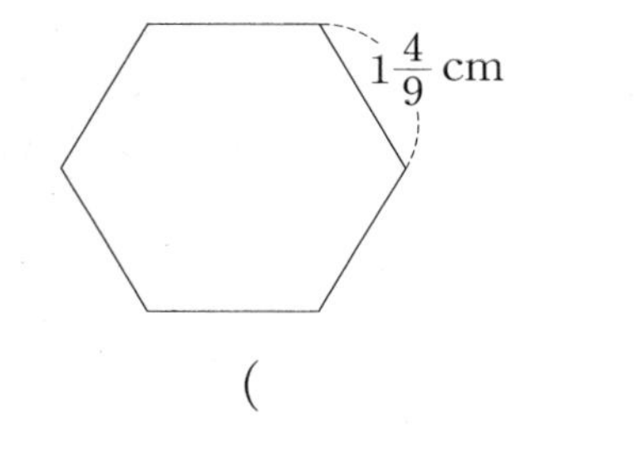

(　　　　　　　　)

18 다음 수 카드 중 2장을 사용하여 분수의 곱셈식을 만들려고 합니다. 계산 결과가 가장 큰 식을 만들고, 계산해 보세요.

3　4　7　8　9

$\frac{1}{\square} \times \frac{1}{\square} = \frac{1}{\square}$

서술형

19 계산이 잘못된 이유를 쓰고, 바르게 계산해 보세요.

$$1\frac{\overset{1}{\cancel{2}}}{9} \times 1\frac{1}{\underset{2}{\cancel{4}}} = 1\frac{1}{9} \times 1\frac{1}{2}$$

$$= \frac{\overset{5}{\cancel{10}}}{\underset{3}{\cancel{9}}} \times \frac{\overset{1}{\cancel{3}}}{\underset{1}{\cancel{2}}} = \frac{5}{3} = 1\frac{2}{3}$$

이유

바른 계산

서술형

20 어느 마트에 아이스크림이 91개 있었습니다. 그중 전체의 $\frac{3}{7}$을 팔았다면 마트에 남은 아이스크림은 몇 개인지 풀이 과정을 쓰고, 답을 구하세요.

풀이

답

창의력 쑥쑥

건물 옥상에 빨래를 널었는데 비가 와서 빨리 걷어야 해요.
사다리를 타고 올라간 방에 문이 닫혀 있으면 갈 수 없어요.
열린 문과 사다리를 이용하여 옥상으로 올라갈 수 있는 길을 찾아보세요.

• 정답은 진도북 **148**쪽에서 확인하세요.

3 합동과 대칭

트리에 장식할 별을 만들려고 해.
선대칭 모양과 점대칭 모양 중 좀 더 예쁜 모양으로 장식하고 싶어.

동영상 강의와 함께 계획을 세워 공부합니다.
동영상 강의를 시청했으면 ☐에 V표 하세요.

공부한 날	동영상 확인	쪽수	학습 내용
월 일	▶ ☐	058~063쪽	**교과서 개념 잡기** ❶ 도형의 합동 ❷ 합동인 도형의 성질 ❸ 선대칭도형과 그 성질 ❹ 점대칭도형과 그 성질
월 일		064~067쪽	**개념 한 번 더 잡기**
월 일	▶ ☐	068~072쪽	**수학 익힘 문제 잡기**
월 일	▶ ☐	073쪽	**서술형 잡기**
월 일		074~076쪽	**단원 마무리**

STEP 1 학교별 모든 개념을 담았습니다.

교과서 개념 잡기

한눈에 성질쏙

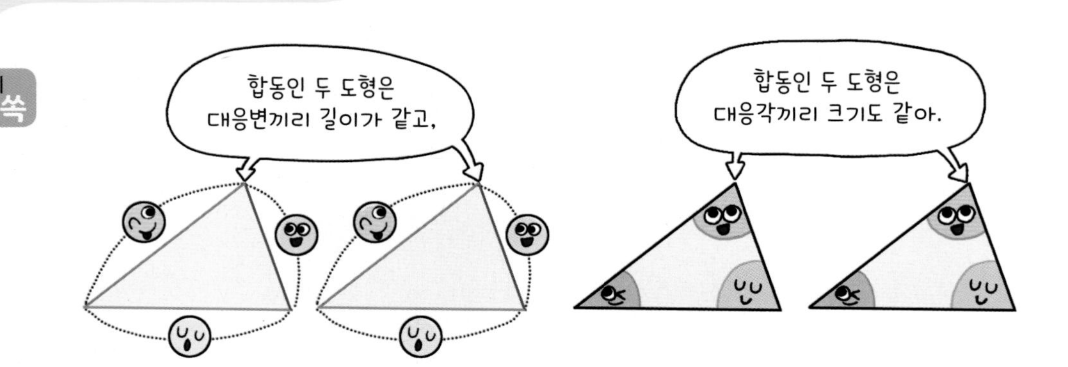

1 도형의 합동

모양과 크기가 같아서 포개었을 때 완전히 겹치는 두 도형을 서로 **합동**이라고 합니다.

모양은 같지만 크기가 다른 두 도형은 합동이 아닙니다.

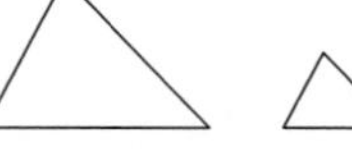

예

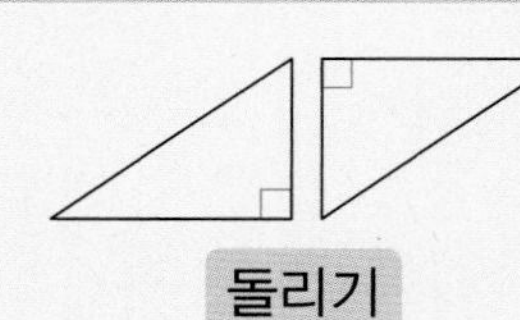

밀기 뒤집기 돌리기

→ 도형을 밀거나, 뒤집거나 돌려서 포개었을 때 완전히 겹치면 두 도형은 서로 합동입니다.

2 합동인 도형의 성질

서로 합동인 두 도형을 포개었을 때 완전히 겹치는 점을 **대응점**, 겹치는 변을 **대응변**, 겹치는 각을 **대응각**이라고 합니다.

서로 합동인 삼각형에서 대응점, 대응변, 대응각은 각각 3쌍입니다.

예

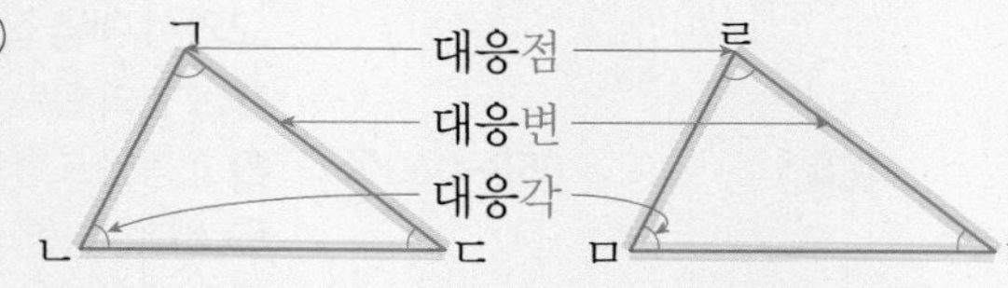

- 점 ㄱ의 대응점: 점 ㄹ
- 변 ㄱㄷ의 대응변: 변 ㄹㅂ
- 각 ㄱㄴㄷ의 대응각: 각 ㄹㅁㅂ

① 각각의 대응변의 길이가 서로 같습니다.
(변 ㄱㄴ)=(변 ㄹㅁ), (변 ㄴㄷ)=(변 ㅁㅂ), (변 ㄱㄷ)=(변 ㄹㅂ)

② 각각의 대응각의 크기가 서로 같습니다.
(각 ㄱㄴㄷ)=(각 ㄹㅁㅂ), (각 ㄱㄷㄴ)=(각 ㄹㅂㅁ),
(각 ㄴㄱㄷ)=(각 ㅁㄹㅂ)

매칭북 13~14쪽 정답 13쪽

1 완전히 겹치는 도형을 찾아보려고 합니다. □ 안에 알맞은 말을 써넣으세요.

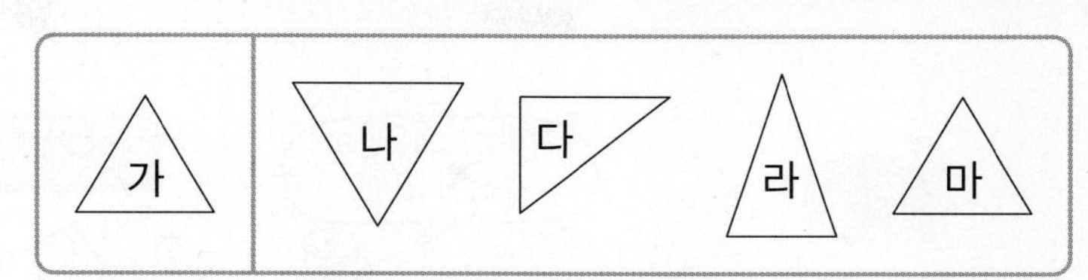

(1) 도형 가와 포개었을 때 완전히 겹치는 도형은 도형 □입니다.

(2) (1)에서 도형 가와 도형 □처럼 모양과 크기가 같아서 포개었을 때 완전히 겹치는 두 도형을 서로 □이라고 합니다.

3 단원

2 직사각형 모양의 색종이를 점선을 따라 잘랐을 때 만들어지는 세 도형이 서로 합동인 것을 찾아 ○표 하세요.

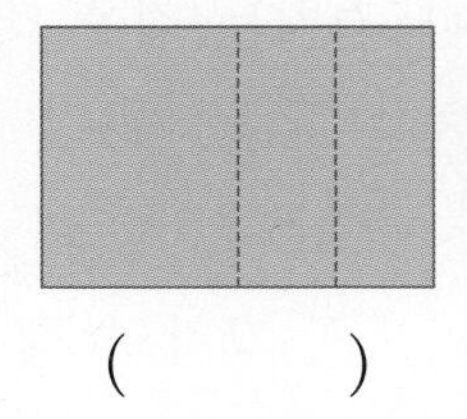
( )

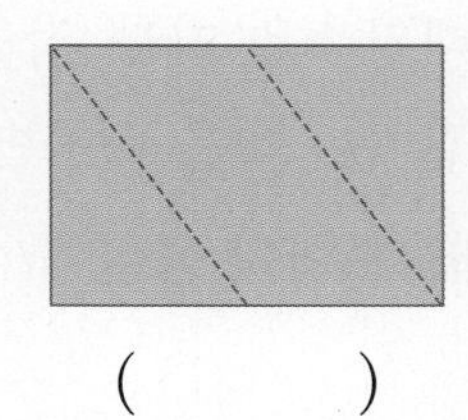
( )

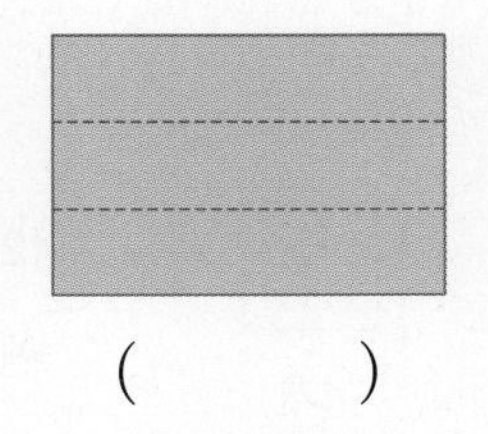
( )

교과서 공통 **3** 두 삼각형은 서로 합동입니다. 대응점, 대응변, 대응각을 찾아 □ 안에 알맞게 써넣으세요.

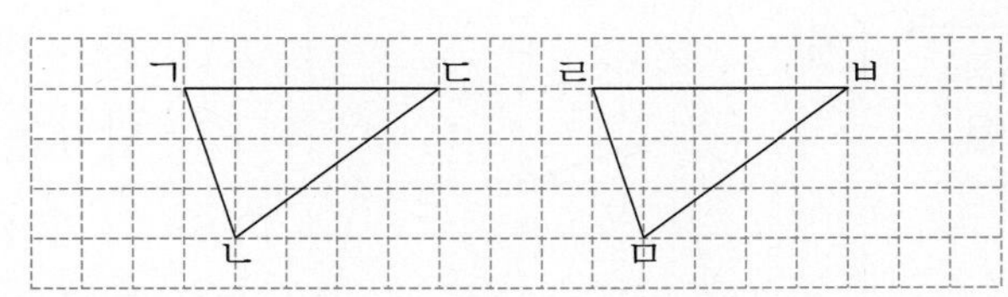

대응점	대응변	대응각
점 ㄱ과 점 ㄹ	변 ㄱㄴ과 변 ㄹㅁ	각 ㄱㄴㄷ과 각 ㄹㅁㅂ
점 ㄴ과 점 □	변 ㄴㄷ과 변 □	각 ㄱㄷㄴ과 각 □
점 ㄷ과 점 □	변 ㄱㄷ과 변 □	각 ㄴㄱㄷ과 각 □

064쪽에서 개념을 한 번 더 다집니다.

STEP 1 학교별 모든 개념을 담았습니다.

교과서 개념 잡기

한눈에
성질쏙

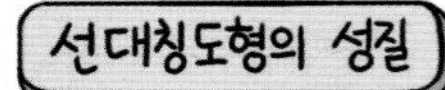

선대칭도형의 성질

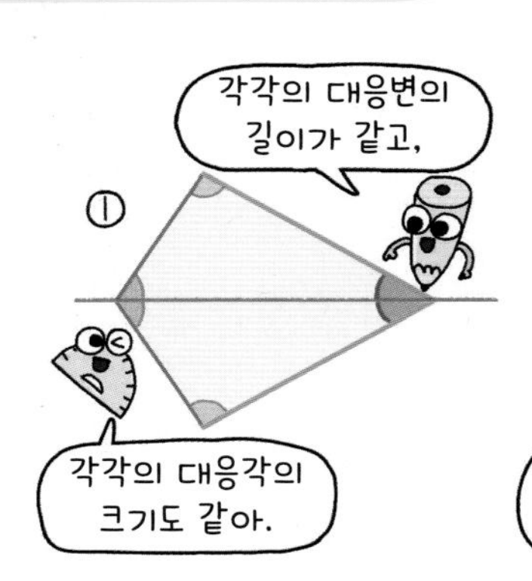

①
각각의 대응변의 길이가 같고,
각각의 대응각의 크기도 같아.

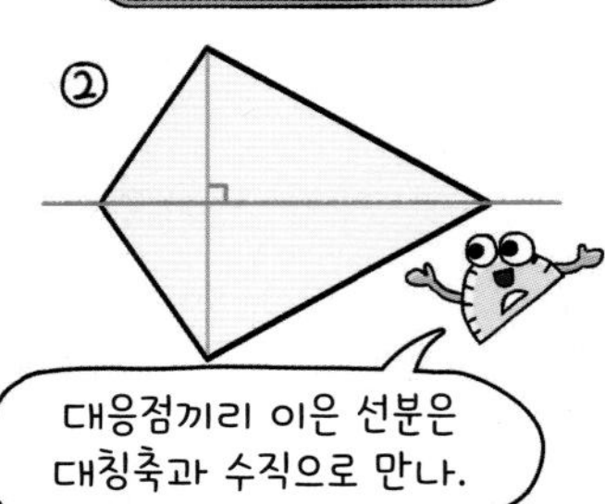

②
대응점끼리 이은 선분은 대칭축과 수직으로 만나.

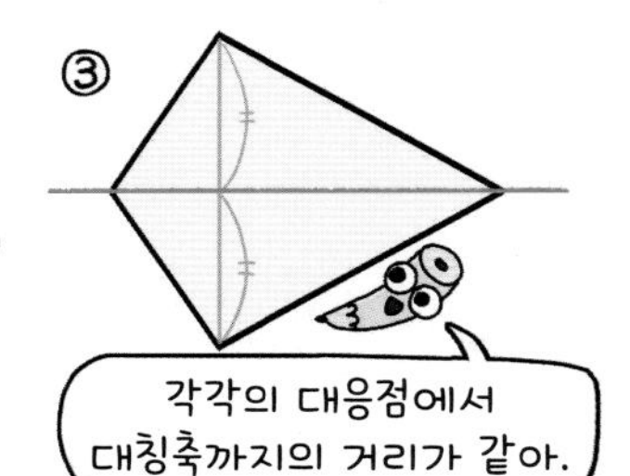

③
각각의 대응점에서 대칭축까지의 거리가 같아.

개념 강의

3 선대칭도형과 그 성질

(1) 선대칭도형

① 한 직선을 따라 접었을 때 완전히 겹치는 도형을 **선대칭도형**이라 하고, 그 직선을 **대칭축**이라고 합니다.

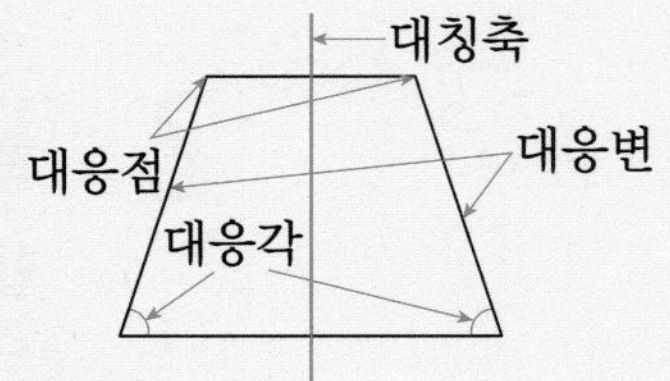

대칭축
대응점
대응변
대응각

② 대칭축을 따라 접었을 때 겹치는 점을 **대응점**, 겹치는 변을 **대응변**, 겹치는 각을 **대응각**이라고 합니다.

선대칭도형은 모양에 따라 대칭축이 1개일 수도 있고, 여러 개일 수도 있습니다.

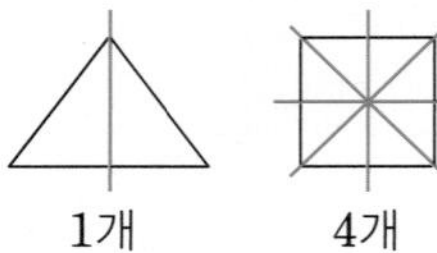

1개
4개

(2) 선대칭도형의 성질

예

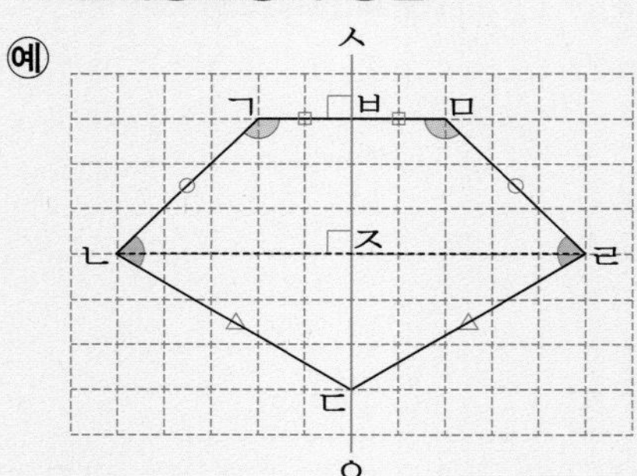

ㅅ
ㄱ
ㅂ
ㅁ
ㄴ
ㅈ
ㄹ
ㄷ
ㅇ

(변 ㄱㅂ)=(변 ㅁㅂ), (변 ㄱㄴ)=(변 ㅁㄹ), (변 ㄴㄷ)=(변 ㄹㄷ)
(각 ㅂㄱㄴ)=(각 ㅂㅁㄹ), (각 ㄱㄴㄷ)=(각 ㅁㄹㄷ)

① 각각의 대응변의 길이와 대응각의 크기가 서로 같습니다.

② 대응점끼리 이은 선분은 대칭축과 수직으로 만납니다. — 선분 ㄱㅁ과 선분 ㄴㄹ은 대칭축 ㅅㅇ과 수직으로 만납니다.

③ 대칭축은 대응점끼리 이은 선분을 둘로 똑같이 나눕니다. — (선분 ㄱㅂ)=(선분 ㅁㅂ), (선분 ㄴㅈ)=(선분 ㄹㅈ)

(3) 선대칭도형 그리기

예

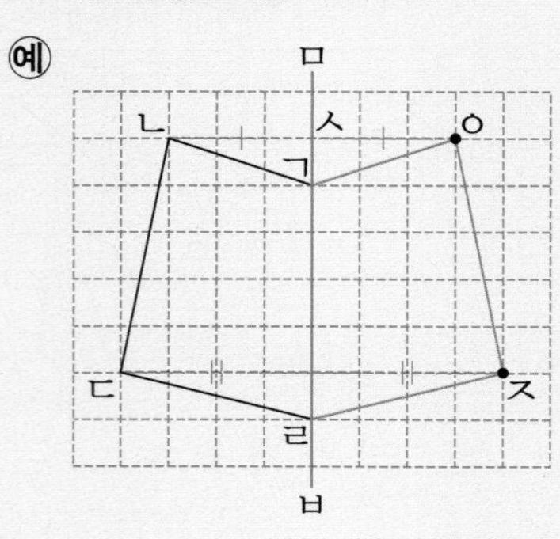

ㅁ
ㄴ
ㅅ
ㅇ
ㄱ
ㄷ
ㅈ
ㄹ
ㅂ

① 점 ㄴ에서 대칭축 ㅁㅂ에 수선을 긋고, 대칭축과 만나는 점을 찾아 점 ㅅ으로 표시합니다.

② 이 수선에 선분 ㄴㅅ과 길이가 같은 선분 ㅇㅅ이 되도록 점 ㄴ의 대응점을 찾아 점 ㅇ으로 표시합니다.

③ 위와 같은 방법으로 점 ㄷ의 대응점을 찾아 점 ㅈ으로 표시합니다.

④ 점 ㄱ과 점 ㅇ, 점 ㅇ과 점 ㅈ, 점 ㅈ과 점 ㄹ을 차례로 이어 선대칭도형이 되도록 그립니다.

점 ㄱ과 점 ㄹ과 같이 대칭축 위에 있는 꼭짓점은 대응점이 그 점과 같습니다.

매칭북 15~16쪽 정답 13쪽

1 접었을 때 완전히 겹치는 도형을 **모두** 찾아 기호를 쓰세요.

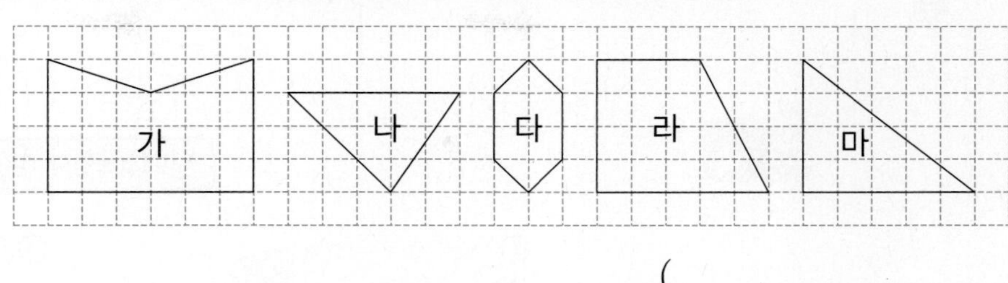

( )

3 단원

교과서 공통 **2** 다음 도형은 선대칭도형입니다. 대칭축을 그려 보세요.

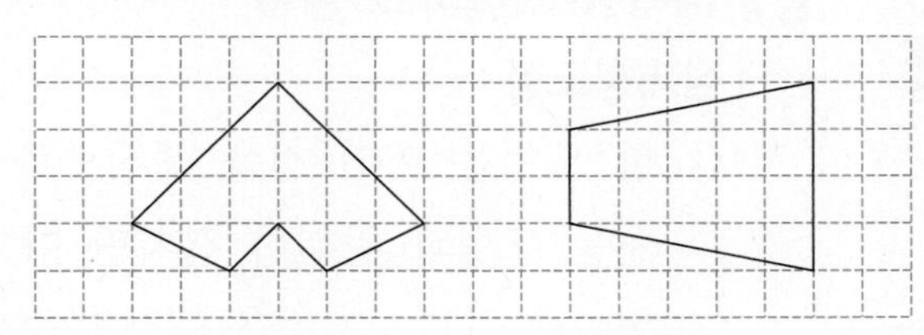

3 선대칭도형의 성질을 알아보려고 합니다. □ 안에 알맞게 써넣고, 알맞은 말에 ○표 하세요.

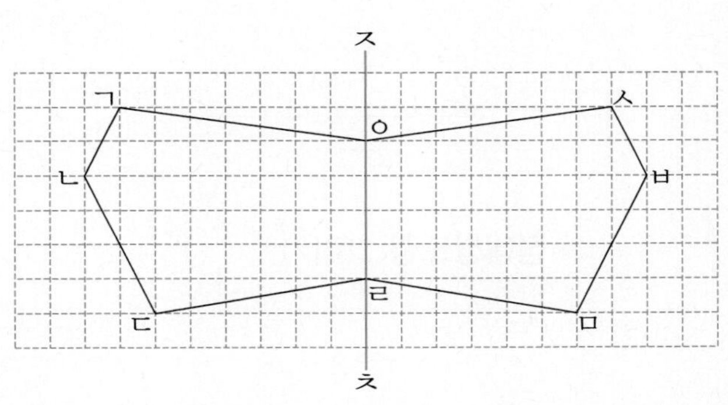

(1) 변 ㄱㄴ의 대응변은 변 ㅅㅂ, 변 ㄴㄷ의 대응변은 변 □,
변 ㄷㄹ의 대응변은 변 □, 변 ㄱㅇ의 대응변은 변 □입니다.
→ 각각의 대응변의 길이가 서로 (같습니다 , 다릅니다).

(2) 각 ㄱㄴㄷ의 대응각은 각 ㅅㅂㅁ, 각 ㄴㄷㄹ의 대응각은 각 □,
각 ㄴㄱㅇ의 대응각은 각 □입니다.
→ 각각의 대응각의 크기가 서로 (같습니다 , 다릅니다).

066쪽 에서 개념을 **한 번 더** 다집니다.

STEP 1

학교별 모든 개념을 담았습니다.

교과서 개념 잡기

한눈에 성질쏙

점대칭도형의 성질
①
각각의 대응변의 길이가 같고,
각각의 대응각의 크기도 같아.
②
각각의 대응점에서 대칭의 중심까지의 거리가 서로 같아.

4 점대칭도형과 그 성질

(1) 점대칭도형

① 한 도형을 어떤 점을 중심으로 180° 돌렸을 때 처음 도형과 완전히 겹치면 이 도형을 **점대칭도형**이라 하고, 그 점을 **대칭의 중심**이라고 합니다.

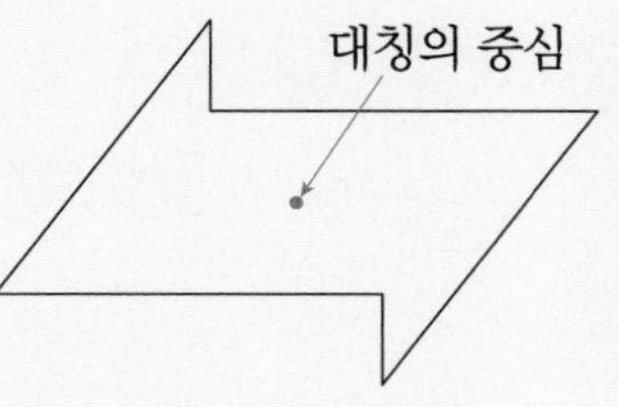

점대칭도형에서 대칭의 중심은 1개뿐입니다.

② 대칭의 중심을 중심으로 180° 돌렸을 때 겹치는 점을 **대응점**, 겹치는 변을 **대응변**, 겹치는 각을 **대응각**이라고 합니다.

(2) 점대칭도형의 성질

예

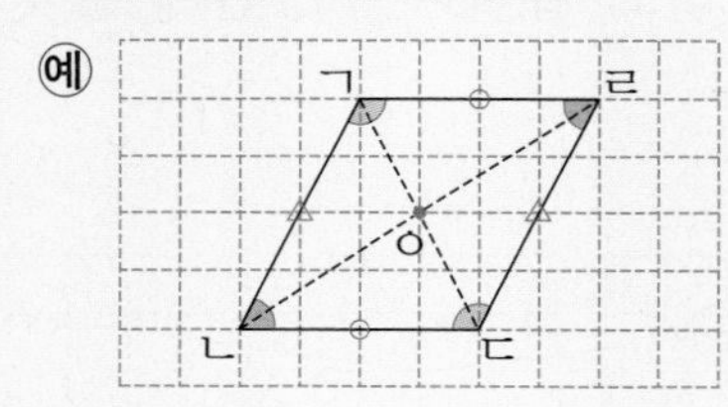

① 각각의 대응변의 길이와 대응각의 크기가 서로 같습니다. ─• (변 ㄱㄹ)=(변 ㄷㄴ), (변 ㄱㄴ)=(변 ㄷㄹ)
(각 ㄹㄱㄴ)=(각 ㄴㄷㄹ), (각 ㄱㄴㄷ)=(각 ㄷㄹㄱ)

② 대칭의 중심은 대응점끼리 이은 선분을 둘로 똑같이 나눕니다. ─• (선분 ㄱㅇ)=(선분 ㄷㅇ), (선분 ㄴㅇ)=(선분 ㄹㅇ)

(3) 점대칭도형 그리기

예

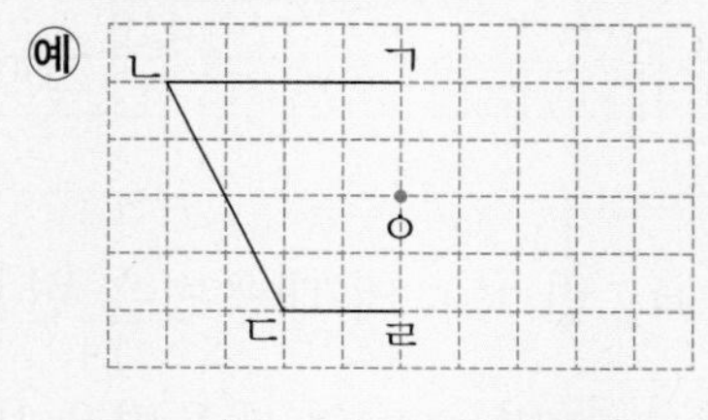

➔

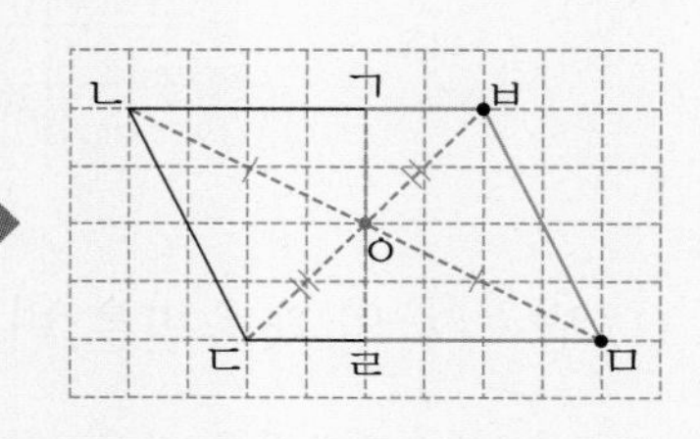

점대칭도형에서 대응점은 대칭의 중심까지의 거리는 같으면서 반대 방향에 있는 점입니다.

① 점 ㄴ에서 대칭의 중심인 점 ㅇ을 지나는 직선을 긋습니다.

② 이 직선에 선분 ㄴㅇ과 길이가 같은 선분 ㅁㅇ이 되도록 점 ㄴ의 대응점을 찾아 점 ㅁ으로 표시합니다.

③ 위와 같은 방법으로 점 ㄷ의 대응점을 찾아 점 ㅂ으로 표시합니다.

④ 점 ㄹ과 점 ㅁ, 점 ㅁ과 점 ㅂ, 점 ㅂ과 점 ㄱ을 차례로 이어 점대칭도형이 되도록 그립니다.

1

점 ㅇ을 중심으로 180° 돌렸을 때 처음 도형과 완전히 겹치는 도형을 찾아보려고 합니다. 물음에 답하세요.

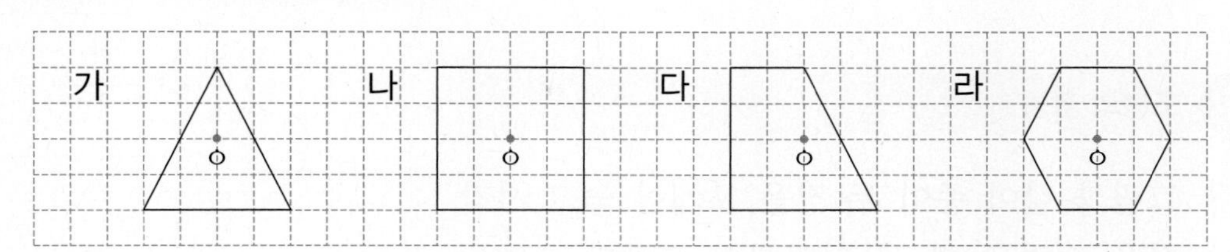

(1) 점 ㅇ을 중심으로 180° 돌렸을 때 처음 도형과 완전히 겹치는 도형을 **모두** 찾아 기호를 쓰세요. (　　　　　　　)

(2) (1)과 같은 도형을 무엇이라고 하나요? (　　　　　　　)

(3) (1)의 도형에서 점 ㅇ을 무엇이라고 하나요? (　　　　　　　)

교과서 공통 2

점대칭도형을 **모두** 찾아 ○표 하세요.

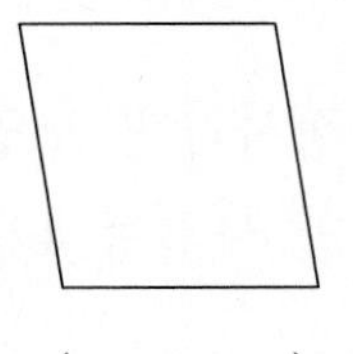

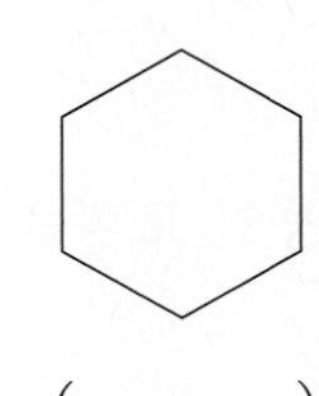

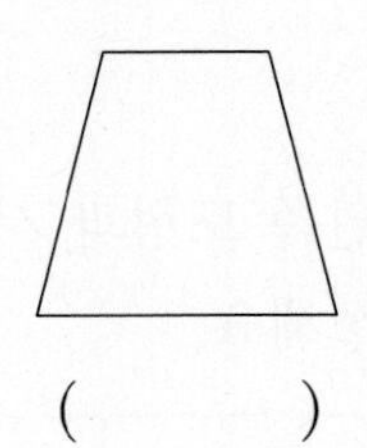

(　　) (　　) (　　) (　　)

3

점대칭도형의 성질을 알아보려고 합니다. □ 안에 알맞게 써넣고, 알맞은 말에 ○표 하세요.

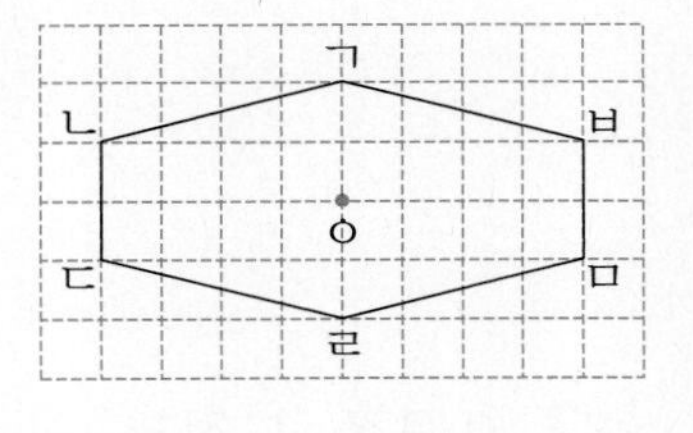

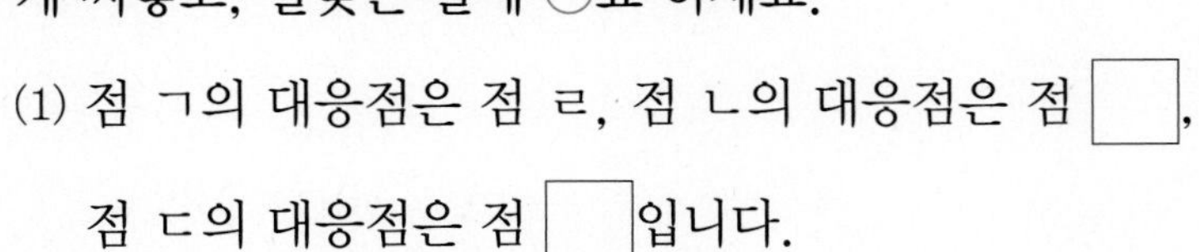

(1) 점 ㄱ의 대응점은 점 ㄹ, 점 ㄴ의 대응점은 점 □, 점 ㄷ의 대응점은 점 □입니다.

(2) 변 ㄱㄴ의 대응변은 변 ㄹㅁ, 변 ㄴㄷ의 대응변은 변 □, 변 ㄷㄹ의 대응변은 변 □입니다.

➜ 각각의 대응변의 길이가 서로 (같습니다 , 다릅니다).

(3) 각 ㄱㄴㄷ의 대응각은 각 □, 각 ㄴㄷㄹ의 대응각은 각 □, 각 ㄴㄱㅂ의 대응각은 각 □입니다.

➜ 각각의 대응각의 크기가 서로 (같습니다 , 다릅니다).

067쪽 에서 개념을 **한 번 더** 다집니다.

STEP 2 개념 한번더 잡기

1 도형의 합동

01 그림과 같이 종이 두 장을 포개어 놓고 사각형을 오렸을 때 두 사각형의 모양과 크기는 완전히 같습니다. 이러한 두 도형의 관계를 무엇이라고 하나요?

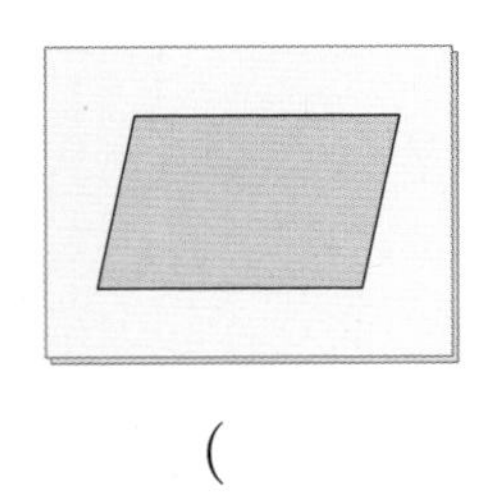

(　　　　　　　　)

02 왼쪽 도형과 서로 합동인 도형을 찾아 기호를 쓰세요.

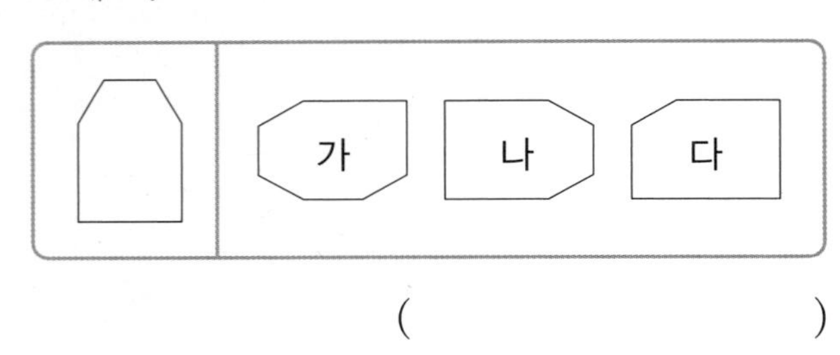

(　　　　　　　　)

03 오른쪽 도형과 서로 합동인 도형을 찾아 ○표 하세요.

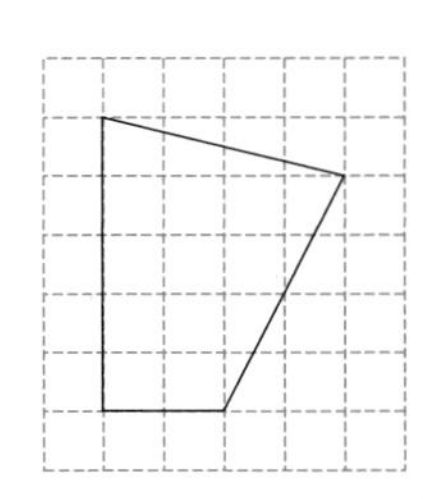

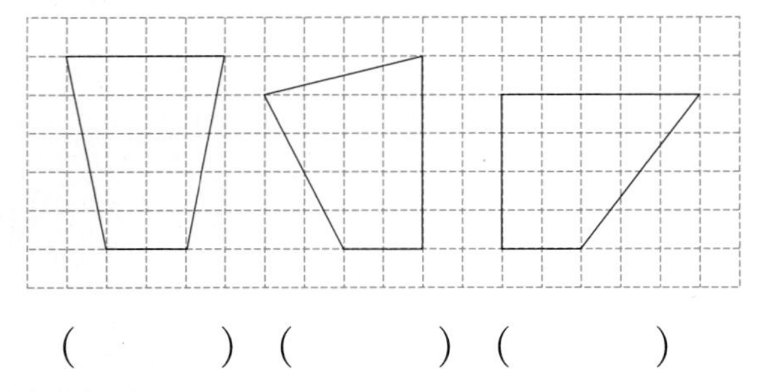

(　　) (　　) (　　)

04 서로 합동인 두 도형을 찾아 기호를 쓰세요.

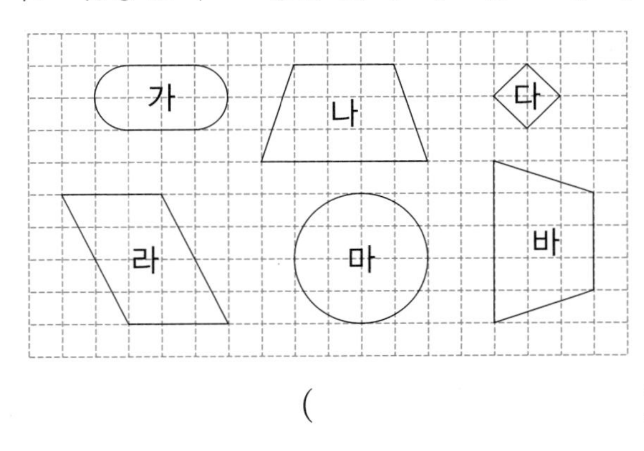

(　　　　　　　　)

05 정사각형 모양의 색종이를 잘라서 서로 합동인 사각형 4개로 만들어 보세요.

06 왼쪽 도형과 서로 합동이 되도록 오른쪽 도형을 완성해 보세요.

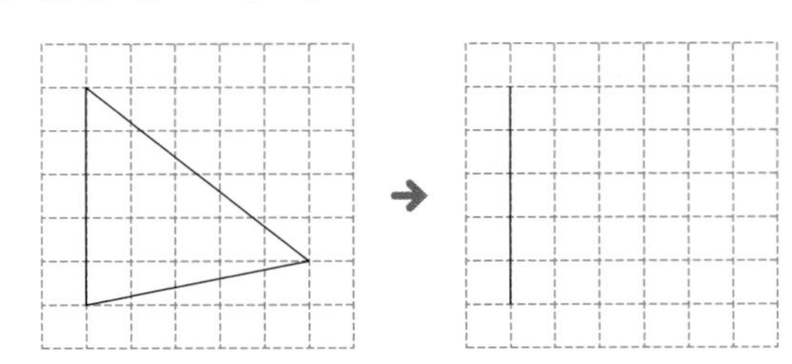

2 합동인 도형의 성질

07 두 사각형은 서로 합동입니다. 물음에 답하세요.

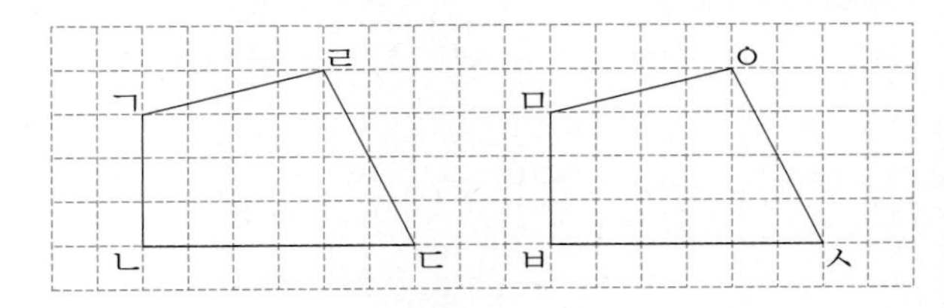

(1) 대응점을 **모두** 찾아 쓰세요.

점 ㄱ	
점 ㄴ	
점 ㄷ	
점 ㄹ	

(2) 대응변을 **모두** 찾아 쓰세요.

변 ㄱㄴ	
변 ㄴㄷ	
변 ㄹㄷ	
변 ㄱㄹ	

(3) 대응각을 **모두** 찾아 쓰세요.

각 ㄱㄴㄷ	
각 ㄴㄷㄹ	
각 ㄹㄱㄴ	
각 ㄱㄹㄷ	

08 두 삼각형은 서로 합동입니다. 알맞은 말에 ○표 하세요.

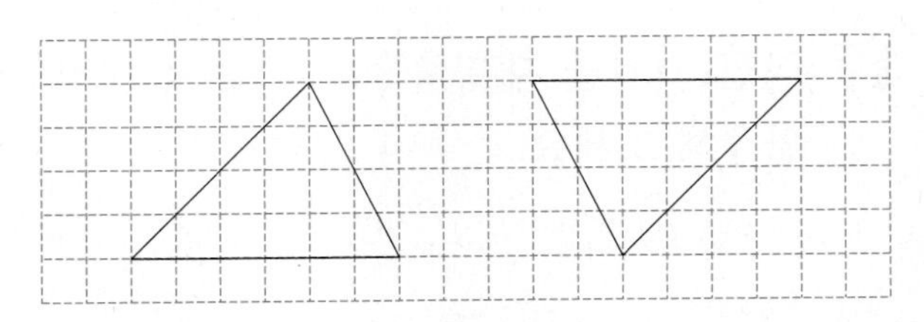

(1) 합동인 두 도형에서 각각의 대응변의 길이가 서로 (같습니다 , 다릅니다).

(2) 합동인 두 도형에서 각각의 대응각의 크기가 서로 (같습니다 , 다릅니다).

09 두 도형은 서로 합동입니다. □ 안에 알맞은 수를 써넣으세요.

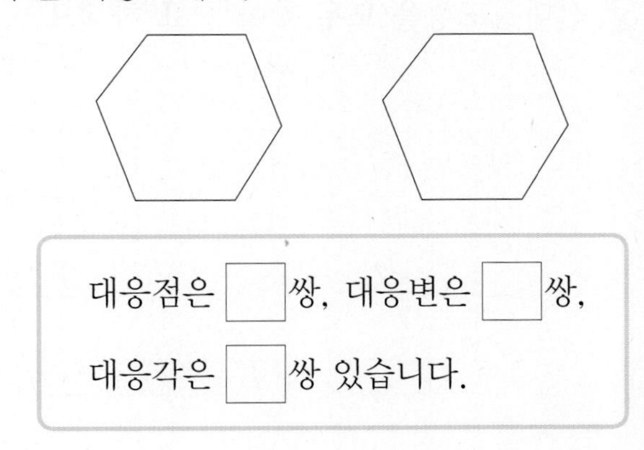

대응점은 □쌍, 대응변은 □쌍,
대응각은 □쌍 있습니다.

10 두 사각형은 서로 합동입니다. 물음에 답하세요.

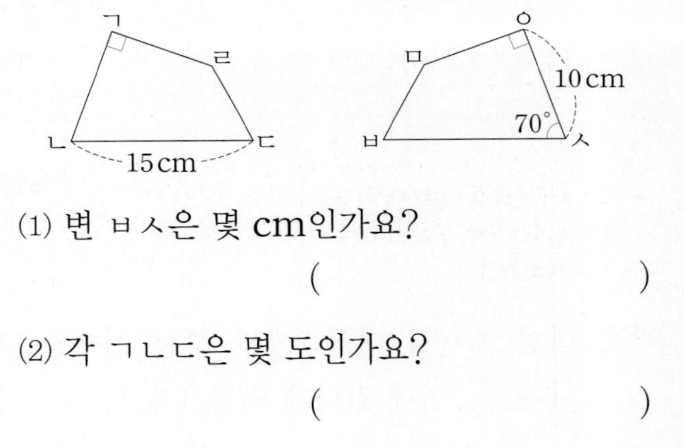

(1) 변 ㅂㅅ은 몇 cm인가요?

( )

(2) 각 ㄱㄴㄷ은 몇 도인가요?

( )

11 두 삼각형은 서로 합동입니다. □ 안에 알맞은 수를 써넣으세요.

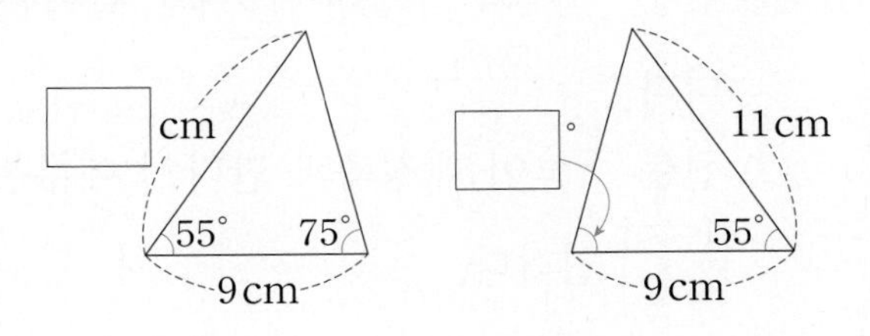

3 선대칭도형과 그 성질

12 선대칭도형을 **모두** 찾아 ◯표 하세요.

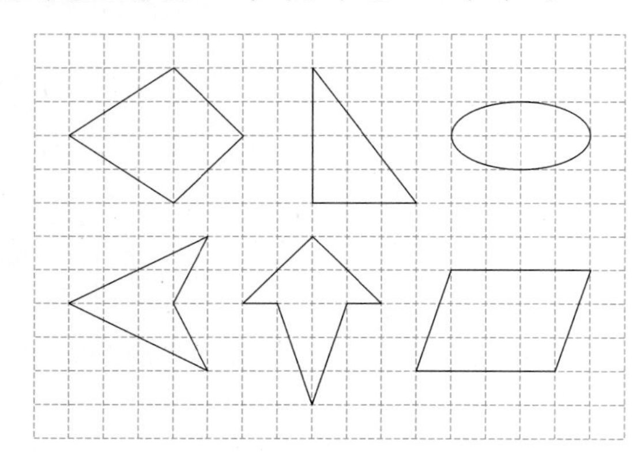

13 다음 도형은 선대칭도형입니다. 대칭축을 **모두** 그려 보세요.

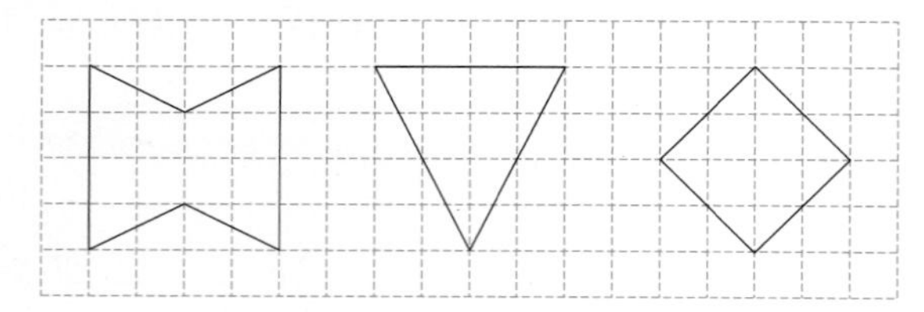

14 직선 ㅅㅇ을 대칭축으로 하는 선대칭도형입니다. □ 안에 알맞게 써넣으세요.

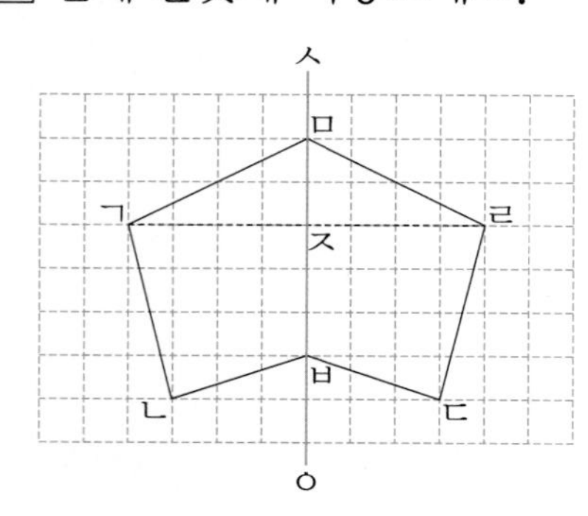

(1) 선분 ㄱㅈ과 선분 □의 길이는 같습니다.

(2) 선분 ㄱㄹ이 대칭축과 만나서 이루는 각은 □°입니다.

15 직선 ㅁㅂ을 대칭축으로 하는 선대칭도형입니다. 변 ㄹㄷ은 몇 cm인가요?

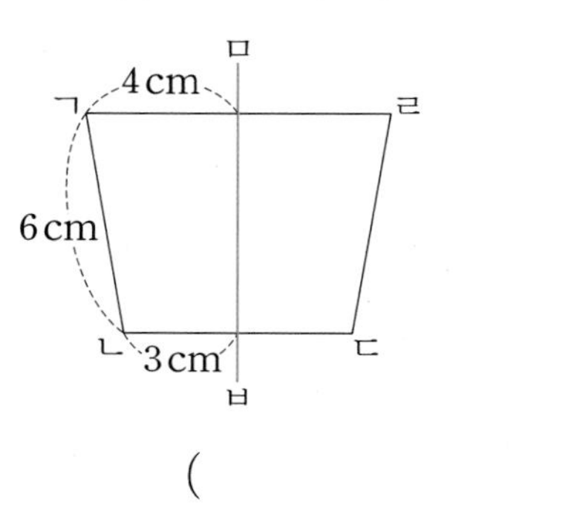

(　　　　　　)

16 선분 ㄱㄷ을 대칭축으로 하는 선대칭도형입니다. 각 ㄱㄷㄹ은 몇 도인가요?

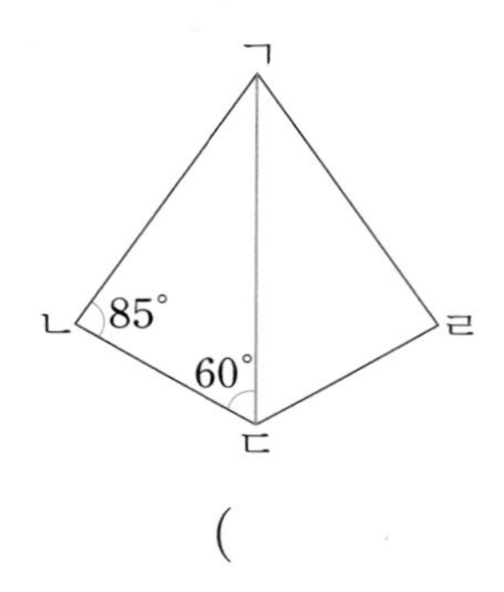

(　　　　　　)

17 직선 ㄱㄴ을 대칭축으로 하는 선대칭도형을 완성해 보세요.

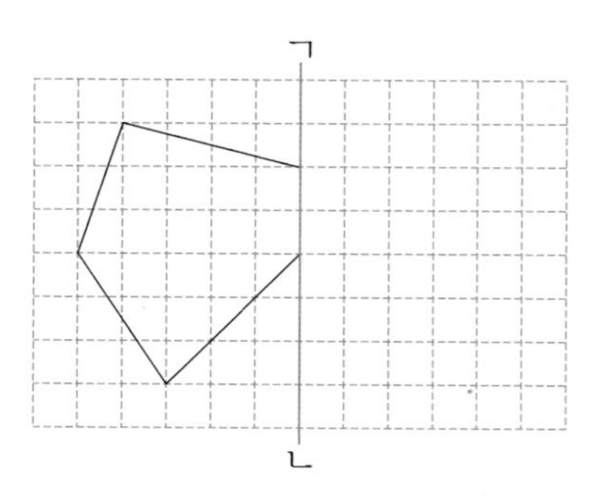

정답 13쪽

4 점대칭도형과 그 성질

18 점대칭도형을 **모두** 찾아 ○표 하세요.

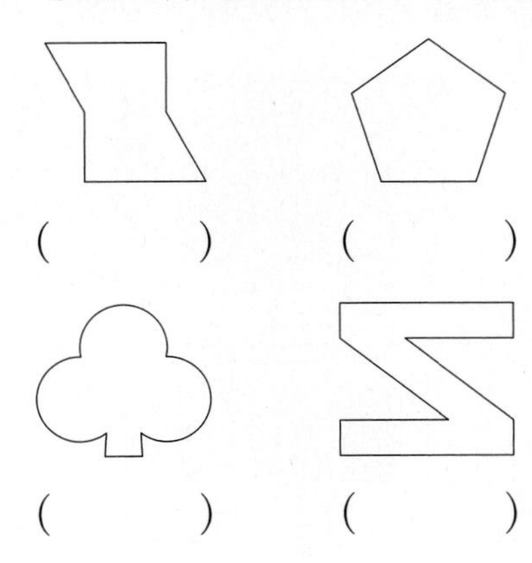

( ) ( )

( ) ( )

19 다음 도형은 점대칭도형입니다. 대칭의 중심은 몇 개인가요?

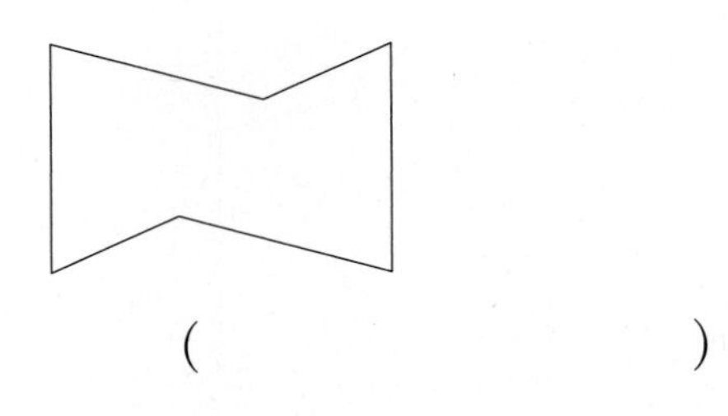

( )

20 점 ㅇ을 대칭의 중심으로 하는 점대칭도형입니다. 길이가 같은 선분을 찾아 쓰세요.

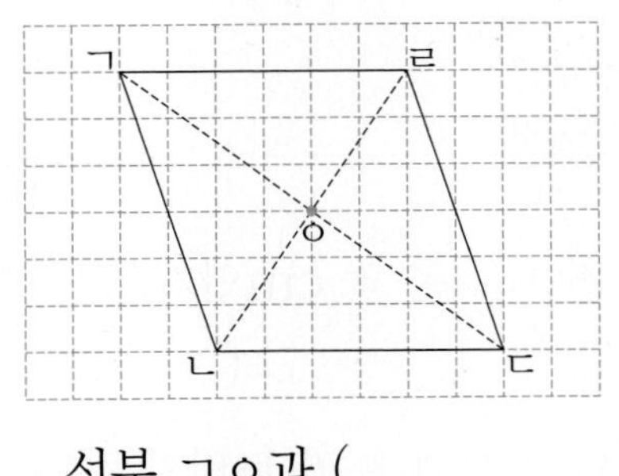

선분 ㄱㅇ과 ( )

선분 ㄴㅇ과 ( )

21 점 ㅇ을 대칭의 중심으로 하는 점대칭도형입니다. □ 안에 알맞은 수를 써넣으세요.

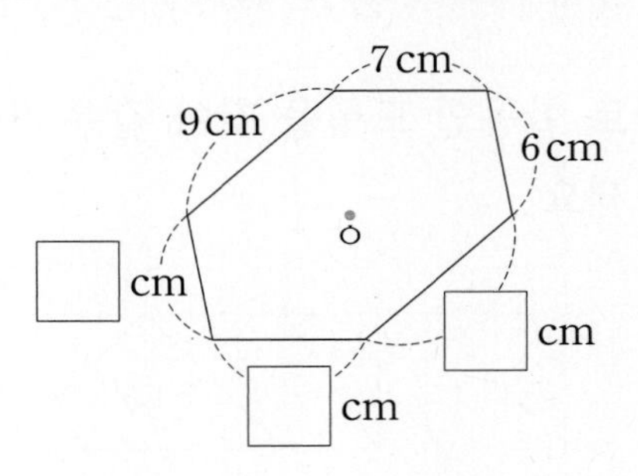

22 점 ㅇ을 대칭의 중심으로 하는 점대칭도형입니다. 각 ㄴㄷㄹ은 몇 도인가요?

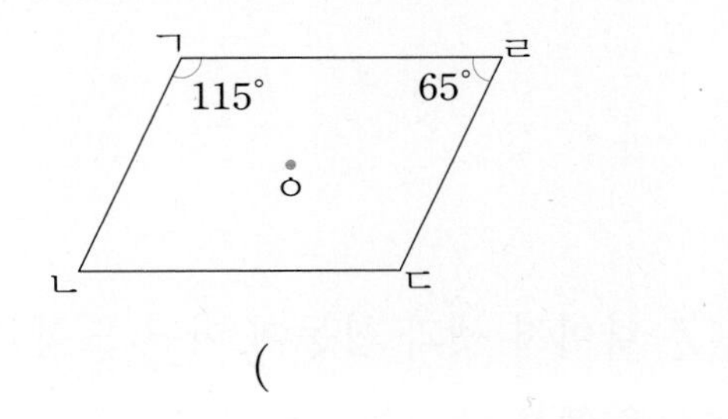

( )

23 점대칭도형을 그리려고 합니다. 순서에 맞게 □ 안에 기호를 써넣고, 점 ㅇ을 대칭의 중심으로 하는 점대칭도형을 완성해 보세요.

> ㉠ 각 대응점을 차례로 이어 점대칭도형을 완성합니다.
> ㉡ 각 점에서 대칭의 중심을 지나는 직선을 긋습니다.
> ㉢ 각 점에서 대칭의 중심까지의 거리가 같도록 대응점을 찾아 표시합니다.

□ - □ - □

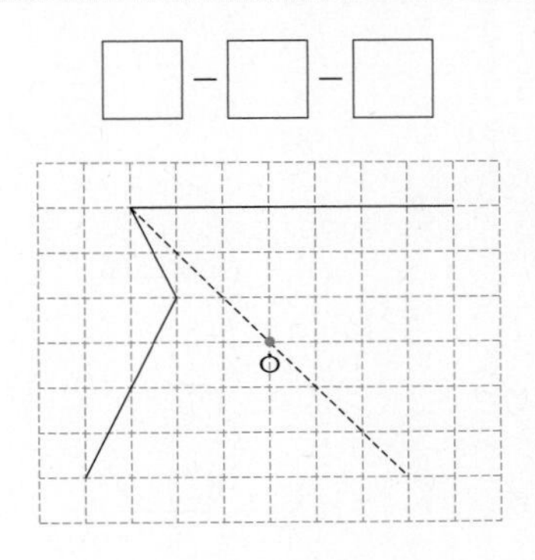

3 단원

학교별 모든 수학 익힘 문제를 담았습니다.

수학 익힘 문제 잡기

058쪽 개념 1

01 서로 합동인 도형을 찾아 같은 색으로 색칠해 보세요.

가 나 다 라

마 바 사 아

058쪽 개념 1

02 나머지 셋과 합동이 아닌 도형을 찾아 기호를 쓰세요.

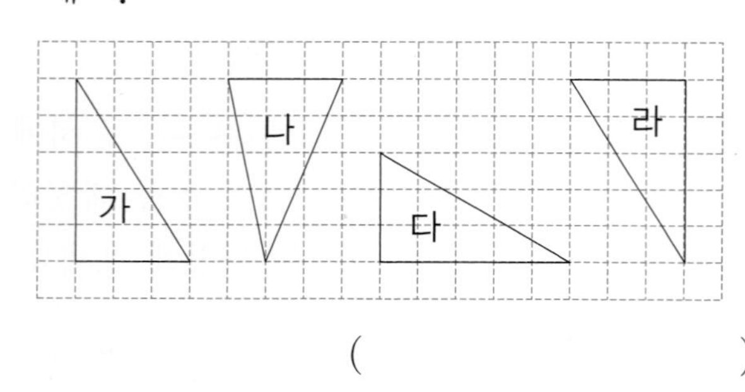

(　　　　　　　　)

058쪽 개념 1

03 점선을 따라 잘랐을 때 만들어지는 두 도형이 서로 합동인 것을 **모두** 고르세요.

(　　　　)

① 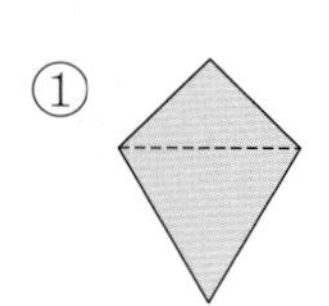
② 
③  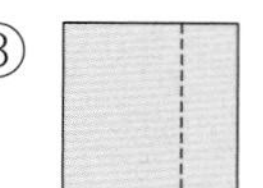

④ 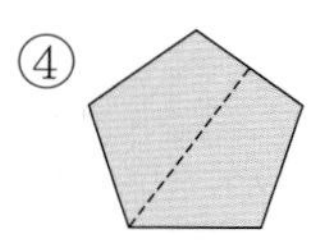
⑤ 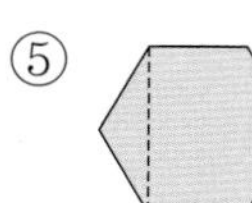

058쪽 개념 1

04 깨진 보도블록을 새 보도블록으로 바꾸려고 합니다. 세 보도블록 중에서 바꿀 수 있는 보도블록을 찾아 기호를 쓰세요.

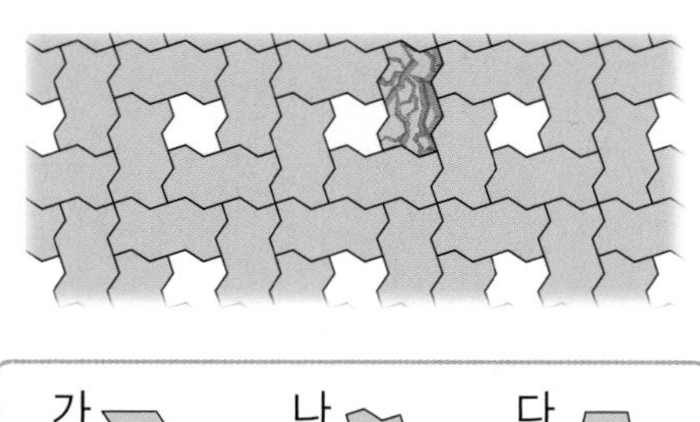

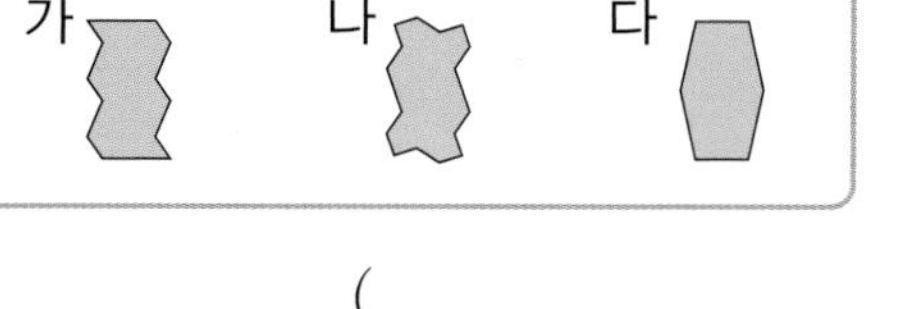

(　　　　　　　　)

058쪽 개념 1

05 왼쪽 도형과 서로 합동인 도형을 그려 보세요.

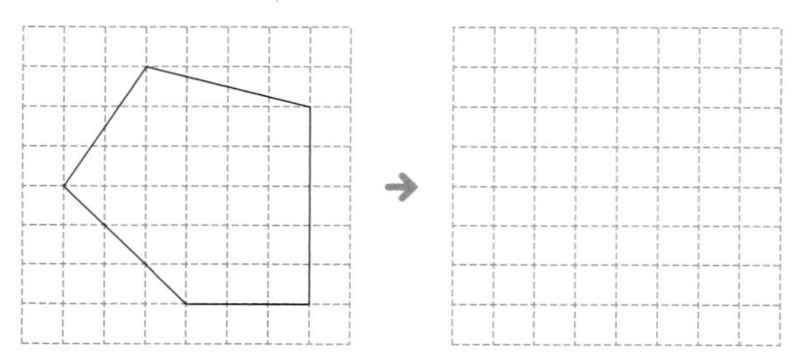

익힘책 공통

058쪽 개념 2

06 두 삼각형은 서로 합동입니다. 물음에 답하세요.

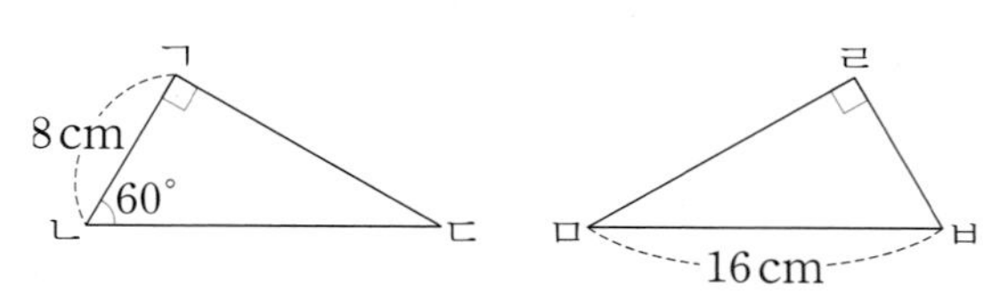

(1) 변 ㄴㄷ은 몇 cm인가요?

(　　　　　　　　)

(2) 각 ㄹㅂㅁ은 몇 도인가요?

(　　　　　　　　)

058쪽 개념 ❷

07 두 사각형은 서로 합동입니다. 사각형 ㄱㄴㄷㄹ의 둘레는 몇 cm인지 구하세요.

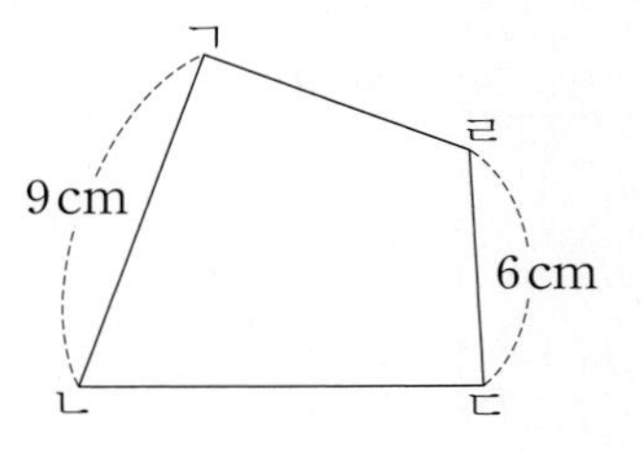

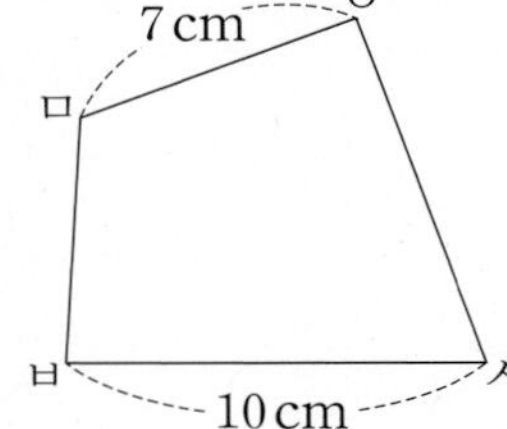

(1) 변 ㄱㄹ과 변 ㄴㄷ은 각각 몇 cm인가요?

변 ㄱㄹ (　　　　　　)

변 ㄴㄷ (　　　　　　)

(2) 사각형 ㄱㄴㄷㄹ의 둘레는 몇 cm인가요?

(　　　　　　)

058쪽 개념 ❷

08 두 사각형은 서로 합동입니다. 각 ㅁㅂㅅ은 몇 도인지 구하세요.

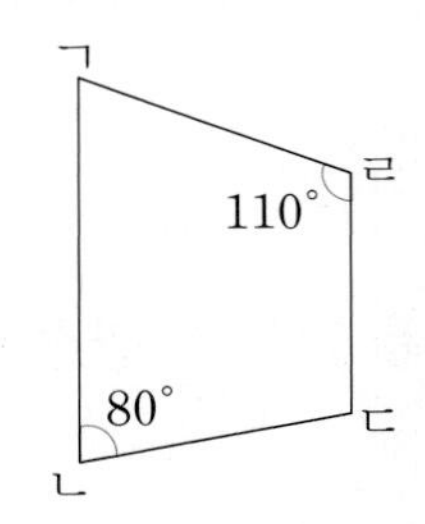

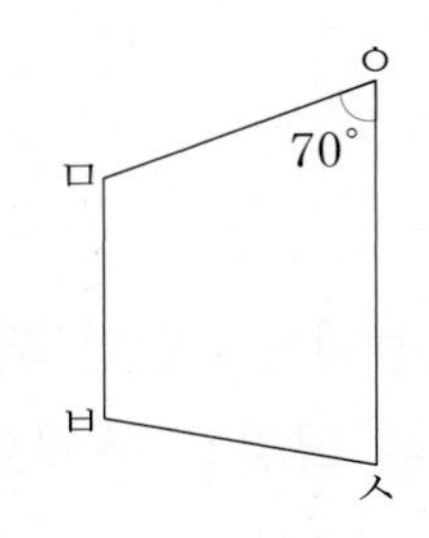

(1) 각 ㅂㅁㅇ과 각 ㅂㅅㅇ은 각각 몇 도인가요?

각 ㅂㅁㅇ (　　　　　　)

각 ㅂㅅㅇ (　　　　　　)

(2) 각 ㅁㅂㅅ은 몇 도인가요?

(　　　　　　)

익힘책 공통 058쪽 개념 ❷

09 그림과 같은 모양의 땅이 있습니다. 삼각형 ㄱㄴㄷ과 삼각형 ㄷㄹㅁ이 서로 합동일 때, 전체 땅의 둘레는 몇 m인가요?

문제 강의

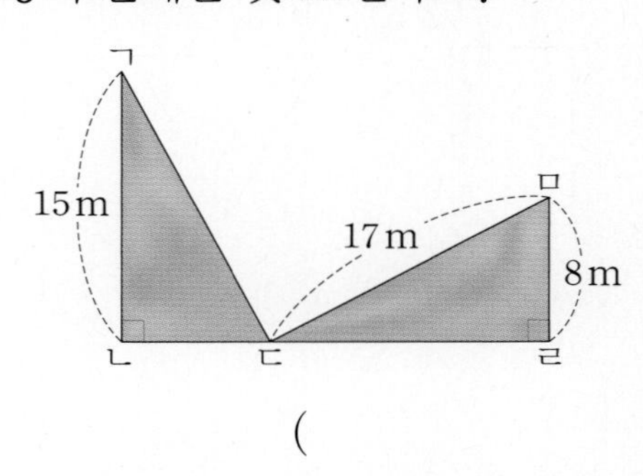

(　　　　　　)

060쪽 개념 ❸

10 선대칭도형은 **모두** 몇 개인가요?

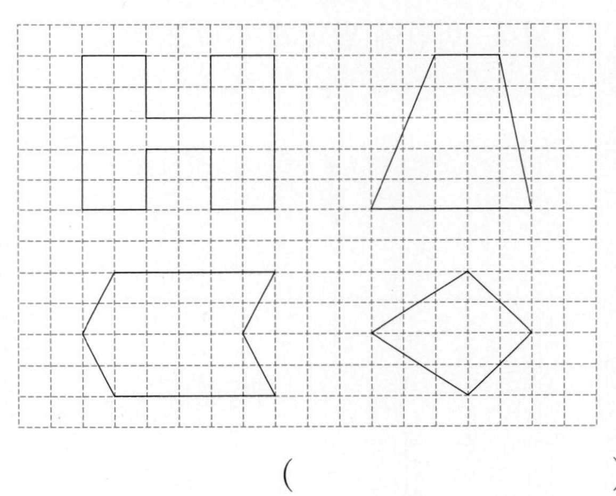

(　　　　　　)

060쪽 개념 ❸

11 다음 도형은 선대칭도형입니다. 그릴 수 있는 대칭축은 **모두** 몇 개인가요?

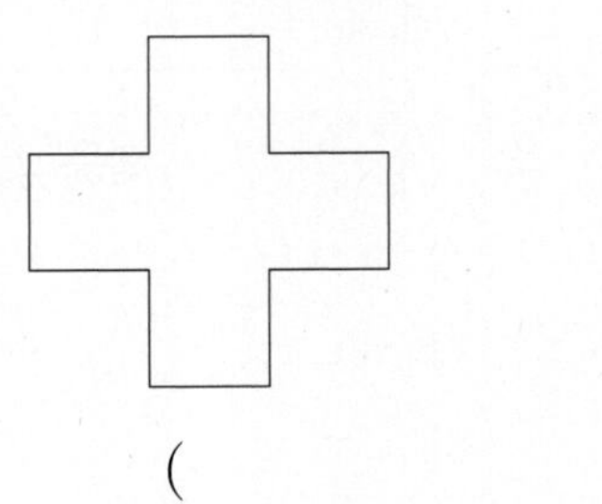

(　　　　　　)

060쪽 개념 3

12 다음 도형은 선대칭도형입니다. 그릴 수 있는 대칭축의 개수가 가장 많은 것을 찾아 ○표 하세요.

(　　　) (　　　) (　　　)

060쪽 개념 3

13 직선 ㅈㅊ을 대칭축으로 하는 선대칭도형입니다. 빈칸에 알맞게 써넣으세요.

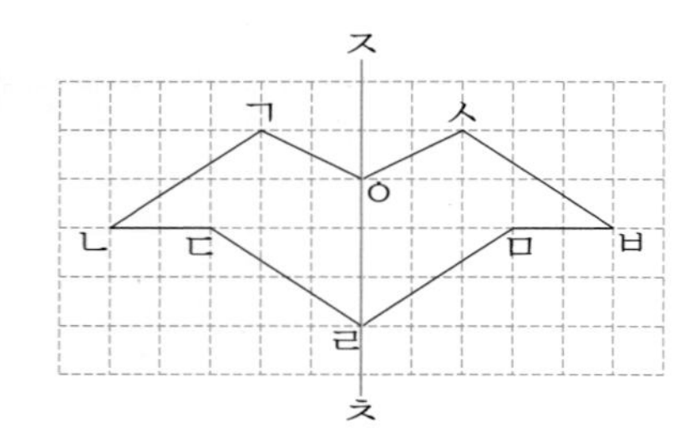

대응점	
점 ㄱ	
점 ㄴ	
점 ㄷ	

대응변	
변 ㄱㅇ	
변 ㄱㄴ	
변 ㄴㄷ	
변 ㄷㄹ	

대응각	
각 ㅇㄱㄴ	
각 ㄱㄴㄷ	
각 ㄴㄷㄹ	

익힘책 공통 060쪽 개념 3

14 직선 ㅁㅂ을 대칭축으로 하는 선대칭도형입니다. 변 ㄱㄷ은 몇 cm인가요?

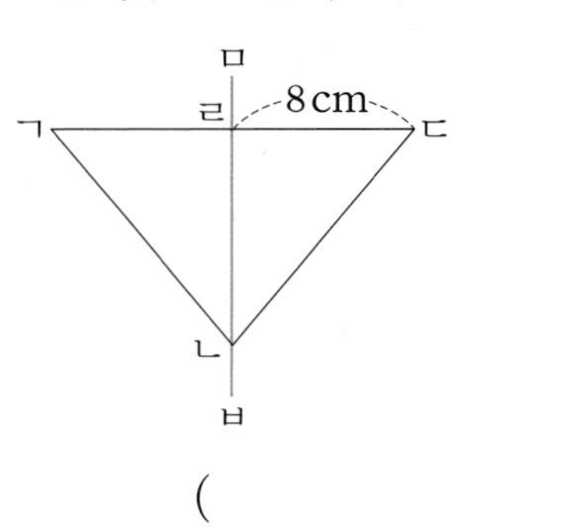

(　　　　　　　　　　)

060쪽 개념 3

15 직선 ㄱㄴ을 대칭축으로 하는 선대칭도형입니다. □ 안에 알맞은 수를 써넣으세요.

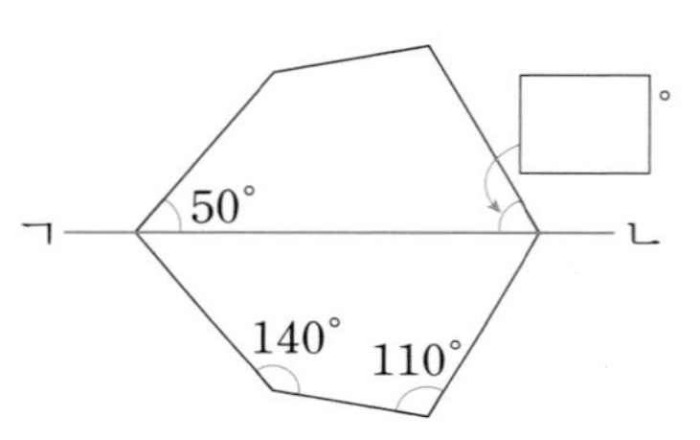

060쪽 개념 3

16 선대칭도형이 되도록 그림을 완성하고, 완성된 글자를 쓰세요.

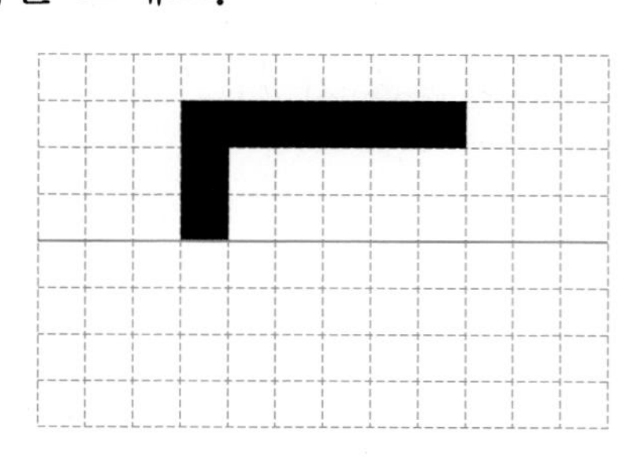

완성된 글자: □

060쪽 개념 ③

17 직선 ㅅㅇ을 대칭축으로 하는 선대칭도형입니다. 이 도형의 둘레는 몇 cm인가요?

문제 강의

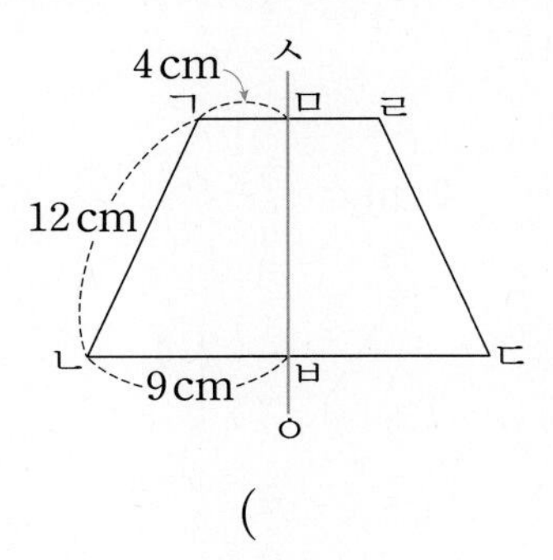

( )

062쪽 개념 ④

18 점대칭도형을 **모두** 찾아 기호를 쓰세요.

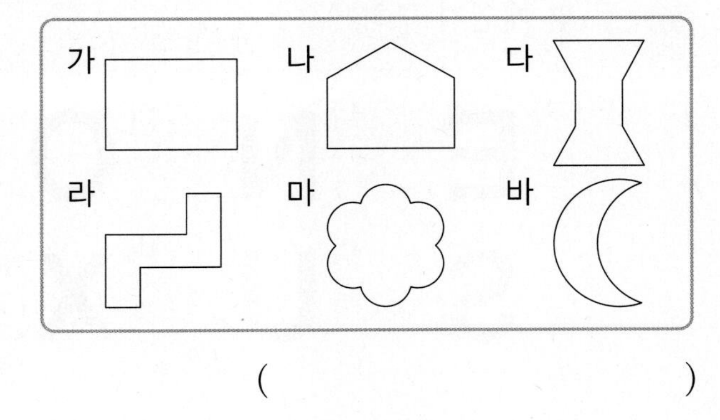

( )

익힘책 공통

062쪽 개념 ④

19 다음 도형은 점대칭도형입니다. 대칭의 중심을 찾아 표시해 보세요.

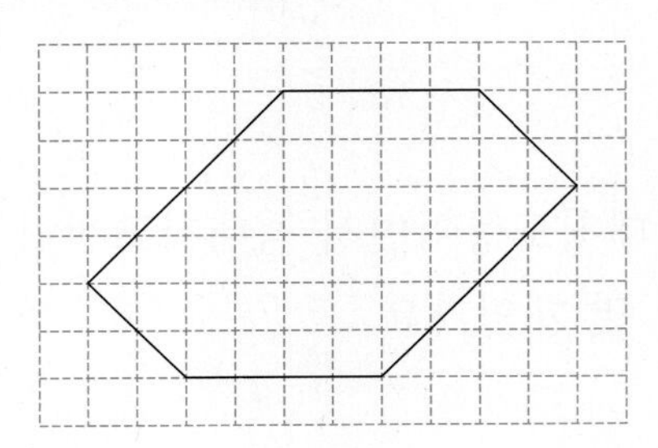

062쪽 개념 ④

20 점 ㅇ을 대칭의 중심으로 하는 점대칭도형입니다. 빈칸에 알맞게 써넣으세요.

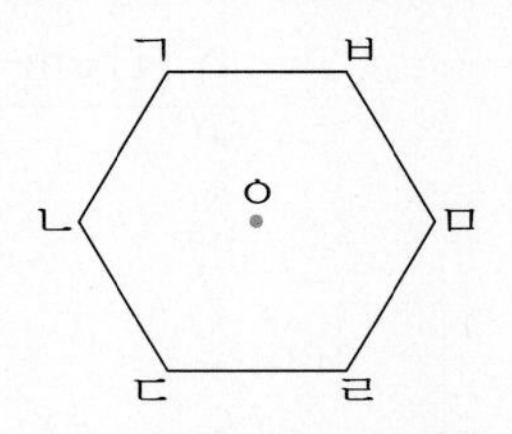

대응점	
점 ㄱ	
점 ㄴ	
점 ㄷ	

대응변	
변 ㄱㅂ	
변 ㅂㅁ	
변 ㅁㄹ	

대응각	
각 ㄱㅂㅁ	
각 ㅂㅁㄹ	
각 ㄷㄹㅁ	

062쪽 개념 ④

21 점 ㅇ을 대칭의 중심으로 하는 점대칭도형입니다. 잘못된 것을 찾아 기호를 쓰세요.

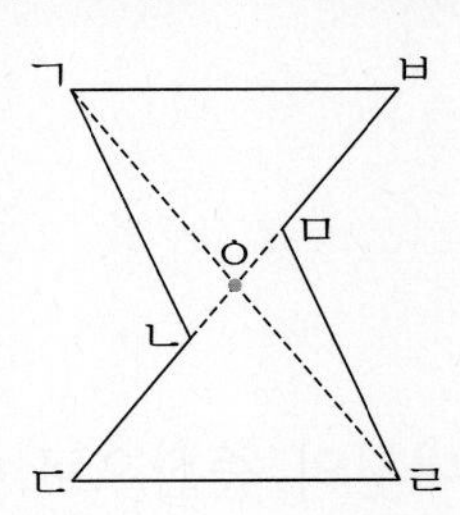

㉠ (변 ㄱㄴ)=(변 ㄹㅁ)
㉡ (변 ㄷㄹ)=(변 ㅂㄱ)
㉢ (선분 ㄱㅇ)=(선분 ㄹㅇ)
㉣ (선분 ㄴㅇ)=(선분 ㅂㅇ)

( )

3 단원

062쪽 개념 4

22 점 ㅇ을 대칭의 중심으로 하는 점대칭도형입니다. □ 안에 알맞은 수를 써넣으세요.

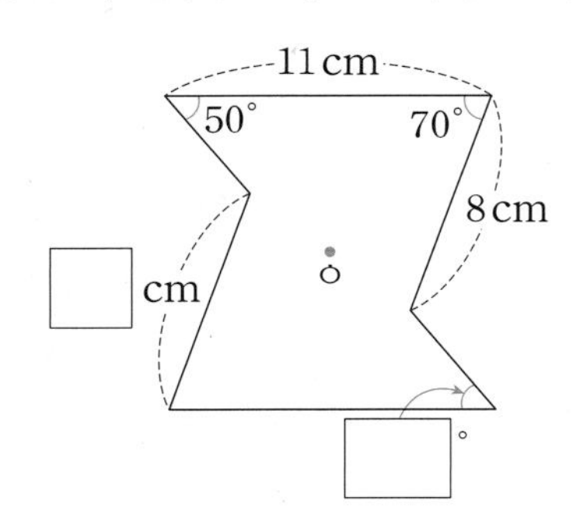

062쪽 개념 4

23 점 ㅇ을 대칭의 중심으로 하는 점대칭도형입니다. 선분 ㄱㄷ이 12 cm일 때, □ 안에 알맞은 수를 써넣으세요.

문제 강의

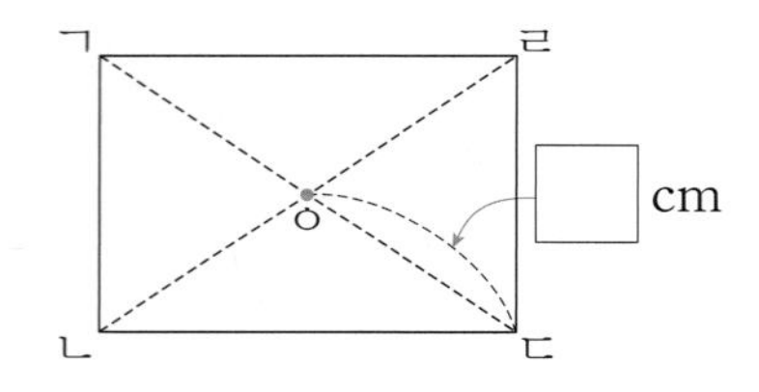

062쪽 개념 4

24 점 ㅇ을 대칭의 중심으로 하는 점대칭도형을 완성해 보세요.

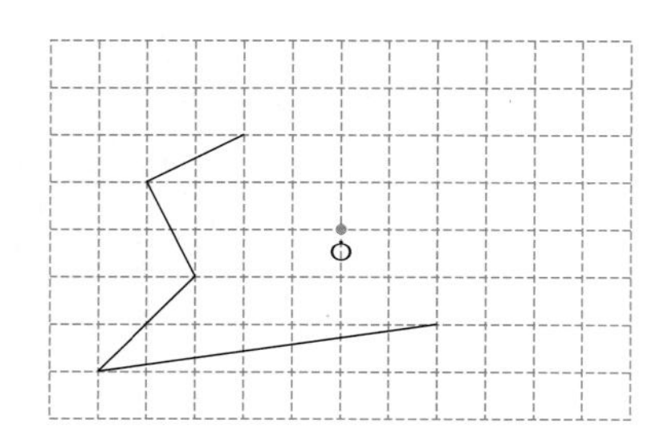

익힘책 공통

062쪽 개념 4

25 점 ㅈ을 대칭의 중심으로 하는 점대칭도형입니다. 둘레가 74 cm일 때, 변 ㄹㅁ은 몇 cm인가요?

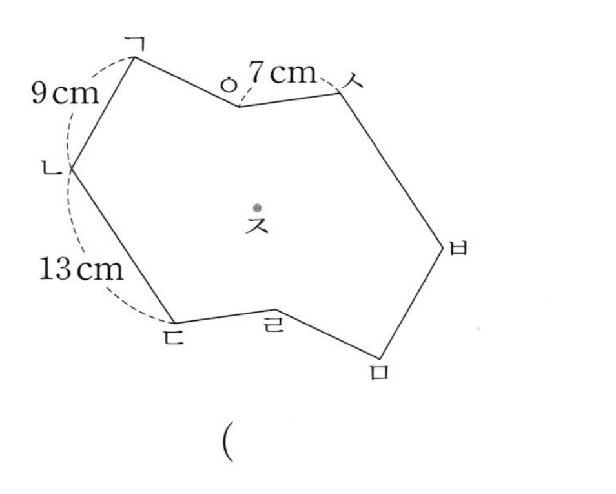

(　　　　　　　　)

생각 + 문제

26 선대칭도형이면서 점대칭도형인 알파벳은 모두 몇 개인지 구하세요.

문제 강의

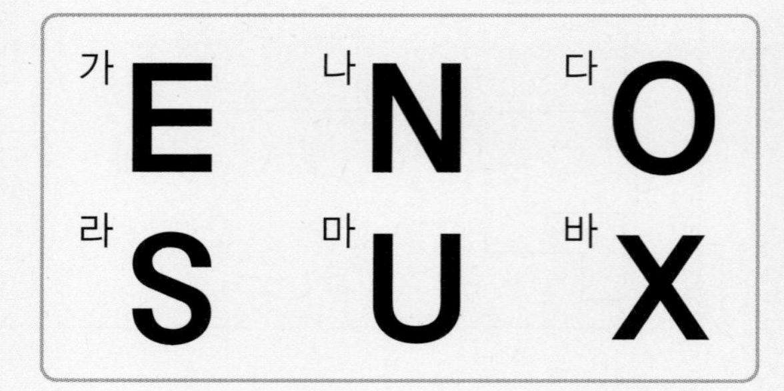

(1) 선대칭도형인 알파벳을 모두 찾아 기호를 쓰세요.

(　　　　　　　　)

(2) 점대칭도형인 알파벳을 모두 찾아 기호를 쓰세요.

(　　　　　　　　)

(3) 선대칭도형이면서 점대칭도형인 알파벳은 모두 몇 개인가요?

(　　　　　　　　)

서술형 잡기

서술형 강의

정답 16쪽

1 윤민이가 선대칭도형을 잘못 그렸습니다. **잘못 그린 이유**를 쓰세요.

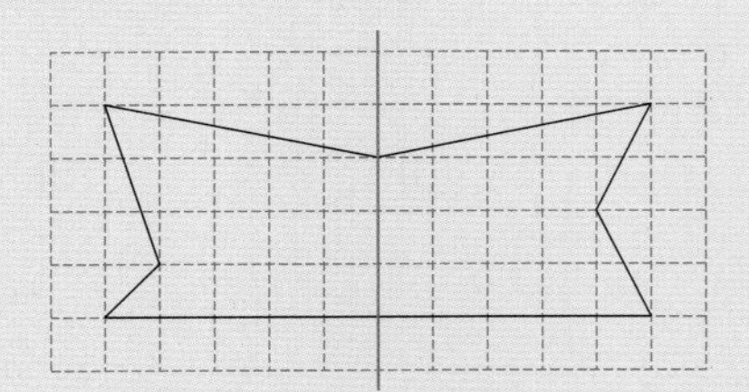

이유 윤민이가 그린 도형은 대칭축을 따라 접었을 때 완전히 ☐ 않으므로 선대칭도형을 잘못 그렸습니다.

2 상현이가 선대칭도형을 잘못 그렸습니다. **잘못 그린 이유**를 쓰세요.

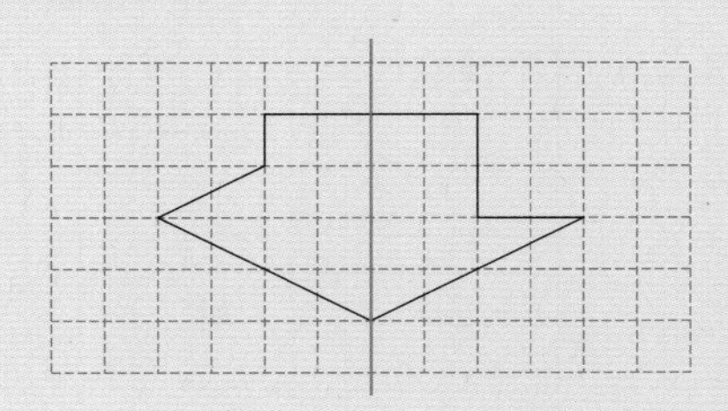

이유

3 점 ㅇ을 대칭의 중심으로 하는 점대칭도형입니다. 이 **도형의 둘레는 몇 cm**인지 풀이 과정을 쓰고, 답을 구하세요.

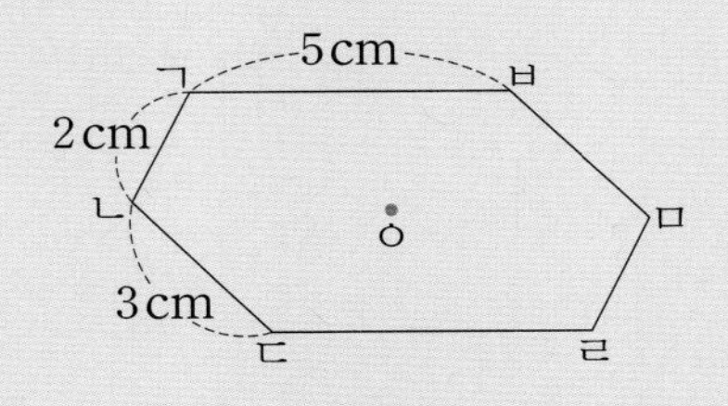

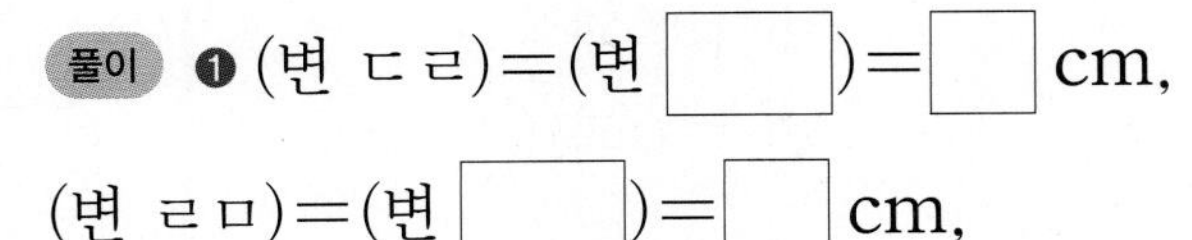

해결 순서
❶ 점대칭도형의 각 변의 길이 구하기
❷ 점대칭도형의 둘레 구하기

풀이 ❶ (변 ㄷㄹ)=(변 ☐)=☐ cm,

(변 ㄹㅁ)=(변 ☐)=☐ cm,

(변 ㅂㅁ)=(변 ☐)=☐ cm입니다.

❷ (점대칭도형의 둘레)

=(☐+☐+☐)×2=☐ (cm)

답

4 점 ㅈ을 대칭의 중심으로 하는 점대칭도형입니다. 이 **도형의 둘레는 몇 cm**인지 풀이 과정을 쓰고, 답을 구하세요.

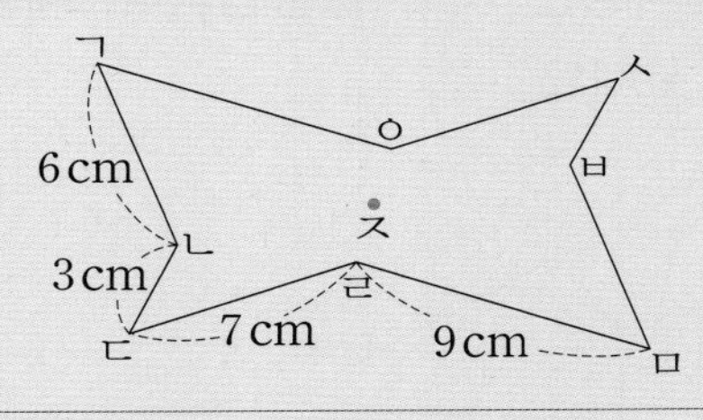

해결 순서
❶ 점대칭도형의 각 변의 길이 구하기
❷ 점대칭도형의 둘레 구하기

풀이

답

3 단원

단원 마무리

3. 합동과 대칭

점수

[01~02] 도형을 보고 물음에 답하세요.

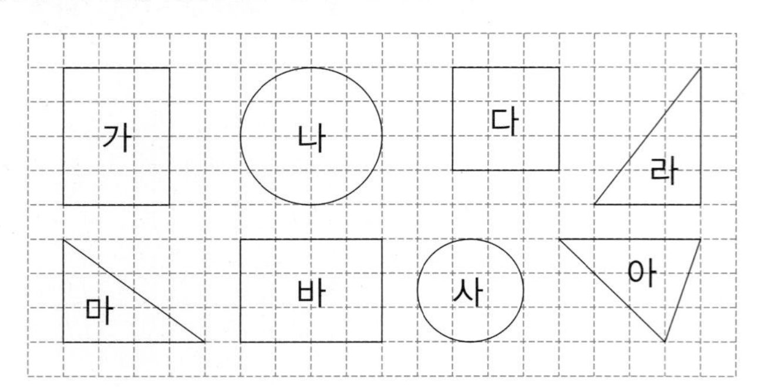

01 도형 가와 포개었을 때 완전히 겹치는 도형을 찾아 기호를 쓰세요.

(　　　　　　　　)

02 도형 라와 서로 합동인 도형을 찾아 기호를 쓰세요.

(　　　　　　　　)

03 두 삼각형은 서로 합동입니다. 대응점을 모두 찾아 쓰세요.

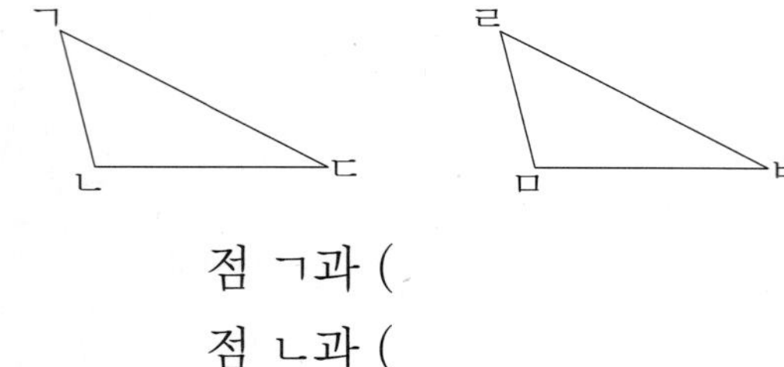

점 ㄱ과 (　　　　　　　　)

점 ㄴ과 (　　　　　　　　)

점 ㄷ과 (　　　　　　　　)

04 다음 도형은 선대칭도형입니다. 대칭축을 그려 보세요.

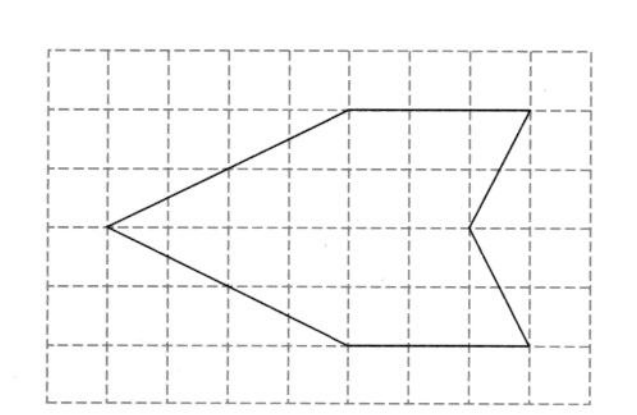

[05~06] 도형을 보고 물음에 답하세요.

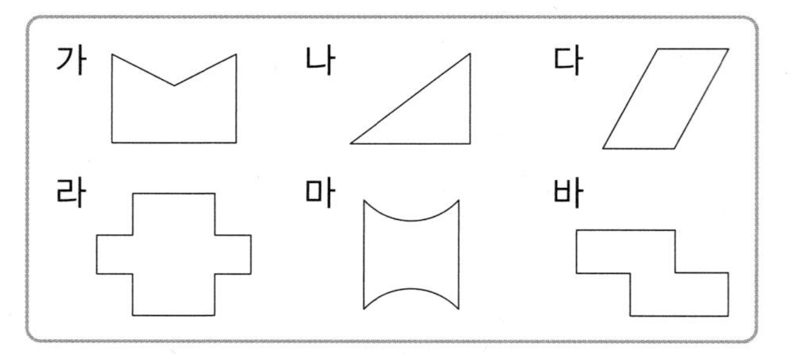

05 선대칭도형을 모두 찾아 기호를 쓰세요.

(　　　　　　　　)

06 점대칭도형을 모두 찾아 기호를 쓰세요.

(　　　　　　　　)

[07~08] 점 ㅇ을 대칭의 중심으로 하는 점대칭도형입니다. 물음에 답하세요.

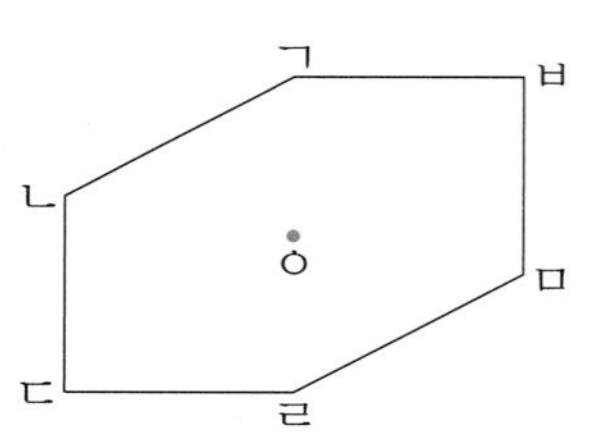

07 대응변을 모두 찾아 쓰세요.

변 ㄱㄴ과 (　　　　　　　　)

변 ㄴㄷ과 (　　　　　　　　)

변 ㄷㄹ과 (　　　　　　　　)

08 대응각을 모두 찾아 쓰세요.

각 ㄱㄴㄷ과 (　　　　　　　　)

각 ㄴㄷㄹ과 (　　　　　　　　)

각 ㄷㄹㅁ과 (　　　　　　　　)

정답 17쪽

09 두 도형은 서로 합동입니다. □ 안에 알맞은 수를 써넣으세요.

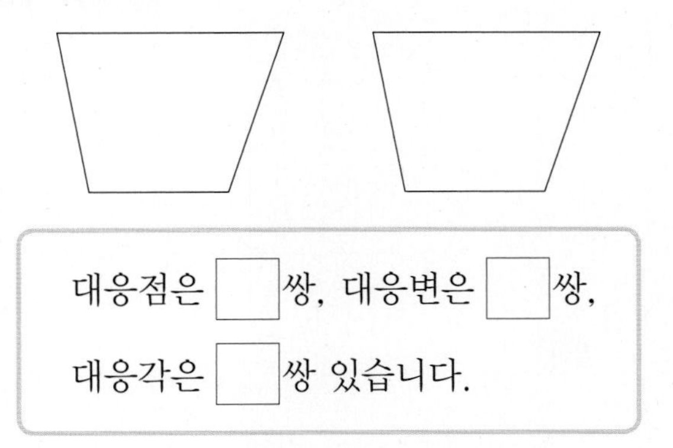

대응점은 □쌍, 대응변은 □쌍, 대응각은 □쌍 있습니다.

10 점 ㅇ을 대칭의 중심으로 하는 점대칭도형입니다. 변 ㄴㄷ은 몇 cm인가요?

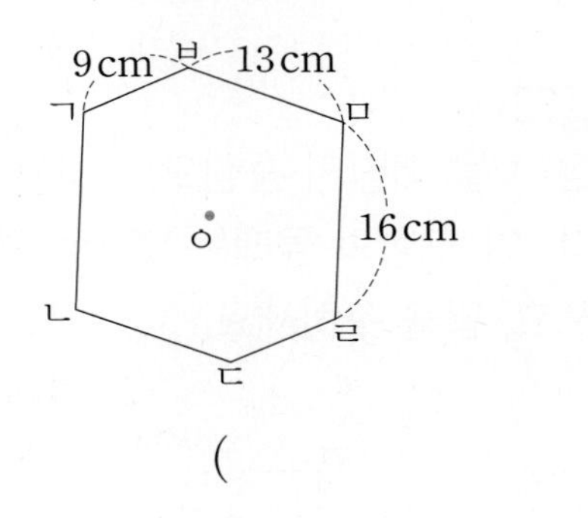

(   )

11 왼쪽 도형과 서로 합동인 도형을 그려 보세요.

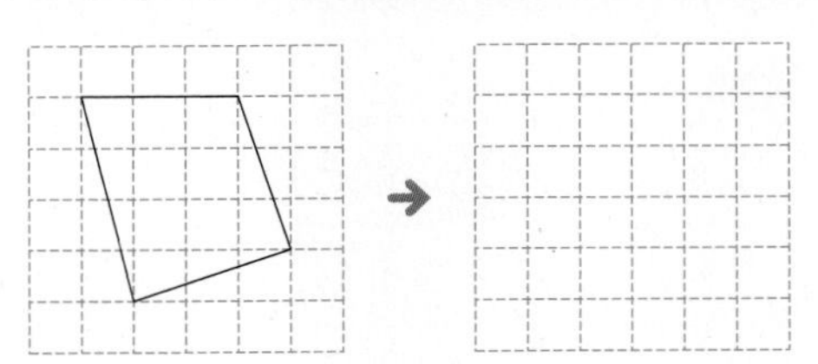

12 두 삼각형은 서로 합동입니다. □ 안에 알맞은 수를 써넣으세요.

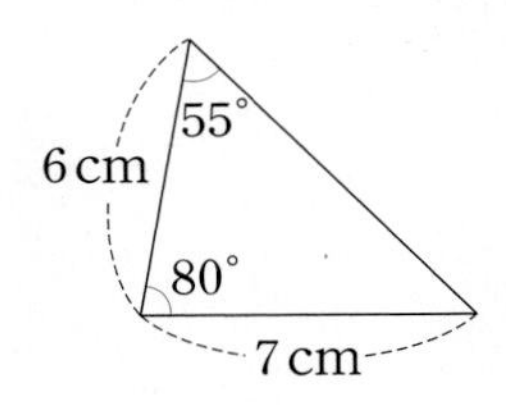

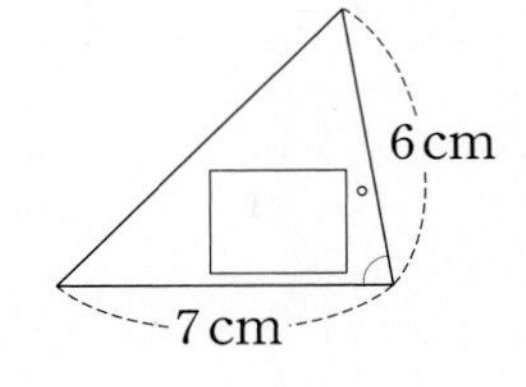

13 직선 ㅈㅊ을 대칭축으로 하는 선대칭도형입니다. 선분 ㄷㅌ은 몇 cm인가요?

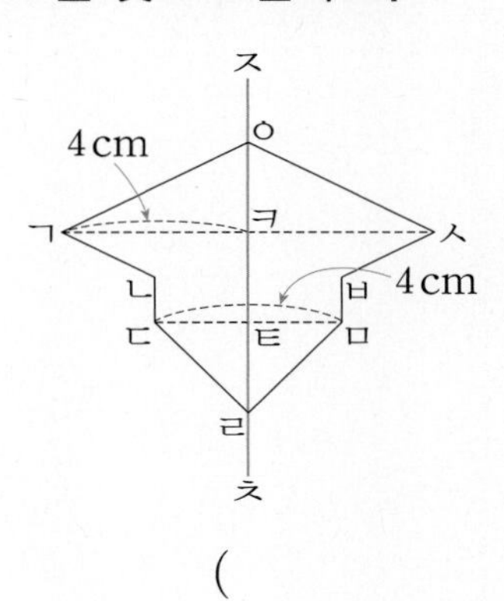

(   )

14 선대칭을 이용하여 팽이 모양 그림을 그리려고 합니다. 선대칭도형을 완성해 보세요.

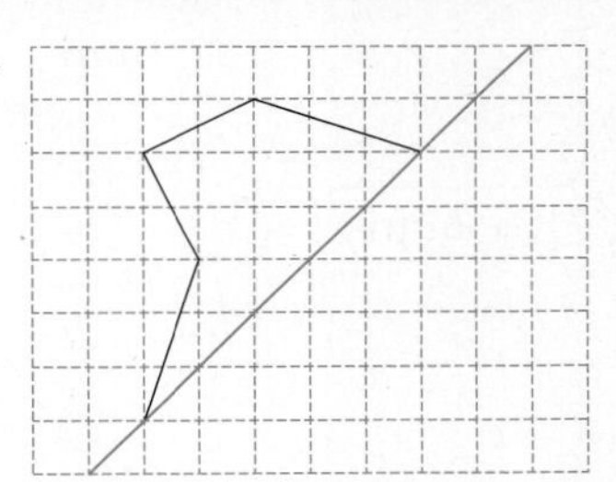

15 점 ㅇ을 대칭의 중심으로 하는 점대칭도형입니다. □ 안에 알맞은 수를 써넣으세요.

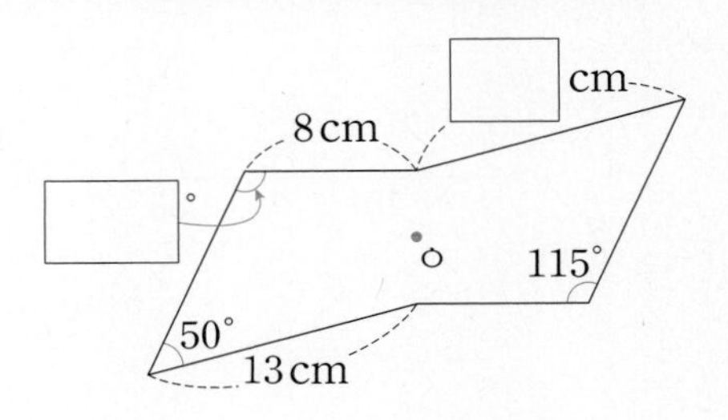

3 단원

정답 17쪽

16 점 ㅇ을 대칭의 중심으로 하는 점대칭도형을 완성해 보세요.

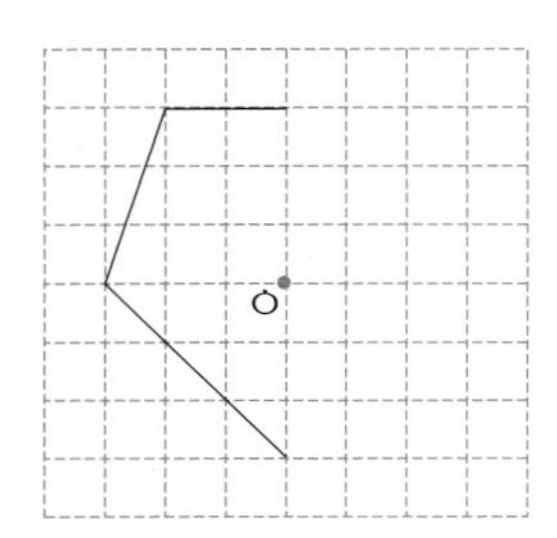

17 두 삼각형은 서로 합동입니다. 삼각형 ㄱㄴㄷ의 둘레가 20 cm일 때, 변 ㅁㅂ은 몇 cm인가요?

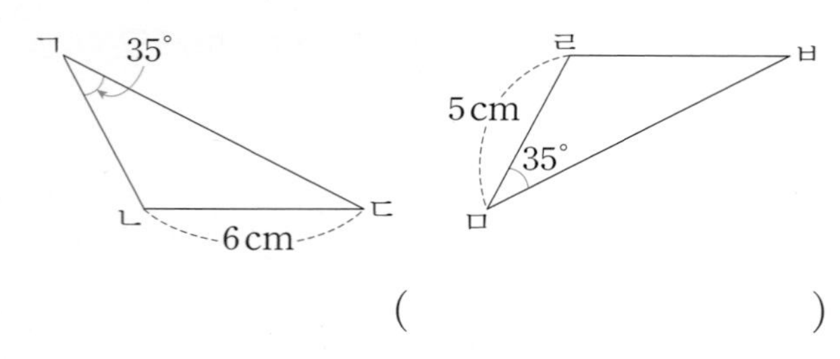

(　　　　　　　　)

18 직선 ㄱㄴ을 대칭축으로 하는 선대칭도형입니다. □ 안에 알맞은 수를 써넣으세요.

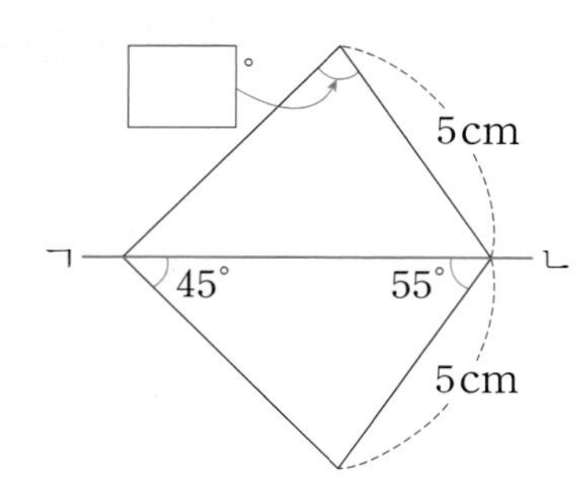

서술형

19 연재가 선대칭도형을 잘못 그렸습니다. 잘못 그린 이유를 쓰세요.

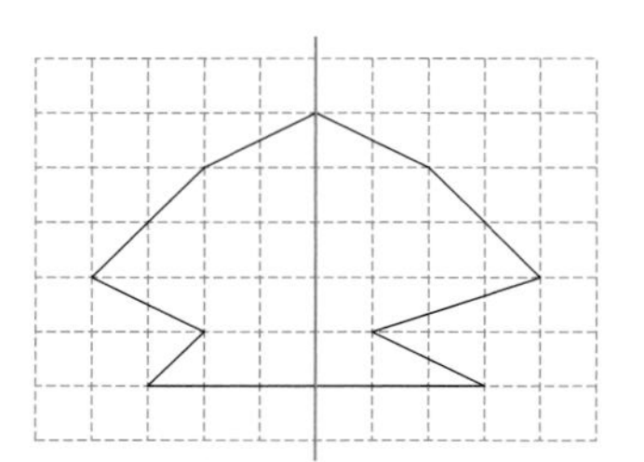

이유

서술형

20 점 ㅈ을 대칭의 중심으로 하는 점대칭도형입니다. 이 도형의 둘레는 몇 cm인지 풀이 과정을 쓰고, 답을 구하세요.

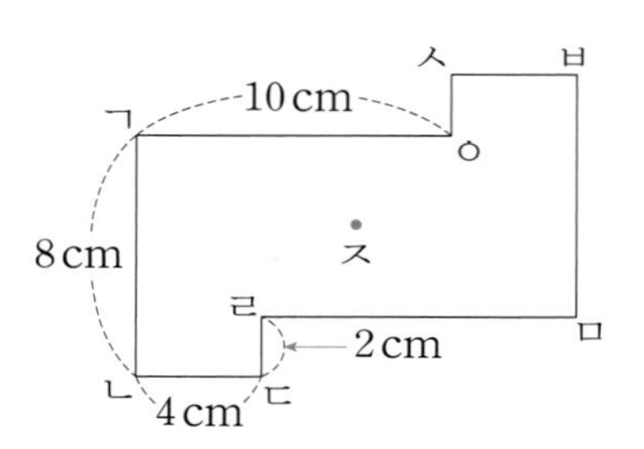

풀이

답

창의력 쑥쑥

거울에 비친 모양은 왼쪽과 오른쪽이 바뀌어 보여요.
❶~❸의 거울에 비친 그림에 실수가 하나씩 있다고 해요.
어떤 부분인지 같이 찾아볼까요?

• 정답은 진도북 **148**쪽에서 확인하세요.

4 소수의 곱셈

우유를 많이 먹어야 키가 큰대.

오늘부터 하루에 0.5 L짜리 우유를 3개씩 먹을 거야.

동영상 강의와 함께 계획을 세워 공부합니다.
동영상 강의를 시청했으면 ▢에 ∨표 하세요.

공부한 날	동영상 확인	쪽수	학습 내용
월 일	▶ ▢	080~083쪽	**교과서 개념 잡기** ❶ (1보다 작은 소수)×(자연수) ❷ (1보다 큰 소수)×(자연수) ❸ (자연수)×(1보다 작은 소수) ❹ (자연수)×(1보다 큰 소수)
월 일		084~085쪽	**개념 한 번 더 잡기**
월 일	▶ ▢	086~089쪽	**교과서 개념 잡기** ❺ 1보다 작은 소수끼리의 곱셈 ❻ 1보다 큰 소수끼리의 곱셈 ❼ 곱의 소수점 위치
월 일		090~091쪽	**개념 한 번 더 잡기**
월 일	▶ ▢	092~096쪽	**수학 익힘 문제 잡기**
월 일	▶ ▢	097쪽	**서술형 잡기**
월 일		098~100쪽	**단원 마무리**

STEP 1

학교별 모든 개념을 담았습니다.

교과서 개념 잡기

한눈에
방법쏙

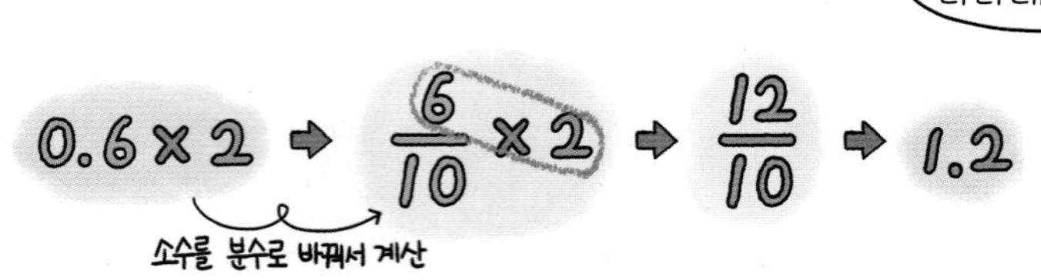
0.6×2 → 6/10 ×2 → 12/10 → 1.2
소수를 분수로 바꿔서 계산

답은 소수로
나타내야 해!

개념 강의

1 (1보다 작은 소수)×(자연수)

예 0.6×3의 계산

방법1 덧셈식으로 계산하기

$0.6\times3=\underbrace{0.6+0.6+0.6}_{3번}=1.8$

■×●는 ■를 ●번 더한 것과 같습니다.

방법2 0.1의 개수로 계산하기

① 0.6은 0.1이 6개입니다.

② 0.6×3은 0.1이 6개씩 3묶음입니다.

→ 0.1이 모두 6×3=18(개)이므로 0.6×3=1.8입니다.

• $0.6\times3=0.1\times6\times3=0.1\times18$

방법3 분수의 곱셈으로 계산하기

$0.6\times3=\frac{6}{10}\times3=\frac{6\times3}{10}=\frac{18}{10}=1.8$

0.6은 소수 한 자리 수이므로 분모가 10인 분수로 나타내어 계산합니다.

2 (1보다 큰 소수)×(자연수)

예 1.12×4의 계산

방법1 덧셈식으로 계산하기

$1.12\times4=\underbrace{1.12+1.12+1.12+1.12}_{4번}=4.48$

방법2 0.01의 개수로 계산하기

① 1.12는 0.01이 112개입니다.

② 1.12×4는 0.01이 112개씩 4묶음입니다.

→ 0.01이 모두 112×4=448(개)이므로 1.12×4=4.48입니다.

• $1.12\times4=0.01\times112\times4=0.01\times448$

방법3 분수의 곱셈으로 계산하기

$1.12\times4=\frac{112}{100}\times4=\frac{112\times4}{100}=\frac{448}{100}=4.48$

1.12는 소수 두 자리 수이므로 분모가 100인 분수로 나타내어 계산합니다.

매칭북 19~20쪽 정답 18쪽

4 단원

1 0.3×5를 두 가지 방법으로 계산하려고 합니다. 물음에 답하세요.

(1) 0.3×5를 수직선에 나타내고, □ 안에 알맞은 수를 써넣으세요.

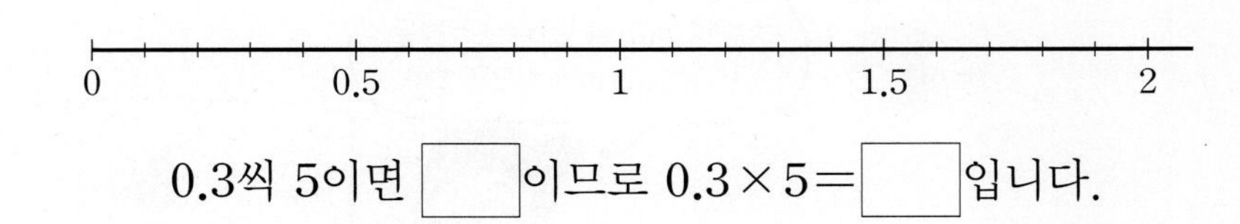

0.3씩 5이면 □이므로 $0.3\times5=$□입니다.

(2) 덧셈식으로 계산하려고 합니다. □ 안에 알맞은 수를 써넣으세요.

$0.3\times5=0.3+$□$+$□$+$□$+$□$=$□

2 수 막대를 보고 1.4×3을 계산하려고 합니다. □ 안에 알맞은 수를 써넣으세요.

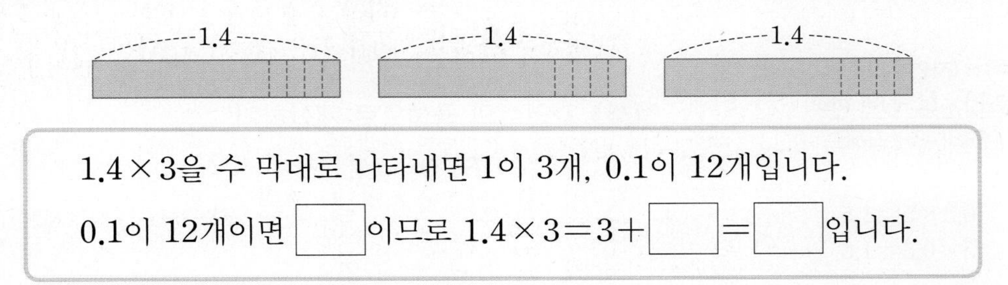

1.4×3을 수 막대로 나타내면 1이 3개, 0.1이 12개입니다.
0.1이 12개이면 □이므로 $1.4\times3=3+$□$=$□입니다.

교과서 공통 **3** 분수의 곱셈으로 계산하려고 합니다. □ 안에 알맞은 수를 써넣으세요.

(1) $0.8\times7=\frac{\square}{10}\times7=\frac{\square\times7}{10}=\frac{\square}{10}=\square$

(2) $2.04\times6=\frac{\square}{100}\times6=\frac{\square\times6}{100}=\frac{\square}{100}=\square$

4 계산해 보세요.

(1) 0.39×8

(2) 3.7×4

084쪽에서 개념을 한 번 더 다집니다.

STEP 1

학교별 모든 개념을 담았습니다.

교과서 개념 잡기

한눈에 **방법쏙**

자연수끼리의 곱에 소수점을 그대로 내려서 찍으면 돼!
$3\times5=15$
$2\times17=34$

3 (자연수)×(1보다 작은 소수)

예 2×0.6의 계산

방법 1 분수의 곱셈으로 계산하기

$$2\times0.6=2\times\frac{6}{10}=\frac{2\times6}{10}=\frac{12}{10}=1.2$$

방법 2 자연수의 곱셈으로 계산하기

$2\times6=12$

$\frac{1}{10}$배, $\frac{1}{10}$배 → 곱하는 수가 $\frac{1}{10}$배가 되면 계산 결과도 $\frac{1}{10}$배가 됩니다.

$2\times0.6=1.2$

→ 0.6은 6의 $\frac{1}{10}$배이므로 계산 결과는 12의 $\frac{1}{10}$배인 1.2입니다.

(소수)×(자연수)와 (자연수)×(소수)의 비교

두 수를 바꾸어 곱해도 계산 결과는 같습니다.

$0.3\times5=1.5$
$5\times0.3=1.5$

4 (자연수)×(1보다 큰 소수)

예 3×1.23의 계산

방법 1 분수의 곱셈으로 계산하기

$$3\times1.23=3\times\frac{123}{100}=\frac{3\times123}{100}=\frac{369}{100}=3.69$$

방법 2 자연수의 곱셈으로 계산하기

$3\times123=369$

$\frac{1}{100}$배, $\frac{1}{100}$배 → 곱하는 수가 $\frac{1}{100}$배가 되면 계산 결과도 $\frac{1}{100}$배가 됩니다.

$3\times1.23=3.69$

→ 1.23은 123의 $\frac{1}{100}$배이므로 계산 결과는 369의 $\frac{1}{100}$배인 3.69입니다.

■가 자연수일 때

- ■×(1보다 작은 소수)이면 (계산 결과)<■입니다.
  → $2\times0.6=1.2<2$
- ■×(1보다 큰 소수)이면 (계산 결과)>■입니다.
  → $2\times1.3=2.6>2$

1

4×0.6을 어림하고 계산하려고 합니다. 물음에 답하세요.

(1) 알맞은 말에 ○표 하세요.

4의 0.6배는 4보다 (작습니다 , 큽니다).

(2) 4×0.6만큼 색칠하고, □ 안에 알맞은 수를 써넣으세요.

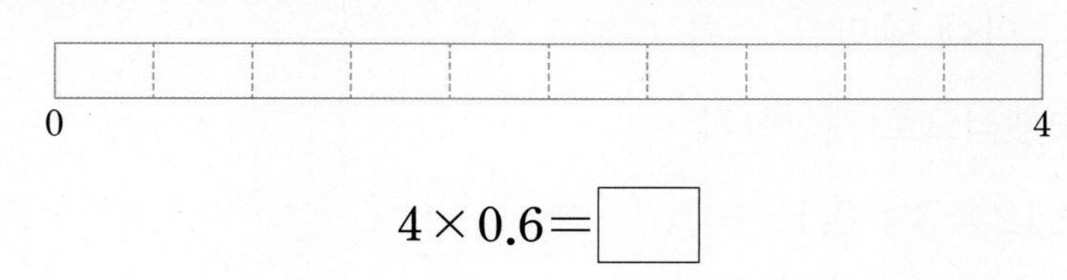

$4\times0.6=\square$

2

분수의 곱셈으로 계산하려고 합니다. □ 안에 알맞은 수를 써넣으세요.

(1) $9\times0.5=9\times\frac{\square}{10}=\frac{9\times\square}{10}=\frac{\square}{10}=\square$

(2) $7\times1.24=7\times\frac{\square}{100}=\frac{7\times\square}{100}=\frac{\square}{100}=\square$

교과서 공통 3

보기와 같이 2×1.7을 자연수의 곱셈으로 계산하려고 합니다. □ 안에 알맞은 수를 써넣으세요.

보기

$8\times13=104$

$\downarrow\frac{1}{10}$배 $\quad\downarrow\frac{1}{10}$배

$8\times1.3=10.4$

$2\times17=\square$

$\downarrow\frac{1}{10}$배 $\quad\downarrow\frac{1}{10}$배

$2\times1.7=\square$

4

계산해 보세요.

(1) 9×0.18

(2) 11×2.4

085쪽에서 개념을 한 번 더 다집니다.

STEP 2 개념 한번더 잡기

1 (1보다 작은 소수) × (자연수)

01 0.12×3을 두 가지 방법으로 계산하려고 합니다. □ 안에 알맞은 수를 써넣으세요.

방법 1 덧셈식으로 계산하기

$0.12 \times 3 = 0.12 + \square + \square$

$= \square$

방법 2 분수의 곱셈식으로 계산하기

$0.12 \times 3 = \dfrac{\square}{100} \times 3 = \dfrac{\square \times 3}{100}$

$= \dfrac{\square}{100} = \square$

02 0.15×9를 0.01의 개수로 계산하려고 합니다. □ 안에 알맞은 수를 써넣으세요.

- 0.15는 0.01이 □개입니다.
- 0.15×9는 0.01이 □개씩 9묶음입니다.

→ 0.01이 모두 $\square \times 9 = \square$(개)이므로 $0.15 \times 9 = \square$입니다.

03 빈칸에 알맞은 수를 써넣으세요.

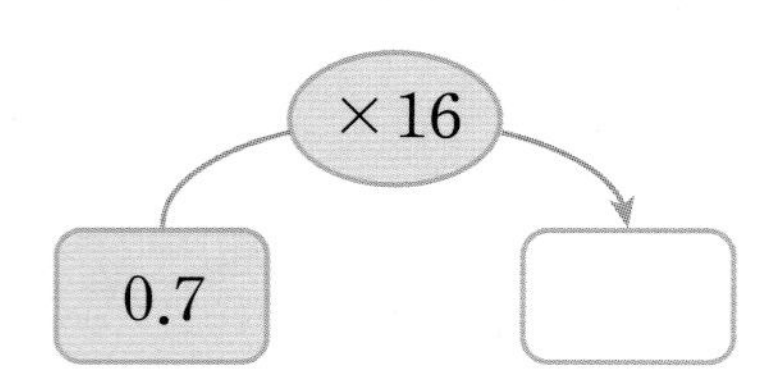

2 (1보다 큰 소수) × (자연수)

04 그림을 보고 1.7×2를 계산하려고 합니다. □ 안에 알맞은 수를 써넣으세요.

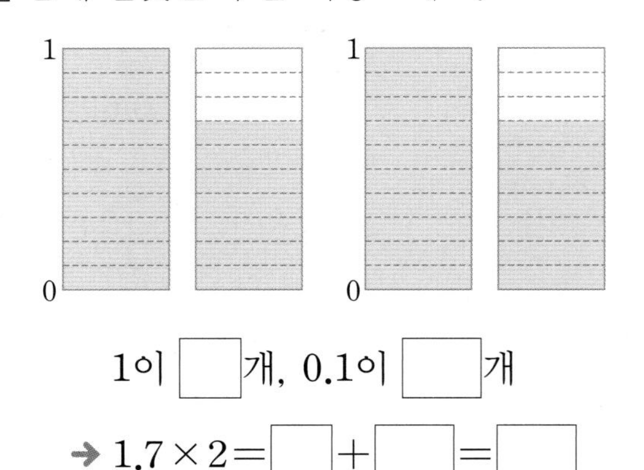

1이 □개, 0.1이 □개

→ $1.7 \times 2 = \square + \square = \square$

05 2.9×5를 두 가지 방법으로 계산하려고 합니다. □ 안에 알맞은 수를 써넣으세요.

방법 1 분수의 곱셈으로 계산하기

$2.9 \times 5 = \dfrac{\square}{10} \times 5 = \dfrac{\square \times 5}{10}$

$= \dfrac{\square}{10} = \square$

방법 2 0.1의 개수로 계산하기

2.9는 0.1이 □개이므로 2.9×5는 0.1이 $\square \times 5 = \square$(개)입니다.

→ $2.9 \times 5 = \square$

06 다음이 나타내는 수를 구하세요.

5.22를 4배 한 수

(   )

정답 18쪽

3 (자연수)×(1보다 작은 소수)

07 3×0.9만큼 색칠하고, □ 안에 알맞은 수를 써넣으세요.

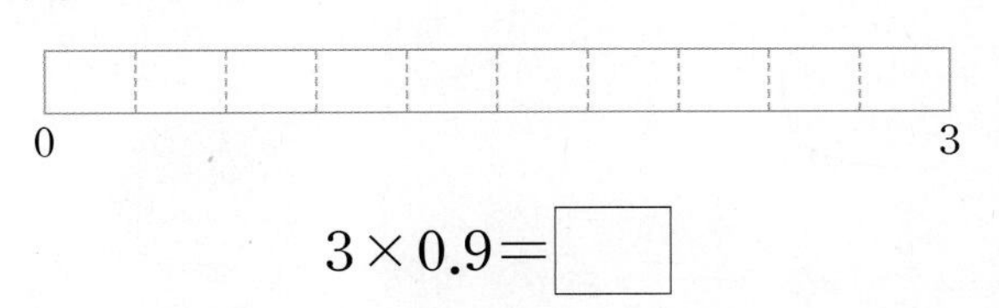

$3\times0.9=\square$

08 70×0.06을 분수의 곱셈으로 계산하려고 합니다. □ 안에 알맞은 수를 써넣으세요.

$$70\times0.06=70\times\frac{\square}{100}=\frac{70\times\square}{100}$$
$$=\frac{\square}{100}=\square$$

09 자연수의 곱셈으로 계산하려고 합니다. □ 안에 알맞은 수를 써넣으세요.

(1) 9 × 8 = 72

$\frac{1}{10}$배 ↓ ↓ $\frac{1}{\square}$배

9 × 0.8 = □

(2) 5 × 73 = □

$\frac{1}{100}$배 ↓ ↓ $\frac{1}{\square}$배

5 × 0.73 = □

4 (자연수)×(1보다 큰 소수)

10 2×3.01을 어림하고 계산하려고 합니다. □ 안에 알맞은 수를 써넣으세요.

> 3.01은 3과 4 중에서 □에 더 가깝습니다.
> 2×3.01은 2와 □의 곱으로 어림할 수 있으므로 계산 결과는 □보다 조금 클 것 같습니다.

$2\times301=\square$ → $2\times3.01=\square$

11 4×2.6을 두 가지 방법으로 계산하려고 합니다. □ 안에 알맞은 수를 써넣으세요.

방법 1 분수의 곱셈으로 계산하기

$$4\times2.6=4\times\frac{\square}{10}=\frac{4\times\square}{10}$$
$$=\frac{\square}{10}=\square$$

방법 2 자연수의 곱셈으로 계산하기

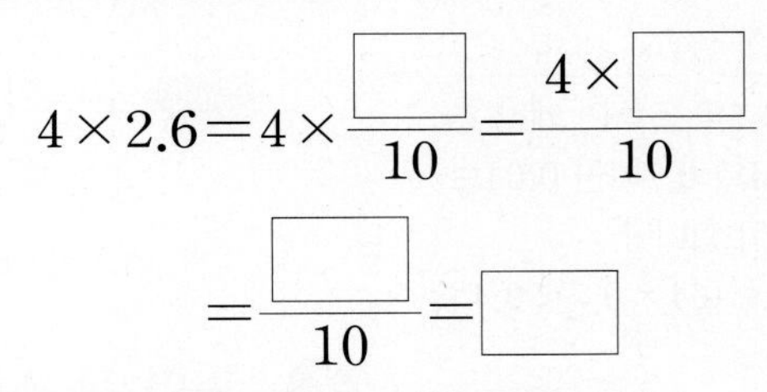

12 □ 안에 알맞은 수를 써넣으세요.

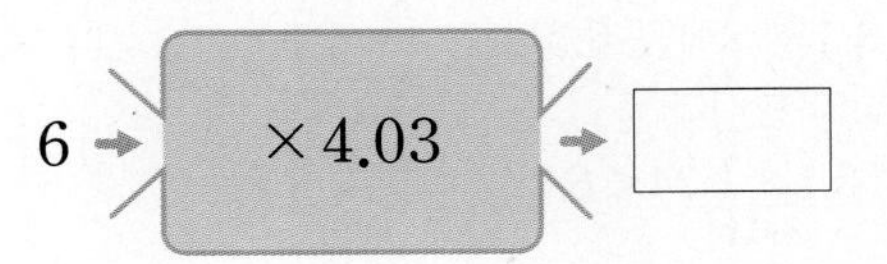

학교별 모든 개념을 담았습니다.

STEP 1 교과서 개념 잡기

한눈에 방법쏙

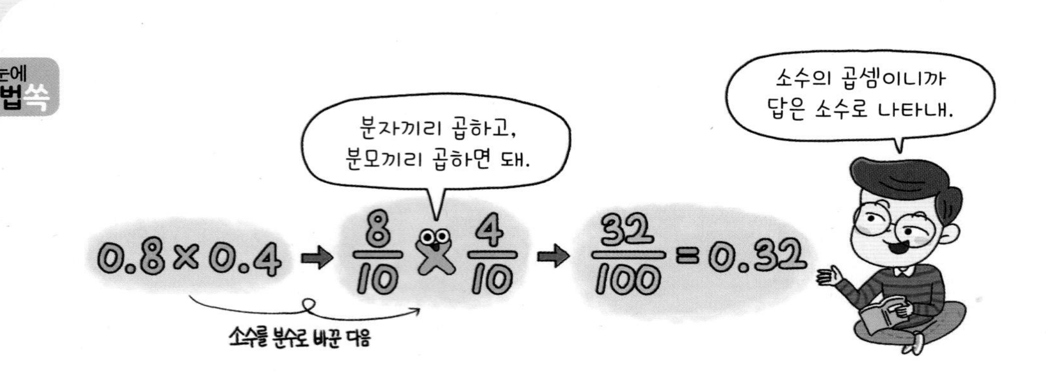

분자끼리 곱하고,
분모끼리 곱하면 돼.
소수의 곱셈이니까
답은 소수로 나타내.
0.8×0.4 → 8/10 × 4/10 → 32/100 = 0.32
소수를 분수로 바꾼 다음

개념 강의

5 1보다 작은 소수끼리의 곱셈

예 0.4×0.7의 계산

방법1 분수의 곱셈으로 계산하기

$$0.4\times0.7=\frac{4}{10}\times\frac{7}{10}=\frac{28}{100}=0.28$$

방법2 자연수의 곱셈으로 계산하기

$$4\times7=28$$

$\frac{1}{10}$배, $\frac{1}{10}$배, $\frac{1}{100}$배 → 곱해지는 수와 곱하는 수가 각각 $\frac{1}{10}$배가 되면 계산 결과는 $\frac{1}{100}$배가 됩니다.

$$0.4\times0.7=0.28$$

방법3 소수의 크기를 생각하여 계산하기

$4\times7=28$이고, 0.4에 0.7을 곱하면 0.4의 1배인 0.4보다 작은 값이 나와야 하므로 계산 결과는 0.28입니다.

0.4에 0.7을 곱하면 계산 결과는 0.4의 0.1배인 0.04보다는 커야 합니다.
→ $0.04<\underset{0.28}{\underline{0.4\times0.7}}<0.4$

6 1보다 큰 소수끼리의 곱셈

예 3.1×1.24의 계산

방법1 분수의 곱셈으로 계산하기

$$3.1\times1.24=\frac{31}{10}\times\frac{124}{100}=\frac{3844}{1000}=3.844$$

방법2 자연수의 곱셈으로 계산하기

$$31\times124=3844$$

$\frac{1}{10}$배, $\frac{1}{100}$배, $\frac{1}{1000}$배 → 곱해지는 수가 $\frac{1}{10}$배, 곱하는 수가 $\frac{1}{100}$배가 되면 계산 결과는 $\frac{1}{1000}$배가 됩니다.

$$3.1\times1.24=3.844$$

방법3 소수의 크기를 생각하여 계산하기

$31\times124=3844$이고, 3.1에 1.24를 곱하면 3.1의 1배인 3.1보다 큰 값이 나와야 하므로 계산 결과는 3.844입니다.

3.1에 1.24를 곱하면 계산 결과는 3.1의 2배인 6.2보다는 작아야 합니다.
→ $3.1<\underset{3.844}{\underline{3.1\times1.24}}<6.2$

1

그림을 보고 0.8×0.7을 계산하려고 합니다. □ 안에 알맞은 수를 써넣으세요.

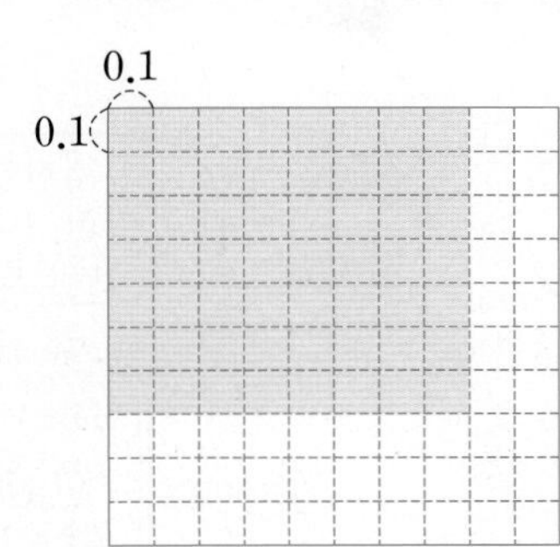

(1) 모눈 한 칸의 크기는 □입니다.

(2) 색칠한 부분의 모눈은 모두 □칸입니다.

(3) $0.8 \times 0.7 =$ □입니다.

2

교과서 공통

3.4×2.3을 자연수의 곱셈으로 계산하려고 합니다. □ 안에 알맞은 수를 써넣으세요.

$$34 \times 23 = 782$$

$\downarrow \frac{1}{10}$배 $\quad \downarrow \frac{1}{10}$배 $\quad \downarrow \frac{1}{\square}$배

$$3.4 \times 2.3 = \square$$

3

분수의 곱셈으로 계산하려고 합니다. □ 안에 알맞은 수를 써넣으세요.

(1) $0.22 \times 0.3 = \frac{\square}{100} \times \frac{\square}{10} = \frac{\square}{1000} = \square$

(2) $6.2 \times 1.2 = \frac{\square}{10} \times \frac{\square}{10} = \frac{\square}{100} = \square$

4

계산해 보세요.

(1) 0.5×0.9

(2) 2.6×0.53

090쪽 에서 개념을 한 번 더 다집니다.

STEP

학교별 모든 개념을 담았습니다.

교과서 개념 잡기

곱하는 수의 0의 수만큼 소수점을 오른쪽으로 한 자리씩 옮겨!

곱하는 소수의 소수점 아래 자리 수만큼 소수점을 왼쪽으로 한 자리씩 옮겨!

$0.12\times$ 10 = 1.2 (0이 한 개, 한 자리) / 100 = 12 (0이 두 개, 두 자리) / 1000 = 120 (0이 세 개, 세 자리)

$120\times$ 0.1 = 12 (소수 한 자리 수, 한 자리) / 0.01 = 1.2 (소수 두 자리 수, 두 자리) / 0.001 = 0.12 (소수 세 자리 수, 세 자리)

7 곱의 소수점 위치

(1) 소수에 10, 100, 1000을 곱하는 경우

예 $0.84\times1=0.84$
$0.84\times10=8.4$
$0.84\times100=84$
$0.84\times1000=840$

10배, 10배, 10배 → 곱하는 수가 10, 100, 1000으로 변함에 따라 결괏값도 10배씩 변합니다.

곱하는 수의 0이 하나씩 늘어날 때마다 곱의 소수점을 **오른쪽**으로 한 자리씩 옮깁니다.

곱의 소수점을 오른쪽으로 옮길 때, 옮길 자리가 없으면 오른쪽으로 0을 채우면서 소수점을 옮깁니다.
→ $0.840\times1000=840$

(2) 자연수에 0.1, 0.01, 0.001을 곱하는 경우

예 $9260\times1=9260$
$9260\times0.1=926$
$9260\times0.01=92.6$
$9260\times0.001=9.26$

0.1배, 0.1배, 0.1배 → 곱하는 수가 0.1, 0.01, 0.001로 변함에 따라 결괏값도 0.1배씩 변합니다.

곱하는 소수의 소수점 아래 자리 수가 하나씩 늘어날 때마다 곱의 소수점을 **왼쪽**으로 한 자리씩 옮깁니다.

소수점 아래 마지막 0은 생략하여 나타낼 수 있습니다.
→ $9.260=9.26$

(3) 소수끼리 곱하는 경우

예 $7\times6=42$
$0.7\times0.6=0.42$ → (소수 한 자리 수)×(소수 한 자리 수)=(소수 두 자리 수)
$0.7\times0.06=0.042$ → (소수 한 자리 수)×(소수 두 자리 수)=(소수 세 자리 수)
$0.7\times0.006=0.0042$ → (소수 한 자리 수)×(소수 세 자리 수)=(소수 네 자리 수)

자연수끼리 곱한 결과에 곱하는 두 수의 소수점 아래 자리 수를 더한 것만큼 소수점을 **왼쪽**으로 옮깁니다.

소수끼리의 곱에서 곱의 소수점 위치

소수 ■ 자리 수
× 소수 ● 자리 수
소수 (■+●) 자리 수

1

소수끼리의 곱셈에서 곱의 소수점 위치에 어떤 규칙이 있는지 알아보려고 합니다. 물음에 답하세요.

(1) 분수로 나타내어 계산해 보세요.

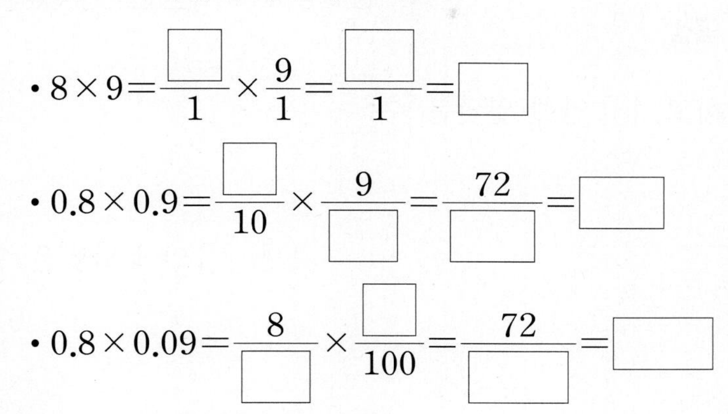

• $8\times9=\frac{\square}{1}\times\frac{9}{1}=\frac{\square}{1}=\square$

• $0.8\times0.9=\frac{\square}{10}\times\frac{9}{\square}=\frac{72}{\square}=\square$

• $0.8\times0.09=\frac{8}{\square}\times\frac{\square}{100}=\frac{72}{\square}=\square$

(2) 알맞은 말에 ○표 하세요.

> 자연수끼리 곱한 결과에 곱하는 두 수의 소수점 아래 자리 수를 더한 것만큼 소수점을 (오른쪽 , 왼쪽)으로 옮깁니다.

교과서 공통 2

자연수와 소수의 곱셈에서 곱의 소수점 위치를 생각하여 □ 안에 알맞은 수를 써넣으세요.

(1) $3.45\times1=3.45$

$3.45\times10=\square$

$3.45\times100=\square$

$3.45\times1000=\square$

(2) $542\times1=542$

$542\times0.1=\square$

$542\times0.01=\square$

$542\times0.001=\square$

3

보기를 이용하여 계산해 보세요.

> 보기
>
> $6.7\times81=542.7$

(1) $6.7\times8100=\square$

(2) $0.67\times81=\square$

091쪽에서 개념을 한 번 더 다집니다.

STEP 2 개념 한번더 잡기

5 1보다 작은 소수끼리의 곱셈

01 0.6×0.4만큼 색칠하고, □ 안에 알맞은 수를 써넣으세요.

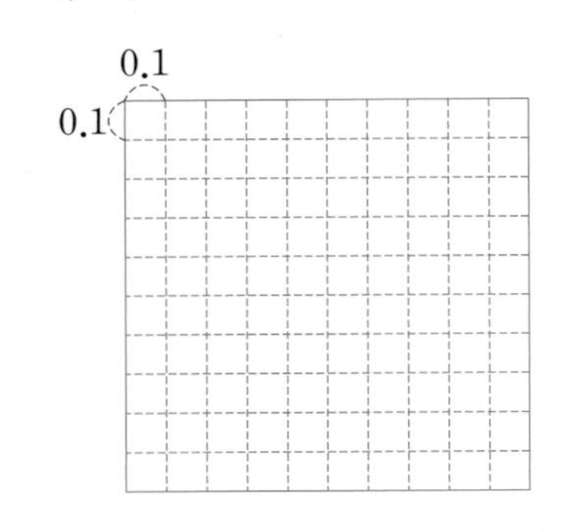

0.01이 □칸 ➔ $0.6\times0.4=$ □

02 0.7×0.35를 분수의 곱셈으로 계산하려고 합니다. □ 안에 알맞은 수를 써넣으세요.

$$0.7\times0.35=\frac{\square}{10}\times\frac{\square}{100}$$
$$=\frac{\square}{\square}=\square$$

03 소수의 크기를 생각하여 0.68×0.9의 계산 결과를 구하려고 합니다. 알맞은 말에 ○표 하고, □ 안에 알맞은 수를 써넣으세요.

> $68\times9=612$인데 0.68에 0.9를 곱하면 0.68보다 (큰 , 작은) 값이 나와야 하므로 계산 결과는 □입니다.

04 계산해 보세요.

(1) $\begin{array}{r} 0.7 \\ \times\ 0.7 \\ \hline \end{array}$

(2) $\begin{array}{r} 0.19 \\ \times\ 0.8 \\ \hline \end{array}$

05 □ 안에 알맞은 수를 써넣으세요.

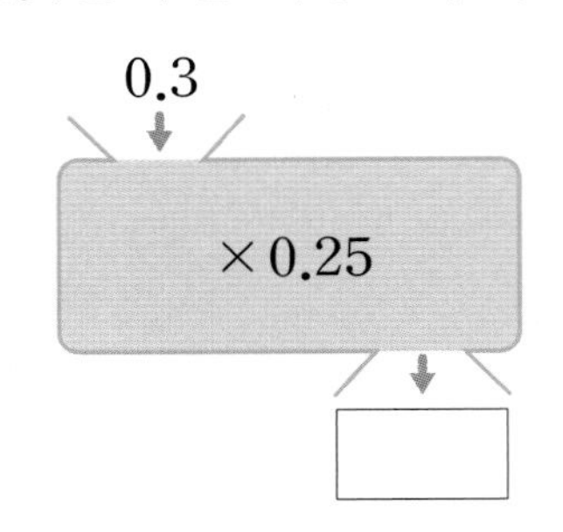

6 1보다 큰 소수끼리의 곱셈

06 $1.1=1+0.1$로 생각하여 2.8×1.1을 계산하려고 합니다. □ 안에 알맞은 수를 써넣으세요.

$$2.8\times1.1=2.8+(2.8\times0.1)$$
$$=2.8+\square$$
$$=\square$$

07 4.3×1.05를 자연수의 곱셈으로 계산하려고 합니다. □ 안에 알맞은 수를 써넣으세요.

$43\times105=\square$

↓ $\frac{1}{10}$배 ↓ $\frac{1}{100}$배 ↓ $\frac{1}{\square}$배

$4.3\times1.05=\square$

08 보기 와 같은 방법으로 계산해 보세요.

보기

$5.7\times6.3=\frac{57}{10}\times\frac{63}{10}=\frac{3591}{100}=35.91$

(1) 4.6×1.9

(2) 1.26×3.5

09 계산해 보세요.

(1)
$$\begin{array}{r} 3.4 \\ \times\ 2.3 \\ \hline \end{array}$$

(2)
$$\begin{array}{r} 2.08 \\ \times\ 1.6 \\ \hline \end{array}$$

10 빈칸에 알맞은 수를 써넣으세요.

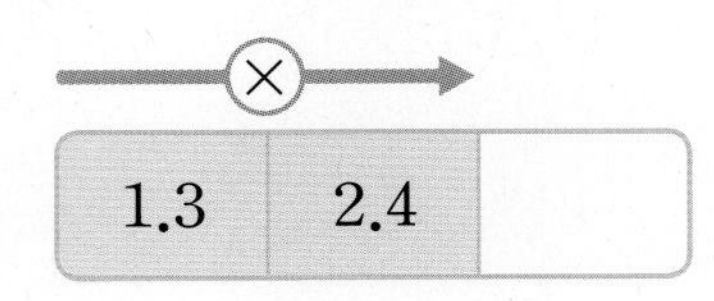

7 곱의 소수점 위치

11 다음 계산에서 소수점을 찍어야 할 곳을 찾아 기호를 쓰세요.

$2.781\times10 =$ 2 ㉠ 7 ㉡ 8 ㉢ 1 ㉣

(　　　　　　　　　　)

12 곱의 소수점 위치를 생각하여 □ 안에 알맞은 수를 써넣으세요.

$350\times0.1=$ □

$350\times0.01=$ □

$350\times0.001=$ □

13 빈칸에 알맞은 수를 써넣으세요.

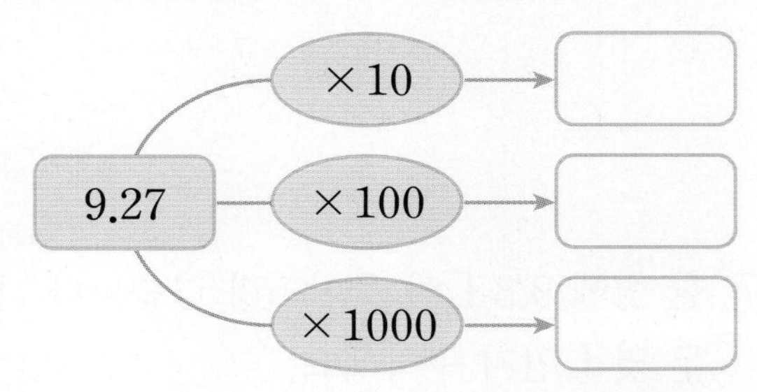

14 보기 를 이용하여 계산해 보세요.

보기

$32\times5.6=179.2$

$0.32\times5.6=$ □

15 $72\times16=1152$임을 이용하여 □ 안에 알맞은 수를 써넣으세요.

$7.2\times1.6=$ □

$0.72\times0.16=$ □

학교별 모든 수학 익힘 문제를 담았습니다.

STEP 3 수학 익힘 문제 잡기

080쪽 개념 ❶

01 수직선을 보고 덧셈식과 곱셈식으로 나타내어 보세요.

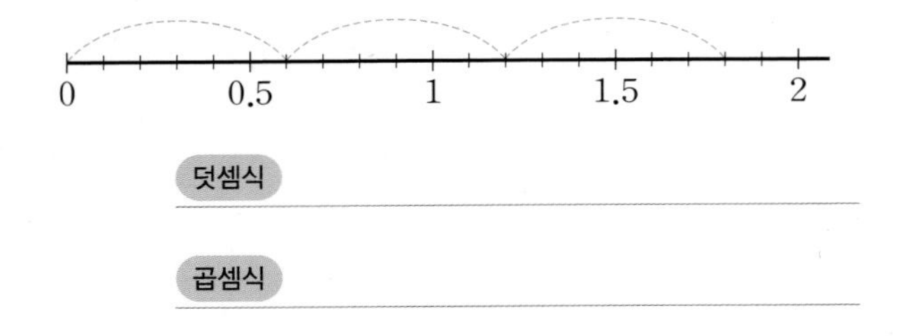

덧셈식

곱셈식

080쪽 개념 ❶

02 한 병에 0.3 L인 물이 5병 있습니다. 물은 모두 몇 L인지 구하세요.

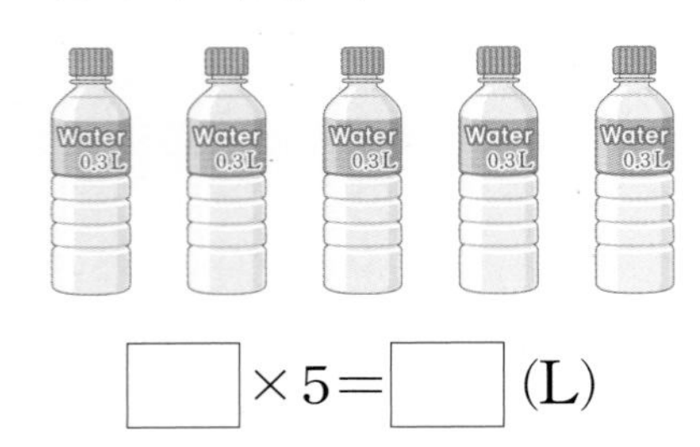

□ × 5 = □ (L)

080쪽 개념 ❶

03 지현이는 0.73 × 4의 계산 결과를 잘못 말했습니다. 잘못 말한 부분을 찾아 ◯표 하세요.

73과 4의 곱은 약 280이니까
0.73과 4의 곱은 0.28 정도가 돼.

지현

080쪽 개념 ❶

04 매실청 한 통을 만드는 데 설탕이 0.5 kg 필요합니다. 매실청 7통을 만들려면 1 kg짜리 설탕을 적어도 몇 개 사야 할까요?

(　　　　　　　　)

080쪽 개념 ❷

05 빈칸에 알맞은 수를 써넣으세요.

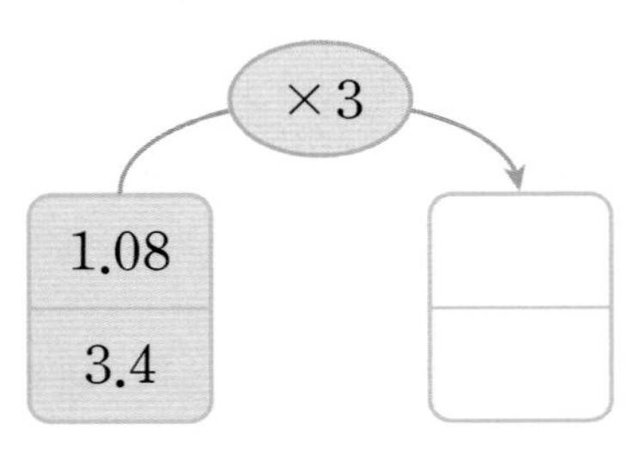

익힘책 공통

080쪽 개념 ❷

06 어느 날 우리나라와 중국의 환율이 다음과 같을 때 □ 안에 알맞은 수를 써넣으세요.

대한민국		중국
1000원	=	5.74위안

우리나라 돈 5000원을 중국 돈으로 모두 바꾸면 □ 위안입니다.

080쪽 개념 ❷

07 성준이의 운동 계획표입니다. 이번 주에 성준이가 자전거를 탈 거리는 몇 km일까요?

일	공원 1.4 km 달리기
월	자전거 2.7 km 타기
화	산책로 2.3 km 걷기
수	자전거 2.7 km 타기
목	산책로 2.3 km 걷기
금	자전거 2.7 km 타기
토	자전거 2.7 km 타기

(　　　　　　　　)

080쪽 개념 ❷

08 정삼각형 가와 정사각형 나 중 어느 것의 둘레가 더 긴가요?

문제 강의

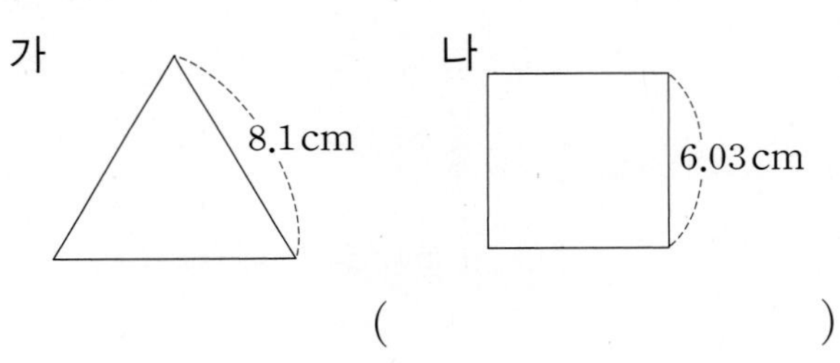

(　　　　　　　　)

082쪽 개념 ❸

09 빈칸에 알맞은 수를 써넣으세요.

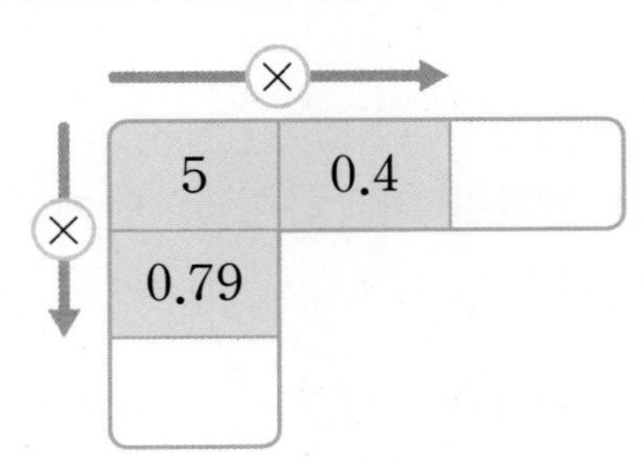

082쪽 개념 ❸

10 잘못 계산한 곳을 찾아 바르게 고쳐 보세요.

$$40 \times 0.7 = 40 \times \frac{7}{100} = \frac{40 \times 7}{100}$$
$$= \frac{280}{100} = 2.8$$

↓

40×0.7

익힘책 공통

082쪽 개념 ❸

11 금성에서 잰 몸무게는 지구에서 잰 몸무게의 약 0.91배이고, 수성에서 잰 몸무게는 지구에서 잰 몸무게의 약 0.38배입니다. □ 안에 알맞은 행성의 이름을 써넣으세요.

> 지구에서 내 몸무게가 38 kg이니까 □에서 몸무게를 재면 약 15 kg일 거야.

082쪽 개념 ❸

12 현우네 가족은 한 달에 전기를 90 kwh 사용합니다. 사용하지 않는 전기 제품의 전원을 끄면 평소 사용량의 0.12배만큼 아낄 수 있습니다. 사용하지 않는 전기 제품의 전원을 껐을 때 현우네 가족이 한 달 동안 아낄 수 있는 전기는 몇 kwh인가요?

킬로와트시

(　　　　　　　　)

082쪽 개념 4

13 보기와 다른 방법으로 계산해 보세요.

보기

4×3.6

분수의 곱셈으로 계산하기

$$4\times3.6=4\times\frac{36}{10}=\frac{144}{10}=14.4$$

15×5.2

082쪽 개념 4

익힘책 공통

14 계산 결과가 8보다 큰 것을 **모두** 찾아 ○표 하세요.

문제 강의

8×0.74	8×1.74
( )	( )
8×2.5	8×0.9
( )	( )

082쪽 개념 4

15 준완이가 마트에서 과자를 사려고 합니다. 과자 한 봉지의 용량이 160 g일 때 과자 1 g당 가격은 15.5원입니다. 과자 한 봉지의 가격은 얼마인가요?

(   )

086쪽 개념 5

16 계산 결과를 찾아 이어 보세요.

(1) 0.18×0.6 •

(2) 0.4×0.07 •

• 1.08

• 0.108

• 0.028

086쪽 개념 5

17 주어진 방법으로 계산해 보세요.

(1) 0.4×0.79

자연수의 곱셈으로 계산하기

(2) 0.36×0.8

분수의 곱셈으로 계산하기

086쪽 개념 5

18 계산 결과를 비교하여 ○ 안에 >, =, <를 알맞게 써넣으세요.

0.06×1.2 ○ 0.4×0.18

086쪽 개념 ❺

19 0.64×0.48의 어림한 값을 찾아 기호를 쓰세요.

㉠ 0.3072	㉡ 3.072	㉢ 30.72

( )

익힘책 공통 086쪽 개념 ❺

20 채연이가 계산기로 0.24×0.5를 계산하려고 두 수를 눌렀는데 수 하나의 소수점 위치를 잘못 눌렀습니다. 채연이가 누른 계산에 ○표 하세요.

문제 강의

0.24×5	2.4×0.5	0.24×0.05
( )	( )	( )

086쪽 개념 ❻

21 색칠된 부분의 넓이는 몇 cm^2인지 구하세요.

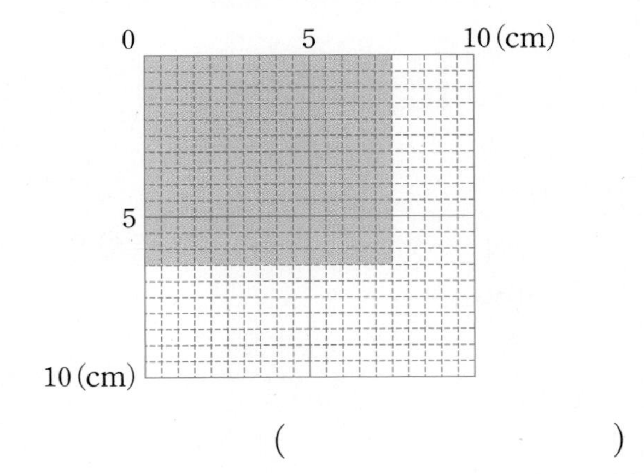

( )

086쪽 개념 ❻

22 $124\times47=5828$입니다. 1.24×4.7의 값을 어림하여 결괏값에 소수점을 찍어 보세요.

$1.24\times4.7=5\ 8\ 2\ 8$

086쪽 개념 ❻

23 가장 큰 수와 가장 작은 수의 곱을 구하세요.

5.7 1.05 1.4 3.2

( )

086쪽 개념 ❻

24 현수네 텃밭의 가로와 세로를 각각 1.8배씩 늘려 새로운 텃밭을 만들려고 합니다. 새로운 텃밭의 넓이를 구하세요.

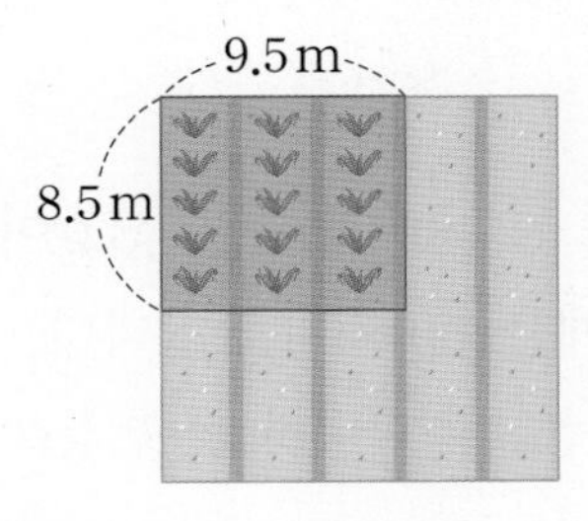

(1) 새로운 텃밭은 가로와 세로가 각각 몇 m인가요?

가로 ( )

세로 ( )

(2) 새로운 텃밭은 넓이가 몇 m^2인가요?

( )

4 단원

088쪽 개념 7

25 계산 결과가 다른 것을 찾아 기호를 쓰세요.

㉠ 316의 0.01
㉡ 3.16×100
㉢ 31.6의 0.1배

(　　　　　　)

익힘책 공통 088쪽 개념 7

26 보기 를 이용하여 식을 완성해 보세요.

보기
$406 \times 12 = 4872$

$40.6 \times \square = 4.872$

088쪽 개념 7

27 초콜릿 1개의 무게는 5.3 g이고, 과자 10봉지의 무게는 0.059 kg입니다. 초콜릿 100개와 과자 100봉지는 각각 몇 kg인지 구하세요.

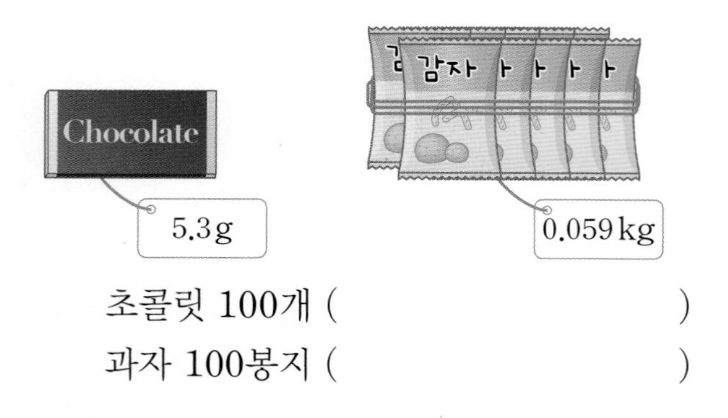

초콜릿 100개 (　　　　　　)
과자 100봉지 (　　　　　　)

088쪽 개념 7

28 ㉠에 알맞은 수는 ㉡에 알맞은 수의 몇 배인가요?

문제 강의

$76.96 \times ㉠ = 769.6$
$769.6 \times ㉡ = 7.696$

(　　　　　　)

생각+문제

29 다음 4장의 수 카드를 한 번씩 모두 사용하여 (소수 한 자리 수)×(소수 한 자리 수)의 곱셈식을 만들려고 합니다. **곱이 가장 큰 곱셈식을 만들었을 때의 곱**을 구하세요.

문제 강의

1　2　4　5

(1) 알맞은 말에 ○표 하세요.

높은 자리의 수가 (클수록 , 작을수록) 곱이 커집니다.

(2) □ 안에 남은 수 카드의 수를 써넣고 계산해 보세요.

5.□ × 4.□ = □
5.□ × 4.□ = □

(3) 곱이 가장 큰 곱셈식을 만들었을 때의 곱은 얼마인가요?

(　　　　　　)

서술형 잡기

서술형 강의

정답 22쪽

1 30×1.2를 **잘못 계산한 이유**를 쓰고, **바르게 계산한 값**을 구하세요.

은지: $3 \times 12 = 36$이고 곱하는 수 1.2가 소수 한 자리 수이니까 36에서 소수점을 왼쪽으로 한 칸 옮기면 3.6이야.

이유 3과 12를 곱한 값이 아니라 ☐과 ☐를 곱한 값 ☐에서 소수점을 왼쪽으로 한 칸 옮겨서 ☐이 되어야 합니다.

답 ____________

2 20×4.7을 **잘못 계산한 이유**를 쓰고, **바르게 계산한 값**을 구하세요.

재호: $2 \times 47 = 94$이고 곱하는 수 4.7이 소수 한 자리 수이니까 94에서 소수점을 왼쪽으로 한 칸 옮기면 9.4야.

이유 ____________

답 ____________

3 시현이는 매일 15분씩 달리기를 합니다. 시현이가 **일주일 동안 달리기를 한 시간은 모두 몇 시간**인지 소수로 나타내려고 합니다. 풀이 과정을 쓰고, 답을 구하세요.

해결 순서
❶ 15분은 몇 시간인지 소수로 나타내기
❷ 시현이가 일주일 동안 달리기를 한 시간 구하기

풀이 ❶ $\frac{15}{60} = \frac{\square}{4} = \frac{\square}{100} = \square$이므로 15분은 ☐시간입니다.

❷ 일주일은 7일이므로 시현이가 일주일 동안 달리기를 한 시간은 모두 ☐ $\times 7 =$ ☐(시간)입니다.

답 ____________

4 선영이는 매일 30분씩 훌라후프를 합니다. 선영이가 **일주일 동안 훌라후프를 한 시간은 모두 몇 시간**인지 소수로 나타내려고 합니다. 풀이 과정을 쓰고, 답을 구하세요.

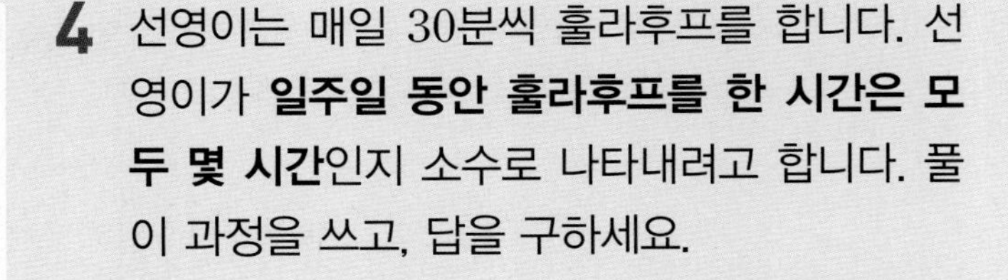

해결 순서
❶ 30분은 몇 시간인지 소수로 나타내기
❷ 선영이가 일주일 동안 훌라후프를 한 시간 구하기

풀이 ____________

답 ____________

단원 마무리

점수

01 수직선을 보고 1.4×2를 계산하려고 합니다. □ 안에 알맞은 수를 써넣으세요.

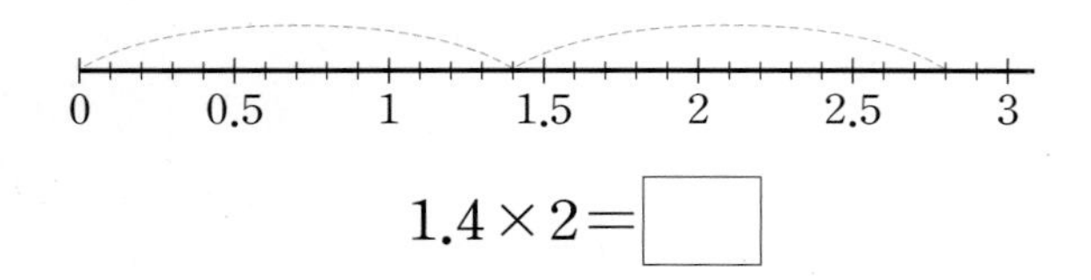

$1.4 \times 2 = \square$

02 5×0.7만큼 색칠하고, □ 안에 알맞은 수를 써넣으세요.

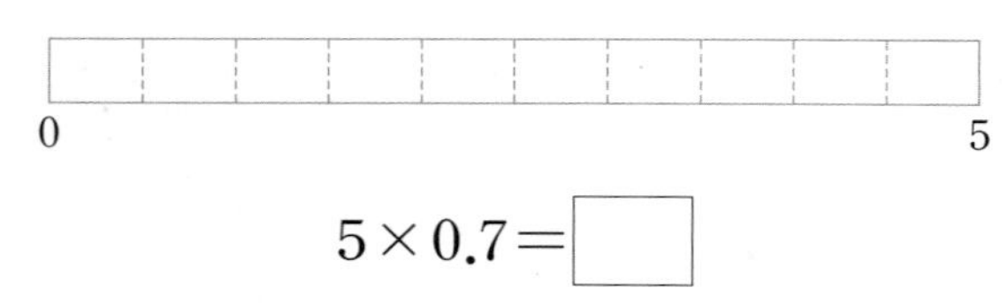

$5 \times 0.7 = \square$

03 0.39×6을 0.01의 개수로 계산하려고 합니다. □ 안에 알맞은 수를 써넣으세요.

- 0.39는 0.01이 □개입니다.
- 0.39×6은 0.01이 □개씩 6묶음입니다.

→ 0.01이 모두 $\square \times 6 = \square$(개)이므로 $0.39 \times 6 = \square$입니다.

04 4×1.4를 분수의 곱셈으로 계산하려고 합니다. □ 안에 알맞은 수를 써넣으세요.

$$4 \times 1.4 = 4 \times \frac{\square}{10} = \frac{4 \times \square}{10}$$
$$= \frac{\square}{10} = \square$$

05 1.1×3.2를 자연수의 곱셈으로 계산하려고 합니다. □ 안에 알맞은 수를 써넣으세요.

$11 \times 32 = \square$

↓ $\frac{1}{10}$배 ↓ $\frac{1}{10}$배 ↓ $\frac{1}{100}$배

$1.1 \times 3.2 = \square$

06 빈칸에 알맞은 수를 써넣으세요.

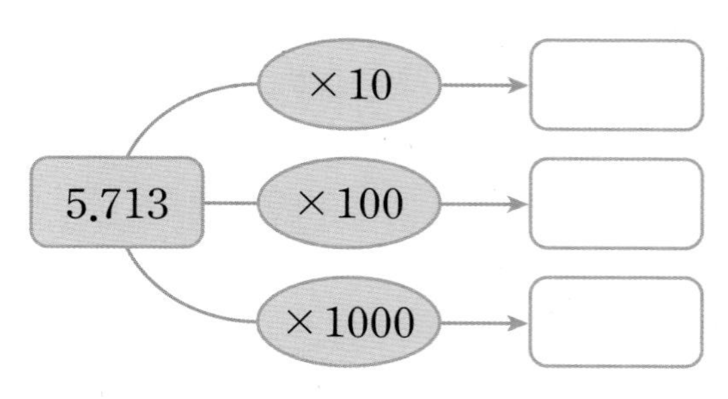

[07~08] 계산해 보세요.

07 6×5.2

08 3.2×4.6

09 □ 안에 알맞은 수를 써넣으세요.

$0.7 \rightarrow \boxed{\times0.48} \rightarrow \square$

10 보기와 같은 방법으로 계산해 보세요.

보기

$2.8\times5.6=\frac{28}{10}\times\frac{56}{10}=\frac{1568}{100}=15.68$

3.5×1.02

11 영은이는 매일 0.8 L씩 둥굴레차를 마십니다. 영은이가 일주일 동안 마신 둥굴레차는 모두 몇 L인가요?

$0.8\times\square=\square$ (L)

12 계산 결과를 비교하여 ○ 안에 >, =, <를 알맞게 써넣으세요.

0.4×0.6 ○ 0.25×0.9

13 보기를 이용하여 계산해 보세요.

보기

$4.6\times2.13=9.798$

$4.6\times213=\square$

14 희진이와 병우가 소수의 곱셈을 한 것입니다. 바르게 계산한 친구의 이름을 쓰세요.

(　　　　　　　　)

정답 23쪽

15 2.5×0.37과 계산 결과가 같은 것을 찾아 기호를 쓰세요.

㉠ 2.5×3.7
㉡ 25×0.37
㉢ 0.25×3.7

( )

16 정육각형 가와 정오각형 나 중 어느 것의 둘레가 더 짧은가요?

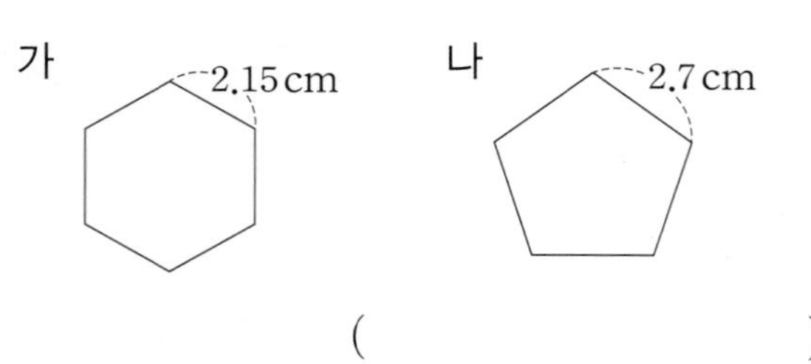

( )

17 준서는 반려동물로 고양이를 키우고 있습니다. 이 고양이를 6월에 잰 무게가 4.2 kg이었고, 12월에 잰 무게는 6월에 잰 무게의 1.2배였습니다. 12월에 잰 고양이의 무게는 몇 kg인가요?

식

답

18 $320\times203=64960$입니다. 320×2.03의 값을 어림하여 결괏값에 소수점을 찍어 보세요.

$320\times2.03=6\ 4\ 9\ 6\ 0$

서술형

19 40×5.9를 잘못 계산한 이유를 쓰고, 바르게 계산한 값을 구하세요.

$4\times59=236$이고 곱하는 수 5.9가 소수 한 자리 수이니까 236에서 소수점을 왼쪽으로 한 칸 옮기면 23.6이야.

이유

답

서술형

20 민호는 매일 24분씩 줄넘기를 합니다. 민호가 일주일 동안 줄넘기를 한 시간은 모두 몇 시간인지 소수로 나타내려고 합니다. 풀이 과정을 쓰고, 답을 구하세요.

풀이

답

창의력 쑥쑥

각 블록이 놓인 자리에 적힌 수의 합이 같도록
숫자판 위에 4개의 블록을 놓으려고 해요.
힌트는 블록을 돌리거나 뒤집지 않고 그대로 놓아야 한다고 해요.
블록을 겹치지 않게 한 번씩 모두 놓아서 모양을 만들어 보세요.

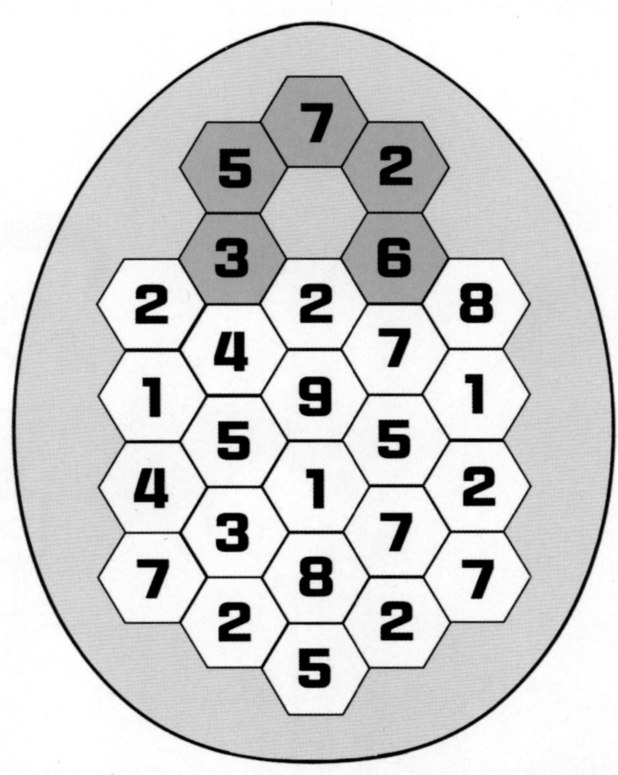

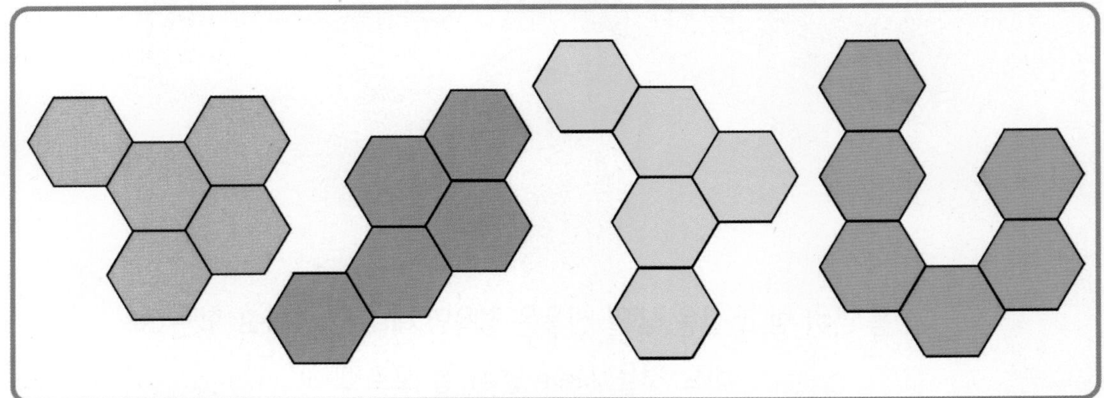

• 정답은 진도북 148쪽에서 확인하세요.

5 직육면체

동생이 받고 싶은 생일 선물은 정육면체 모양이라고 했는데
어느 것을 사야 할지 잘 모르겠네.

동영상 강의와 함께 계획을 세워 공부합니다.
동영상 강의를 시청했으면 ▢에 ∨표 하세요.

공부한 날	동영상 확인	쪽수	학습 내용
월 일	▶ ▢	104~109쪽	**교과서 개념 잡기** ❶ 직육면체 ❷ 정육면체 ❸ 직육면체의 성질
월 일		110~111쪽	**개념 한 번 더 잡기**
월 일	▶ ▢	112~115쪽	**교과서 개념 잡기** ❹ 직육면체의 겨냥도 ❺ 정육면체의 전개도 ❻ 직육면체의 전개도
월 일		116~117쪽	**개념 한 번 더 잡기**
월 일	▶ ▢	118~120쪽	**수학 익힘 문제 잡기**
월 일	▶ ▢	121쪽	**서술형 잡기**
월 일		122~124쪽	**단원 마무리**

STEP 1 학교별 모든 개념을 담았습니다.

교과서 개념 잡기

한눈에 핵심쏙

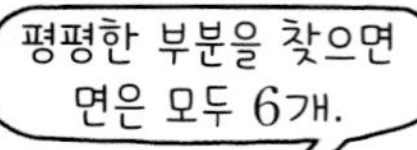
평평한 부분을 찾으면 면은 모두 6개.

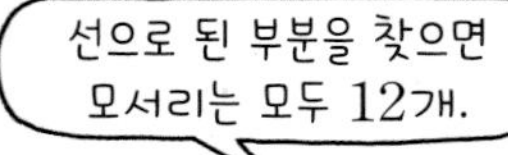
선으로 된 부분을 찾으면 모서리는 모두 12개.

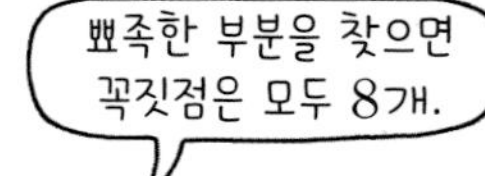
뾰족한 부분을 찾으면 꼭짓점은 모두 8개.

개념 강의

1 직육면체

(1) 직육면체

그림과 같이 직사각형 6개로 둘러싸인 도형을 **직육면체**라고 합니다.

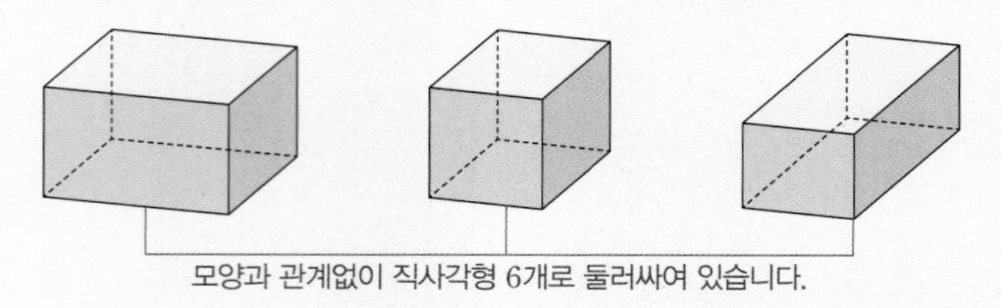
모양과 관계없이 직사각형 6개로 둘러싸여 있습니다.

주변에서 찾을 수 있는 직육면체 모양의 물건에는 과자 상자, 주사위 등이 있습니다.

Cookie

(2) 직육면체의 구성 요소

직육면체에서

- 선분으로 둘러싸인 부분을 **면**이라고 합니다.
- 면과 면이 만나는 선분을 **모서리**라고 합니다.
- 모서리와 모서리가 만나는 점을 **꼭짓점**이라고 합니다.

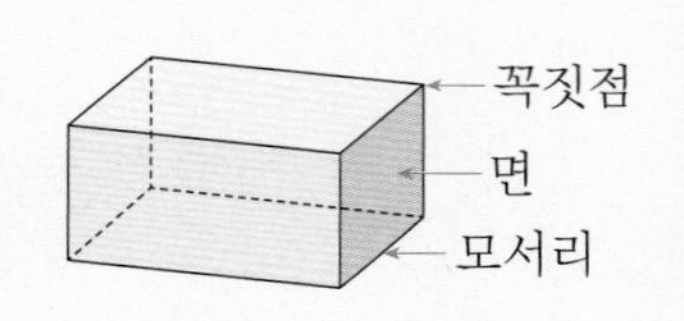
꼭짓점
면
모서리

(3) 직육면체의 특징

① 면의 모양은 모두 직사각형입니다.

② 직육면체의 구성 요소의 수는 다음과 같습니다.

구성 요소	면	모서리	꼭짓점
부분			
수(개)	6	12	8

직육면체는 모양과 관계없이 모든 면이 직사각형이면서 면, 모서리, 꼭짓점의 수가 각각 같습니다.

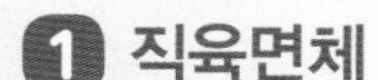

정답 24쪽

5 단원

1 도형을 보고 □ 안에 알맞게 써넣으세요.

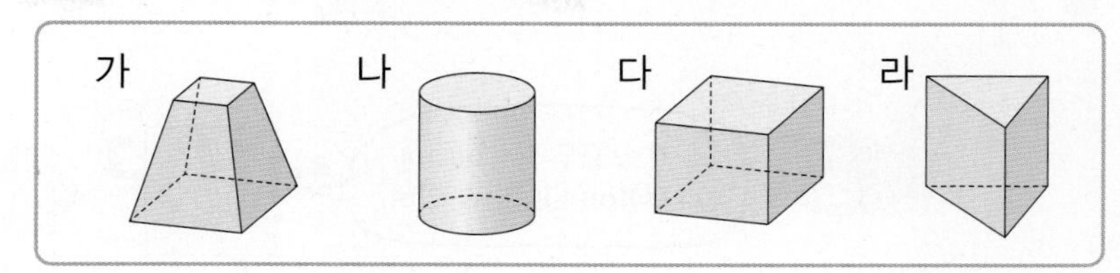

(1) 직사각형 6개로 둘러싸인 도형은 □ 입니다.

(2) (1)에서 찾은 도형을 □ 라고 합니다.

교과서 공통 **2** 직육면체에서 면, 모서리, 꼭짓점을 각각 찾아 기호를 쓰세요.

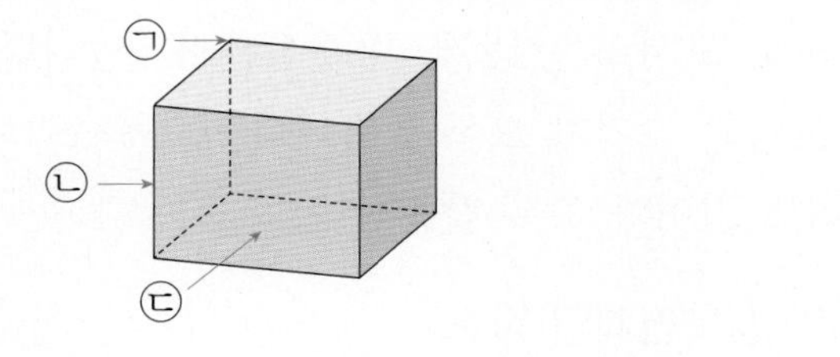

면 (   )

모서리 (   )

꼭짓점 (   )

3 직육면체를 보고 물음에 답하세요.

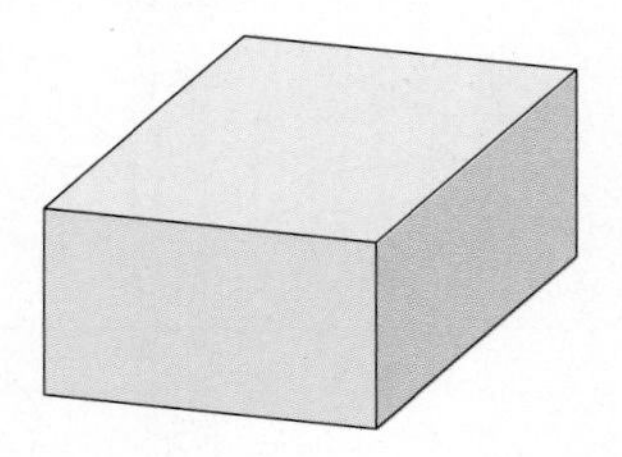

(1) 보이는 면을 **모두** 찾아 ○표 하세요.

(2) 보이는 모서리를 **모두** 찾아 파란색으로 표시해 보세요.

(3) 보이는 꼭짓점을 **모두** 찾아 • 으로 표시해 보세요.

110쪽 에서 개념을 **한 번 더** 다집니다.

STEP 1

학교별 모든 개념을 담았습니다.

교과서 개념 잡기

한눈에 핵심쏙

개념 강의

2 정육면체

(1) 정육면체

오른쪽 그림과 같이 정사각형 6개로 둘러싸인 도형을 **정육면체**라고 합니다.

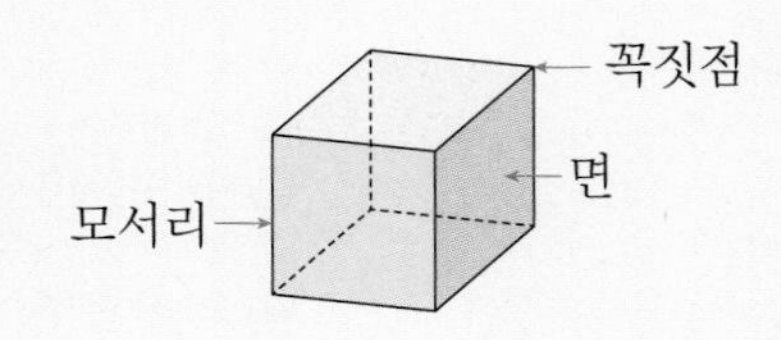

(2) 정육면체의 특징

정사각형은 네 변의 길이가 같으므로 정육면체는 모서리의 길이가 모두 같습니다.

① 면은 6개, 모서리는 12개, 꼭짓점은 8개입니다. → 직육면체의 구성 요소의 수와 같습니다.

② 면의 모양과 크기가 모두 같습니다. → 6개의 면이 모두 합동입니다.

③ 모서리의 길이가 모두 같습니다.

(3) 직육면체와 정육면체의 비교

도형	공통점			차이점	
	면의 수(개)	모서리의 수(개)	꼭짓점의 수(개)	면의 모양	모서리의 길이
직육면체	6	12	8	직사각형	서로 다릅니다.
정육면체				정사각형	모두 같습니다.

(4) 직육면체와 정육면체의 관계

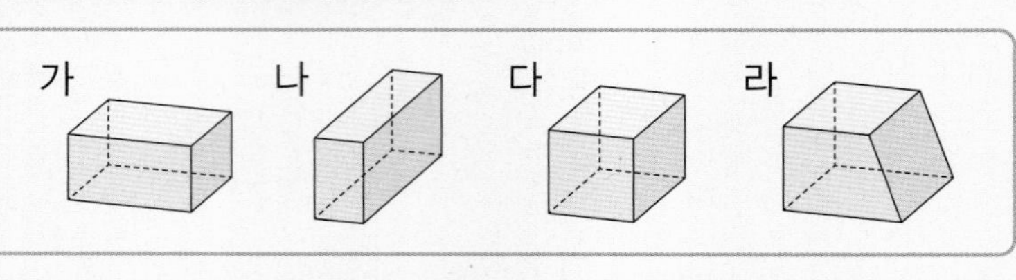

직육면체	정육면체
가, 나, ㉰	㉰

직사각형은 정사각형이라고 할 수 없으므로 직육면체는 정육면체라고 할 수 없습니다.

→ 정사각형은 직사각형이라고 할 수 있으므로 정육면체는 직사각형 6개로 둘러싸인 직육면체라고 할 수 있습니다.

1 직육면체와 정육면체를 보고 □ 안에 알맞은 말을 써넣으세요.

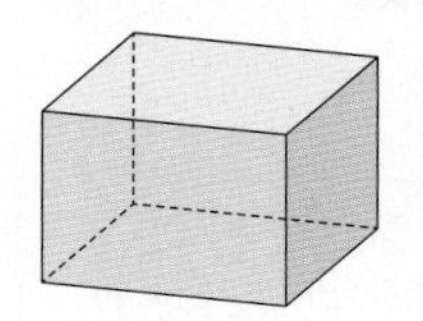

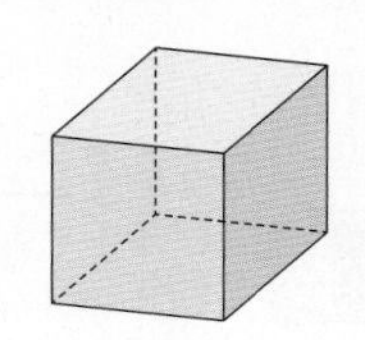

직사각형 6개로 둘러싸인 도형을 □라 하고,
정사각형 6개로 둘러싸인 도형을 □라고 합니다.

2 정육면체의 특징을 알아보려고 합니다. 물음에 답하세요.

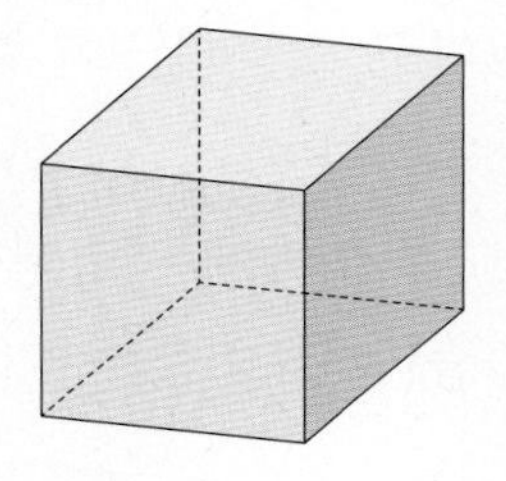

(1) 빈칸에 알맞게 써넣으세요.

면의 모양	면의 수(개)	모서리의 수(개)	꼭짓점의 수(개)
	6		

(2) 알맞은 말에 ○표 하세요.

정육면체는 직육면체라고 할 수 (있습니다 , 없습니다).

교과서 공통 **3** 정육면체에 ○표, 직육면체에 △표 하세요.

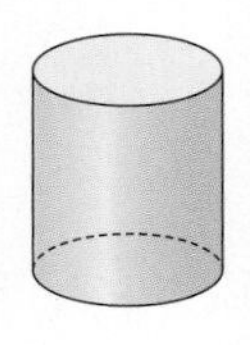

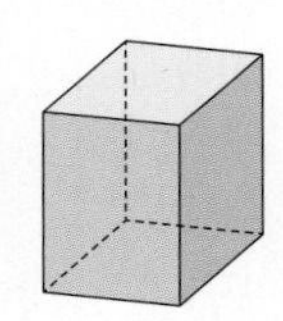

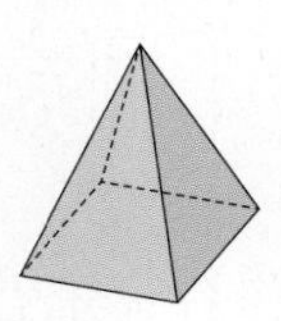

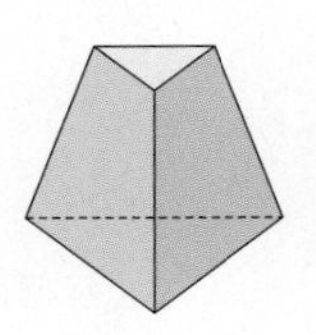

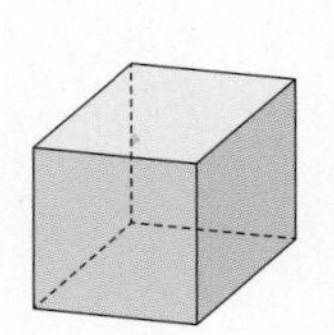

110쪽에서 개념을 **한 번 더** 다집니다.

학교별 모든 개념을 담았습니다.

STEP 1 교과서 개념 잡기

윗면이 밑면이면
윗면과 평행한 아랫면이
또 다른 밑면이고,
윗면이 밑면이면
아랫면을 제외한
나머지 네 면이 옆면이야.
①
②
③
④

3 직육면체의 성질

(1) 직육면체에서 밑면

① 오른쪽 그림과 같이 직육면체에서 색칠한 두 면처럼 계속 늘여도 만나지 않는 두 면을 서로 평행하다고 합니다. 이 두 면을 직육면체의 **밑면**이라고 합니다.

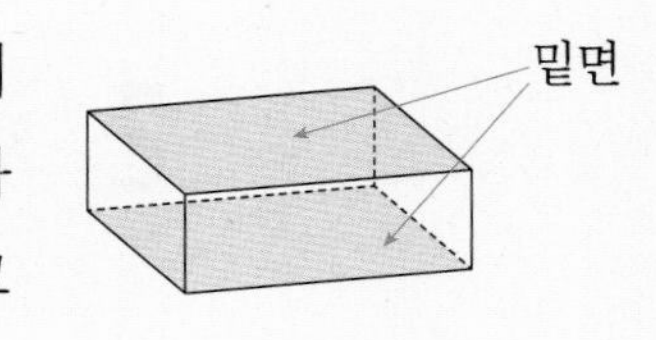

밑면은 고정된 면이 아니므로 한 면이 밑면이면 마주 보는 면도 밑면이 됩니다.

② 직육면체에는 평행한 면이 3쌍 있고, 이 평행한 면은 각각 밑면이 될 수 있습니다.

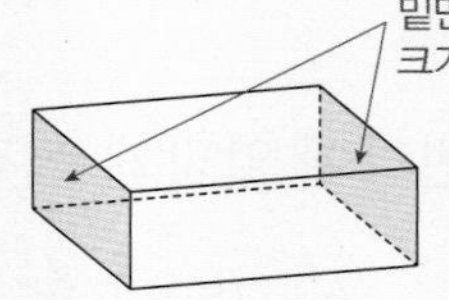

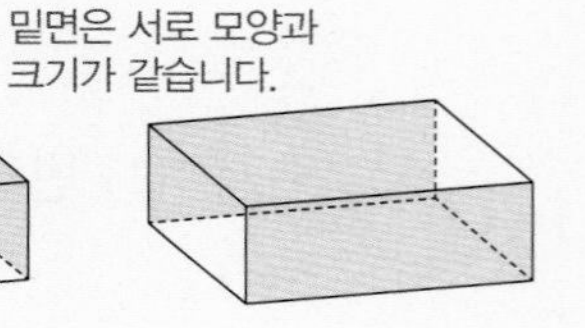

(2) 직육면체에서 옆면

한 모서리에서 만나는 두 면이 이루는 각은 90°입니다.

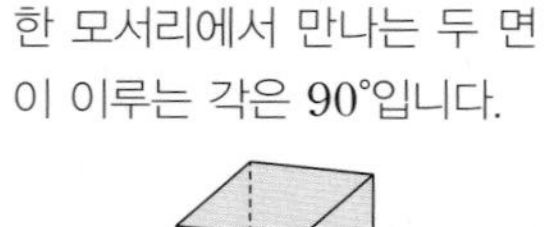

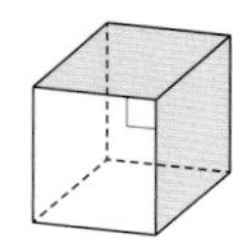

① 삼각자 3개를 그림과 같이 놓았을 때 면 ㄱㄴㄷㄹ과 면 ㄷㅅㅇㄹ은 수직입니다. 직육면체에서 밑면과 수직인 면을 직육면체의 **옆면**이라고 합니다.

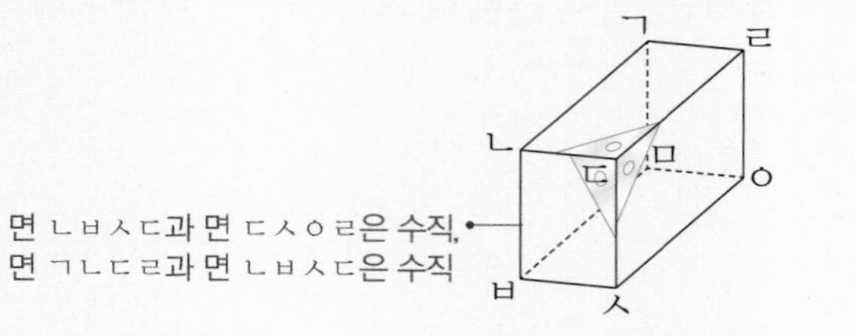

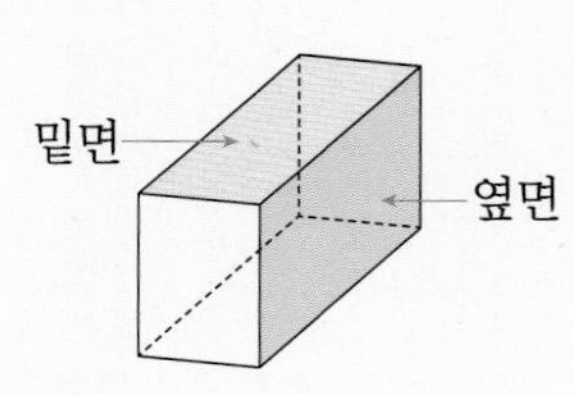

② 직육면체에서 한 밑면의 옆면은 모두 4개입니다.

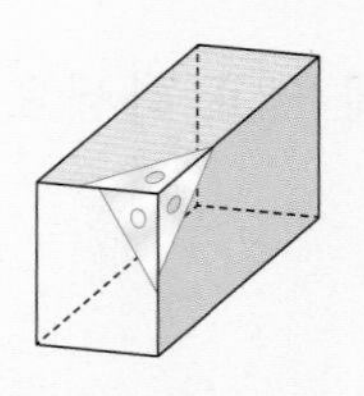
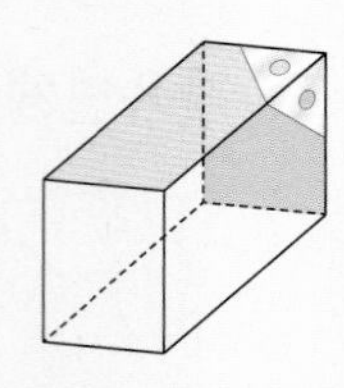
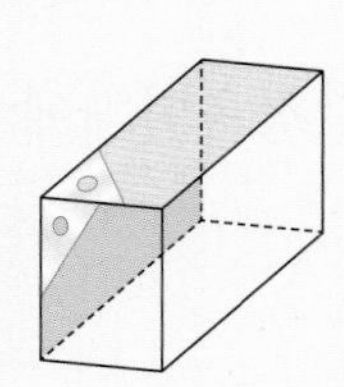
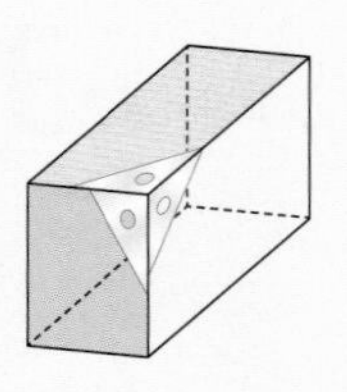

③ 한 꼭짓점에서 만나는 면은 3개이고, 이 세 면은 서로 수직입니다.

매칭북 26쪽 정답 24쪽

1 직육면체를 보고 □ 안에 알맞게 써넣으세요.

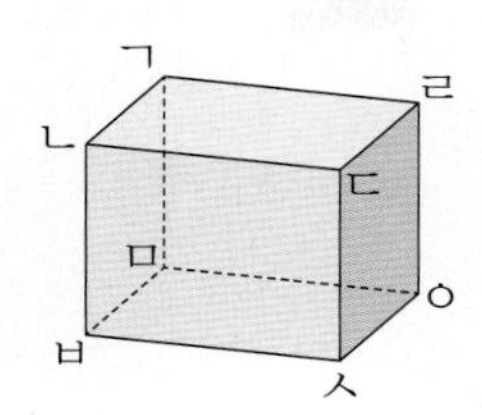

(1) 면 ㄱㄴㄷㄹ과 평행한 면은 면 □ 입니다.

(2) 면 ㄴㅂㅅㄷ과 평행한 면은 면 □ 입니다.

(3) 면 ㄷㅅㅇㄹ과 평행한 면은 면 □ 입니다.

5 단원

교과서 공통 **2** 직육면체에서 색칠한 면과 평행한 면을 찾아 색칠해 보세요.

(1)

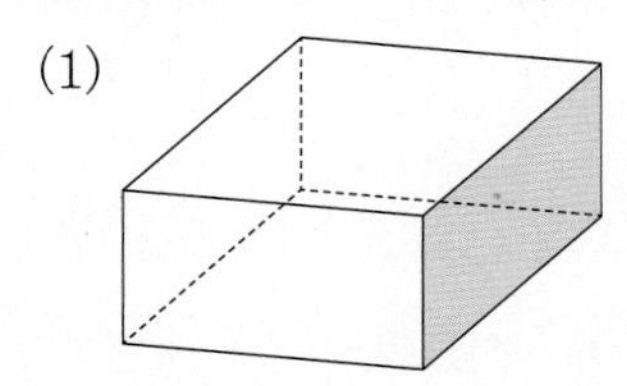

(2)

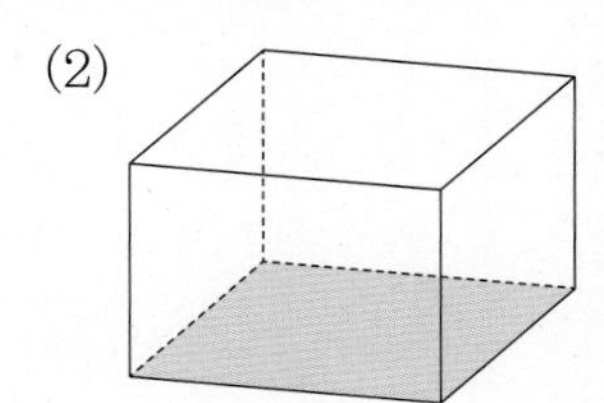

3 왼쪽 직육면체에서 색칠한 면과 수직인 면을 **모두** 찾아 ○표 하세요.

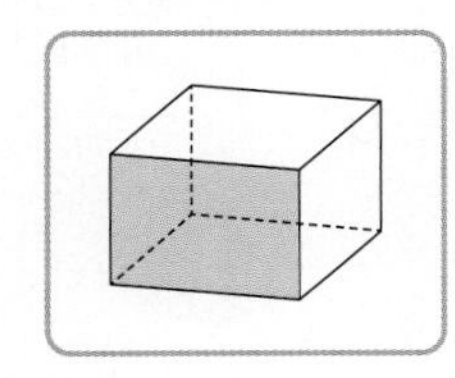

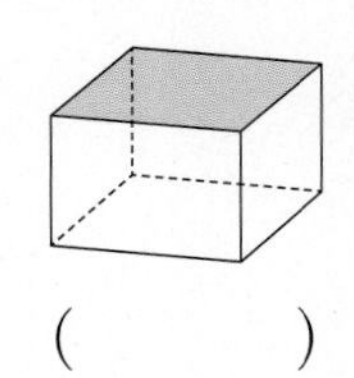
(　　　)

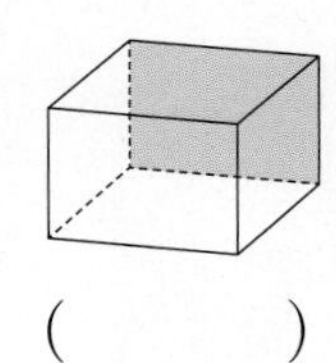
(　　　)

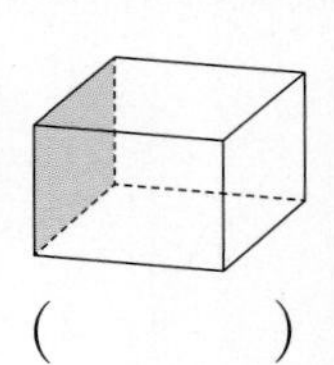
(　　　)

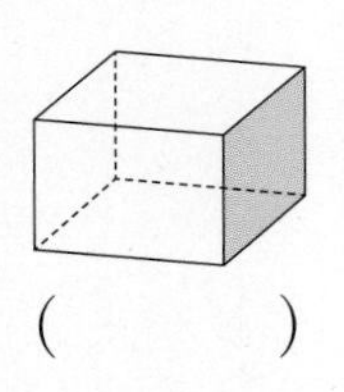
(　　　)

교과서 공통 **4** 직육면체에서 색칠한 면과 수직인 면을 **모두** 찾아 쓰세요.

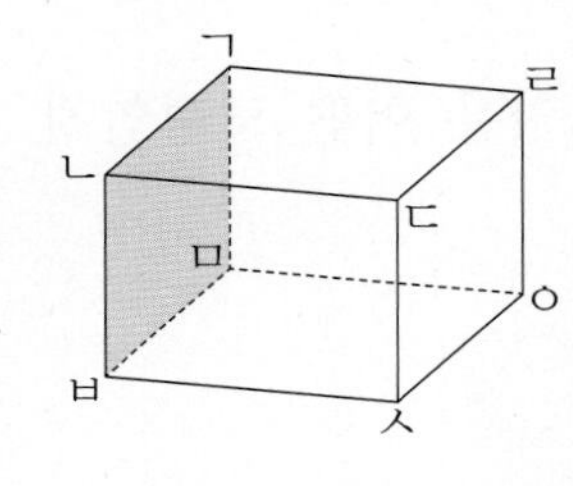

면 (　　　　　　), 면 (　　　　　　),
면 (　　　　　　), 면 (　　　　　　)

111쪽에서 개념을 **한 번 더** 다집니다.

STEP 2 개념 한번더 잡기

1 직육면체

01 직사각형 6개로 둘러싸인 도형을 찾아 기호를 쓰세요.

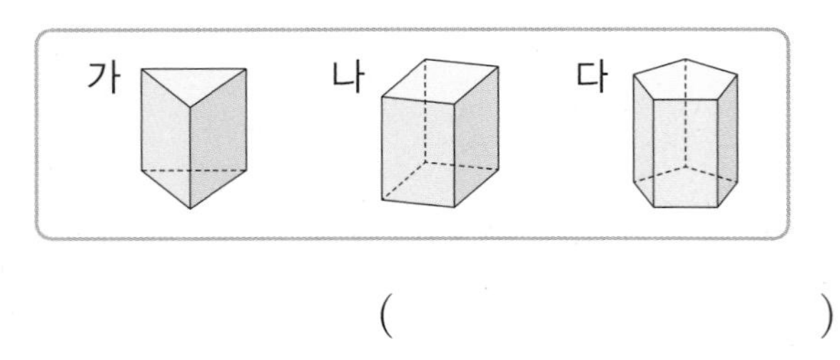

( )

02 직육면체를 **모두** 찾아 ○표 하세요.

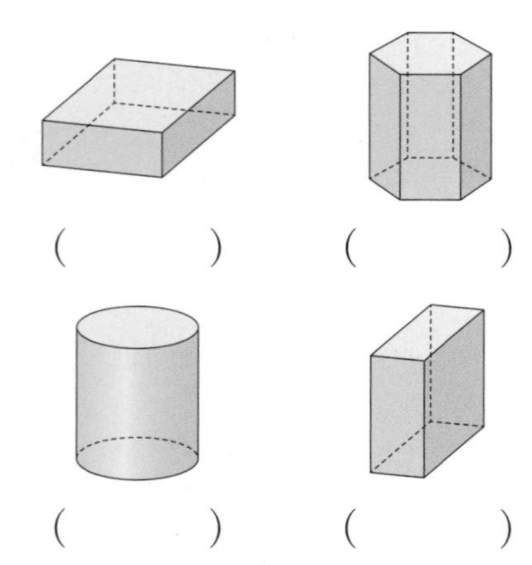

( ) ( )

( ) ( )

03 직육면체를 보고 면의 모양은 어떤 도형인지 도형의 이름을 쓰세요.

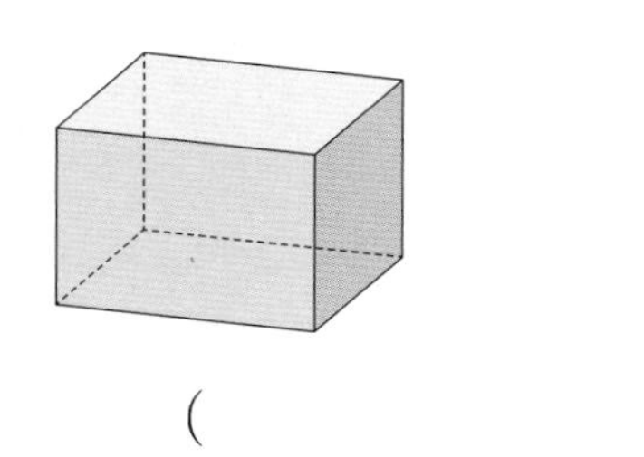

( )

04 직육면체를 보고 표를 완성해 보세요.

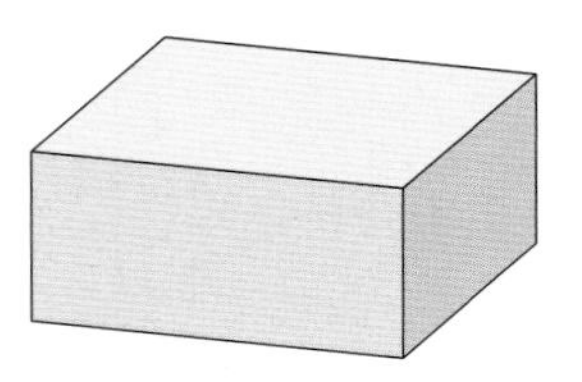

보이는 면의 수(개)	
보이는 모서리의 수(개)	
보이는 꼭짓점의 수(개)	

2 정육면체

05 정육면체를 **모두** 찾아 기호를 쓰세요.

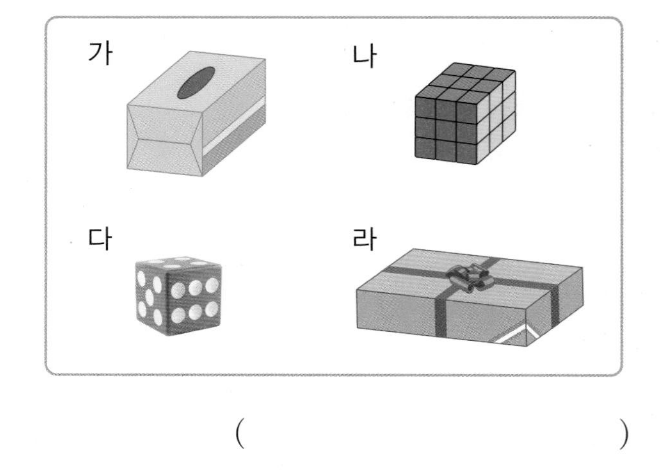

( )

06 정육면체의 각 부분의 이름을 □ 안에 알맞게 써넣으세요.

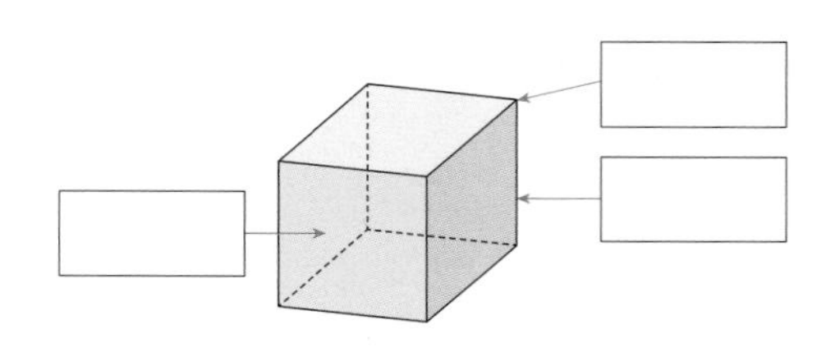

정답 24쪽

07 도형을 보고 물음에 답하세요.

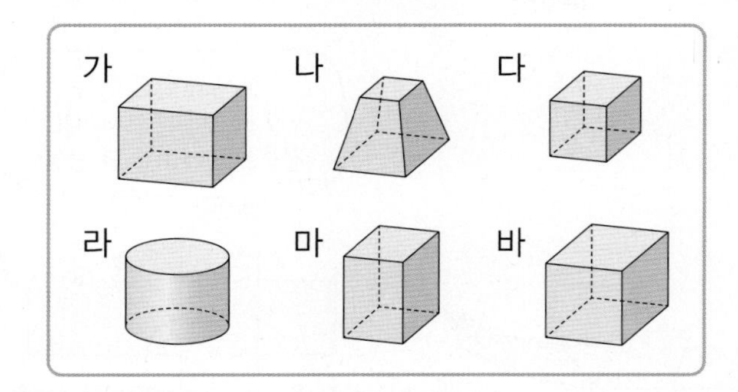

(1) 정육면체를 **모두** 찾아 기호를 쓰세요.

(　　　　　　　　　　　)

(2) 직육면체가 아닌 것을 **모두** 찾아 기호를 쓰세요.

(　　　　　　　　　　　)

3 직육면체의 성질

08 오른쪽 직육면체에서 색칠한 면과 평행한 면을 찾아 ○표 하세요.

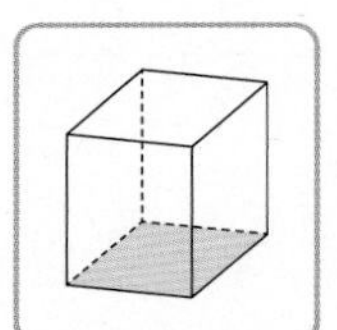

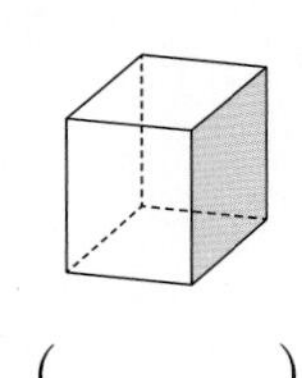 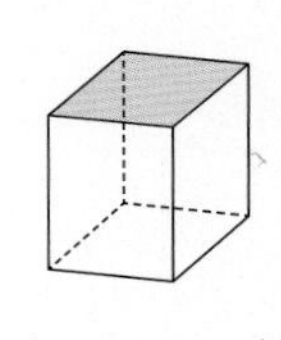 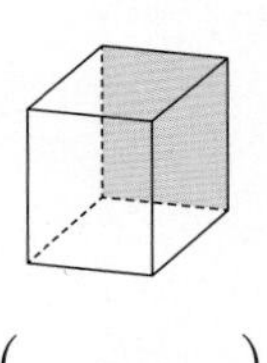

(　　) (　　) (　　)

09 직육면체에서 서로 평행한 면은 **모두** 몇 쌍인가요?

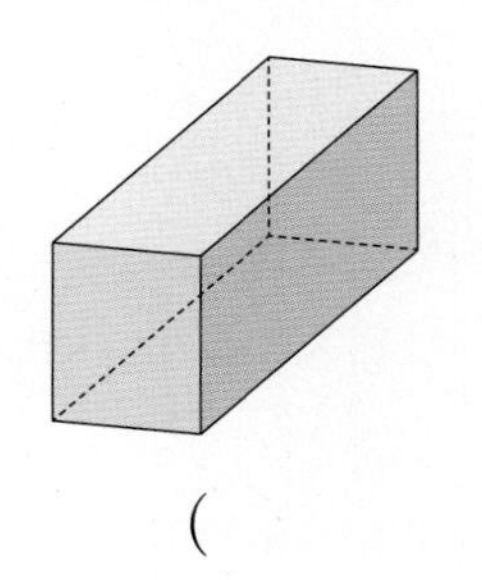

(　　　　　　　　　　　)

10 정육면체에서 색칠한 면과 수직인 면은 **모두** 몇 개인가요?

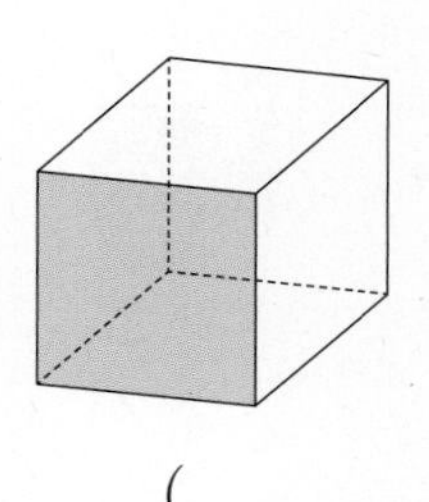

(　　　　　　　　　　　)

11 직육면체에서 면 ㄴㅂㅅㄷ과 수직이 아닌 면을 찾아 쓰세요.

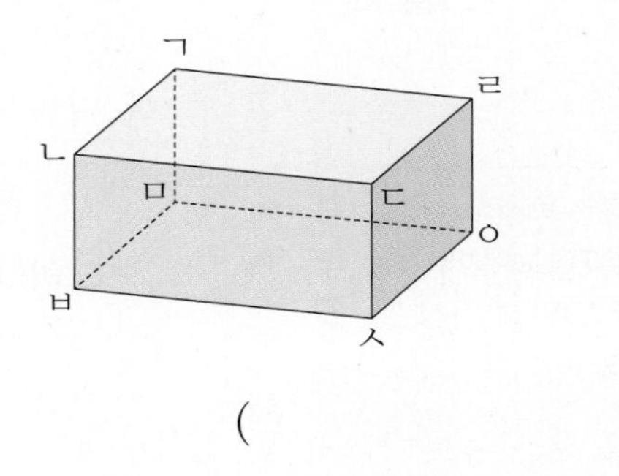

(　　　　　　　　　　　)

12 직육면체를 보고 물음에 답하세요.

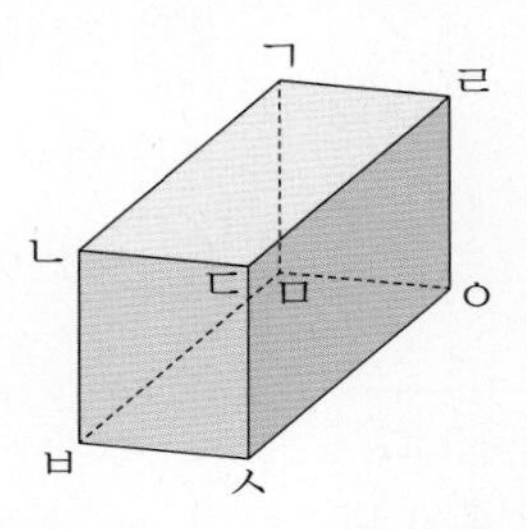

(1) 직육면체에서 꼭짓점 ㄷ과 만나는 면은 **모두** 몇 개인가요?

(　　　　　　　　　　　)

(2) 알맞은 말에 ○표 하세요.

꼭짓점 ㄷ과 만나는 면들에 삼각자를 대어 보면 꼭짓점 ㄷ을 중심으로 모두 (직각입니다 , 평행합니다).

STEP 1 학교별 모든 개념을 담았습니다.

교과서 개념 잡기

한눈에 핵심쏙

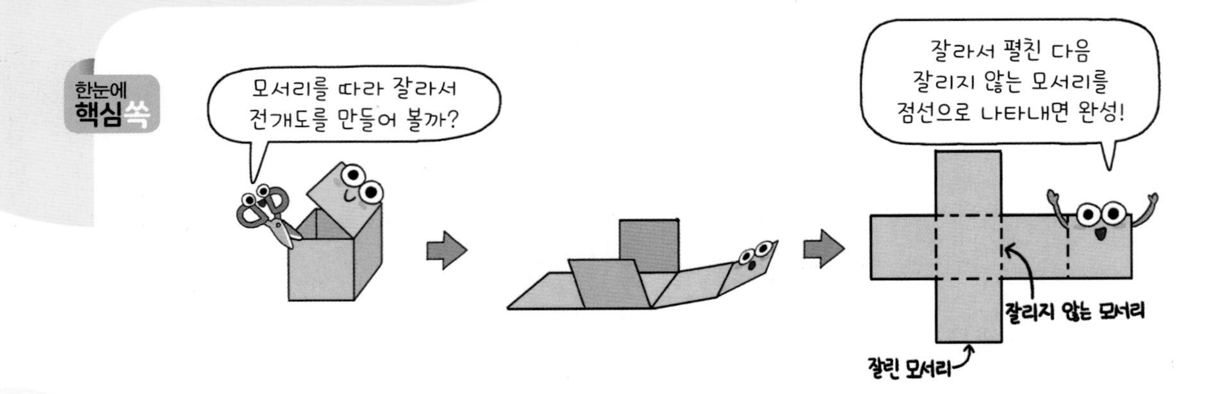

모서리를 따라 잘라서 전개도를 만들어 볼까?
잘라서 펼친 다음 잘리지 않는 모서리를 점선으로 나타내면 완성!
잘리지 않는 모서리
잘린 모서리

개념 강의

4 직육면체의 겨냥도

(1) 직육면체의 겨냥도

오른쪽 그림과 같이 직육면체의 모양을 잘 알 수 있도록 나타낸 그림을 직육면체의 **겨냥도**라고 합니다.

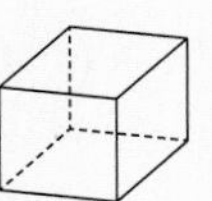
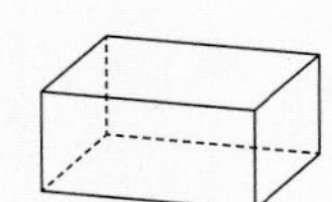

면의 수(개)		모서리의 수(개)		꼭짓점의 수(개)	
보이는 면	보이지 않는 면	보이는 모서리	보이지 않는 모서리	보이는 꼭짓점	보이지 않는 꼭짓점
3	3	9	3	7	1

면이 3개, 모서리가 9개, 꼭짓점이 7개 보일 때가 직육면체의 모양을 가장 잘 알 수 있습니다.

(2) 직육면체의 겨냥도 그리기

① 보이는 모서리는 실선으로, 보이지 않는 모서리는 점선으로 그립니다.

② 평행한 모서리의 길이는 같게 그립니다. → 길이가 같은 모서리가 4개씩 3쌍 있습니다.

5 정육면체의 전개도

(1) 정육면체의 전개도

정육면체의 모서리를 잘라서 펼친 그림을 정육면체의 **전개도**라고 합니다.

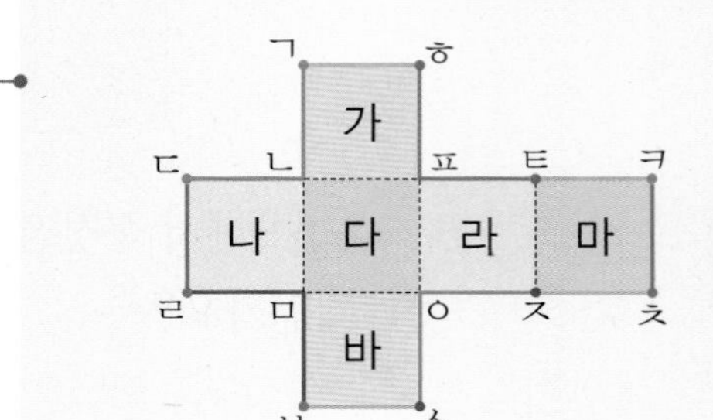

전개도를 접었을 때
- 점 ㄱ과 만나는 점: 점 ㄷ, 점 ㅋ
- 선분 ㄱㄴ과 겹치는 선분: 선분 ㄷㄴ
- 면 다와 평행한 면: 면 마 → 서로 모양과 크기가 같고 만나는 모서리와 꼭짓점이 없습니다.
- 면 다와 수직인 면: 면 가, 면 나, 면 라, 면 바

전개도를 접으면
- 같은 색 점끼리 만납니다.
- 같은 색 선분끼리 겹칩니다.
- 같은 색 면끼리 서로 평행합니다.

(2) 정육면체의 전개도 그리기

① 잘린 모서리는 실선으로, 잘리지 않는 모서리는 점선으로 그립니다.

② 정사각형 모양의 면 6개를 접었을 때 서로 겹치는 면이 없게 그립니다.

③ 모든 모서리의 길이를 같게 그립니다.

1 직육면체의 모양을 잘 알 수 있도록 그리는 방법을 알아보려고 합니다. 물음에 답하세요.

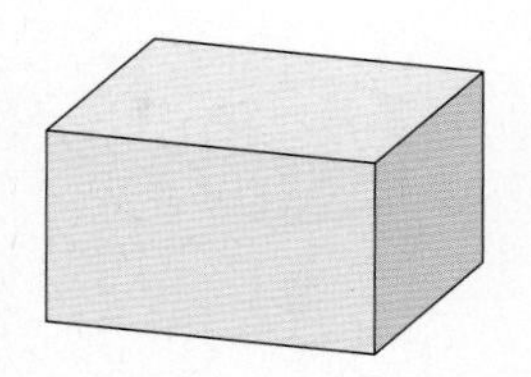

(1) 직육면체에서 보이는 모서리는 실선으로, 보이지 않는 모서리는 점선으로 그려 보세요.

(2) □ 안에 알맞은 말을 써넣으세요.

> 위와 같이 직육면체 모양을 잘 알 수 있도록 나타낸 그림을
> 직육면체의 □라고 합니다.

교과서 공통 **2** 전개도를 접어서 정육면체를 만들었습니다. □ 안에 알맞게 써넣으세요.

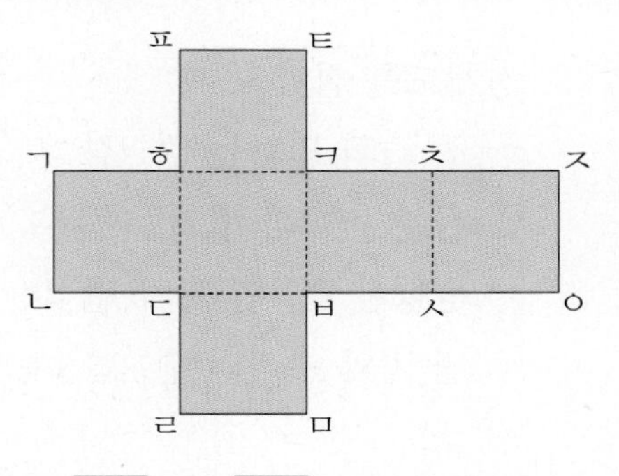

(1) 점 ㄱ과 만나는 점은 점 □, 점 □입니다.

(2) 선분 ㄴㄷ과 겹치는 선분은 선분 □입니다.

교과서 공통 **3** 전개도를 접어서 정육면체를 만들었을 때 색칠한 면과 평행한 면에 색칠해 보세요.

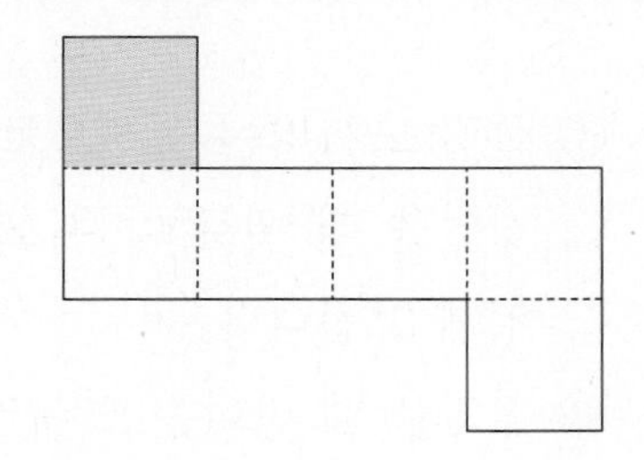

116쪽에서 개념을 **한 번 더** 다집니다.

STEP 1

학교별 모든 개념을 담았습니다.

교과서 개념 잡기

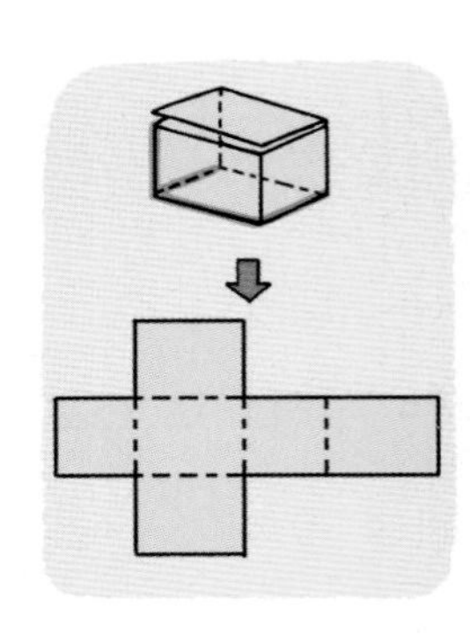

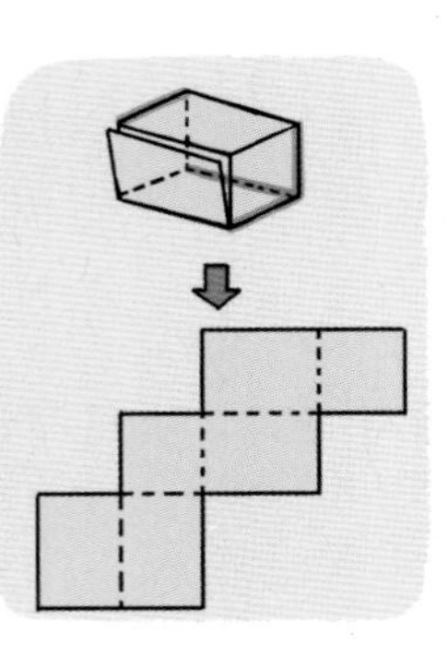

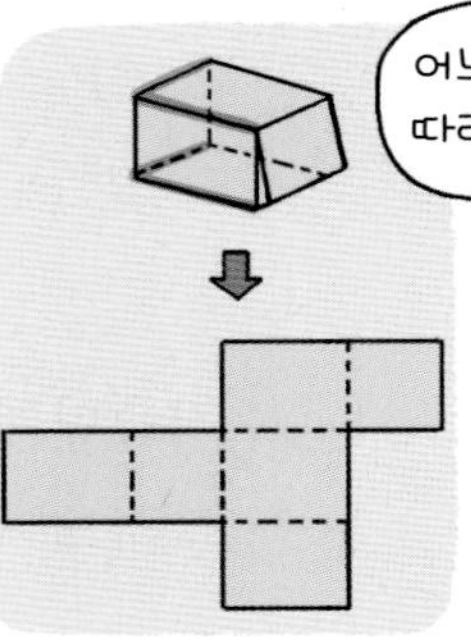

어느 모서리를 자르는지에 따라 전개도의 모양이 달라!

개념 강의

6 직육면체의 전개도

(1) 직육면체의 전개도

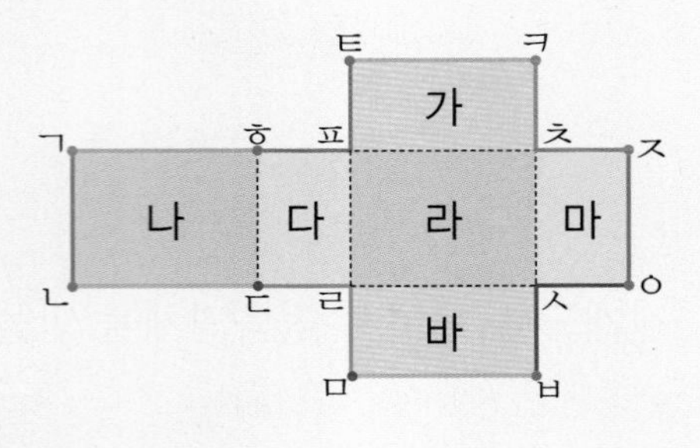

전개도를 접었을 때
- 점 ㄱ과 만나는 점: 점 ㅈ, 점 ㅋ
- 선분 ㄱㄴ과 겹치는 선분: 선분 ㅈㅇ
- 평행한 면: 면 가와 면 바, 면 나와 면 라, 면 다와 면 마
- 면 가와 수직인 면: 면 나, 면 다, 면 라, 면 마 → 평행한 면을 제외한 나머지 면

전개도를 접었을 때
- 서로 평행한 면: 3쌍
- 한 면과 수직인 면: 4개

(2) 직육면체의 전개도 그리기

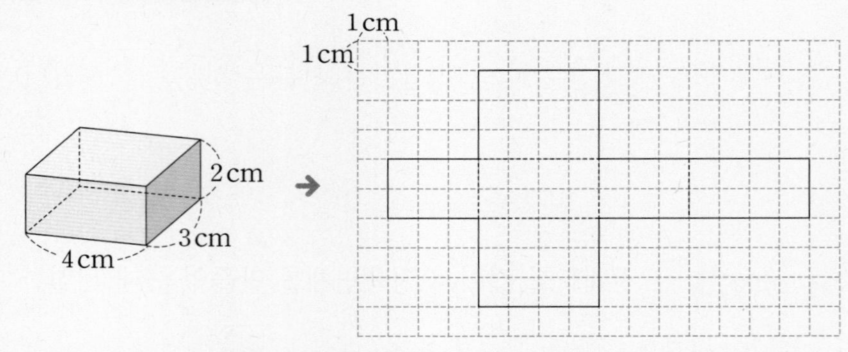

① 잘린 모서리는 실선으로, 잘리지 않는 모서리는 점선으로 그립니다.
② 접었을 때 서로 마주 보는 3쌍의 면끼리 모양과 크기가 같고, 겹치는 면이 없게 그립니다.
③ 접었을 때 만나는 모서리의 길이가 같게 그립니다.

전개도를 그린 후 모양과 크기가 같은 면이 3쌍인지, 접었을 때 겹치는 면이 없는지, 접었을 때 만나는 모서리의 길이가 같은지 확인합니다.

매칭북 28쪽 정답 25쪽

5 단원

1 전개도를 접어서 직육면체를 만들었습니다. 물음에 답하세요.

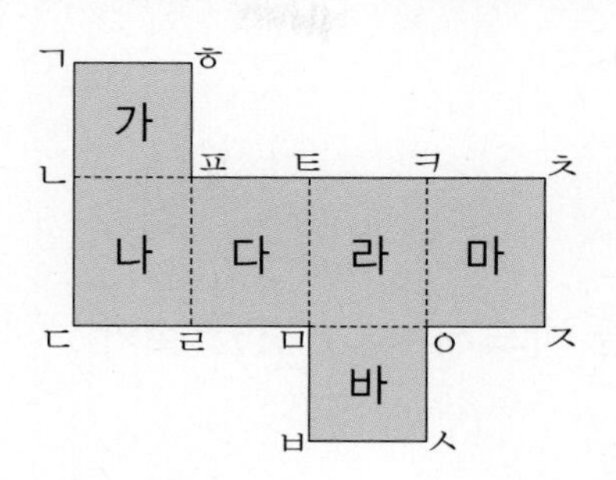

(1) 점 ㄷ과 만나는 점을 **모두** 찾아 쓰세요.

( )

(2) 선분 ㄱㅎ과 겹치는 선분을 찾아 쓰세요.

( )

(3) 면 나와 평행한 면을 찾아 쓰세요.

( )

(4) 면 다와 수직인 면을 **모두** 찾아 ◯표 하세요.

2 직육면체의 전개도에서 모양과 크기가 같은 면끼리 같은 색으로 색칠해 보세요.

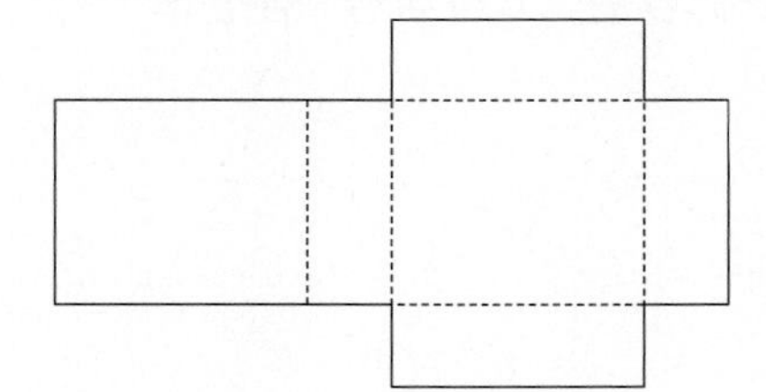

교과서 공통 **3** 직육면체의 겨냥도를 보고 전개도에 빠진 부분을 그려 보세요.

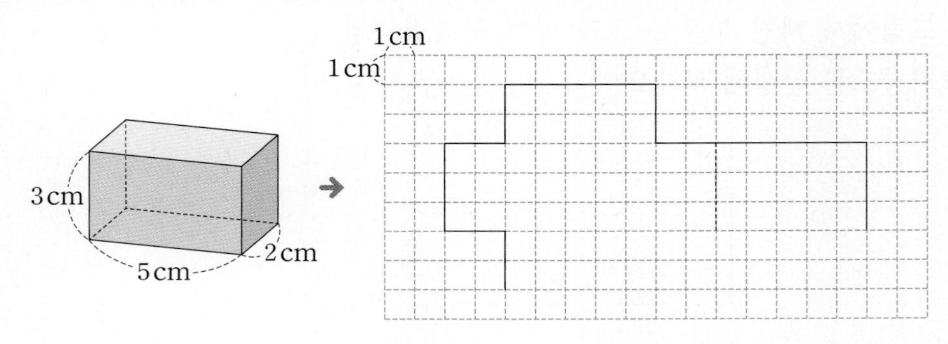

117쪽 에서 개념을 **한 번 더** 다집니다.

STEP 2 개념 한번더 잡기

4 직육면체의 겨냥도

01 직육면체의 겨냥도를 바르게 그린 것을 찾아 기호를 쓰세요.

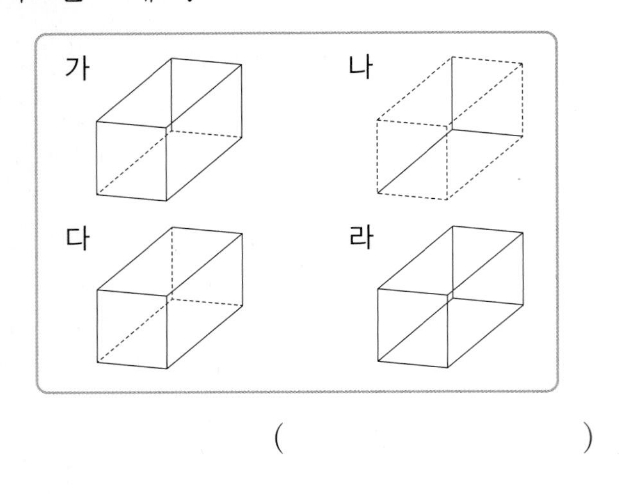

(　　　　　　　　　)

02 직육면체에서 보이지 않는 모서리를 점선으로 그려 보세요.

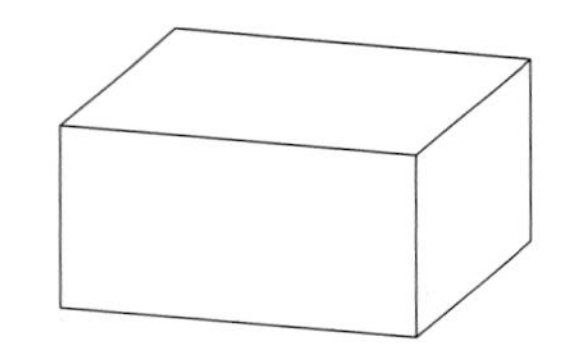

03 그림에서 빠진 부분을 그려 넣어 직육면체의 겨냥도를 완성해 보세요.

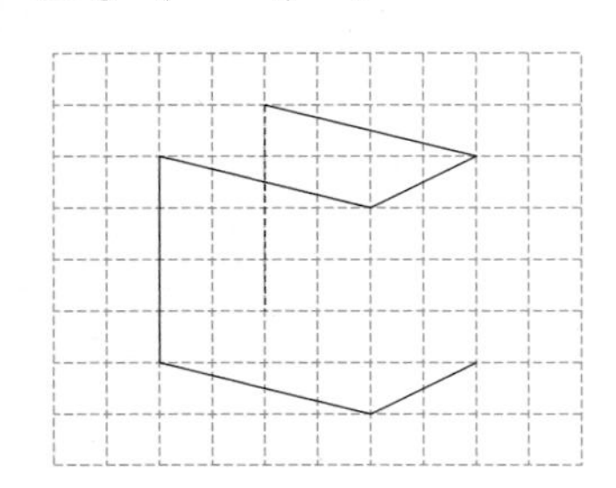

5 정육면체의 전개도

04 정육면체의 전개도를 접었을 때 주어진 선분과 겹치는 선분을 찾아 쓰세요.

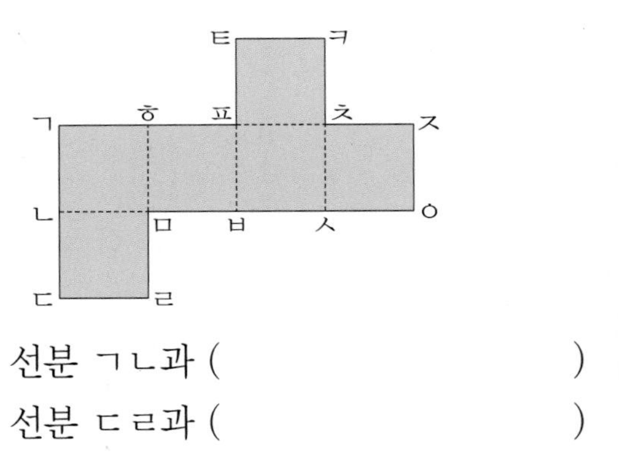

선분 ㄱㄴ과 (　　　　　　　　　)

선분 ㄷㄹ과 (　　　　　　　　　)

05 정육면체의 전개도를 접었을 때 색칠한 면과 수직인 면에 **모두** ○표 하세요.

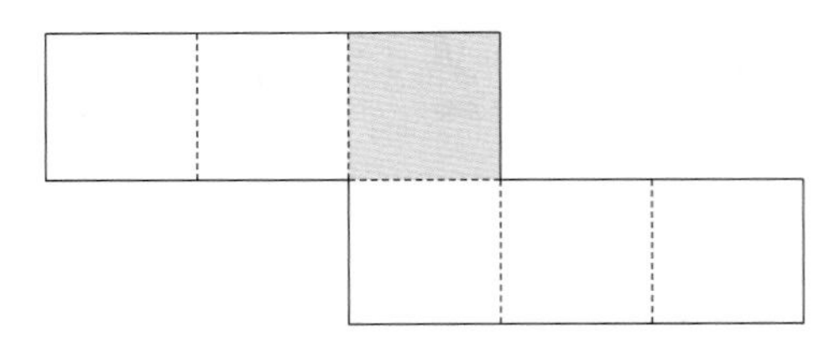

06 정육면체의 전개도에서 빠진 부분을 그려 보세요.

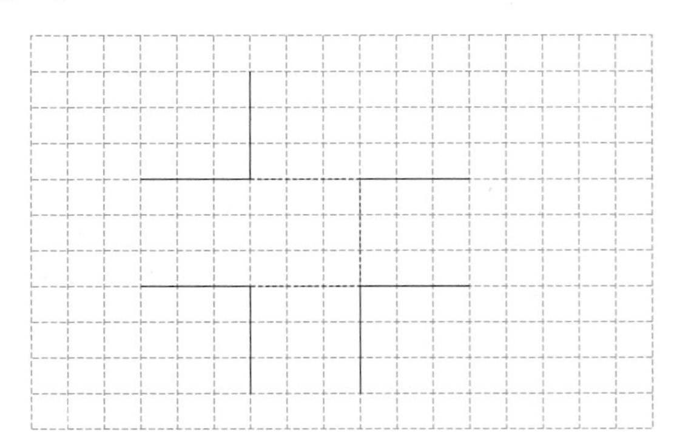

07 정육면체의 전개도가 될 수 <u>없는</u> 것에 ×표 하세요.

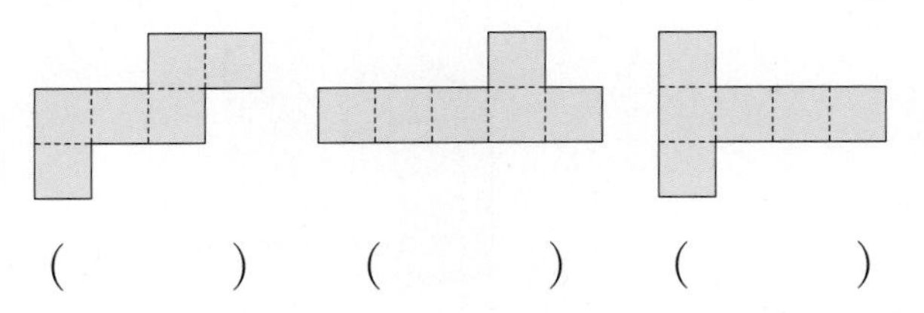

( ) ( ) ( )

6 직육면체의 전개도

08 전개도를 접어서 직육면체를 만들었습니다. 물음에 답하세요.

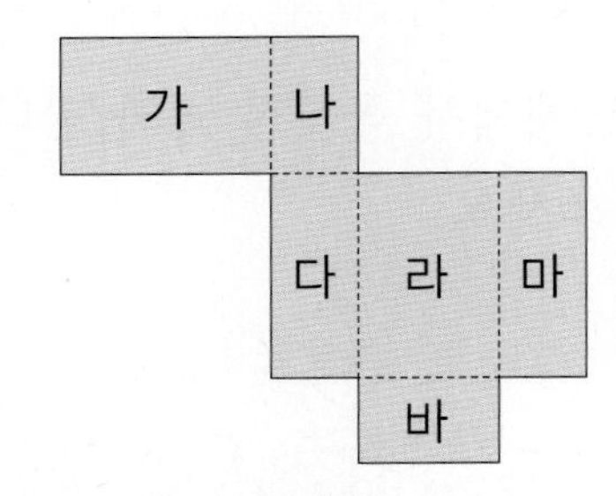

(1) 서로 합동인 면은 **모두** 몇 쌍인가요?

( )

(2) 면 나와 수직인 면을 **모두** 찾아 쓰세요.

( )

09 직육면체의 겨냥도를 보고 전개도를 그렸습니다. □ 안에 알맞은 수를 써넣으세요.

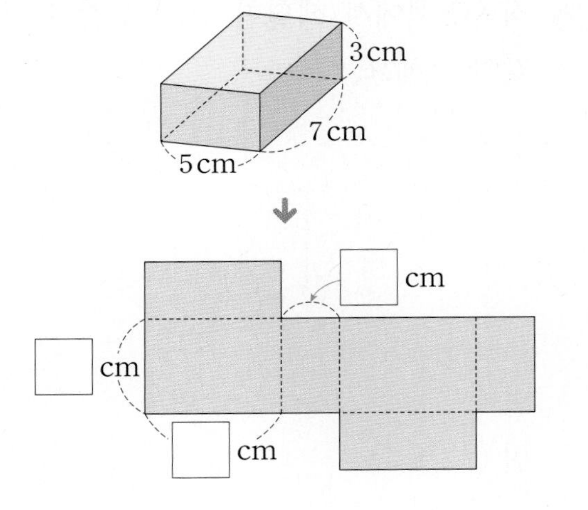

10 직육면체의 전개도를 바르게 그렸는지 확인하는 방법입니다. □ 안에 알맞은 수를 써넣고, 알맞은 말에 ○표 하세요.

> 바르게 그린 직육면체의 전개도에는 모양과 크기가 같은 면이 □쌍 있습니다. 또한 접었을 때 겹치는 면이 (있고 , 없고), 만나는 모서리의 길이가 (같습니다 , 다릅니다).

11 직육면체의 전개도를 찾아 기호를 쓰세요.

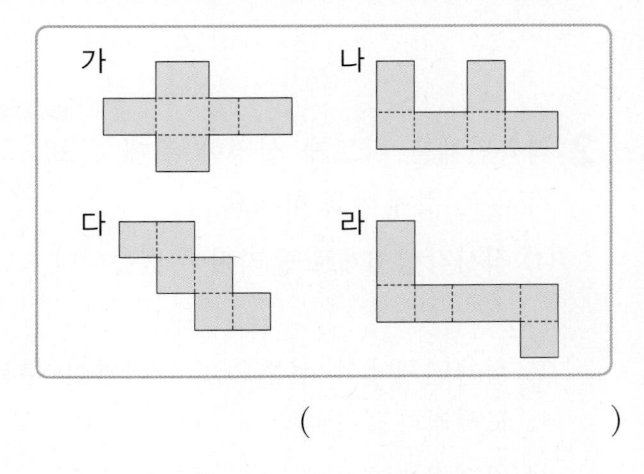

( )

12 직육면체의 겨냥도를 보고 전개도에 빠진 부분을 그려 보세요.

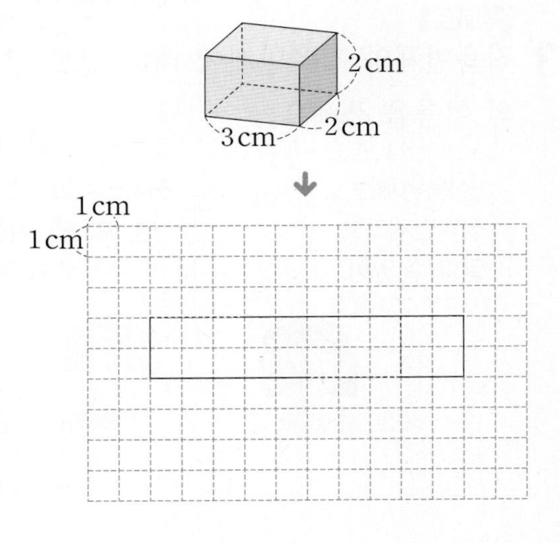

학교별 모든 수학 익힘 문제를 담았습니다.

수학 익힘 문제 잡기

104쪽 개념 ❶

01 직육면체의 면, 모서리, 꼭짓점은 각각 몇 개인지 구하세요.

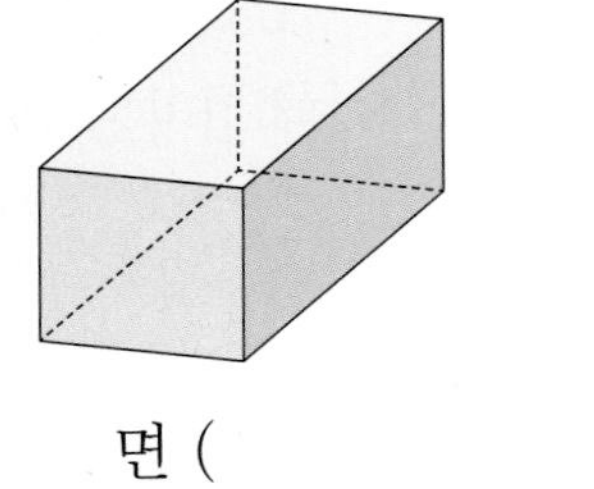

면 (　　　　　　)
모서리 (　　　　　　)
꼭짓점 (　　　　　　)

104쪽 개념 ❶

02 직육면체를 바르게 설명한 것에 ○표, 그렇지 않은 것에 ×표 하세요.

(1) 직사각형 6개로 둘러싸여 있습니다. (　　)

(2) 직육면체에서 선분으로 둘러싸인 부분을 모서리라고 합니다. (　　)

(3) 직육면체의 면은 모두 합동입니다. (　　)

익힘책 공통

106쪽 개념 ❷

03 직육면체와 정육면체에 대해 잘못 말한 친구의 이름을 쓰세요.

직육면체는 정육면체라고 말할 수 있어.

직육면체와 정육면체는 면, 모서리, 꼭짓점의 수가 각각 같아.

(　　　　　　)

106쪽 개념 ❷

04 정육면체에서 보이지 않는 모서리의 수와 보이지 않는 꼭짓점의 수의 합을 구하세요.

문제 강의

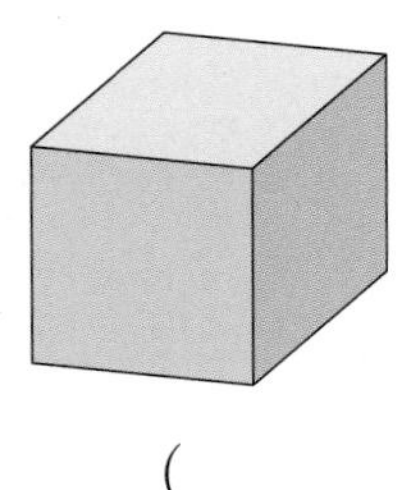

(　　　　　　)

108쪽 개념 ❸

05 직육면체에서 꼭짓점 ㄹ과 만나는 면을 **모두** 찾아 쓰세요.

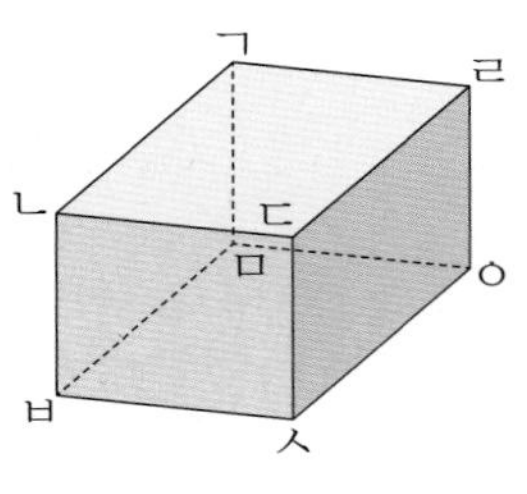

(　　　　　　)

108쪽 개념 ❸

06 직육면체에서 색칠한 면과 수직인 면을 **모두** 찾아 쓰세요.

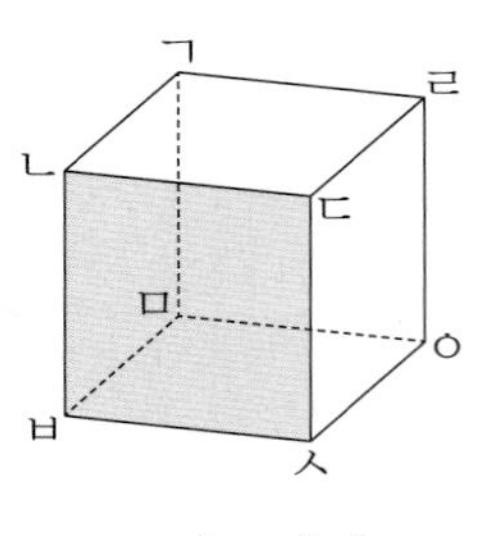

면 (　　　　　　), 면 (　　　　　　)
면 (　　　　　　), 면 (　　　　　　)

108쪽 개념 ❸

07 직육면체에서 면 ㄴㅂㅅㄷ과 평행한 면의 모서리 길이의 합은 몇 cm인가요?

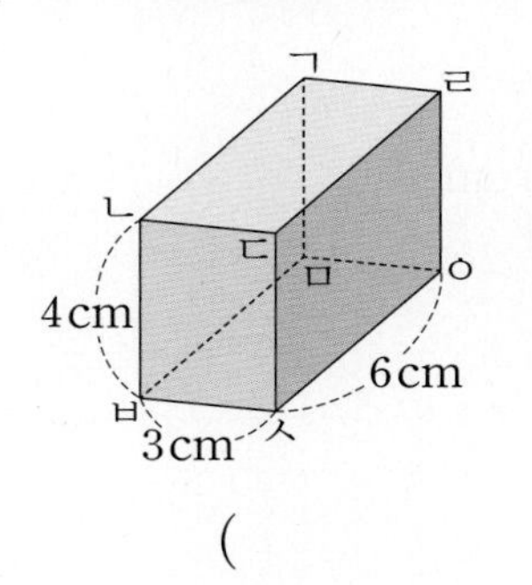

(　　　　　　　　　　)

108쪽 개념 ❸

08 직육면체에서 면 ㄴㅂㅅㄷ과 면 ㄷㅅㅇㄹ에 동시에 수직인 면을 **모두** 쓰세요.

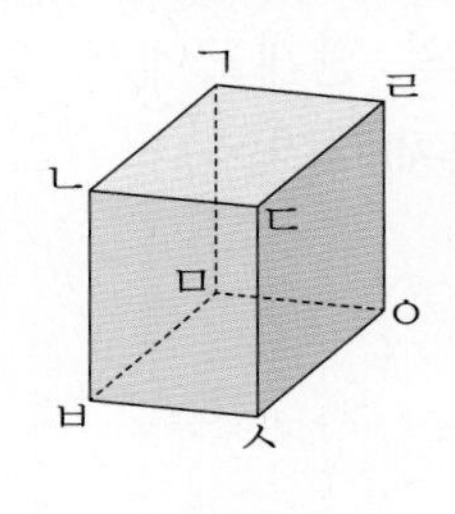

(　　　　　　　　　　)

112쪽 개념 ❹

09 직육면체에서 길이가 7 cm인 모서리는 **모두** 몇 개인가요?

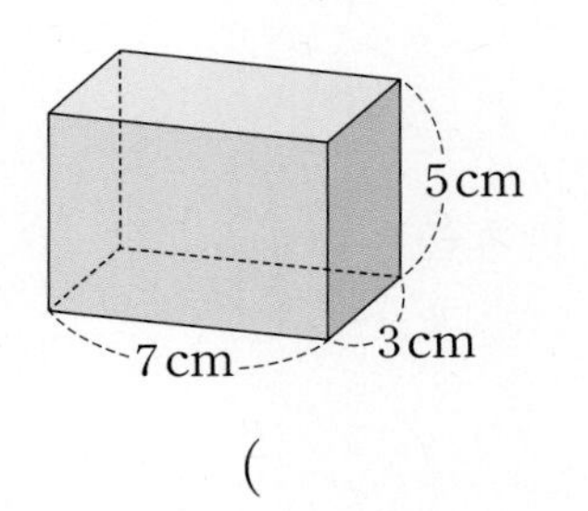

(　　　　　　　　　　)

112쪽 개념 ❹

10 직육면체의 겨냥도에 대한 설명으로 틀린 것을 찾아 기호를 쓰세요.

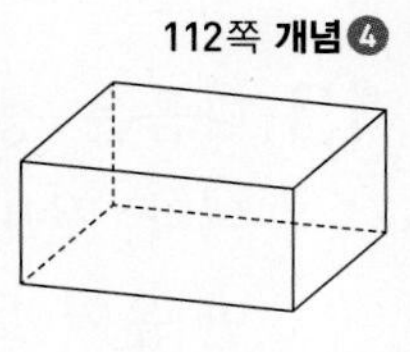

㉠ 보이는 면은 3개입니다.
㉡ 보이는 꼭짓점은 8개입니다.
㉢ 보이지 않는 모서리는 3개입니다.

(　　　　　　　　　　)

112쪽 개념 ❹

11 직육면체에서 보이는 모서리의 길이의 합은 몇 cm인가요?

문제 강의

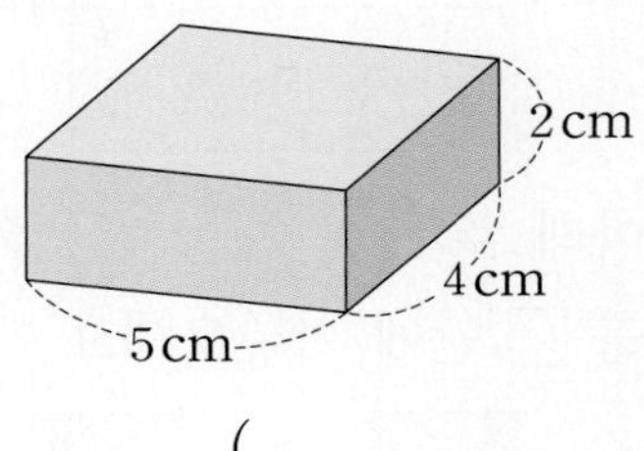

(　　　　　　　　　　)

익힘책 공통

112쪽 개념 ❺

12 정육면체의 모서리를 잘라서 정육면체의 전개도를 만들었습니다. □ 안에 알맞은 기호를 써넣으세요.

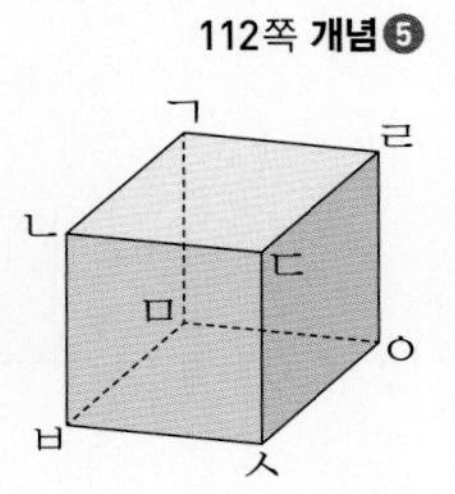

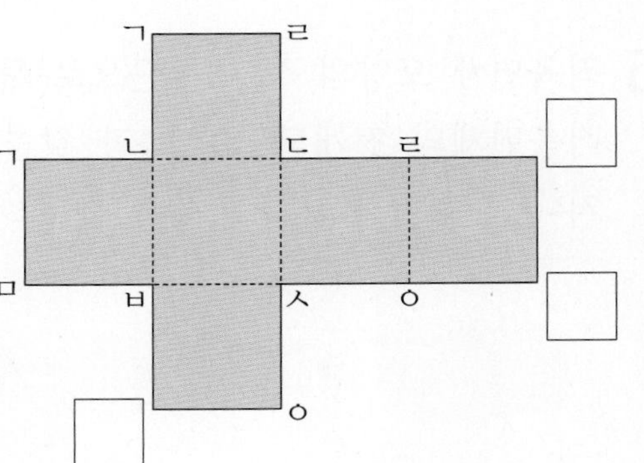

5 단원

112쪽 개념 5

13 다음은 정육면체의 전개도를 잘못 그린 것입니다. 올바른 전개도가 될 수 있도록 면을 1개만 옮겨 보세요.

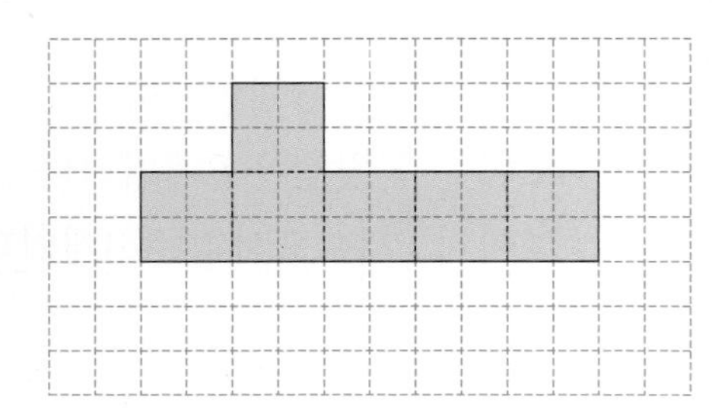

익힘책 공통

112쪽 개념 5

14 주사위의 마주 보는 면에 있는 눈의 수를 합하면 7입니다. 정육면체 주사위의 전개도를 보고 물음에 답하세요.

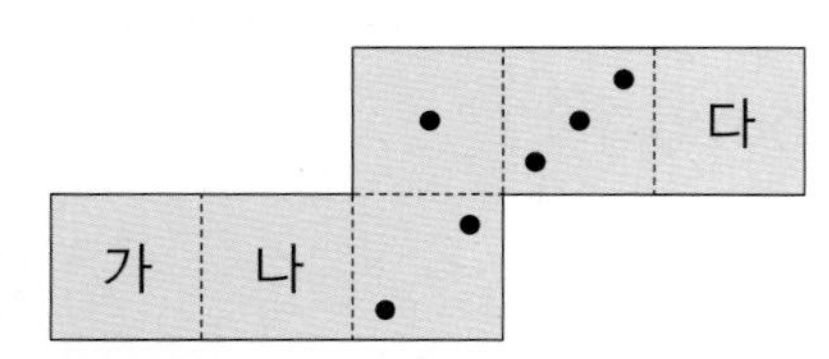

(1) 아래 주사위의 면과 마주 보는 면의 기호를 □ 안에 써넣으세요.

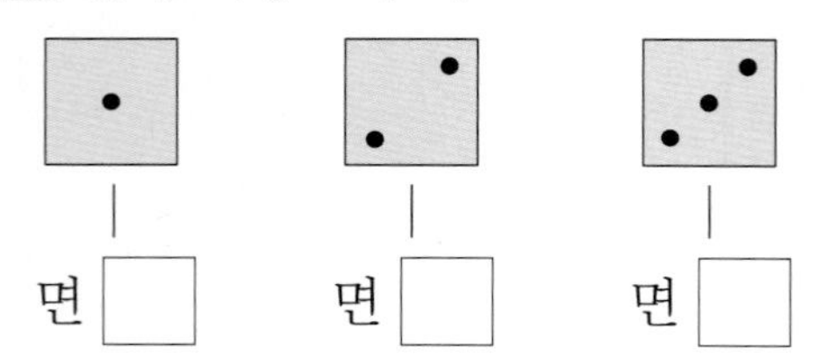

면 □ 면 □ 면 □

(2) 빈 곳에 주사위 눈을 알맞게 그려 보세요.

면 가 면 나 면 다

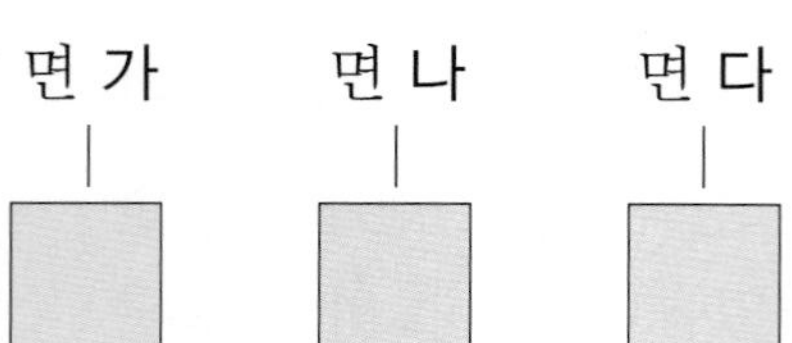

114쪽 개념 6

15 직육면체 모양의 상자를 끈으로 묶었습니다. 직육면체의 전개도가 다음과 같을 때, 끈이 지나가는 자리를 바르게 그려 넣으세요.

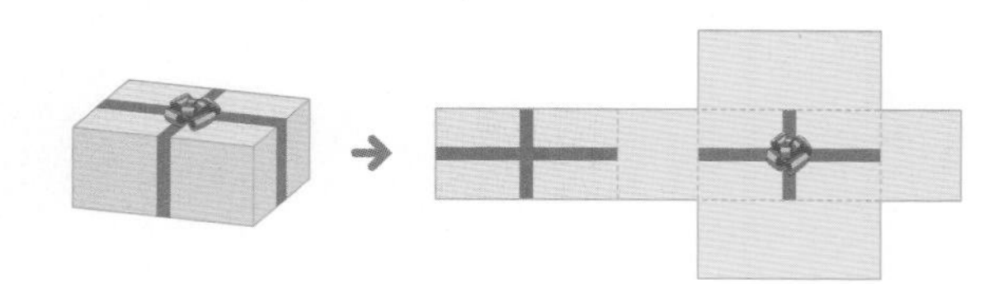

114쪽 개념 6

16 오른쪽 직육면체의 겨냥도를 보고 전개도를 그려 보세요.

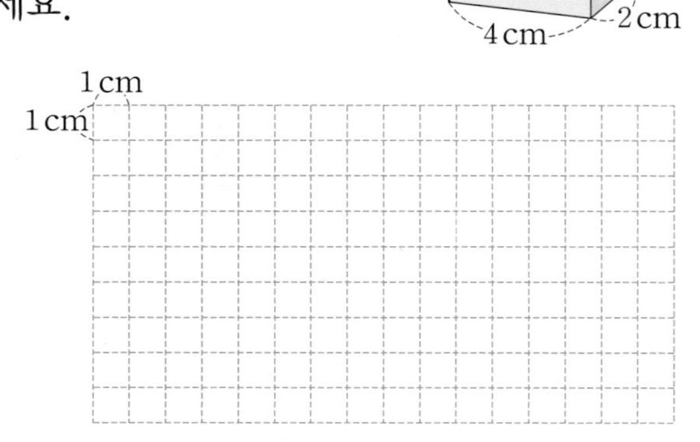

생각+문제

17 직육면체의 전개도에서 **선분 ㄹㅊ은 몇 cm**인지 구하세요.

문제 강의

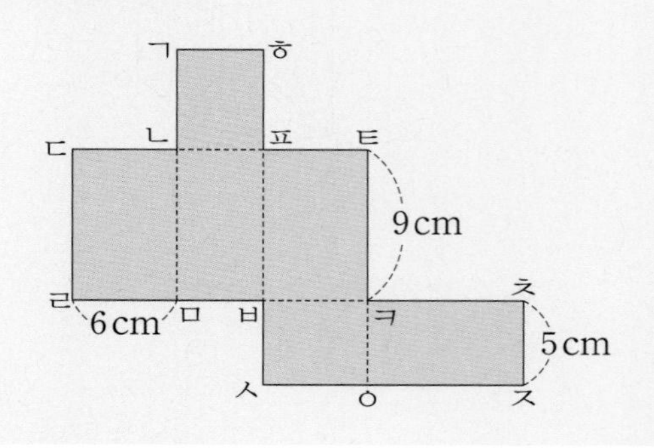

(1) 선분 ㅁㅂ, 선분 ㅂㅋ, 선분 ㅋㅊ은 각각 몇 cm인가요?

선분 ㅁㅂ ( )

선분 ㅂㅋ ( )

선분 ㅋㅊ ( )

(2) 선분 ㄹㅊ은 몇 cm인가요?

( )

서술형 잡기

서술형 강의

정답 27쪽

1 다음 도형이 **직육면체가 아닌 이유**를 쓰세요.

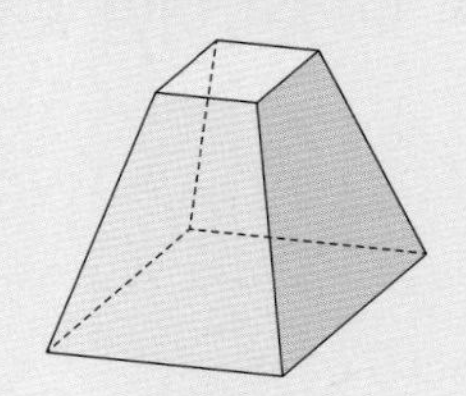

이유 직육면체는 직사각형 ☐개로 둘러싸인 도형인데 주어진 도형은 직사각형 ☐개와 사다리꼴 ☐개로 둘러싸여 있으므로 직육면체가 아닙니다.

2 다음 도형이 **정육면체가 아닌 이유**를 쓰세요.

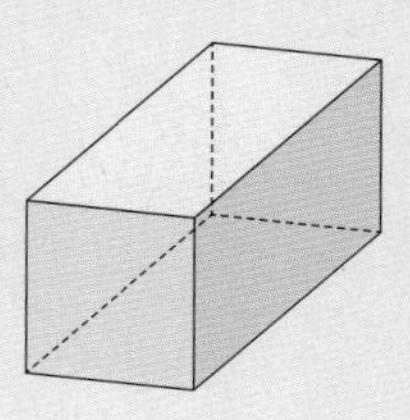

이유

3 정육면체의 **모든 모서리의 길이의 합은 몇 cm**인지 풀이 과정을 쓰고, 답을 구하세요.

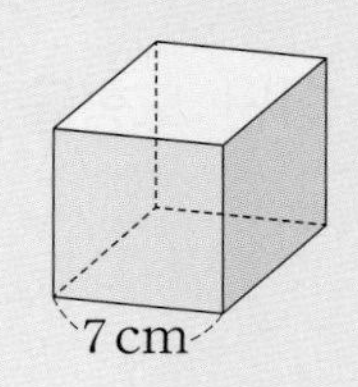

해결 순서
❶ 정육면체의 특징 알기
❷ 정육면체의 모든 모서리의 길이의 합 구하기

풀이 ❶ 정육면체의 모서리는 ☐개이고, 모서리의 길이가 모두 (갈습니다 , 다릅니다).

❷ 정육면체의 한 모서리의 길이는 7 cm이므로 모든 모서리의 길이의 합은

$7 \times$ ☐ $=$ ☐ (cm)입니다.

답

4 정육면체의 **모든 모서리의 길이의 합은 몇 cm**인지 풀이 과정을 쓰고, 답을 구하세요.

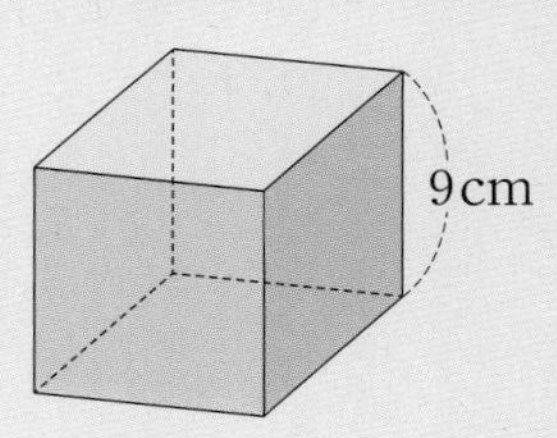

해결 순서
❶ 정육면체의 특징 알기
❷ 정육면체의 모든 모서리의 길이의 합 구하기

풀이

답

단원 마무리

5. 직육면체

점수

01 그림을 보고 □ 안에 알맞게 써넣으세요.

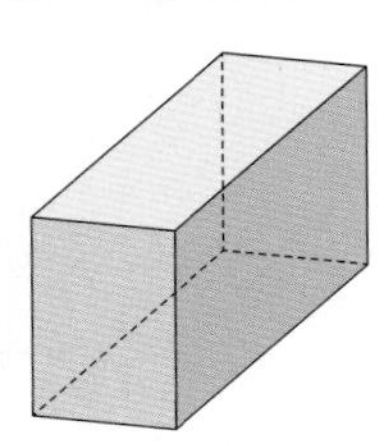

직사각형 □개로 둘러싸인 도형을 □라고 합니다.

02 정육면체에서 ㉠의 이름은 무엇인가요?

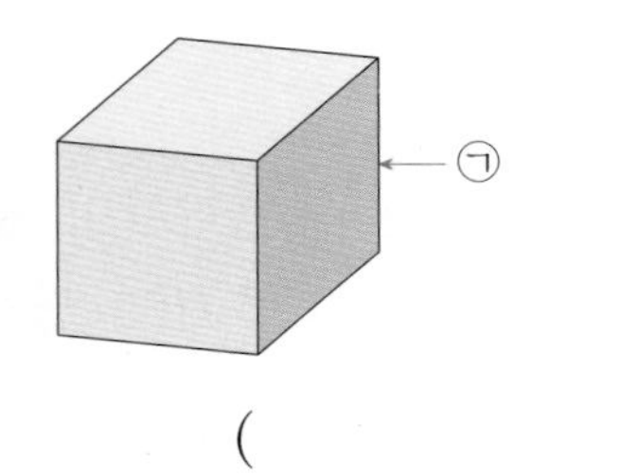

(　　　　　　　　　　)

03 직육면체를 보고 빈칸에 알맞은 수를 써넣으세요.

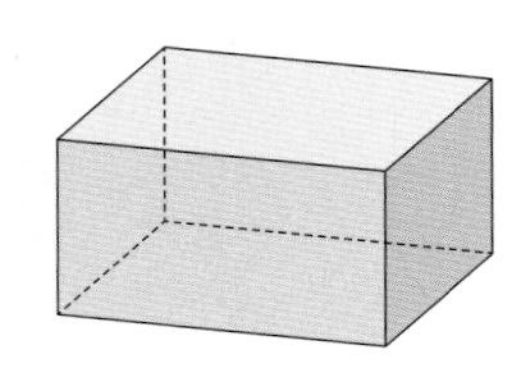

면의 수(개)	모서리의 수(개)	꼭짓점의 수(개)

04 오른쪽 정육면체에서 색칠한 면을 본뜬 모양은 어떤 도형인가요?

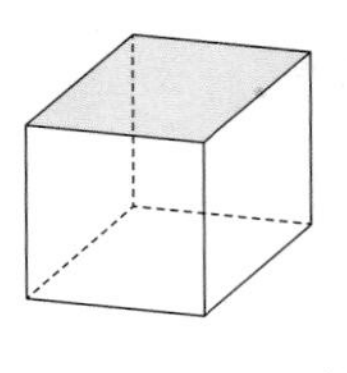

(　　　　　　　　　　)

[05~06] 도형을 보고 물음에 답하세요.

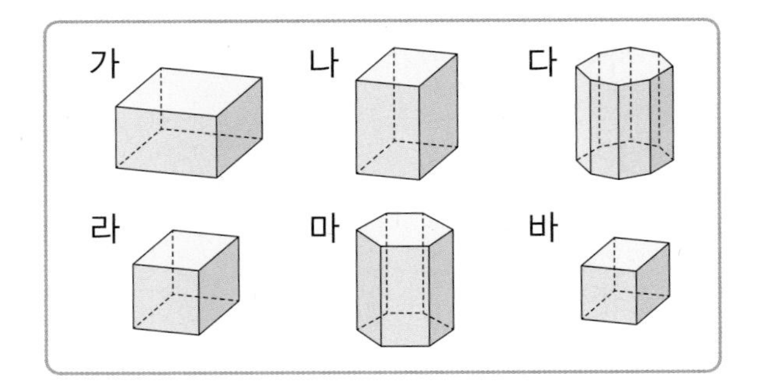

05 정육면체를 모두 찾아 기호를 쓰세요.

(　　　　　　　　　　)

06 직육면체가 아닌 도형을 모두 찾아 기호를 쓰세요.

(　　　　　　　　　　)

07 그림과 같이 정육면체의 모서리를 잘라서 펼친 그림을 정육면체의 무엇이라고 하나요?

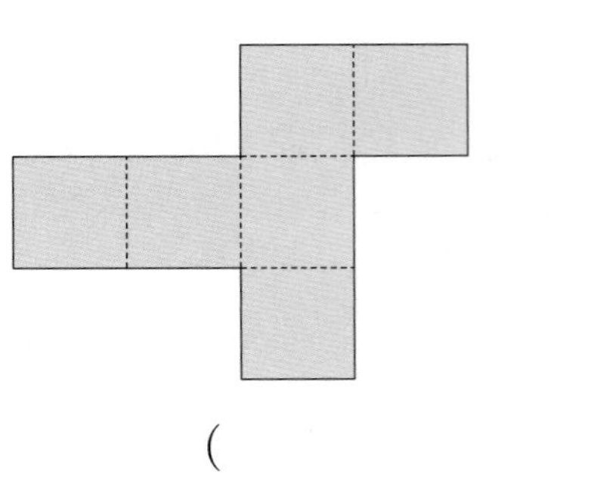

(　　　　　　　　　　)

08 직육면체와 정육면체의 공통점을 모두 고르세요. (　　　　　)

① 면의 수　② 면의 모양
③ 모서리의 수　④ 모서리의 길이
⑤ 꼭짓점의 수

[09~10] 직육면체를 보고 물음에 답하세요.

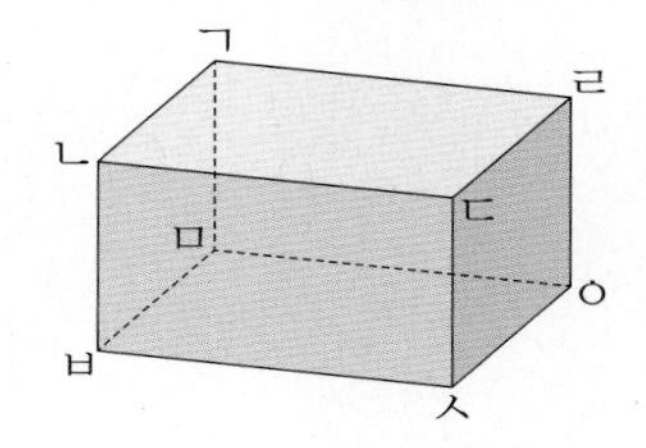

09 평행한 면끼리 짝 지어진 것을 모두 찾아 기호를 쓰세요.

㉠ 면 ㄱㄴㄷㄹ과 면 ㅁㅂㅅㅇ
㉡ 면 ㄱㅁㅇㄹ과 면 ㄷㅅㅇㄹ
㉢ 면 ㄴㅂㅁㄱ과 면 ㅁㅂㅅㅇ
㉣ 면 ㄴㅂㅅㄷ과 면 ㄱㅁㅇㄹ

(　　　　　)

10 면 ㄱㅁㅇㄹ과 수직인 면이 아닌 것은 어느 것인가요? (　　　)

① 면 ㄱㄴㄷㄹ　② 면 ㄷㅅㅇㄹ
③ 면 ㄴㅂㅁㄱ　④ 면 ㄴㅂㅅㄷ
⑤ 면 ㅁㅂㅅㅇ

11 그림에서 빠진 부분을 그려 넣어 직육면체의 겨냥도를 완성해 보세요.

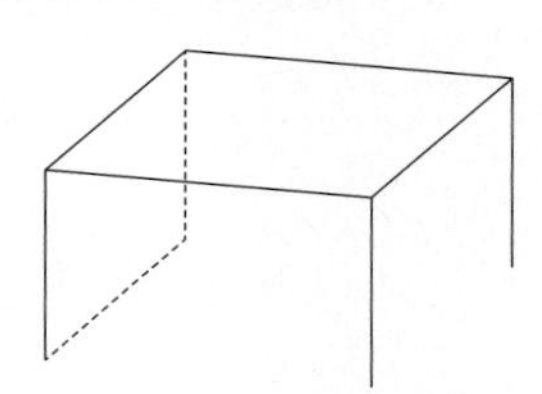

12 직육면체에 대한 설명으로 틀린 것을 찾아 기호를 쓰세요.

㉠ 한 면과 평행한 면은 1개뿐입니다.
㉡ 한 꼭짓점에서 만나는 면은 모두 4개입니다.
㉢ 한 모서리에서 만나는 두 면은 서로 수직입니다.

(　　　　　)

13 오른쪽 직육면체에서 길이가 3 cm인 모서리는 모두 몇 개인가요?

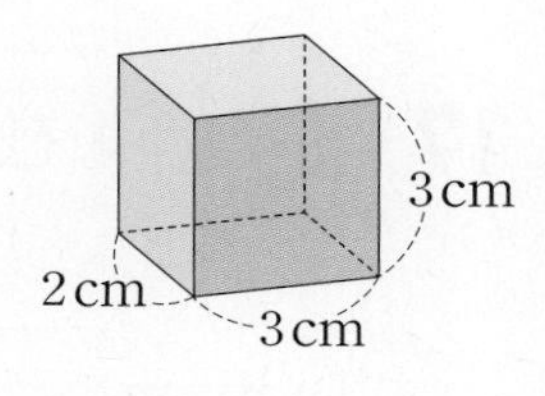

(　　　　　)

14 직육면체의 전개도를 접었을 때 선분 ㄴㄷ과 겹치는 선분을 찾아 쓰세요.

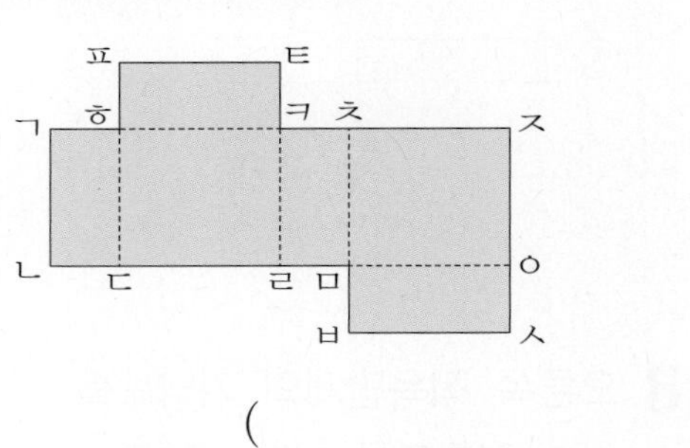

(　　　　　)

15 정육면체의 전개도를 접었을 때 면 나와 마주 보는 면을 찾아 쓰세요.

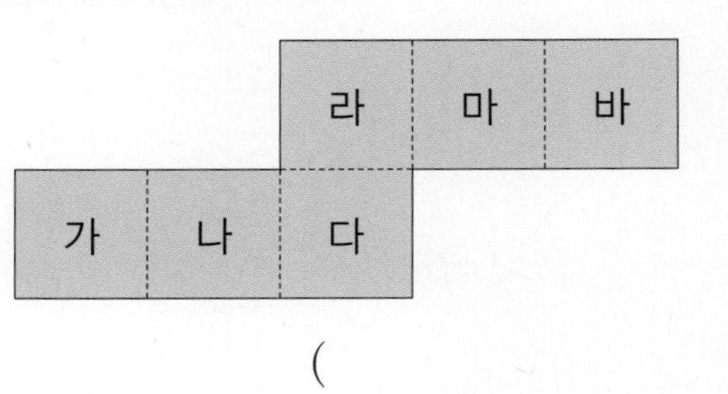

(　　　　　)

5 단원

정답 28쪽

16 정육면체의 모서리를 잘라서 정육면체의 전개도를 만들었습니다. □ 안에 알맞은 기호를 써넣으세요.

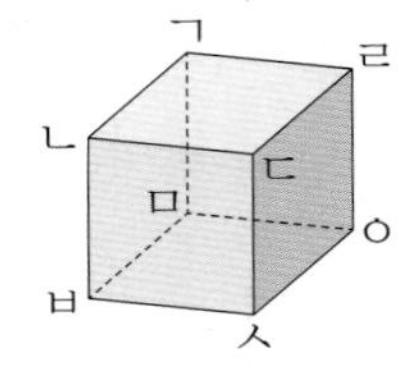

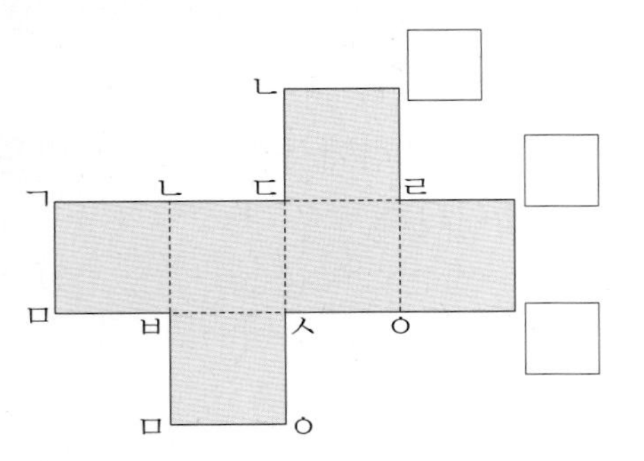

17 직육면체의 전개도가 아닌 것은 어느 것인가요? (　　　　)

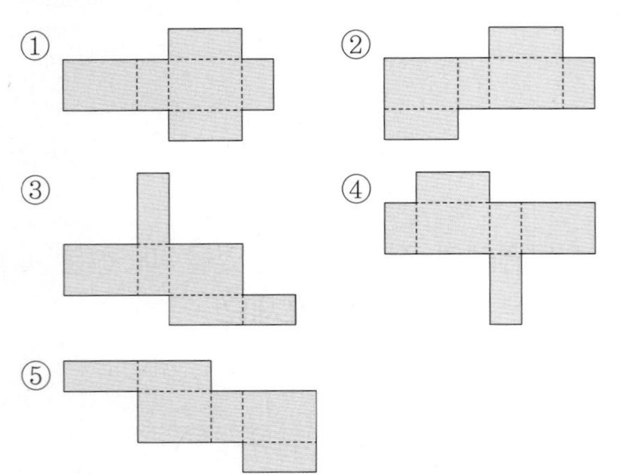

18 오른쪽 직육면체의 겨냥도를 보고 전개도를 그려 보세요.

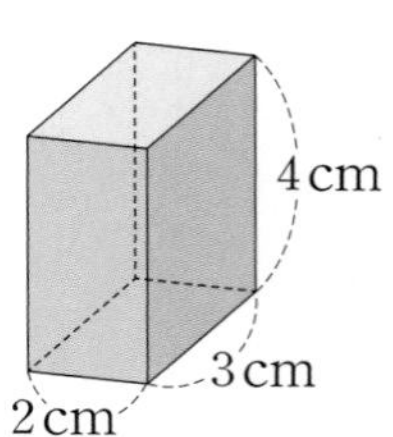

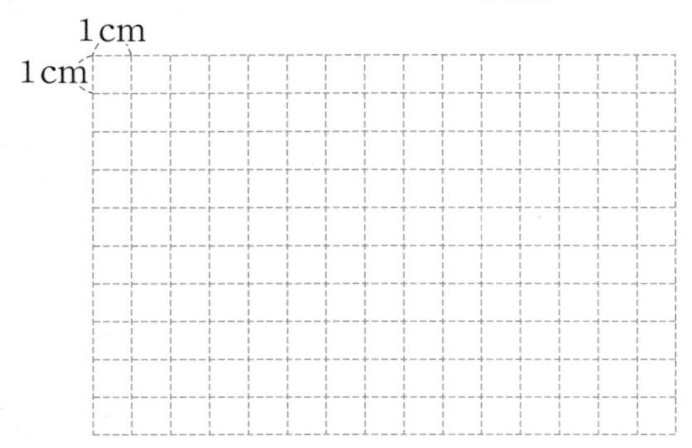

서술형

19 다음 도형이 직육면체가 아닌 이유를 쓰세요.

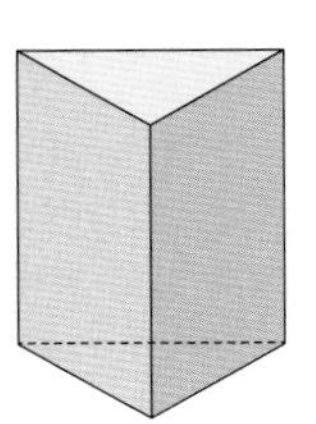

이유 ______________________

서술형

20 정육면체의 모든 모서리의 길이의 합은 몇 cm인지 풀이 과정을 쓰고, 답을 구하세요.

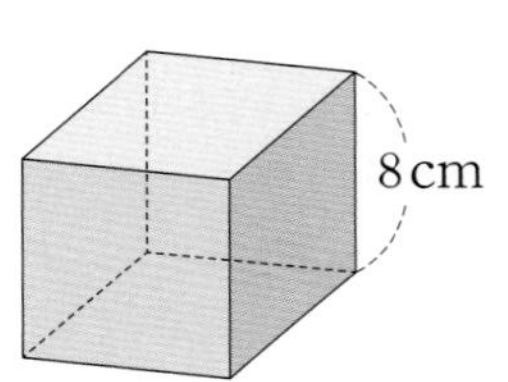

풀이 ______________________

답 ______________________

창의력 쑥쑥

한 개의 면에만 무늬가 그려진 상자를 주어진 방향으로 굴렸어요.
앞쪽으로 한 번 ― 오른쪽으로 한 번 ― 오른쪽으로 한 번 ― 앞쪽으로 한 번!
물음표 자리에 들어갈 상자는 어떤 모양인지 그려 보세요.

• 정답은 진도북 148쪽에서 확인하세요.

6 평균과 가능성

회전판을 돌려서 당첨이 나오면 학원에 안 가도 된대.
내가 당첨될 가능성은 반반인데, 꼭 당첨됐으면 좋겠다.

동영상 강의와 함께 계획을 세워 공부합니다.
동영상 강의를 시청했으면 ☐에 ∨표 하세요.

공부한 날	동영상 확인	쪽수	학습 내용
월 일	▶ ☐	128~131쪽	**교과서 개념 잡기** ❶ 평균 ❷ 평균 구하기 ❸ 평균 이용하기
월 일		132~133쪽	**개념 한 번 더 잡기**
월 일	▶ ☐	134~137쪽	**교과서 개념 잡기** ❹ 일이 일어날 가능성을 말로 표현하기 ❺ 일이 일어날 가능성을 비교하기 ❻ 일이 일어날 가능성을 수로 표현하기
월 일		138~139쪽	**개념 한 번 더 잡기**
월 일	▶ ☐	140~142쪽	**수학 익힘 문제 잡기**
월 일	▶ ☐	143쪽	**서술형 잡기**
월 일		144~146쪽	**단원 마무리**

STEP 1 학교별 모든 개념을 담았습니다.

교과서 개념 잡기

한눈에 핵심쏙

1 평균

예 세정이네 반 모둠별 학생 수를 대표하는 값 알아보기

세정이네 반 모둠별 학생 수

모둠	가	나	다	라
학생 수(명)	6	4	8	6

→ 자료의 수: 4

→ 자료의 값의 합: 6+4+8+6=24

평균은 여러 개의 자료를 대표할 수 있는 값 중 하나입니다.

세정이네 반 모둠별 학생 수 6, 4, 8, 6을 모두 더해 자료의 수 4로 나눈 수 6은 세정이네 반 모둠별 학생 수를 대표하는 값으로 정할 수 있습니다. (24÷4=6)
이 값을 **평균**이라고 합니다.

2 평균 구하기

예 윤호네 모둠 학생들의 몸무게의 평균 구하기

윤호네 모둠의 몸무게

이름	윤호	예은	서진	민아
몸무게(kg)	40	39	41	40

방법1 평균을 예상하고 자료의 값을 고르게 하여 평균 구하기

① 평균을 40 kg으로 예상합니다.

② 예상한 평균에 맞춰 수를 옮기고 짝 지어 자료의 값을 고르게 합니다.
(40, 40), (39, 41) → (40, 40), (39+1, 41−1) → (40, 40), (40, 40)

③ 윤호네 모둠 학생들의 몸무게의 평균은 40 kg입니다.

방법2 자료의 값을 모두 더해 자료의 수로 나누어 평균 구하기

① 자료의 값을 모두 더하면 40+39+41+40=160입니다.

② 자료의 수는 학생 수와 같으므로 4입니다.

③ 윤호네 모둠 학생들의 몸무게의 평균은 160÷4=40 (kg)입니다.

평균을 구하는 식

(평균)=(자료의 값의 합)÷(자료의 수)

1 선호네 모둠의 2중뛰기 기록을 나타낸 표입니다. □ 안에 알맞은 수를 써넣으세요.

선호네 모둠의 2중뛰기 기록

이름	선호	주원	승우	현영	세윤
기록(회)	9	10	7	13	11

선호네 모둠의 2중뛰기 기록의 합은 □회입니다.

➔ (선호네 모둠의 2중뛰기 기록의 평균)＝□÷5＝□(회)

교과서 공통 **2** 하진이네 모둠이 기둥에 한 사람당 고리를 10개씩 던져 나온 결과를 기록한 표입니다. 하진이네 모둠의 기둥에 건 고리 수의 평균을 두 가지 방법으로 구하려고 합니다. 물음에 답하세요.

하진이네 모둠의 기둥에 건 고리 수

이름	하진	원우	진호	승규	서현
고리 수(개)	3	6	1	6	4

(1) 기둥에 건 고리 수만큼 ○로 나타냈습니다. ○를 옮겨 하진이네 모둠의 기둥에 건 고리 수의 평균을 구하세요.

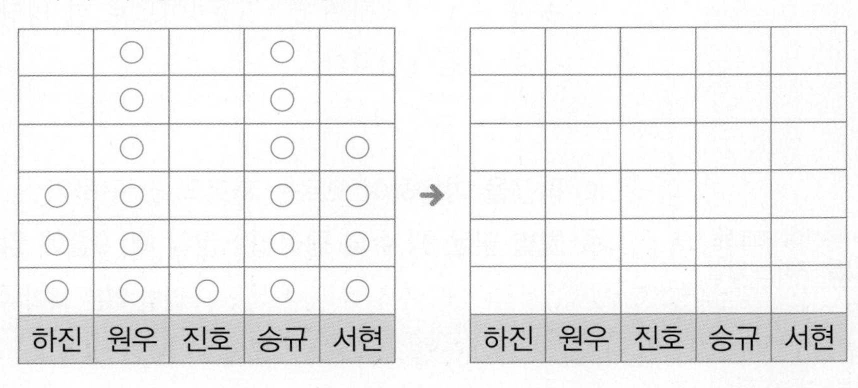

하진이네 모둠의 기둥에 건 고리 수의 평균은 □개입니다.

(2) 자료의 값을 모두 더하고 자료의 수로 나누어 평균을 구하세요.

(기둥에 건 고리 수의 평균)＝(3＋6＋1＋6＋4)÷□

＝□÷□＝□(개)

132쪽에서 개념을 한 번 더 다집니다.

STEP 1

학교별 모든 개념을 담았습니다.

교과서 개념 잡기

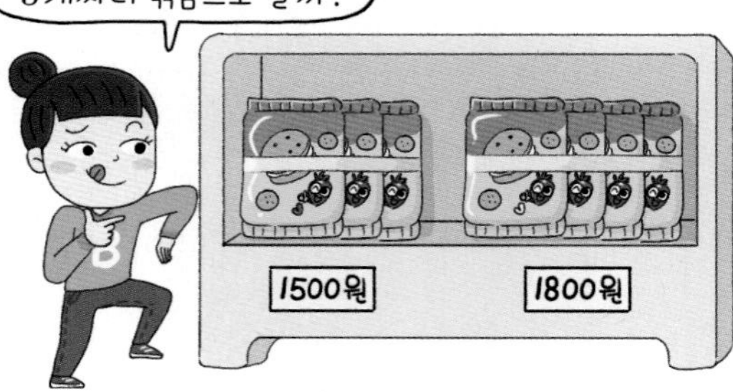

가격이 더 싼
3개짜리 묶음으로 살까?
1500원
1800원
잠깐, 과자 수가 다르니까
가격만 보면 안 돼!
1500÷3=500(원)
1800÷4=450(원)
한 봉지의 평균 가격이 더 싼
4개짜리 묶음으로 사자!

3 평균 이용하기

(1) 평균 비교하기

예 평균을 이용하여 한 명당 제기차기 기록이 가장 좋은 모둠 찾기

모둠 친구 수와 제기차기 기록

모둠	모둠 1	모둠 2	모둠 3
모둠 친구 수(명)	4	5	5
제기차기 기록의 합(회)	24	20	25

(모둠 1의 제기차기 기록의 평균)$=24\div4=6$(회)
(모둠 2의 제기차기 기록의 평균)$=20\div5=4$(회)
(모둠 3의 제기차기 기록의 평균)$=25\div5=5$(회)

➔ 평균을 비교하면 $6>5>4$이므로 한 명당 제기차기 기록이 가장 좋은 모둠은 모둠 1입니다.

모둠별 자료의 수가 다를 때에는 평균을 구하여 비교합니다.

(2) 평균을 이용하여 모르는 자료의 값 구하기

예 월별 읽은 책 수의 평균이 8권일 때, 9월에 읽은 책 수 구하기

월별 읽은 책의 수

월	7월	8월	9월	10월
책 수(권)	8	9		5

① (4개월 동안 읽은 책 수의 합)=(평균)×(개월 수)
$=8\times4=32$(권)

② (9월에 읽은 책 수)
=(4개월 동안 읽은 책 수의 합)−(7월, 8월 10월에 읽은 책 수의 합)
$=32-(8+9+5)=10$(권)

평균을 이용하여 모르는 자료의 값을 구하는 방법

① 평균을 이용하여 자료의 값의 합을 구합니다.
➔ (자료의 값의 합)
=(평균)×(자료의 수)

② 자료의 값의 합에서 모르는 자료의 값을 제외한 나머지 자료의 값을 모두 뺍니다.

매칭북 29쪽 정답 29쪽

1 세 모둠이 공 던지기를 하고 모둠별 친구들의 기록을 모두 더하여 나타낸 표입니다. 한 명당 공 던지기 기록이 가장 좋은 모둠을 알아보려고 합니다. 물음에 답하세요.

모둠 친구 수와 공 던지기 기록

모둠	가	나	다
모둠 친구 수(명)	3	3	4
공 던지기 기록의 합(m)	12	18	20

(1) 모둠별 한 명당 공 던지기 기록의 평균을 구하세요.

공 던지기 기록의 평균

모둠	가	나	다
기록의 평균(m)			

(2) 알맞은 말에 ○표 하세요.

한 명당 공 던지기 기록이 가장 좋은 모둠은 (가 , 나 , 다) 모둠입니다.

교과서 공통 **2** 상민이네 모둠의 윗몸 말아 올리기 기록을 나타낸 표입니다. 윗몸 말아 올리기 기록의 평균이 24회일 때, 철우의 윗몸 말아 올리기 기록을 구하려고 합니다. 물음에 답하세요.

상민이네 모둠의 윗몸 말아 올리기 기록

이름	상민	연주	철우	현아	윤정
기록(회)	28	17		25	11

(1) 상민이네 모둠의 윗몸 말아 올리기 기록의 합은 **모두** 몇 회인가요?

$$24 \times \square = \square (회)$$

(2) 철우의 윗몸 말아 올리기 기록은 몇 회인가요?

$$\square - (28 + 17 + \square + 11) = \square (회)$$

133쪽 에서 개념을 **한 번 더** 다집니다.

개념 한번더 잡기

1 평균

[01~03] 희영이네 학교 5학년 반별 학생 수를 나타낸 표입니다. 물음에 답하세요.

반별 학생 수

반	1반	2반	3반	4반
학생 수(명)	23	20	22	19

01 대표적으로 한 반당 학생 수는 몇 명이라고 말할 수 있나요?

( )

02 한 반당 학생 수를 정하는 올바른 방법에 ○표 하세요.

방법	○표
각 반의 학생 수 23, 20, 22, 19 중 가장 큰 수인 23으로 정합니다.	
각 반의 학생 수 23, 20, 22, 19 중 가장 작은 수인 19로 정합니다.	
각 반의 학생 수 23, 20, 22, 19를 고르게 하면 21, 21, 21, 21이 되므로 21로 정합니다.	

03 희영이네 학교 5학년 반별 학생 수의 평균은 몇 명인가요?

( )

2 평균 구하기

04 예나가 받은 칭찬 붙임딱지의 수를 나타낸 표입니다. 칭찬 붙임딱지의 수만큼 종이띠를 이어 붙였습니다. 이어 붙인 종이띠를 3등분이 되도록 선으로 나누고, 월별 칭찬 붙임딱지의 수의 평균은 몇 개인지 구하세요.

예나의 칭찬 붙임딱지의 수

월	붙임딱지의 수(개)
9월	5
10월	6
11월	4

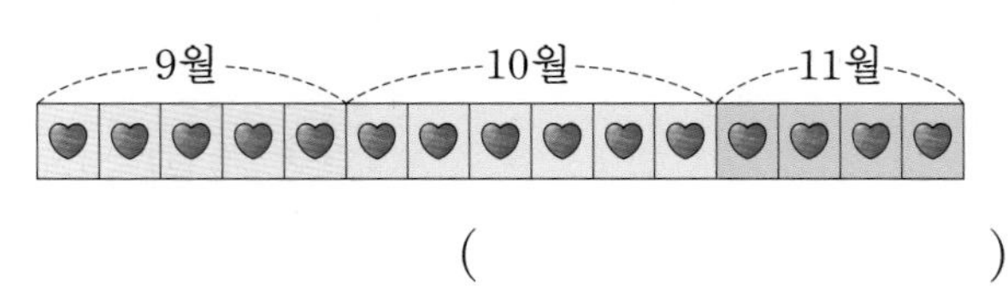

( )

05 서우네 집의 월별 외식 횟수를 나타낸 표와 막대그래프입니다. 막대의 높이를 고르게 하고, 월별 외식 횟수의 평균은 몇 회인지 구하세요.

서우네 집의 월별 외식 횟수

월	6월	7월	8월	9월
횟수(회)	4	9	7	4

서우네 집의 월별 외식 횟수

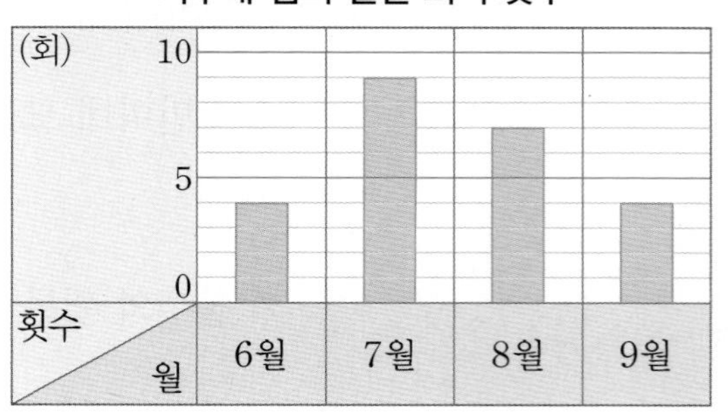

( )

정답 29쪽

06 진기가 5일 동안 마신 주스의 양을 나타낸 표입니다. 진기가 마신 주스의 양의 평균을 구하려고 합니다. □ 안에 알맞은 수를 써넣으세요.

진기가 마신 주스의 양

요일	월	화	수	목	금
주스의 양(mL)	200	300	250	350	275

예상한 평균: □ mL

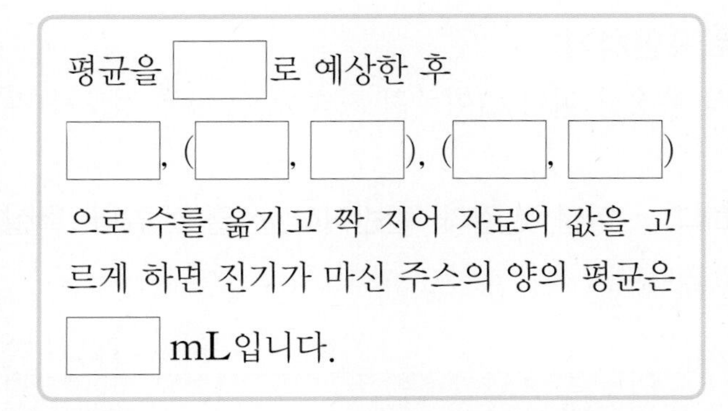

평균을 □ 로 예상한 후
□, (□, □), (□, □)
으로 수를 옮기고 짝 지어 자료의 값을 고르게 하면 진기가 마신 주스의 양의 평균은
□ mL입니다.

07 서윤이네 모둠의 50 m 달리기 기록을 나타낸 표입니다. 서윤이네 모둠의 50 m 달리기 기록의 평균을 구하려고 합니다. 물음에 답하세요.

서윤이네 모둠의 50 m 달리기 기록

이름	서윤	지선	우영	태우	연아
기록(초)	9	11	10	7	8

(1) 서윤이네 모둠의 50 m 달리기 기록의 합은 **모두** 몇 초인가요?

( )

(2) 서윤이네 모둠의 50 m 달리기 기록의 평균은 몇 초인가요?

( )

3 평균 이용하기

08 세 모둠이 가지고 있는 구슬 수를 나타낸 표입니다. 한 명당 가지고 있는 구슬 수가 가장 적은 모둠을 구하세요.

모둠 친구 수와 구슬 수

모둠	모둠 1	모둠 2	모둠 3
모둠 친구 수(명)	3	5	4
구슬 수(개)	24	30	28

( )

[09~10] 희철이와 아영이의 제자리멀리뛰기 기록을 나타낸 표입니다. 물음에 답하세요.

희철이의 기록

회	제자리멀리뛰기 기록(cm)
1회	148
2회	150
3회	137

아영이의 기록

회	제자리멀리뛰기 기록(cm)
1회	140
2회	
3회	150
4회	139

09 희철이의 제자리멀리뛰기 기록의 평균은 몇 cm인가요?

( )

10 두 사람의 제자리멀리뛰기 기록의 평균이 같을 때, 아영이의 2회 제자리멀리뛰기 기록은 몇 cm인가요?

( )

STEP 1

학교별 모든 개념을 담았습니다.

교과서 개념 잡기

헉! 내일 눈이 오네.
친구들하고 축구를
하기로 했는데.

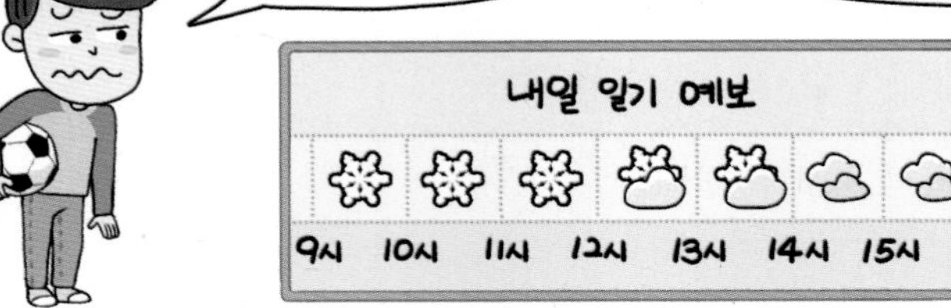

4 일이 일어날 가능성을 말로 표현하기

① **가능성**은 어떠한 상황에서 특정한 일이 일어나길 기대할 수 있는 정도를 말합니다.

② 가능성의 정도는 **불가능하다, ~아닐 것 같다, 반반이다, ~일 것 같다, 확실하다** 등으로 표현할 수 있습니다.

← 일이 일어날 가능성이 낮습니다. / 일이 일어날 가능성이 높습니다. →

불가능하다	~아닐 것 같다	반반이다	~일 것 같다	확실하다

예 1월 1일 다음날이 1월 2일일 가능성은 확실합니다. → 반드시 일어납니다.
동전을 던지면 숫자 면이 나올 가능성은 반반입니다.
내일 아침에 해가 서쪽에서 뜰 가능성은 불가능합니다. → 절대 일어날 수 없습니다.

가능성을 말로 표현하기
- 반드시 일어날 경우: 확실하다
- 절대 일어나지 않을 경우: 불가능하다

5 일이 일어날 가능성을 비교하기

예 회전판을 돌릴 때 화살이 빨간색에 멈출 가능성 알아보기

가

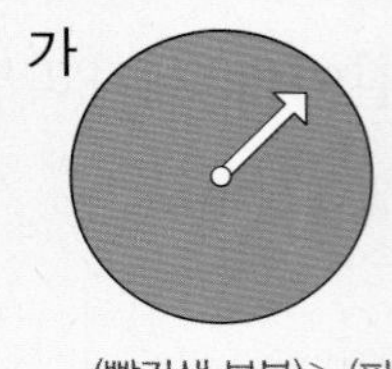

나

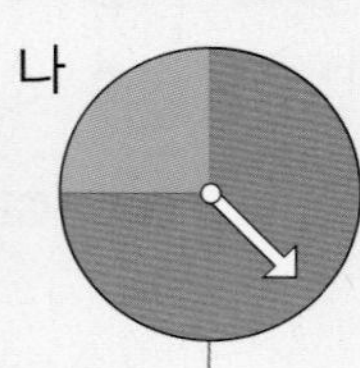

다

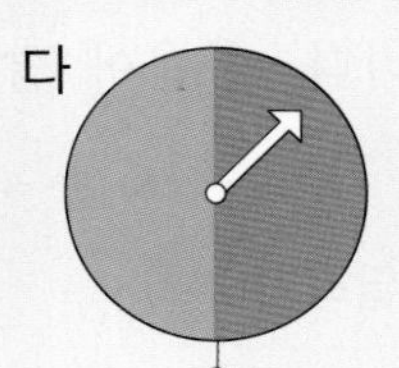

라

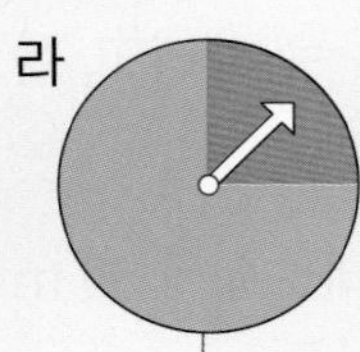

마

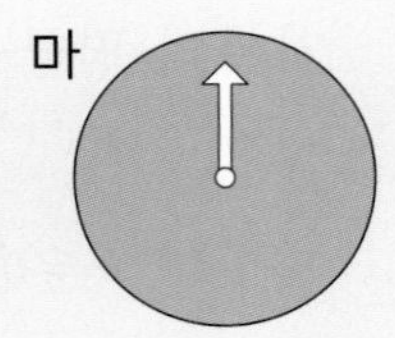

(빨간색 부분) > (파란색 부분) (빨간색 부분) = (파란색 부분) (빨간색 부분) < (파란색 부분)

① 화살이 빨간색에 멈추는 것이 확실한 회전판은 **가**입니다.

② 화살이 빨간색에 멈추는 것이 불가능한 회전판은 **마**입니다.

③ 화살이 빨간색에 멈출 가능성과 파란색에 멈출 가능성이 비슷한 회전판은 **다**입니다.

④ **나**와 **라** 중에서 화살이 빨간색에 멈출 가능성이 더 높은 회전판은 **나**입니다.

→ 화살이 빨간색에 멈출 가능성이 높은 회전판부터 차례로 기호를 쓰면 **가, 나, 다, 라, 마**입니다.

회전판에서 빨간색 부분이 넓을수록 화살이 빨간색에 멈출 가능성이 높습니다.

1 일이 일어날 가능성을 생각해 보고, 알맞은 말에 ○표 하세요.

(1) 우리 반 학생 수는 짝수일 것입니다.

(불가능하다 , 반반이다 , 확실하다)

(2) 내일 등교하는 학생 중 남학생이 있을 것입니다.

(불가능하다 , 반반이다 , 확실하다)

(3) 택시 다음에는 버스가 지나갈 것입니다.

(불가능하다 , 반반이다 , 확실하다)

(4) 주사위를 굴리면 주사위 눈의 수가 7이 나올 것입니다.

(불가능하다 , 반반이다 , 확실하다)

교과서 공통 2 민서, 태형, 영주는 파란색과 빨간색을 사용하여 회전판을 만들었습니다. 회전판을 돌릴 때 일이 일어날 가능성을 비교해 보세요.

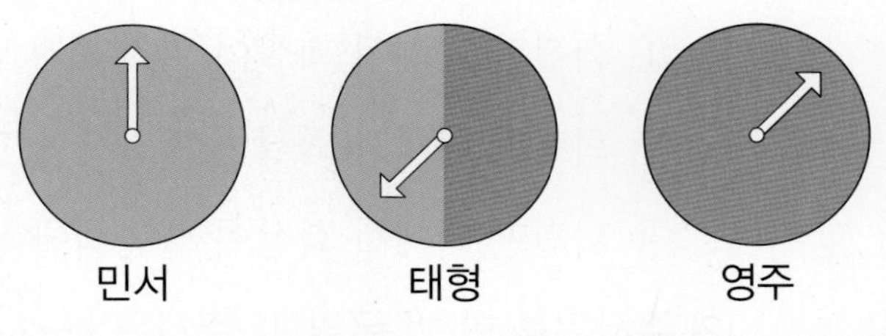

(1) 화살이 파란색에 멈추는 것이 불가능한 회전판을 만든 친구는 누구인가요?

( )

(2) 화살이 파란색에 멈출 가능성과 빨간색에 멈출 가능성이 비슷한 회전판을 만든 친구는 누구인가요?

( )

(3) 화살이 빨간색에 멈출 가능성이 가장 낮은 회전판을 만든 친구는 누구인가요?

( )

138쪽 에서 개념을 한 번 더 다집니다.

STEP 1

학교별 모든 개념을 담았습니다.

교과서 개념 잡기

한눈에 핵심쏙

6 일이 일어날 가능성을 수로 표현하기

일이 일어날 가능성이 '불가능하다'이면 0으로, '반반이다'이면 $\frac{1}{2}$로, '확실하다'이면 1로 표현할 수 있습니다.

불가능하다	반반이다	확실하다
0	$\frac{1}{2}$	1

일이 일어날 가능성이 불가능하면 0, 확실하면 1로 나타내므로 일이 일어날 모든 가능성은 0과 1 사이에 있습니다.

(1) 회전판을 돌릴 때 화살이 빨간색에 멈출 가능성을 수로 표현하기

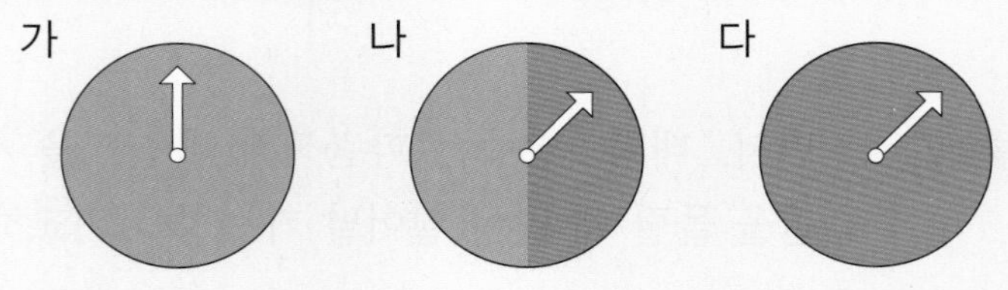

① 회전판 가에서 화살이 빨간색에 멈출 가능성은 '불가능하다'입니다. ➔ 0

② 회전판 나에서 화살이 빨간색에 멈출 가능성은 '반반이다'입니다. ➔ $\frac{1}{2}$

③ 회전판 다에서 화살이 빨간색에 멈출 가능성은 '확실하다'입니다. ➔ 1

(2) 주사위를 한 번 굴릴 때 주사위 눈의 수가 나올 가능성을 수로 표현하기

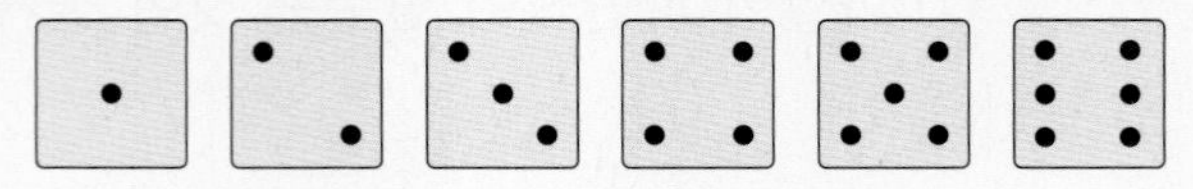

① 주사위 눈의 수가 6보다 큰 수가 나올 가능성
주사위 눈의 수는 1부터 6까지이므로 '불가능하다'입니다. ➔ 0

② 주사위 눈의 수가 홀수가 나올 가능성
주사위 눈의 수 중 홀수는 1, 3, 5 이므로 '반반이다'입니다. ➔ $\frac{1}{2}$

③ 주사위 눈의 수가 7 미만인 수가 나올 가능성
주사위 눈의 수는 모두 7보다 작은 수이므로 '확실하다'입니다. ➔ 1

1 일이 일어날 가능성을 0, $\frac{1}{2}$, 1로 표현하려고 합니다. 일이 일어날 가능성을 나타낸 곳을 찾아 기호를 쓰세요.

㉠ 확실하다 ㉡ 반반이다 ㉢ 불가능하다

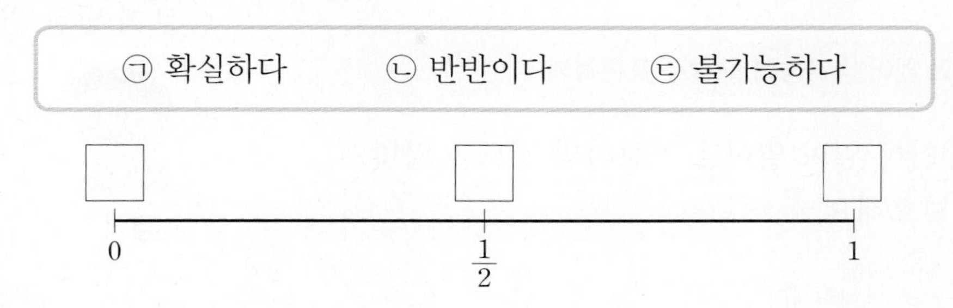

2 검은색 바둑돌이 들어 있는 통과 흰색 바둑돌이 들어 있는 통에서 바둑돌을 1개씩 꺼낼 때 일이 일어날 가능성을 수로 표현하려고 합니다. 알맞은 말에 ○표 하고, □ 안에 알맞은 수를 써넣으세요.

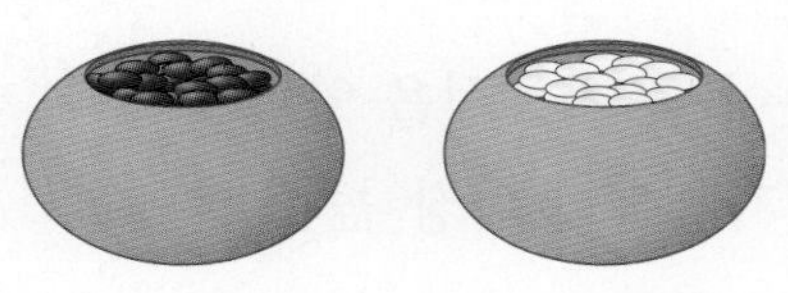

(1) 검은색 바둑돌이 들어 있는 통에서 바둑돌 1개를 꺼낼 때,
꺼낸 바둑돌이 흰색일 가능성은 (불가능하다 , 반반이다 , 확실하다)입니다.
→ 일이 일어날 가능성을 수로 표현하면 □입니다.

(2) 흰색 바둑돌이 들어 있는 통에서 바둑돌 1개를 꺼낼 때,
꺼낸 바둑돌이 흰색일 가능성은 (불가능하다 , 반반이다 , 확실하다)입니다.
→ 일이 일어날 가능성을 수로 표현하면 □입니다.

교과서 공통 **3** 재준이가 ○× 문제를 풀고 있습니다. ○라고 답했을 때, 정답을 맞혔을 가능성을 ↓로 나타내어 보세요.

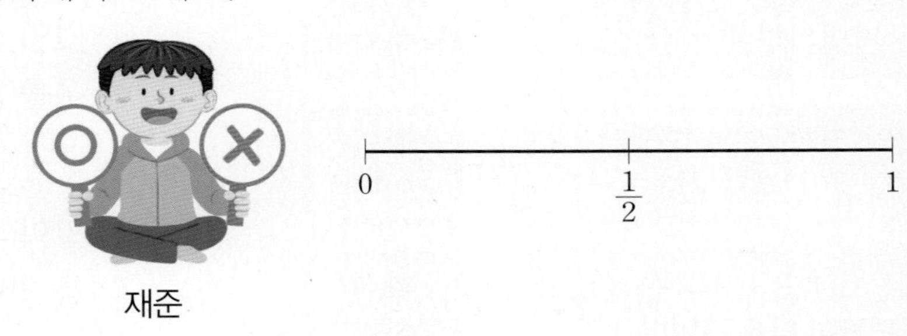

139쪽에서 개념을 한 번 더 다집니다.

STEP 2 개념 한번더 잡기

4 일이 일어날 가능성을 말로 표현하기

01 □ 안에 일이 일어날 가능성의 정도를 알맞게 써넣으세요.

← 일이 일어날 가능성이 낮습니다. 일이 일어날 가능성이 높습니다. →

불가능하다	□	반반이다	□	확실하다

02 일기 예보를 보고 눈이 올 가능성을 알아보려고 합니다. 눈이 올 가능성이 가장 높은 날에 ○표 하세요.

날짜	오늘		내일		모레	
	오전	오후	오전	오후	오전	오후
날씨						

(오늘 , 내일 , 모레)

03 일이 일어날 가능성을 찾아 이어 보세요.

(1) 내일은 해가 동쪽에서 뜰 것입니다. • • 불가능하다

(2) 내일 전학 오는 학생은 여학생일 것입니다. • • 반반이다

(3) 계산기에 '2+3='을 누르면 6이 나올 것입니다. • • 확실하다

04 흰색 구슬만 6개 들어 있는 주머니에서 구슬 1개를 꺼낼 때, 일이 일어날 가능성에 대해 바르게 말한 친구의 이름을 쓰세요.

영석: 흰색 구슬이 6개 들어 있기 때문에 꺼낸 구슬이 흰색일 가능성은 반반이야.

희진: 주머니에는 흰색 구슬만 들어 있기 때문에 꺼낸 구슬이 흰색일 가능성은 확실해.

( )

5 일이 일어날 가능성을 비교하기

05 일이 일어날 가능성을 생각해 보고, 물음에 답하세요.

> ㉠ 오늘은 수요일이므로 내일은 금요일입니다.
> ㉡ 내년 12월에는 일주일 내내 비가 올 것입니다.
> ㉢ 오후 1시에서 2시간 후에는 오후 3시가 될 것입니다.

(1) 일이 일어날 가능성이 '불가능하다'인 경우를 찾아 기호를 쓰세요.

( )

(2) 일이 일어날 가능성이 '확실하다'인 경우를 찾아 기호를 쓰세요.

( )

06 혜주, 선재, 민형이는 노란색과 초록색을 사용하여 회전판을 만들었습니다. 화살이 초록색에 멈출 가능성이 높은 순서대로 회전판을 만든 친구의 이름을 쓰세요.

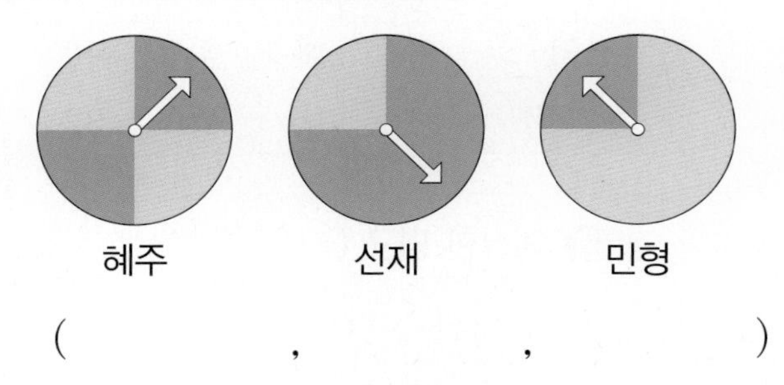

(, ,)

6 일이 일어날 가능성을 수로 표현하기

07 보라색 구슬만 8개 들어 있는 주머니에서 손에 잡히는 대로 구슬을 1개 이상 꺼냈습니다. 알맞은 말이나 수에 ○표 하세요.

(1) 꺼낸 구슬이 보라색일 가능성은 (불가능하다 , 반반이다 , 확실하다)이므로 일이 일어날 가능성을 수로 표현하면 (0 , $\frac{1}{2}$, 1)입니다.

(2) 꺼낸 구슬의 개수가 짝수일 가능성은 (불가능하다 , 반반이다 , 확실하다)이므로 일이 일어날 가능성을 수로 표현하면 (0 , $\frac{1}{2}$, 1)입니다.

08 회전판을 돌릴 때 화살이 빨간색에 멈출 가능성을 ↓로 나타내어 보세요.

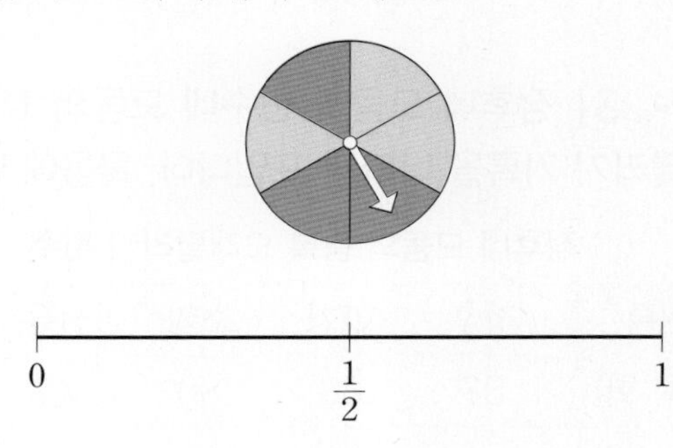

09 상자 안에는 1번부터 10번까지의 번호표가 들어 있습니다. 상자 안에서 번호표 1개를 꺼낼 때 11번 번호표를 꺼낼 가능성을 말과 수로 표현해 보세요.

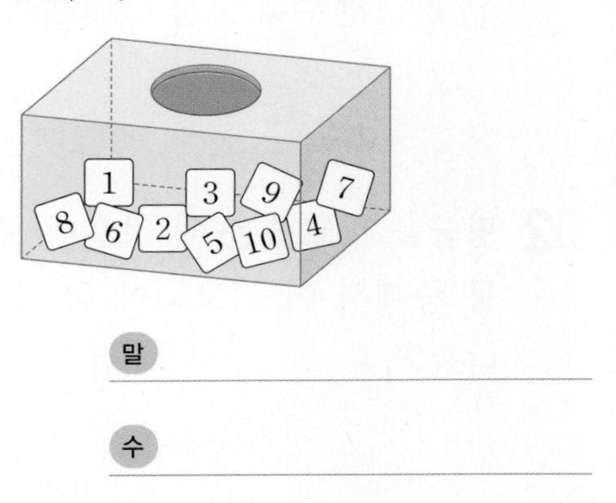

말

수

10 눈의 수가 1부터 6까지 있는 주사위를 한 번 굴렸을 때 주사위 눈의 수가 1 이상 6 이하로 나올 가능성을 말과 수로 표현해 보세요.

말

수

학교별 모든 수학 익힘 문제를 담았습니다.

수학 익힘 문제 잡기

[01~03] 정후네 모둠과 현수네 모둠의 15 m 왕복 오래달리기 기록을 나타낸 표입니다. 물음에 답하세요.

정후네 모둠의 왕복 오래달리기 횟수

이름	정후	민기	소라	선유	윤호
기록(회)	87	63	80	75	95

현수네 모둠의 왕복 오래달리기 횟수

이름	현수	지선	윤아	정현
기록(회)	70	82	101	91

128쪽 개념 1

01 정후네 모둠과 현수네 모둠의 왕복 오래달리기 기록의 평균은 각각 몇 회인가요?

정후네 모둠 (　　　　　　　　)

현수네 모둠 (　　　　　　　　)

128쪽 개념 1

02 평균을 비교했을 때 정후네 모둠과 현수네 모둠 중에서 어느 모둠이 더 잘했다고 볼 수 있나요?

(　　　　　　　　)

128쪽 개념 1

03 두 모둠의 왕복 오래달리기 기록에 대해 잘못 말한 친구의 이름을 쓰세요.

수민: 정후네 모둠은 총 400회, 현수네 모둠은 총 344회이므로 정후네 모둠이 더 잘했어.

예지: 두 모둠의 왕복 오래달리기 기록의 평균을 구해 보면 어느 모둠이 더 잘했는지 비교할 수 있어.

(　　　　　　　　)

128쪽 개념 2

04 정원이가 5일 동안 읽은 책의 쪽수를 나타낸 표입니다. 정원이가 하루에 읽은 책의 쪽수의 평균을 두 가지 방법으로 구하세요.

정원이가 읽은 책의 쪽수

요일	월	화	수	목	금
쪽수(쪽)	21	15	21	32	16

방법 1 예상한 평균 (　　　　　　　　)

방법 2

익힘책 공통 128쪽 개념 2

05 문제 강의 민희가 한자 시험을 4회까지 봤을 때 얻은 점수를 나타낸 표입니다. 한자 시험을 5회까지 본 후 5회 동안 시험 점수의 평균이 4회 동안 시험 점수의 평균보다 높으려면 5회의 시험 점수는 몇 점보다 높아야 하는지 구하세요.

민희의 한자 시험 점수

회	1회	2회	3회	4회
점수(점)	74	92	80	86

(　　　　　　　　)

130쪽 개념 ❸

06 어느 빵집에서 일주일 동안 사용한 달걀 수를 나타낸 표입니다. 이 빵집에서 하루에 사용한 달걀 수의 평균이 21개일 때, 목요일에 사용한 달걀은 몇 개인지 구하세요.

일주일 동안 사용한 달걀 수

요일	월	화	수	목	금	토	일
달걀 수(개)	9	15	25		20	33	28

(　　　　　　　　　　)

익힘책 공통

130쪽 개념 ❸

07 영수네 학교 5학년 학생들이 페트병을 모아 구조물을 만들려고 합니다. 구조물을 만들려면 페트병 2000개가 필요합니다. □ 안에 알맞은 수를 써넣으세요.

반별 학생 수

반	1반	2반	3반	4반
학생 수(명)	24	26	25	25

(1) 한 반당 페트병을 평균 □개씩 모아야 합니다.

(2) 한 반당 학생 수는 평균 □명입니다.

(3) 한 명당 페트병을 평균 □개씩 모아야 합니다.

130쪽 개념 ❸

08 문제 강의

민하가 5개월 동안 읽은 책의 수를 나타낸 표입니다. 11월에 책을 10권 더 읽었다면 5개월 동안 읽은 월별 책의 수의 평균은 몇 권 더 많아질까요?

민하가 읽은 책의 수

월	7월	8월	9월	10월	11월
책의 수(권)	13	9	15	10	8

(　　　　　　　　　　)

134쪽 개념 ❹

09 일이 일어날 가능성을 말로 표현해 보세요.

내년 12월 달력에 날짜가 33일까지 있는 것은 ______________

134쪽 개념 ❹

10 병우가 말한 일이 일어날 가능성이 '확실하다'가 되도록 말을 바꿔 보세요.

병우
계산기에 '1+7='을
누르면 10이 나올 거야.

____

____

134쪽 개념 ❺

11 조건 에 알맞은 회전판이 되도록 색칠해 보세요.

조건
- 화살이 초록색에 멈출 가능성이 가장 높습니다.
- 화살이 빨간색에 멈출 가능성은 노란색에 멈출 가능성의 3배입니다.

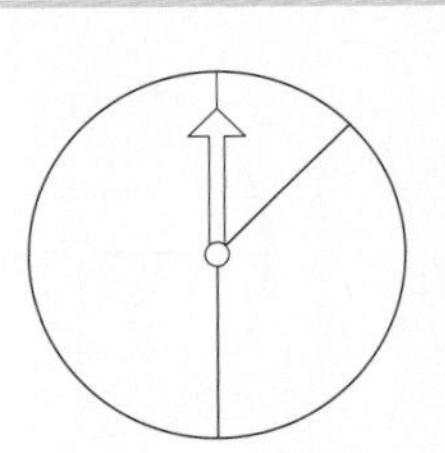

6 단원

134쪽 개념 5

12 빨간색, 파란색, 노란색으로 이루어진 회전판을 50번 돌려 화살이 멈춘 횟수를 나타낸 표입니다. 주어진 표와 일이 일어날 가능성이 비슷한 회전판을 찾아 기호를 쓰세요.

색깔	빨간색	파란색	노란색
횟수(회)	25	12	13

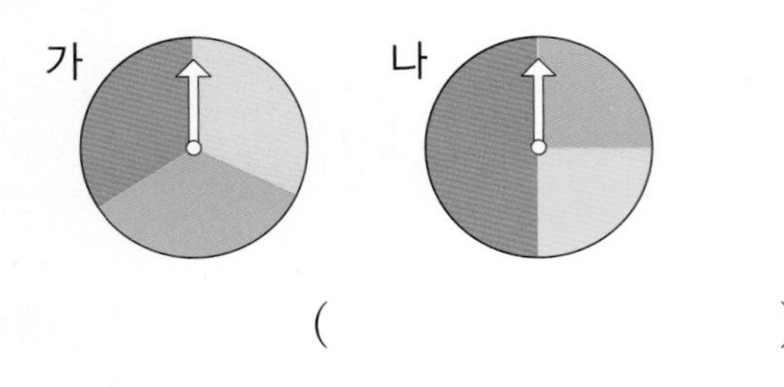

(   )

[13~14] **당첨 제비와 꽝인 제비가 2개씩 들어 있는 제비뽑기 상자에서 제비 1개를 뽑았습니다. 물음에 답하세요.**

136쪽 개념 6

13 뽑은 제비가 당첨 제비일 가능성을 말과 수로 표현해 보세요.

말 ______________________

수 ______________________

136쪽 개념 6

14 뽑은 제비가 당첨 제비일 가능성과 회전판을 돌릴 때 화살이 파란색에 멈출 가능성이 같도록 회전판을 색칠해 보세요.

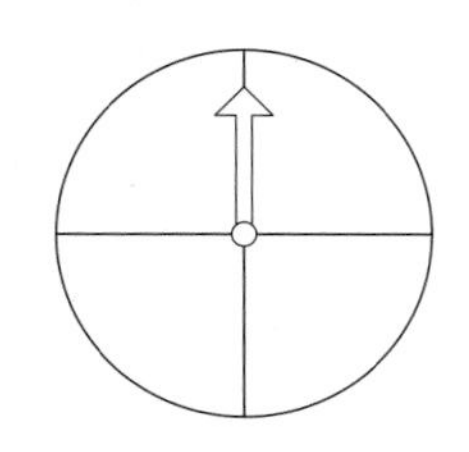

익힘책 공통

136쪽 개념 6

15 주사위를 한 번 굴렸을 때 주사위 눈의 수가 4의 약수로 나올 가능성을 말과 수로 표현해 보세요.

문제 강의

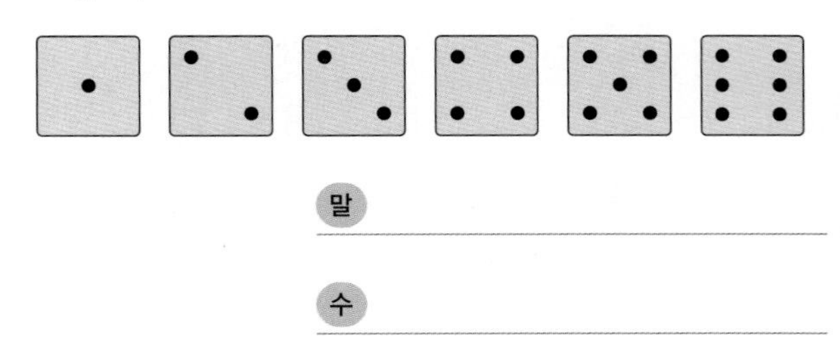

말 ______________________

수 ______________________

생각+문제

16 나은, 지우, 상식, 호동 네 명의 키의 평균은 143 cm이고, 재욱이를 포함한 5명의 키의 평균은 145 cm입니다. **재욱이의 키는 몇 cm인지 구하세요.**

문제 강의

(1) 나은, 지우, 상식, 호동 4명의 키의 합은 몇 cm인가요?

(   )

(2) 재욱이를 포함한 5명의 키의 합은 몇 cm인가요?

(   )

(3) 재욱이의 키는 몇 cm인가요?

(   )

서술형 잡기

서술형 강의

정답 32쪽

1 일이 일어날 가능성을 **'반반이다'로 나타낼 수 있는 상황**을 주변에서 찾아 쓰세요.

상황 은행에서 뽑은 대기 번호표의 번호가 □

2 일이 일어날 가능성을 **'확실하다'로 나타낼 수 있는 상황**을 주변에서 찾아 쓰세요.

상황

3 서아와 준우의 팔 굽혀 펴기 기록을 나타낸 표입니다. 평균을 비교했을 때 **누가 팔 굽혀 펴기를 더 잘했는지** 풀이 과정을 쓰고, 답을 구하세요.

서아의 팔 굽혀 펴기 기록

회	1회	2회	3회
기록(회)	21	14	7

준우의 팔 굽혀 펴기 기록

회	1회	2회	3회	4회
기록(회)	19	12	4	17

해결 순서
❶ 팔 굽혀 펴기 기록의 평균 각각 구하기
❷ 팔 굽혀 펴기를 더 잘한 친구 구하기

풀이 ❶ (서아의 평균)

=(21+14+□)÷□=□(회)

(준우의 평균)

=(19+□+□+□)÷□

=□(회)

❷ 평균을 비교하면 □>□이므로

□가 더 잘했습니다.

답

4 정하와 영재가 1분씩 기록한 타자 수를 나타낸 표입니다. 평균을 비교했을 때 **누구의 타자 기록이 더 좋은지** 풀이 과정을 쓰고, 답을 구하세요.

정하의 1분 동안 타자 수

회	1회	2회	3회
타자 수(타)	330	315	300

영재의 1분 동안 타자 수

회	1회	2회	3회	4회
타자 수(타)	300	290	310	320

해결 순서
❶ 타자 기록의 평균 각각 구하기
❷ 타자 기록이 더 좋은 친구 구하기

풀이

답

6 단원

단원 마무리

6. 평균과 가능성

점수

[01～03] 기정이네 모둠의 악력 기록을 나타낸 표입니다. 물음에 답하세요.
(악력: 손아귀로 무엇을 쥐는 힘)

기정이네 모둠의 악력 기록

이름	기정	다윤	우현	수진
기록(kg)	21	19	26	22

01 기정이네 모둠의 악력 기록의 합은 몇 kg인가요?

( )

02 기정이네 모둠 학생은 몇 명인가요?

( )

03 기정이네 모둠의 악력 기록의 평균은 몇 kg인가요?

( )

04 상자에 들어 있는 사과의 수를 나타낸 표입니다. 한 상자에는 평균 몇 개의 사과가 들어 있는지 구하려고 합니다. □ 안에 알맞은 수를 써넣으세요.

상자에 들어 있는 사과의 수

상자	가	나	다	라
사과의 수(개)	52	60	50	54

$(\square+\square+\square+\square)\div 4$

$=\square$(개)

05 일이 일어날 가능성을 알맞게 표현한 것은 어느 것인가요? ( )

> 빨간색 공만 2개 들어 있는 상자에서 공 1개를 꺼낼 때 꺼낸 공은 흰색일 것입니다.

① 불가능하다 ② ~아닐 것 같다
③ 반반이다 ④ ~일 것 같다
⑤ 확실하다

06 일이 일어날 가능성을 말과 수로 표현한 것입니다. 같은 것끼리 이어 보세요.

(1) 확실하다 • • 0

(2) 반반이다 • • $\frac{1}{2}$

(3) 불가능하다 • • 1

07 화살이 빨간색에 멈출 가능성이 더 높은 회전판을 찾아 기호를 쓰세요.

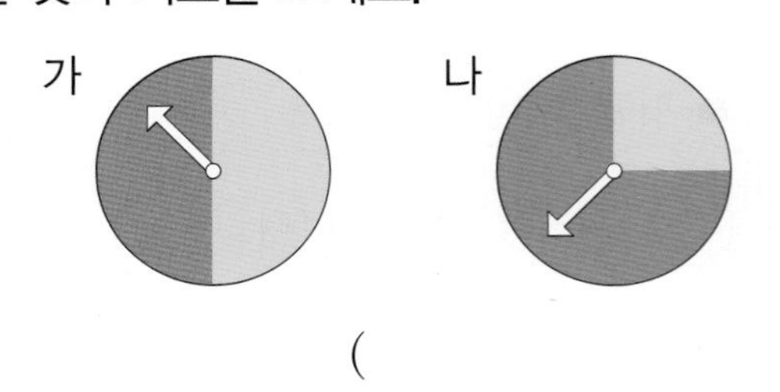

( )

08 지난주 유선이네 교실의 온도를 매일 낮 12시에 재어 나타낸 표입니다. 지난주 유선이네 교실의 낮 12시 온도의 평균은 몇 ℃인가요?

유선이네 교실의 온도

요일	월	화	수	목	금
온도(℃)	19	17	21	23	20

(　　　　　　　　　)

09 지현이가 말한 일이 일어날 가능성을 생각해 보고, 보기에서 찾아 기호를 쓰세요.

교실에 학생 한 명이 들어올 때 그 학생은 남학생일 거야.

보기
㉠ 확실하다　㉡ 반반이다　㉢ 불가능하다

(　　　　　　　　　)

10 명진이가 4개월 동안 대출한 책의 수를 나타낸 표입니다. 4개월 동안 대출한 월별 책의 수의 평균이 6권일 때, 10월에 대출한 책은 몇 권인가요?

명진이가 대출한 책의 수

월	9월	10월	11월	12월
책의 수(권)	8		5	7

(　　　　　　　　　)

11 일이 일어날 가능성을 수로 표현해 보세요.

내년 1월 달력은 30일까지 있을 것입니다.

12 오른쪽 회전판을 돌렸을 때 화살이 보라색에 멈출 가능성을 ↓로 나타내어 보세요.

0　　　　$\frac{1}{2}$　　　　1

13 윷을 한 개 던졌을 때 앞이 나올 가능성을 말과 수로 표현해 보세요.

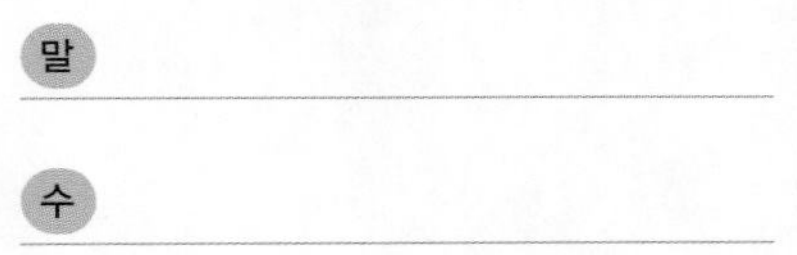

14 일이 일어날 가능성이 '~아닐 것 같다'인 경우를 찾아 기호를 쓰세요.

㉠ 내년은 369일일 것입니다.
㉡ 친구와 내 생일은 같은 날입니다.
㉢ 5학년인 나는 내년 3월에 6학년이 될 것입니다.

(　　　　　　　　　)

15 주머니 속에 흰색 바둑돌 3개와 검은색 바둑돌 3개가 들어 있습니다. 이 주머니에서 바둑돌 1개를 꺼낼 때 꺼낸 바둑돌이 흰색일 가능성을 말로 표현해 보세요.

6 단원

[16~17] 아란이의 1분 동안의 맥박 수를 나타낸 표입니다. 물음에 답하세요.

아란이의 1분 동안의 맥박 수

회	1회	2회	3회	4회	5회
맥박 수(회)	77	80	90	85	78

16 5회 동안 측정한 아란이의 맥박 수의 평균은 몇 회인가요?

( )

17 가장 빨리 뛴 맥박 수와 가장 느리게 뛴 맥박 수를 뺀 아란이의 맥박 수의 평균은 몇 회인가요?

( )

18 회전판의 화살이 빨간색에 멈출 가능성이 가장 높고, 화살이 파란색에 멈출 가능성은 노란색에 멈출 가능성의 2배가 되도록 색칠해 보세요.

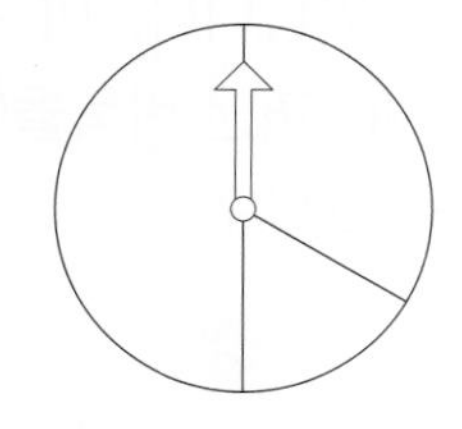

서술형

19 일이 일어날 가능성을 '불가능하다'로 나타낼 수 있는 상황을 주변에서 찾아 쓰세요.

상황

서술형

20 민서와 준하의 턱걸이 기록을 나타낸 표입니다. 평균을 비교했을 때 누가 턱걸이를 더 잘했는지 풀이 과정을 쓰고, 답을 구하세요.

민서의 턱걸이 기록

회	1회	2회	3회	4회
기록(회)	6	4	1	5

준하의 턱걸이 기록

회	1회	2회	3회
기록(회)	8	5	2

풀이

답

창의력 쑥쑥

민경이는 미로를 빠져 나오려고 해요.
모든 길을 지나가야 하고 같은 길은 다시 갈 수 없을 때,
미로의 입구에서 시작해 출구로 빠져나가는 길을 연필을 떼지 않고 그려 보세요.

• 정답은 진도북 148쪽에서 확인하세요.

창의력 쑥쑥 정답

031쪽

055쪽

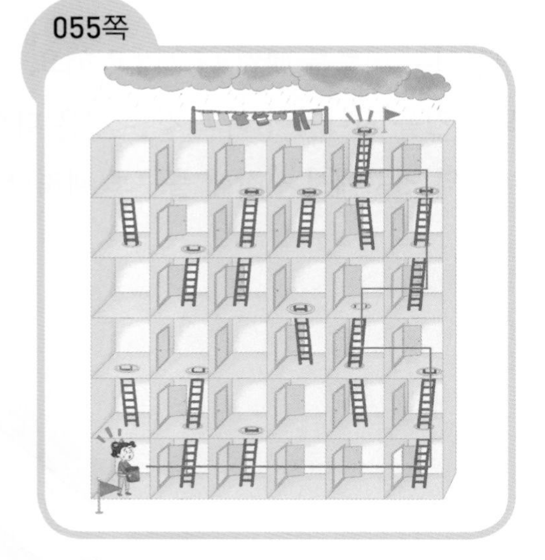

077쪽

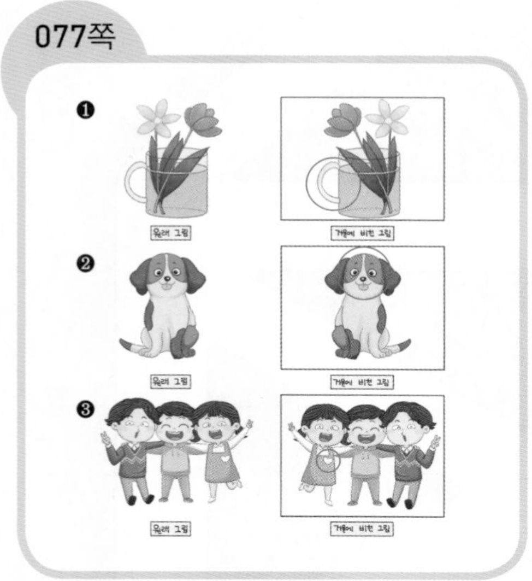

101쪽

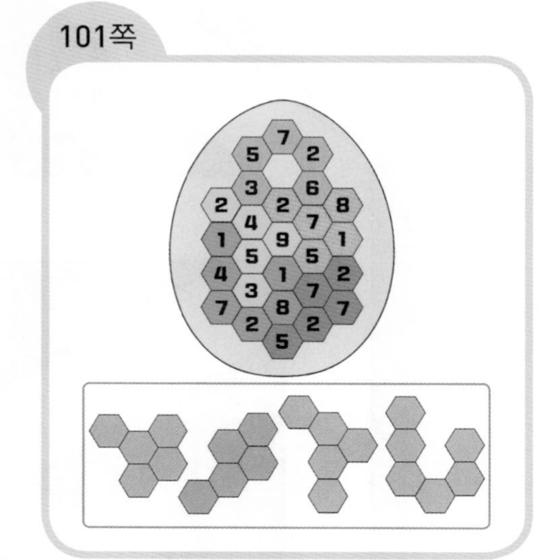

125쪽

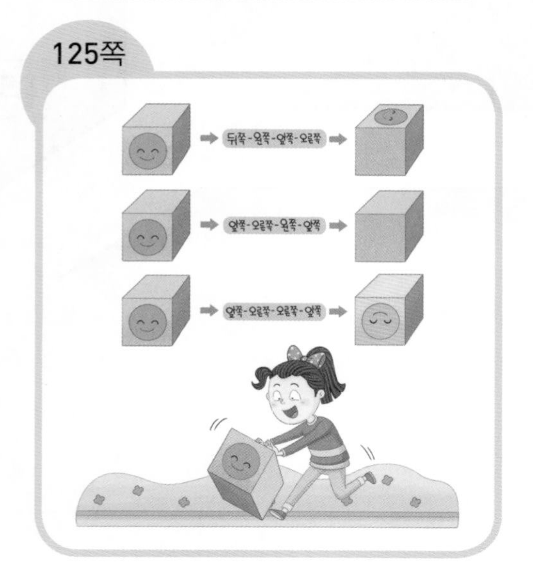

147쪽

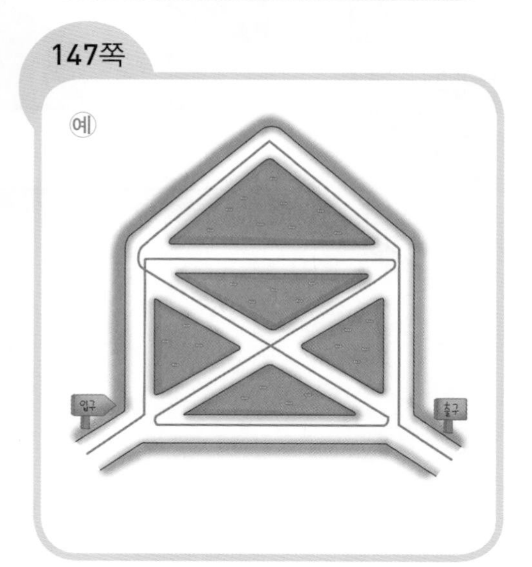

출제 범위 5학년 2학기 | 문항 수 30문항

정답 33쪽

학업 성취도 평가

1. 수의 범위와 어림하기 ~
6. 평균과 가능성

1단원 | 개념1

01 키가 140 cm 이하인 사람은 이용할 수 없는 풀장이 있습니다. 풀장을 이용할 수 없는 친구의 이름을 쓰세요.

이름	정수	민혁	진영
키(cm)	156.7	140.5	138.9

( )

1단원 | 개념2

02 21 초과인 수는 모두 몇 개인가요?

18.6 22 21.7 25 15 21

( )

1단원 | 개념5

03 버림하여 백의 자리까지 나타내면 800이 되는 수를 모두 구하세요.

853 902 898 948

( )

1단원 | 개념4

04 현서의 사물함 비밀번호를 올림하여 백의 자리까지 나타내면 2400입니다. 현서의 사물함 비밀번호를 구하세요.

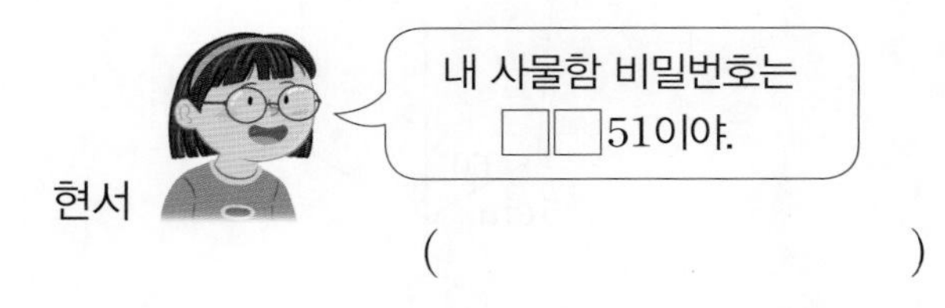

( )

1단원 | 개념3

05 10 이상 15 미만인 자연수를 모두 더하면 얼마인가요?

( )

1단원 | 개념6

06 수 카드 4장을 한 번씩만 사용하여 가장 작은 네 자리 수를 만들었습니다. 만든 수를 반올림하여 백의 자리까지 나타내면 얼마인가요?

2 5 8 4

( )

2단원 | 개념1

07 □ 안에 알맞은 수를 써넣으세요.

$3\frac{5}{8}$ → ×4 → □

2단원 | 개념2

08 ○ 안에 >, =, <를 알맞게 써넣으세요.

4 ○ $4\times\frac{5}{9}$

2단원 | 개념 5

09 세 수의 곱을 구하세요.

$\frac{9}{14}$ $\frac{5}{6}$ $\frac{7}{10}$

(　　　　　　　　　)

2단원 | 개념 3

10 성우네 반 학생의 $\frac{4}{7}$는 남학생이고, 남학생의 $\frac{3}{8}$은 안경을 썼습니다. 성우네 반에서 안경을 쓴 남학생은 성우네 반 전체 학생의 얼마인가요?

식

답

2단원 | 개념 4

11 두 계산 결과의 차는 얼마인지 구하세요.

$2\frac{1}{2} \times 4\frac{1}{5}$　　$4\frac{2}{3} \times 2\frac{5}{8}$

(　　　　　　　　　)

3단원 | 개념 2

12 두 도형은 서로 합동입니다. 대응점, 대응변, 대응각이 각각 몇 쌍 있는지 구하세요.

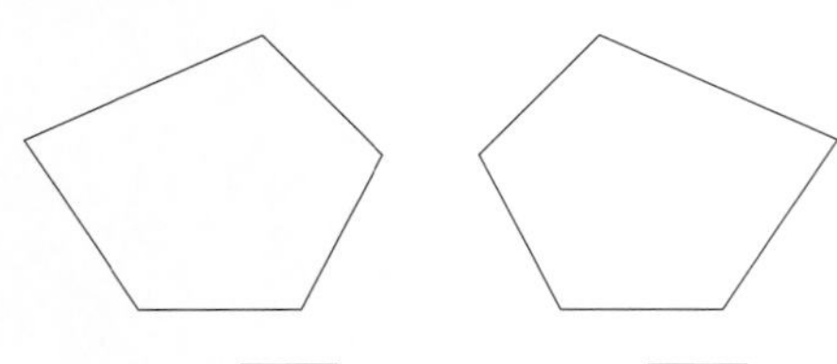

대응점: □쌍, 대응변: □쌍,

대응각: □쌍

3단원 | 개념 2

13 두 삼각형은 서로 합동입니다. 각 ㅁㄹㅂ은 몇 도인가요?

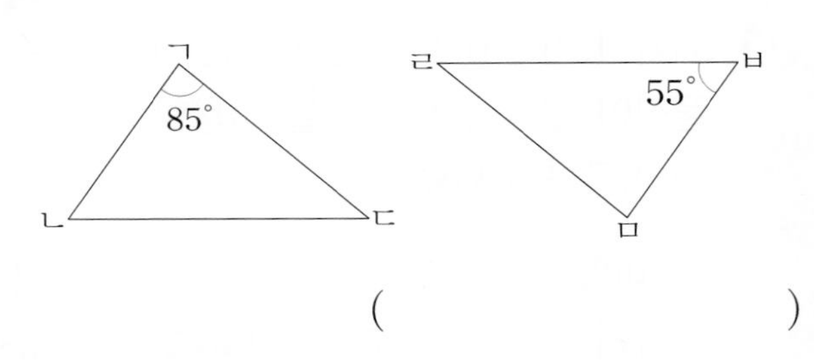

(　　　　　　　　　)

3단원 | 개념 3

14 직선 ㅁㅂ을 대칭축으로 하는 선대칭도형입니다. 삼각형 ㄱㄴㄷ의 둘레는 몇 cm인가요?

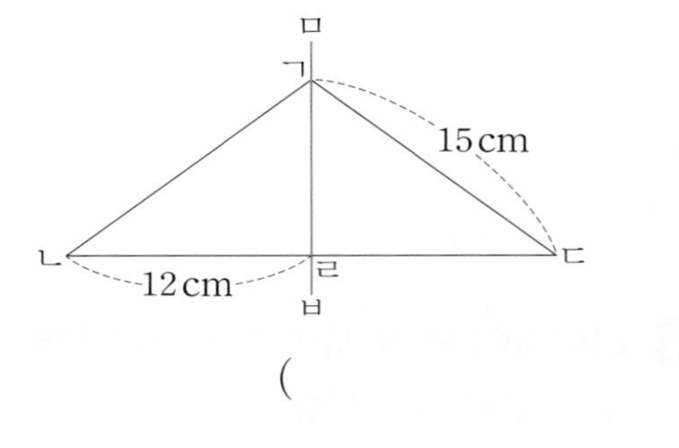

(　　　　　　　　　)

3단원 | 개념 3

15 직선 ㄱㄴ을 대칭축으로 하는 선대칭도형입니다. □ 안에 알맞은 수를 써넣으세요.

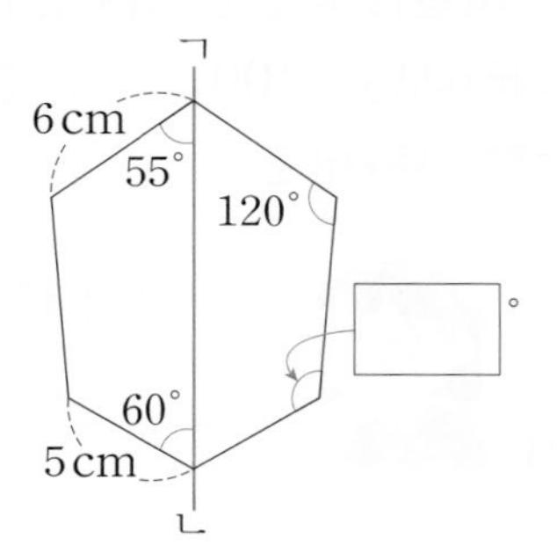

3단원 | 개념④

16 점 ㅈ을 대칭의 중심으로 하는 점대칭도형입니다. 둘레가 58 cm일 때, 변 ㄱㄴ은 몇 cm인가요?

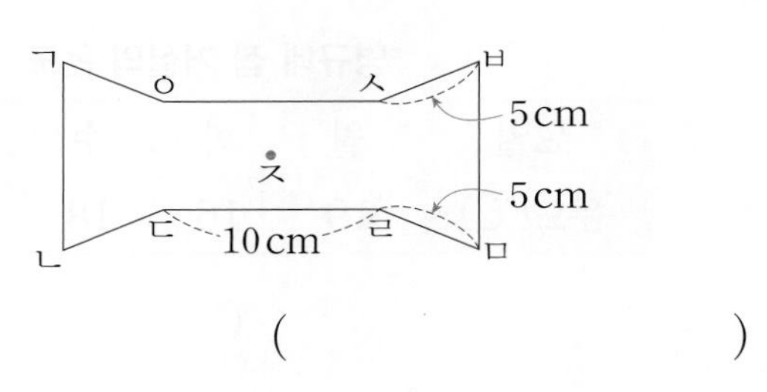

(　　　　　　　　)

4단원 | 개념②

17 빈칸에 알맞은 수를 써넣으세요.

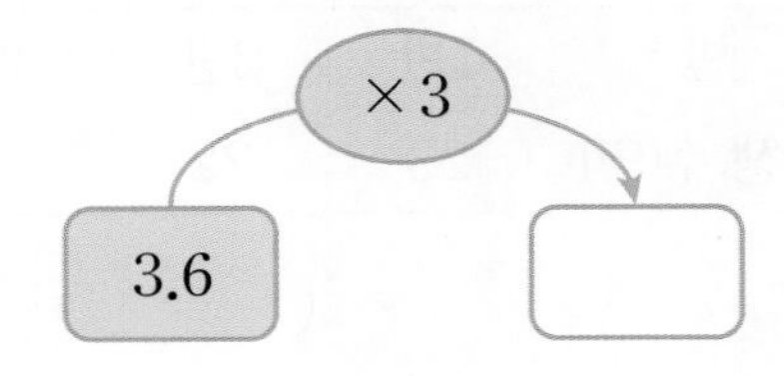

4단원 | 개념③

18 세형이의 몸무게는 40 kg입니다. 동생의 몸무게는 세형이 몸무게의 0.94배입니다. 동생의 몸무게는 몇 kg인가요?

(　　　　　　　　)

4단원 | 개념⑤

19 ○ 안에 >, =, <를 알맞게 써넣으세요.

0.35×0.2 ◯ 0.25×0.3

4단원 | 개념⑥

20 $131 \times 72 = 9432$입니다. 1.31×7.2의 값을 어림하여 결괏값에 소수점을 찍어 보세요.

$1.31 \times 7.2 = 9\ 4\ 3\ 2$

4단원 | 개념⑦

21 보기를 이용하여 식을 완성해 보세요.

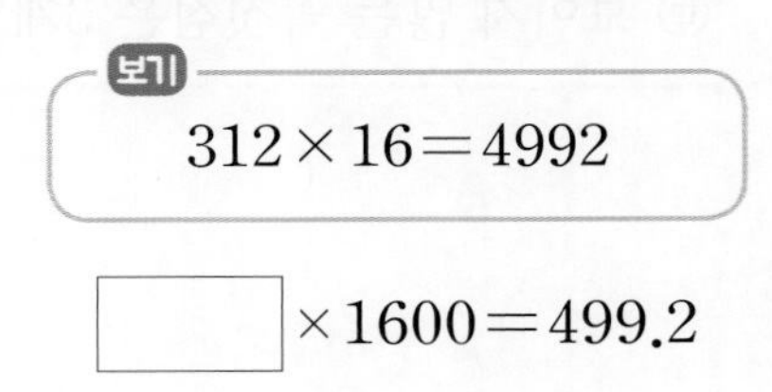

$\square \times 1600 = 499.2$

5단원 | 개념②

22 정육면체에 대한 설명 중 틀린 것은 어느 것인가요? (　　　)

① 면이 6개입니다.
② 꼭짓점이 12개입니다.
③ 면의 크기가 모두 같습니다.
④ 모서리의 길이가 모두 같습니다.
⑤ 정육면체는 직육면체라고 할 수 있습니다.

5단원 | 개념③

23 직육면체에서 색칠한 면과 수직인 면을 모두 찾아 쓰세요.

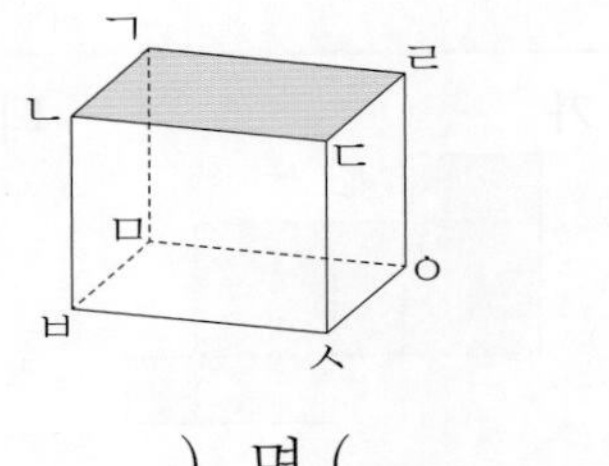

면 (　　　　　), 면 (　　　　　),
면 (　　　　　), 면 (　　　　　)

학업 성취도 평가

5단원 | 개념 4

24 직육면체의 겨냥도를 잘못 설명한 것을 찾아 기호를 쓰세요.

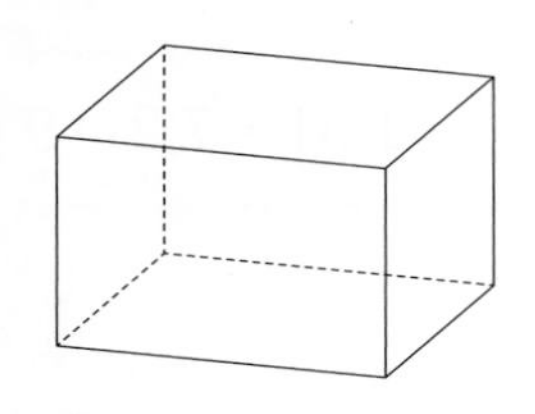

㉠ 보이지 않는 면은 3개입니다.
㉡ 보이지 않는 모서리는 3개입니다.
㉢ 보이지 않는 꼭짓점은 3개입니다.

( )

5단원 | 개념 5

25 정육면체의 전개도를 접었을 때 주어진 선분과 겹치는 선분을 찾아 쓰세요.

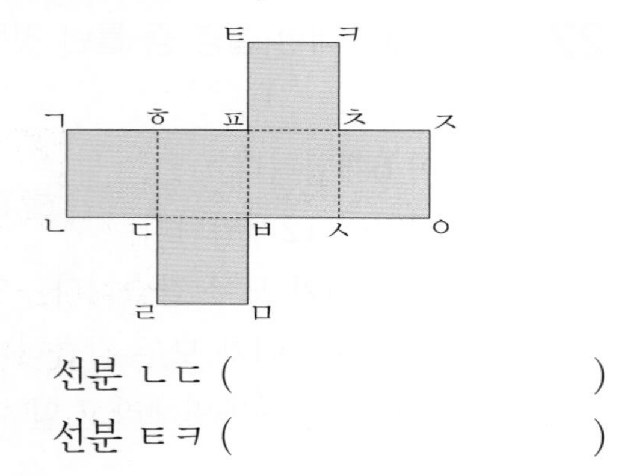

선분 ㄴㄷ ( )

선분 ㅌㅋ ( )

5단원 | 개념 6

26 직육면체의 전개도가 아닌 것을 찾아 기호를 쓰세요.

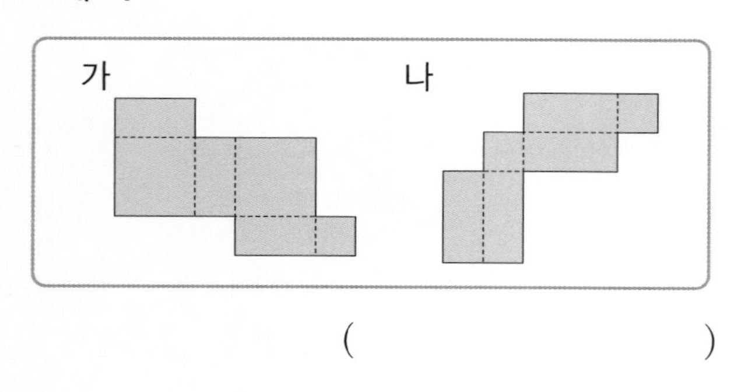

( )

6단원 | 개념 2

27 지난주 명규네 집 거실의 온도를 매일 오전 9시에 재어 나타낸 표입니다. 지난주 명규네 집 거실의 오전 9시 온도의 평균은 몇 ℃인가요?

명규네 집 거실의 온도

요일	월	화	수	목	금
온도(℃)	19	16	18	20	17

( )

6단원 | 개념 3

28 아현이네 학교 5학년 반별 학생 수를 나타낸 표입니다. 반별 학생 수의 평균이 24명일 때, 3반의 학생 수는 몇 명인가요?

반별 학생 수

반	1반	2반	3반	4반
학생 수(명)	23	22		26

( )

6단원 | 개념 4

29 검은색 바둑돌만 5개 들어 있는 주머니가 있습니다. 이 주머니에서 바둑돌 1개를 꺼낼 때, 꺼낸 바둑돌이 검은색이 아닐 가능성을 말로 표현해 보세요.

말

6단원 | 개념 6

30 다음 카드 중에서 한 장을 뽑을 때 ♣를 뽑을 가능성을 수로 표현해 보세요.

수

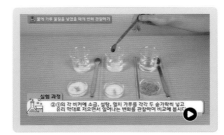

큐브 수학 개념

매칭북

5·2

◆ 기초력 학습지 | 미리 보는 수학 익힘

동아출판

매칭북

차례

5·2

기초력 학습지 01 이상과 이하

진도북 009쪽

정답 35쪽

[1~6] 알맞은 수에 ○표 하세요.

1 8 이상인 수

5　6　7　8　9　10

2 18 이하인 수

15　16　17　18　19　20

3 15 이상인 수

13　17　9　11　15　24

4 27 이하인 수

27　34　29　20　19　28

5 36 이상인 수

29.0　13.6　36.0　39.6　32.7　40.2

6 40 이하인 수

40.5　28.6　43.1　51.7　40.0　39.2

[7~12] 수직선에 나타내어 보세요.

7 12 이상인 수

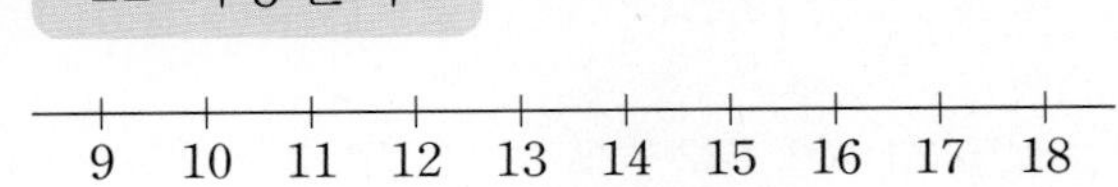

8 9 이하인 수

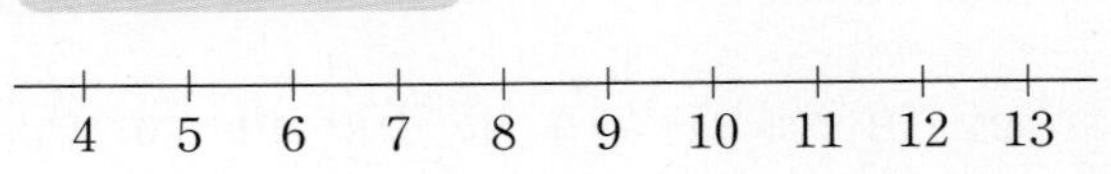

9 30 이상인 수

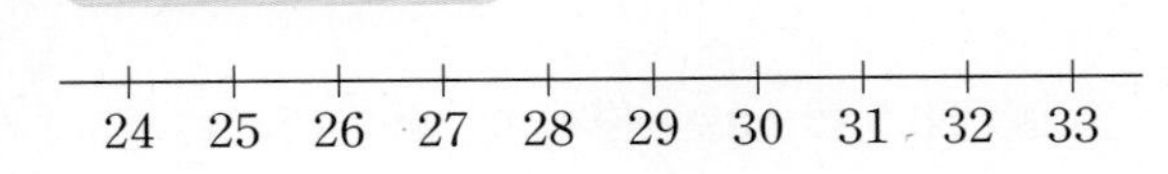

10 22 이하인 수

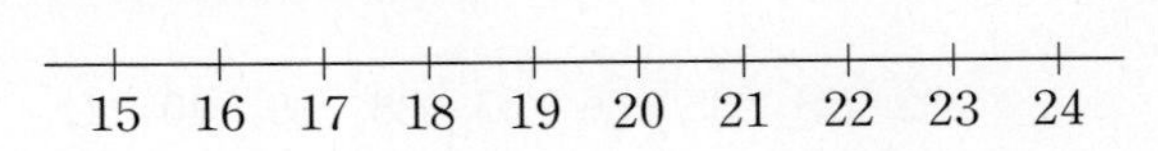

11 47 이상인 수

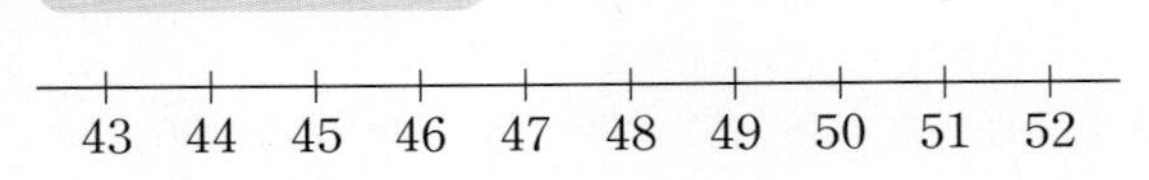

12 53 이하인 수

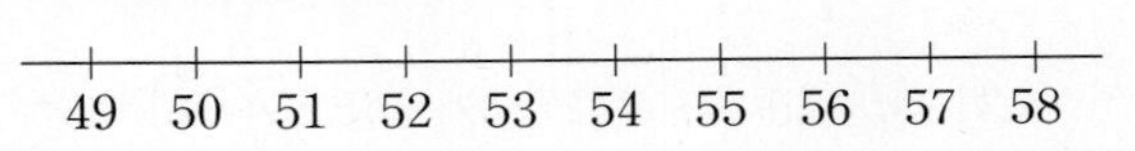

기초력 학습지 02 초과와 미만

진도북 011쪽

● 정답 35쪽

[1~6] 알맞은 수에 ○표 하세요.

1 13 초과인 수

11 12 13 14 15 16

2 36 미만인 수

33 34 35 36 37 38

3 20 초과인 수

20 15 21 25 19 23

4 45 미만인 수

47 39 45 44 51 40

5 51 초과인 수

55.3 76.4 41.8 51.0 57.2 50.9

6 60 미만인 수

60.8 71.4 54.2 60.0 43.1 59.8

[7~12] 수직선에 나타내어 보세요.

7 18 초과인 수

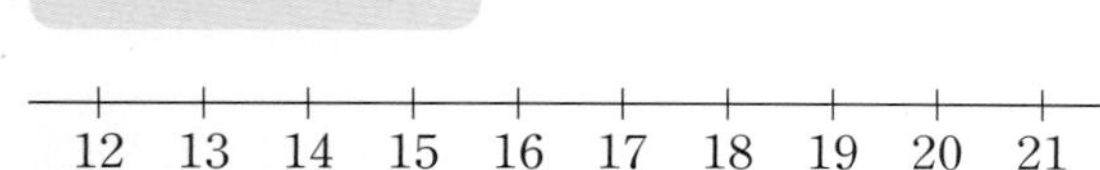

8 25 미만인 수

19 20 21 22 23 24 25 26 27 28

9 34 초과인 수

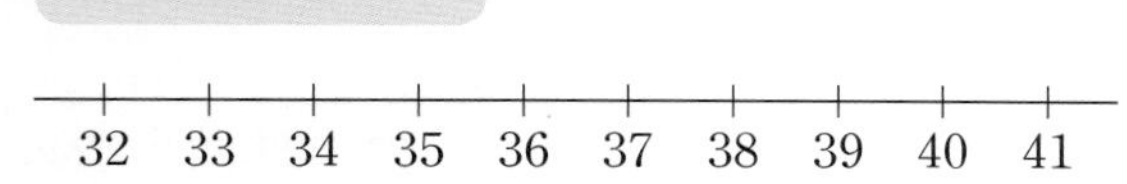

10 40 미만인 수

35 36 37 38 39 40 41 42 43 44

11 47 초과인 수

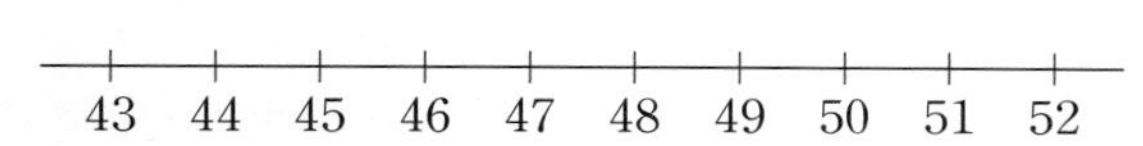

12 52 미만인 수

48 49 50 51 52 53 54 55 56 57

기초력 학습지 03 수의 범위 활용하기

진도북 013쪽

정답 35쪽

[1~6] 알맞은 수에 ○표 하세요.

1 13 이상 17 이하인 수

13　8　19　15　17　22

2 24 이상 32 이하인 수

21　27　24　19　32　30

3 37 이상 44 미만인 수

41　44　38　35　49　37

4 15 초과 25 미만인 수

15　17　29　23　18　25

5 48 초과 56 미만인 수

55　48　50　49　37　61

6 62 초과 71 이하인 수

62　64　54　73　71　68

[7~12] 수직선에 나타내어 보세요.

7 5 이상 10 이하인 수

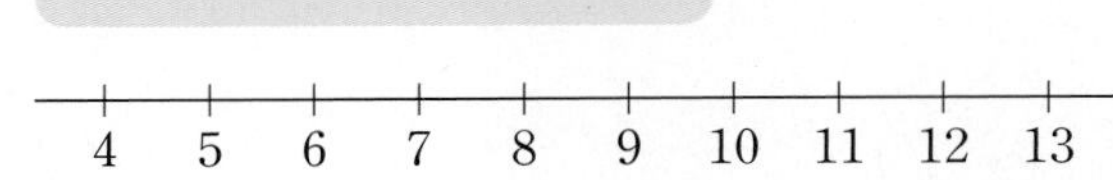

4　5　6　7　8　9　10　11　12　13

8 21 이상 27 미만인 수

19　20　21　22　23　24　25　26　27　28

9 34 이상 38 미만인 수

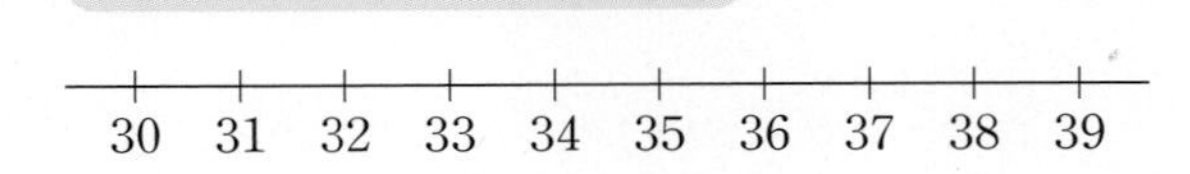

30　31　32　33　34　35　36　37　38　39

10 26 초과 31 미만인 수

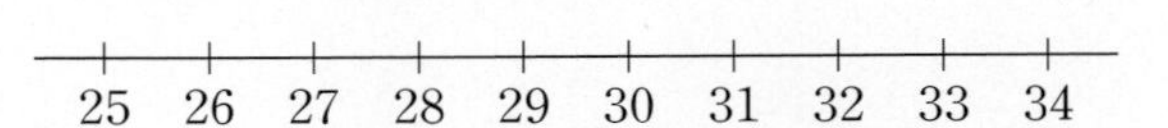

25　26　27　28　29　30　31　32　33　34

11 42 초과 46 이하인 수

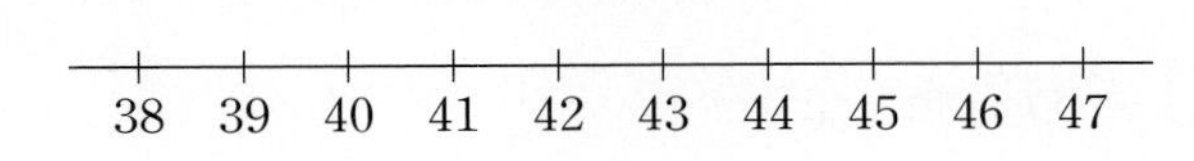

38　39　40　41　42　43　44　45　46　47

12 50 초과 53 이하인 수

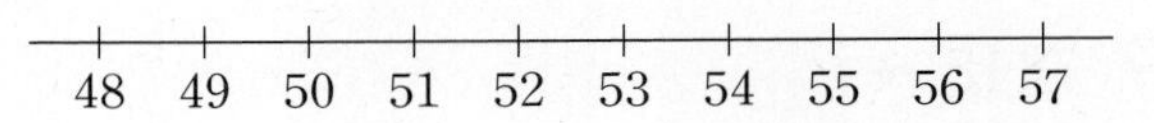

48　49　50　51　52　53　54　55　56　57

기초력 학습지 04 올림

진도북 017쪽

정답 36쪽

[1 ~ 10] 올림하여 십의 자리까지 나타내어 보세요.

1 123 → (　　　　　　　)

2 637 → (　　　　　　　)

3 236 → (　　　　　　　)

4 170 → (　　　　　　　)

5 524 → (　　　　　　　)

6 1321 → (　　　　　　　)

7 3782 → (　　　　　　　)

8 2548 → (　　　　　　　)

9 5974 → (　　　　　　　)

10 4813 → (　　　　　　　)

[11 ~ 20] 올림하여 백의 자리까지 나타내어 보세요.

11 487 → (　　　　　　　)

12 348 → (　　　　　　　)

13 732 → (　　　　　　　)

14 114 → (　　　　　　　)

15 973 → (　　　　　　　)

16 4037 → (　　　　　　　)

17 5389 → (　　　　　　　)

18 4000 → (　　　　　　　)

19 7415 → (　　　　　　　)

20 6842 → (　　　　　　　)

기초력 학습지 05 버림

진도북 017쪽

정답 36쪽

[1 ~ 10] 버림하여 십의 자리까지 나타내어 보세요.

1 149 → (　　　　　　　)

2 564 → (　　　　　　　)

3 238 → (　　　　　　　)

4 486 → (　　　　　　　)

5 735 → (　　　　　　　)

6 2259 → (　　　　　　　)

7 5307 → (　　　　　　　)

8 1480 → (　　　　　　　)

9 3962 → (　　　　　　　)

10 8873 → (　　　　　　　)

[11 ~ 20] 버림하여 백의 자리까지 나타내어 보세요.

11 452 → (　　　　　　　)

12 321 → (　　　　　　　)

13 573 → (　　　　　　　)

14 968 → (　　　　　　　)

15 888 → (　　　　　　　)

16 1279 → (　　　　　　　)

17 4700 → (　　　　　　　)

18 2135 → (　　　　　　　)

19 8346 → (　　　　　　　)

20 7649 → (　　　　　　　)

기초력 학습지 06 반올림

진도북 019쪽

● 정답 36쪽

[1 ~ 10] 반올림하여 십의 자리까지 나타내어 보세요.

1 324 → (   )

2 258 → (   )

3 417 → (   )

4 692 → (   )

5 735 → (   )

6 2708 → (   )

7 3286 → (   )

8 1523 → (   )

9 4054 → (   )

10 7199 → (   )

[11 ~ 20] 반올림하여 백의 자리까지 나타내어 보세요.

11 293 → (   )

12 534 → (   )

13 806 → (   )

14 450 → (   )

15 972 → (   )

16 1340 → (   )

17 5674 → (   )

18 3083 → (   )

19 2946 → (   )

20 6357 → (   )

기초력 학습지 07 (진분수)×(자연수)

진도북 035쪽

정답 36쪽

[1~24] 계산해 보세요.

1 $\frac{1}{4}\times 3$

2 $\frac{1}{5}\times 2$

3 $\frac{1}{7}\times 4$

4 $\frac{1}{8}\times 9$

5 $\frac{1}{9}\times 11$

6 $\frac{1}{6}\times 4$

7 $\frac{1}{9}\times 3$

8 $\frac{1}{12}\times 8$

9 $\frac{1}{6}\times 14$

10 $\frac{1}{4}\times 10$

11 $\frac{1}{10}\times 15$

12 $\frac{1}{15}\times 6$

13 $\frac{2}{3}\times 4$

14 $\frac{3}{7}\times 3$

15 $\frac{4}{9}\times 5$

16 $\frac{3}{5}\times 10$

17 $\frac{5}{6}\times 3$

18 $\frac{2}{9}\times 21$

19 $\frac{3}{8}\times 10$

20 $\frac{4}{15}\times 5$

21 $\frac{11}{20}\times 12$

22 $\frac{8}{21}\times 14$

23 $\frac{3}{4}\times 6$

24 $\frac{7}{10}\times 8$

기초력 학습지 08 (대분수)×(자연수)

진도북 035쪽

정답 36쪽

[1 ~ 6] □ 안에 알맞은 수를 써넣으세요.

1 $1\frac{3}{5}\times 3=\frac{\square}{5}\times 3=\frac{\square}{\square}=\square$

2 $3\frac{2}{3}\times 5=\frac{\square}{3}\times 5=\frac{\square}{\square}=\square$

3 $2\frac{1}{6}\times 8=\frac{\square}{\underset{3}{\cancel{6}}}\times \overset{4}{\cancel{8}}=\frac{\square}{\square}=\square$

4 $1\frac{4}{9}\times 6=\frac{\square}{\underset{\square}{\cancel{9}}}\times \overset{\square}{\cancel{6}}=\frac{\square}{\square}=\square$

5 $3\frac{5}{8}\times 12=\frac{\square}{\underset{\square}{\cancel{8}}}\times \overset{\square}{\cancel{12}}=\frac{\square}{\square}=\square$

6 $2\frac{1}{21}\times 28=\frac{\square}{\underset{\square}{\cancel{21}}}\times \overset{\square}{\cancel{28}}=\frac{\square}{3}=\square$

[7 ~ 18] 계산해 보세요.

7 $2\frac{1}{3}\times 4$

8 $1\frac{8}{9}\times 2$

9 $3\frac{2}{7}\times 3$

10 $1\frac{2}{5}\times 7$

11 $2\frac{1}{4}\times 6$

12 $3\frac{5}{6}\times 4$

13 $1\frac{2}{9}\times 12$

14 $3\frac{3}{8}\times 6$

15 $5\frac{3}{4}\times 10$

16 $2\frac{7}{10}\times 16$

17 $4\frac{1}{6}\times 20$

18 $2\frac{5}{9}\times 3$

기초력 학습지 09 (자연수)×(진분수)

진도북 037쪽

● 정답 37쪽

[1~24] 계산해 보세요.

1 $6 \times \frac{1}{3}$

2 $8 \times \frac{1}{2}$

3 $10 \times \frac{2}{5}$

4 $12 \times \frac{3}{4}$

5 $18 \times \frac{5}{6}$

6 $21 \times \frac{4}{7}$

7 $36 \times \frac{7}{9}$

8 $48 \times \frac{3}{8}$

9 $30 \times \frac{3}{10}$

10 $2 \times \frac{1}{5}$

11 $3 \times \frac{3}{4}$

12 $5 \times \frac{2}{9}$

13 $11 \times \frac{5}{6}$

14 $12 \times \frac{4}{5}$

15 $20 \times \frac{4}{7}$

16 $6 \times \frac{3}{4}$

17 $4 \times \frac{5}{6}$

18 $12 \times \frac{5}{8}$

19 $10 \times \frac{11}{12}$

20 $6 \times \frac{7}{15}$

21 $14 \times \frac{8}{21}$

22 $18 \times \frac{5}{24}$

23 $24 \times \frac{9}{16}$

24 $25 \times \frac{9}{20}$

기초력 학습지 10 (자연수)×(대분수)

진도북 037쪽

정답 37쪽

[1~6] □ 안에 알맞은 수를 써넣으세요.

1 $3\times2\frac{1}{2}=3\times\frac{\square}{2}=\frac{\square}{\square}=\square$

2 $4\times1\frac{3}{7}=4\times\frac{\square}{7}=\frac{\square}{\square}=\square$

3 $6\times3\frac{7}{8}=\overset{3}{\cancel{6}}\times\frac{\square}{\underset{4}{\cancel{8}}}=\frac{\square}{\square}=\square$

4 $9\times3\frac{5}{6}=\overset{\square}{\cancel{9}}\times\frac{\square}{\underset{\square}{\cancel{6}}}=\frac{\square}{\square}=\square$

5 $12\times4\frac{4}{9}=\overset{\square}{\cancel{12}}\times\frac{\square}{\underset{\square}{\cancel{9}}}=\frac{\square}{\square}=\square$

6 $21\times2\frac{11}{14}=\overset{\square}{\cancel{21}}\times\frac{\square}{\underset{\square}{\cancel{14}}}=\frac{\square}{\square}=\square$

[7~18] 계산해 보세요.

7 $2\times1\frac{3}{5}$

8 $5\times2\frac{1}{6}$

9 $7\times2\frac{3}{4}$

10 $4\times1\frac{1}{6}$

11 $9\times2\frac{2}{3}$

12 $8\times4\frac{1}{2}$

13 $6\times2\frac{1}{8}$

14 $9\times3\frac{1}{6}$

15 $12\times3\frac{2}{9}$

16 $10\times1\frac{2}{15}$

17 $15\times1\frac{5}{18}$

18 $16\times2\frac{7}{12}$

기초력 학습지 11 진분수의 곱셈

진도북 041쪽

● 정답 38쪽

[1~24] 계산해 보세요.

1 $\frac{1}{4}\times\frac{1}{3}$

2 $\frac{1}{2}\times\frac{1}{7}$

3 $\frac{1}{3}\times\frac{1}{8}$

4 $\frac{1}{9}\times\frac{1}{5}$

5 $\frac{1}{10}\times\frac{1}{4}$

6 $\frac{1}{11}\times\frac{1}{6}$

7 $\frac{2}{3}\times\frac{1}{5}$

8 $\frac{3}{7}\times\frac{1}{9}$

9 $\frac{5}{8}\times\frac{1}{10}$

10 $\frac{1}{7}\times\frac{3}{5}$

11 $\frac{1}{12}\times\frac{4}{9}$

12 $\frac{1}{6}\times\frac{8}{15}$

13 $\frac{2}{3}\times\frac{4}{5}$

14 $\frac{5}{7}\times\frac{3}{8}$

15 $\frac{5}{6}\times\frac{7}{11}$

16 $\frac{3}{4}\times\frac{8}{9}$

17 $\frac{2}{7}\times\frac{3}{4}$

18 $\frac{4}{5}\times\frac{3}{8}$

19 $\frac{3}{10}\times\frac{5}{12}$

20 $\frac{7}{15}\times\frac{5}{8}$

21 $\frac{3}{14}\times\frac{5}{6}$

22 $\frac{7}{9}\times\frac{4}{21}$

23 $\frac{7}{24}\times\frac{16}{35}$

24 $\frac{12}{13}\times\frac{39}{40}$

기초력 학습지 12 대분수의 곱셈 / 세 분수의 곱셈

진도북 043쪽

정답 38쪽

[1 ~ 12] 계산해 보세요.

1 $1\frac{1}{3} \times 1\frac{3}{5}$

2 $1\frac{3}{4} \times 2\frac{1}{6}$

3 $3\frac{4}{7} \times 1\frac{5}{6}$

4 $2\frac{2}{3} \times 1\frac{5}{12}$

5 $4\frac{2}{5} \times 2\frac{1}{2}$

6 $3\frac{4}{7} \times 1\frac{3}{10}$

7 $5\frac{5}{8} \times 4\frac{4}{5}$

8 $7\frac{1}{2} \times 1\frac{1}{20}$

9 $6\frac{2}{9} \times 2\frac{1}{8}$

10 $4\frac{9}{10} \times 3\frac{1}{7}$

11 $7\frac{1}{5} \times 1\frac{1}{12}$

12 $3\frac{7}{15} \times 2\frac{4}{13}$

[13 ~ 20] 계산해 보세요.

13 $\frac{1}{6} \times \frac{1}{3} \times \frac{1}{4}$

14 $\frac{1}{2} \times \frac{5}{8} \times \frac{3}{5}$

15 $\frac{3}{4} \times \frac{2}{3} \times \frac{3}{7}$

16 $\frac{5}{6} \times \frac{3}{10} \times \frac{1}{3}$

17 $\frac{4}{9} \times \frac{7}{12} \times \frac{5}{14}$

18 $\frac{8}{9} \times \frac{1}{6} \times \frac{4}{5}$

19 $\frac{3}{5} \times \frac{5}{7} \times \frac{7}{9}$

20 $1\frac{3}{8} \times \frac{4}{13} \times \frac{2}{11}$

기초력 학습지 13 도형의 합동

진도북 059쪽

정답 39쪽

[1~4] 왼쪽 도형과 서로 합동인 도형에 ○표 하세요.

1

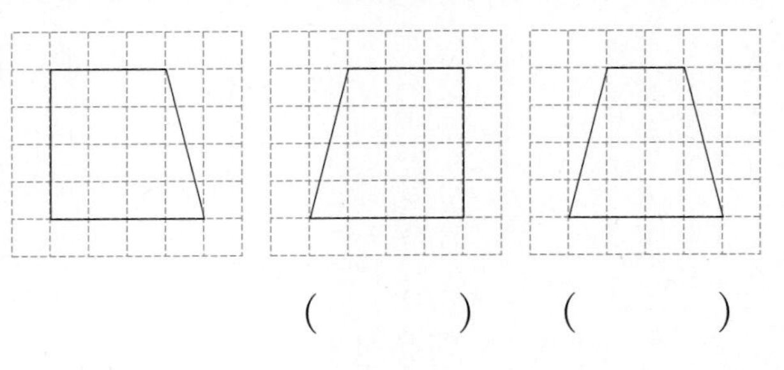

( ) ( )

2

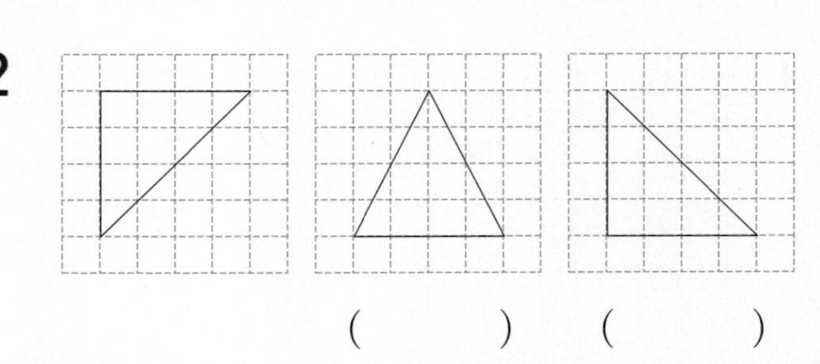

( ) ( )

3

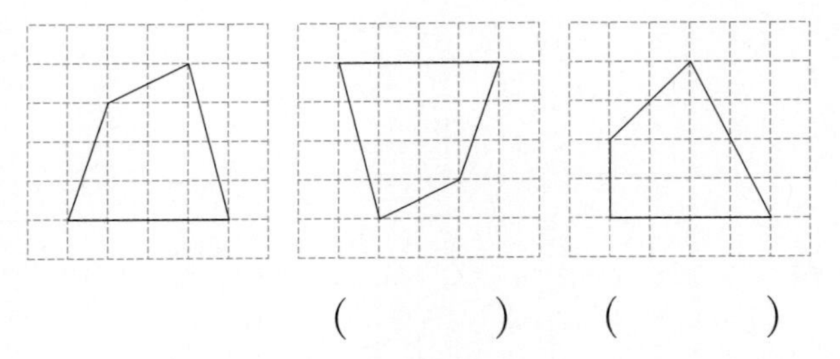

( ) ( )

4

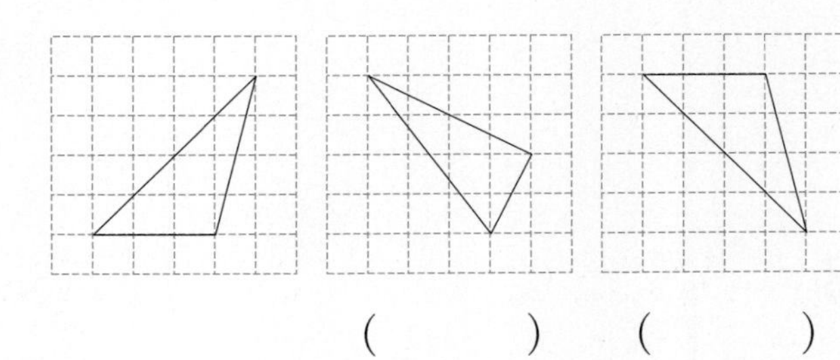

( ) ( )

[5~8] 주어진 도형과 서로 합동인 도형을 그려 보세요.

5

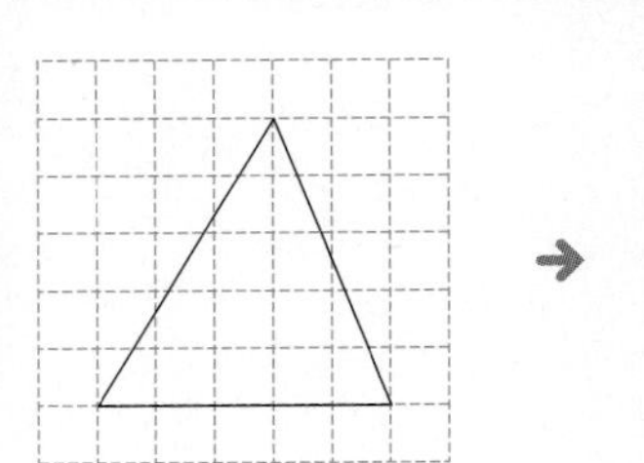

→

6

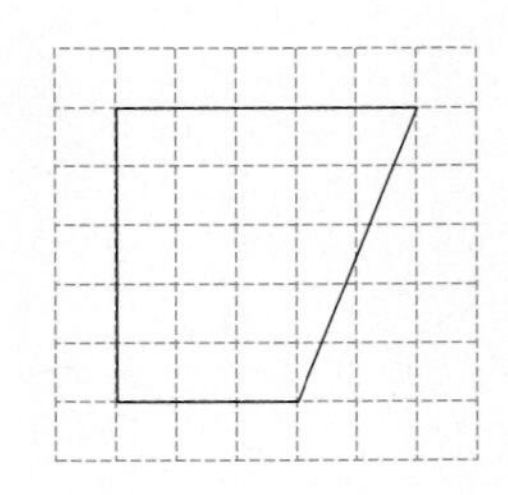

→

7

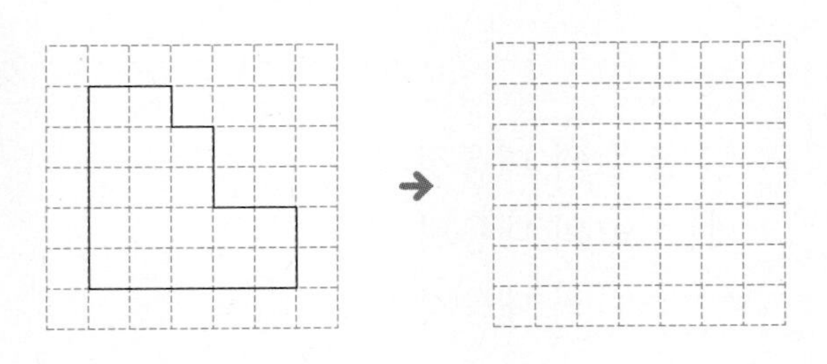

8

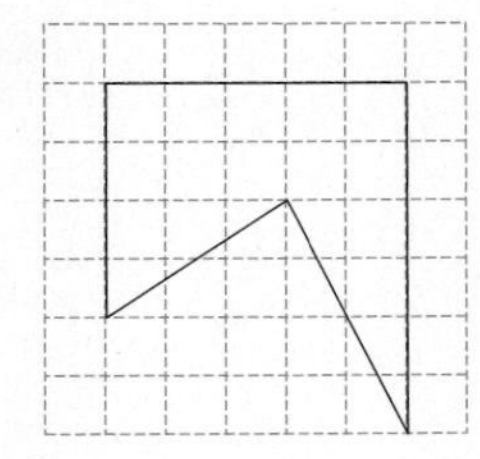

→

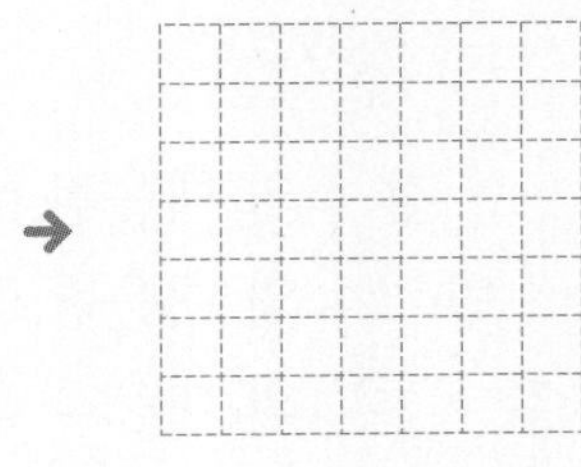

기초력 학습지 14 합동인 도형의 성질

진도북 059쪽

정답 39쪽

[1~6] 두 도형은 서로 합동입니다. 대응점, 대응변, 대응각을 각각 쓰세요.

1

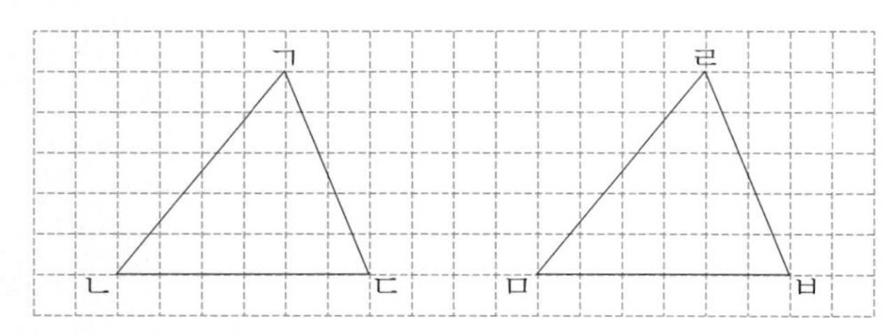

점 ㄱ의 대응점 (　　　　　　　　)

변 ㄴㄷ의 대응변 (　　　　　　　　)

각 ㄱㄴㄷ의 대응각 (　　　　　　　　)

2

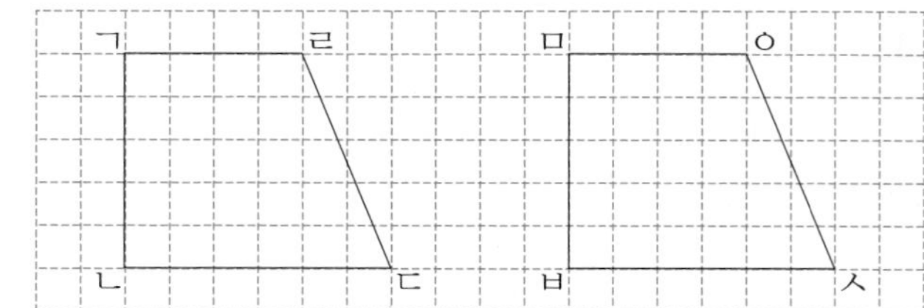

점 ㄷ의 대응점 (　　　　　　　　)

변 ㄱㄹ의 대응변 (　　　　　　　　)

각 ㄴㄷㄹ의 대응각 (　　　　　　　　)

3

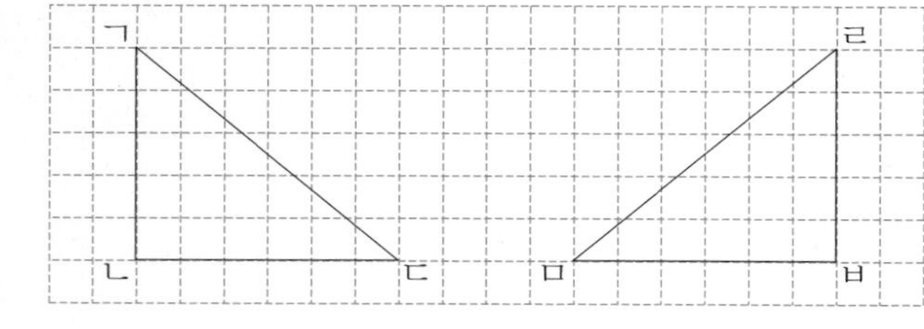

점 ㄴ의 대응점 (　　　　　　　　)

변 ㄱㄷ의 대응변 (　　　　　　　　)

각 ㄴㄱㄷ의 대응각 (　　　　　　　　)

4

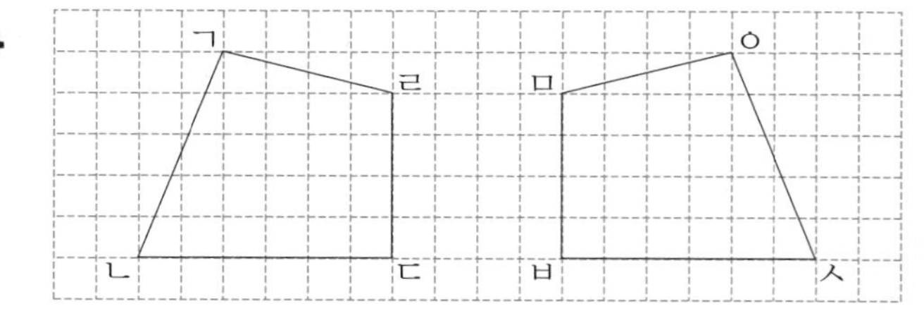

점 ㄴ의 대응점 (　　　　　　　　)

변 ㄱㄴ의 대응변 (　　　　　　　　)

각 ㄱㄹㄷ의 대응각 (　　　　　　　　)

5

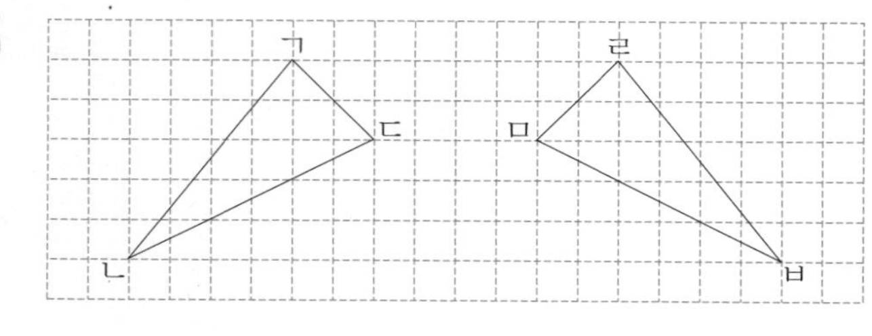

점 ㄷ의 대응점 (　　　　　　　　)

변 ㄱㄴ의 대응변 (　　　　　　　　)

각 ㄴㄷㄱ의 대응각 (　　　　　　　　)

6

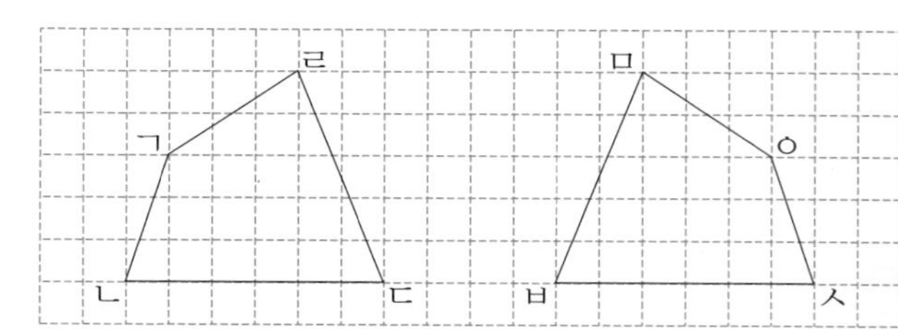

점 ㄱ의 대응점 (　　　　　　　　)

변 ㄷㄹ의 대응변 (　　　　　　　　)

각 ㄱㄴㄷ의 대응각 (　　　　　　　　)

기초력 학습지 15 선대칭도형과 그 성질

진도북 061쪽

● 정답 39쪽

[1~6] 다음 도형은 선대칭도형입니다. 대칭축을 모두 그려 보세요.

1

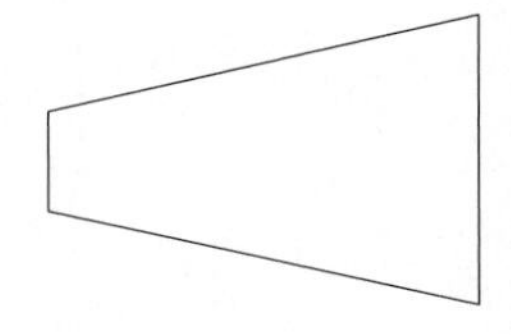

2

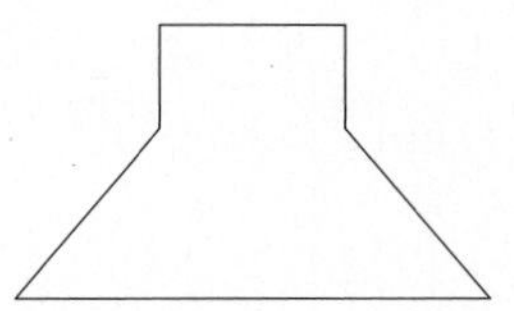

3

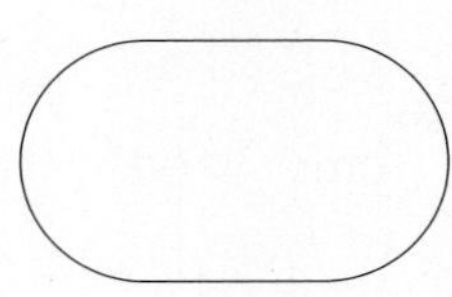

4

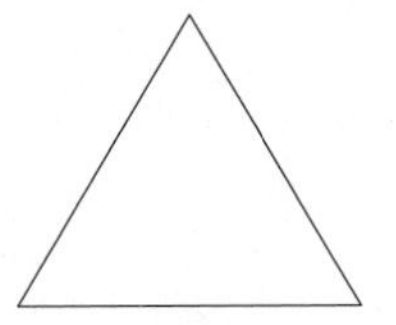

5

6

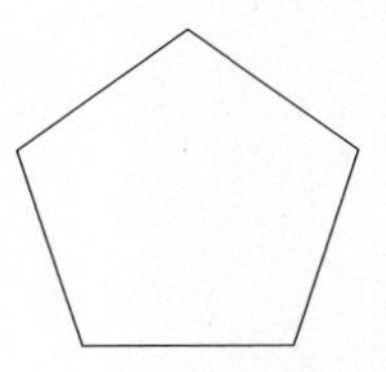

[7~10] 다음 도형은 선대칭도형입니다. 대응점, 대응변, 대응각을 각각 쓰세요.

7

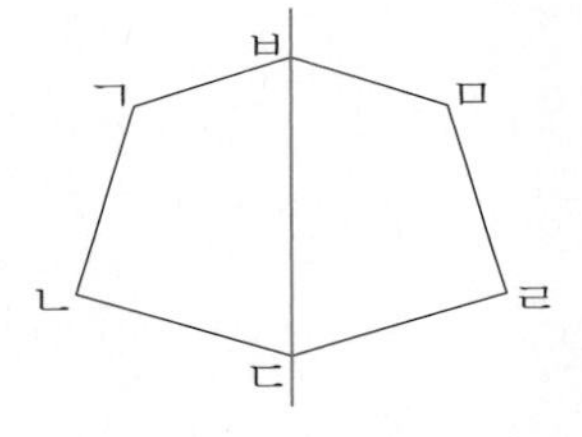

점 ㄴ의 대응점 (　　　　　　　　　)
변 ㄱㄴ의 대응변 (　　　　　　　　　)
각 ㄱㄴㄷ의 대응각 (　　　　　　　　　)

8

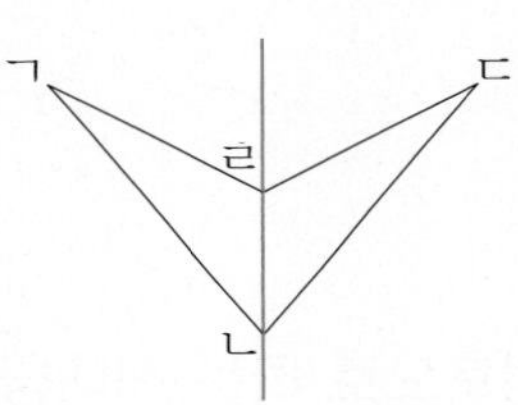

점 ㄱ의 대응점 (　　　　　　　　　)
변 ㄱㄹ의 대응변 (　　　　　　　　　)
각 ㄱㄴㄹ의 대응각 (　　　　　　　　　)

9

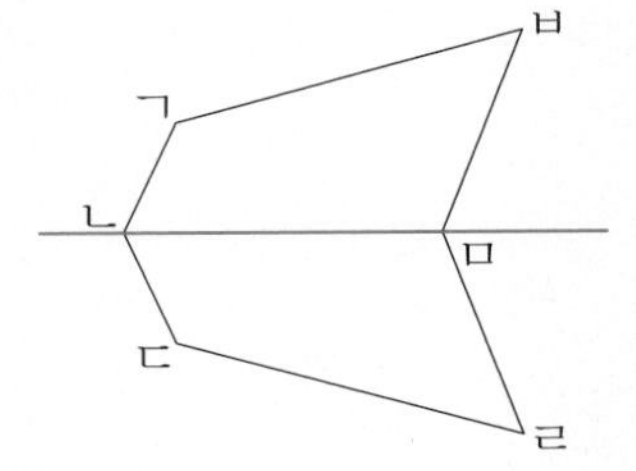

점 ㄱ의 대응점 (　　　　　　　　　)
변 ㄱㅂ의 대응변 (　　　　　　　　　)
각 ㄱㅂㅁ의 대응각 (　　　　　　　　　)

10

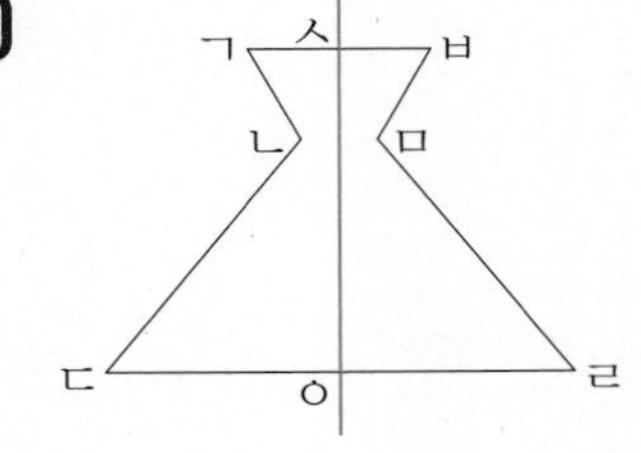

점 ㄷ의 대응점 (　　　　　　　　　)
변 ㄴㄷ의 대응변 (　　　　　　　　　)
각 ㅁㄹㅇ의 대응각 (　　　　　　　　　)

기초력 학습지 16 선대칭도형과 그 성질

진도북 061쪽

정답 39쪽

[1~6] 직선 ㄱㄴ을 대칭축으로 하는 선대칭도형입니다. □ 안에 알맞은 수를 써넣으세요.

1
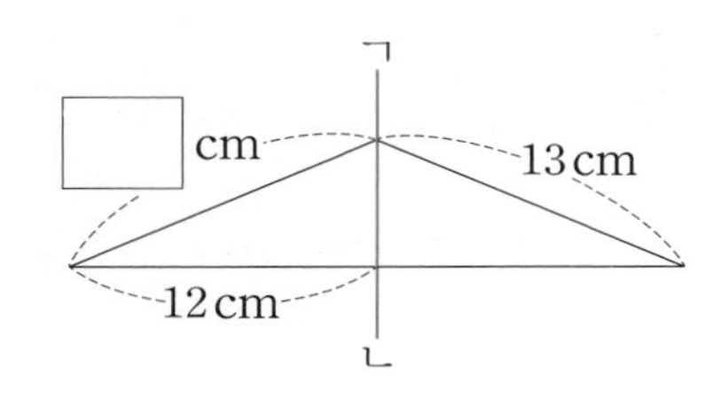

2
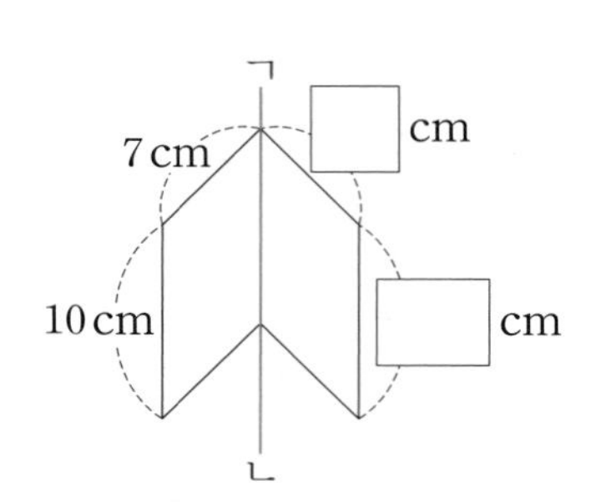

3
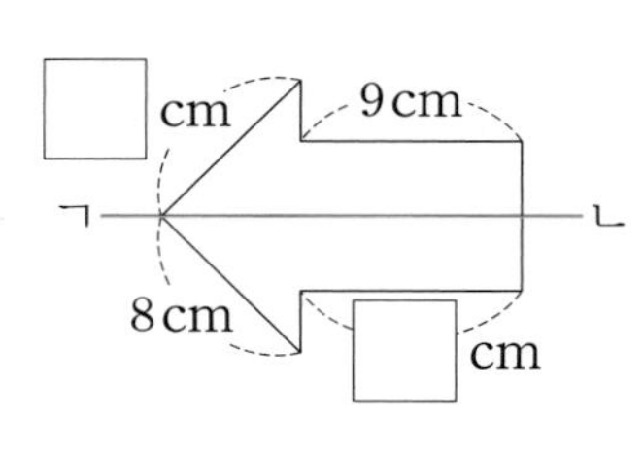

4
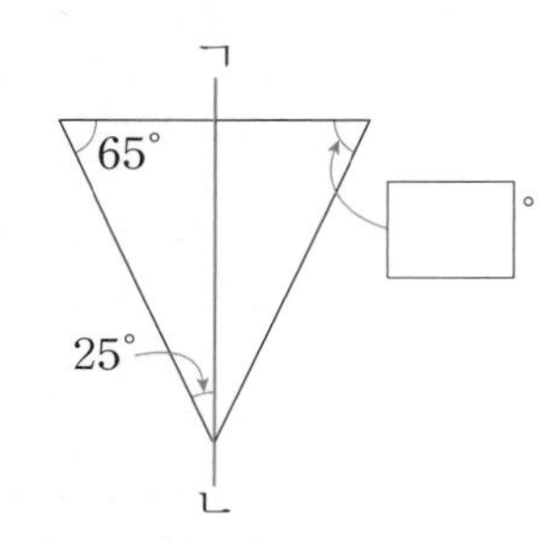

5
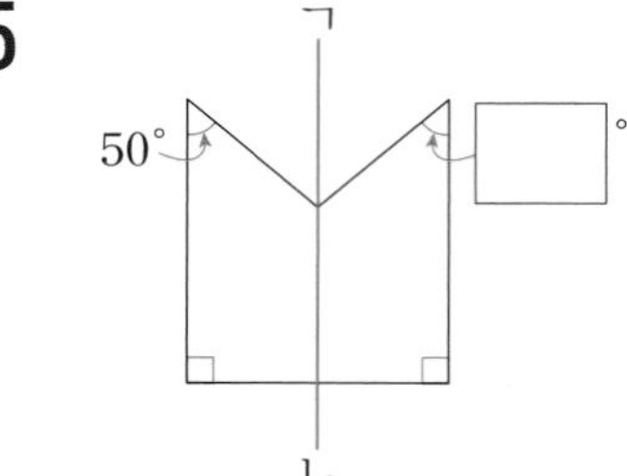

6
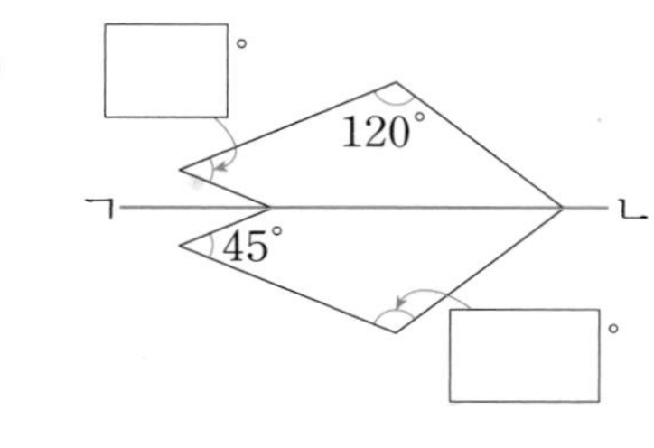

[7~10] 직선 ㄱㄴ을 대칭축으로 하는 선대칭도형이 되도록 그림을 완성해 보세요.

7
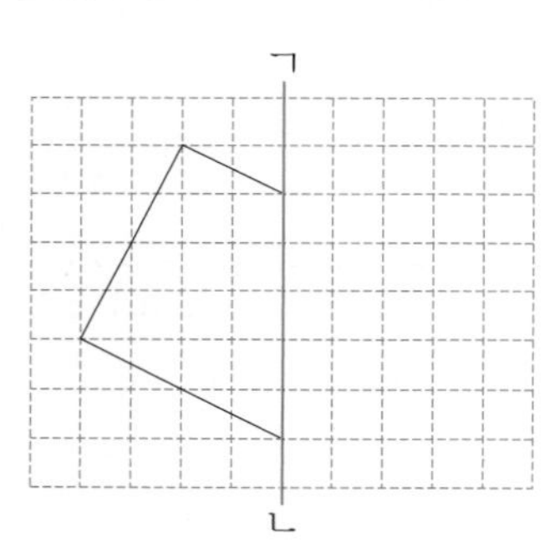

8
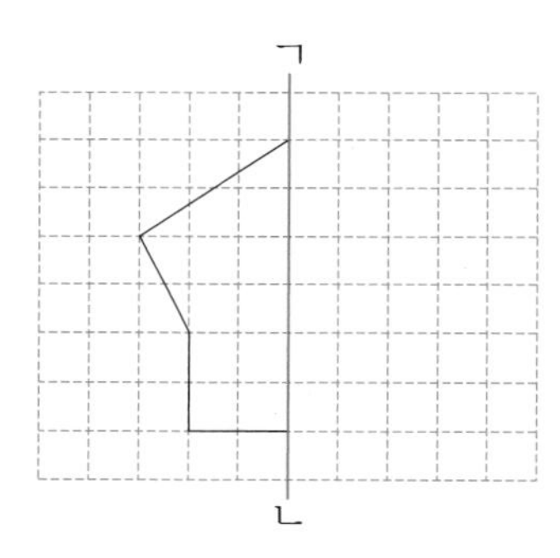

9
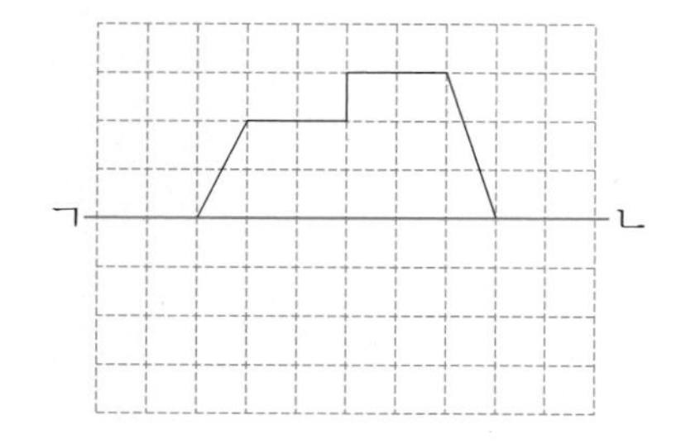

10
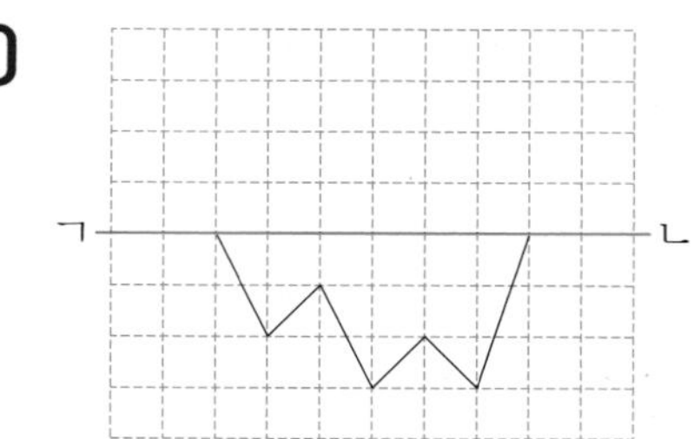

기초력 학습지 17 점대칭도형과 그 성질

진도북 063쪽

정답 40쪽

[1 ~ 6] 다음 도형은 점대칭도형입니다. 대칭의 중심을 찾아 표시해 보세요.

1

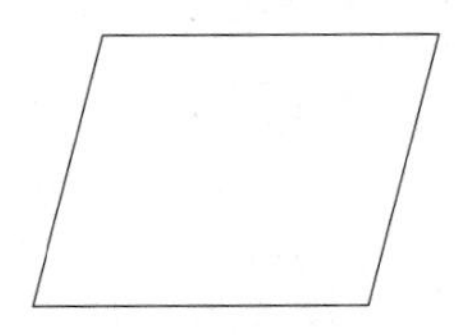

2

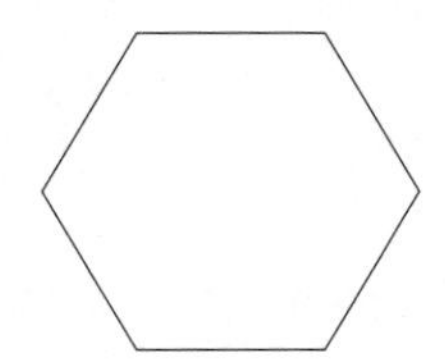

3

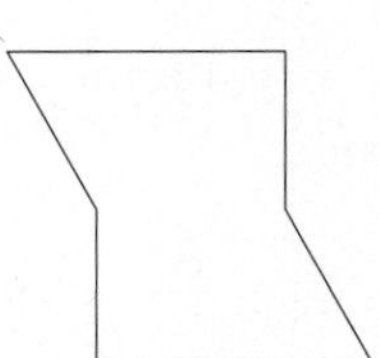

4

5

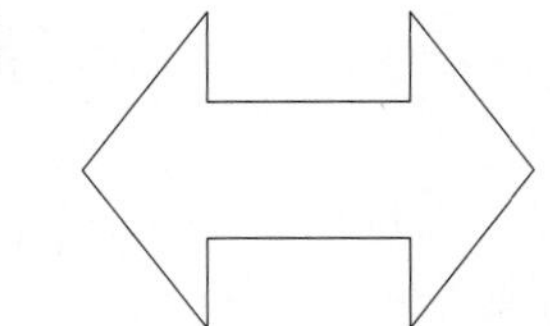

6

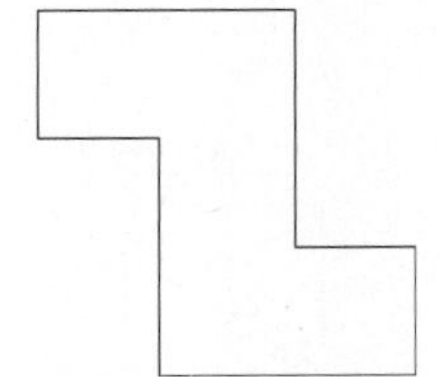

[7 ~ 10] 점 ㅇ을 대칭의 중심으로 하는 점대칭도형입니다. 대응점, 대응변, 대응각을 각각 쓰세요.

7

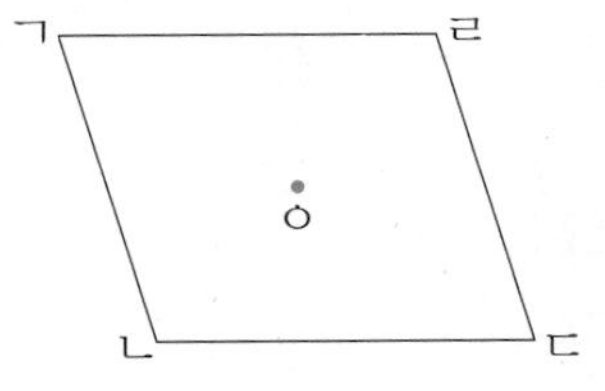

점 ㄱ의 대응점 (　　　　　)

변 ㄴㄷ의 대응변 (　　　　　)

각 ㄴㄱㄹ의 대응각 (　　　　　)

8

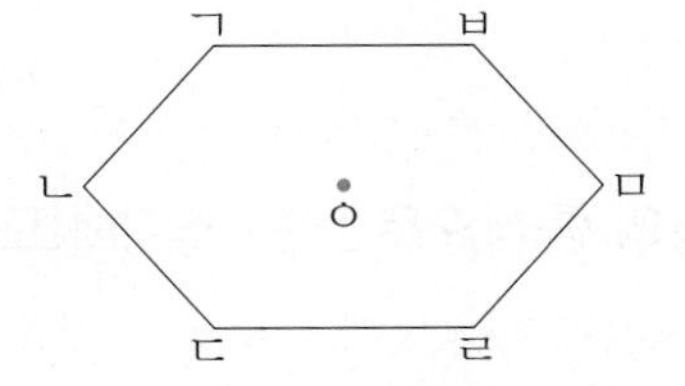

점 ㄷ의 대응점 (　　　　　)

변 ㄱㄴ의 대응변 (　　　　　)

각 ㄴㄷㄹ의 대응각 (　　　　　)

9

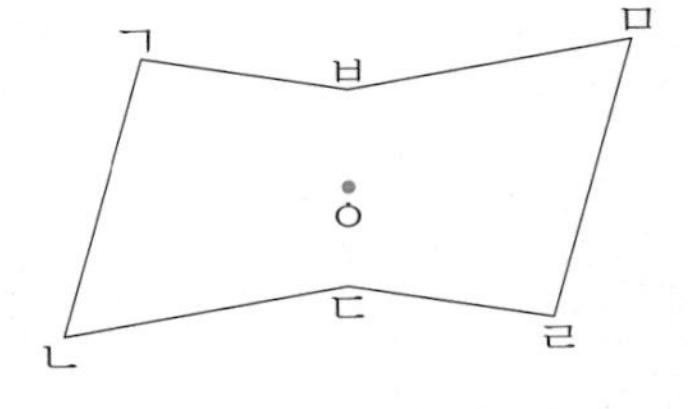

점 ㄴ의 대응점 (　　　　　)

변 ㄱㅂ의 대응변 (　　　　　)

각 ㅂㅁㄹ의 대응각 (　　　　　)

10

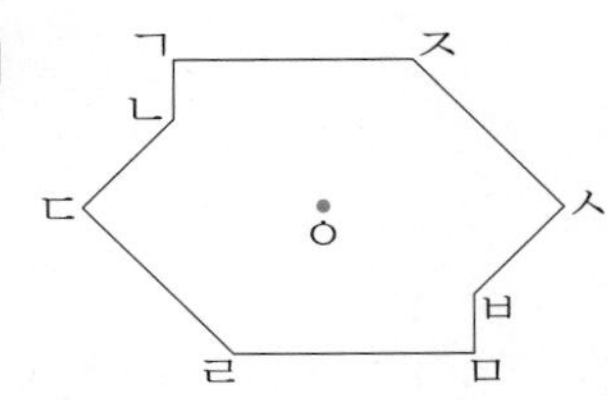

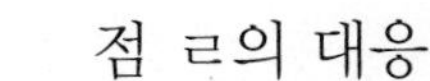

점 ㄹ의 대응점 (　　　　　)

변 ㄹㅁ의 대응변 (　　　　　)

각 ㄴㄱㅈ의 대응각 (　　　　　)

기초력 학습지 18 점대칭도형과 그 성질

진도북 063쪽

● 정답 40쪽

[1~6] 점 ㅇ을 대칭의 중심으로 하는 점대칭도형입니다. □ 안에 알맞은 수를 써넣으세요.

1

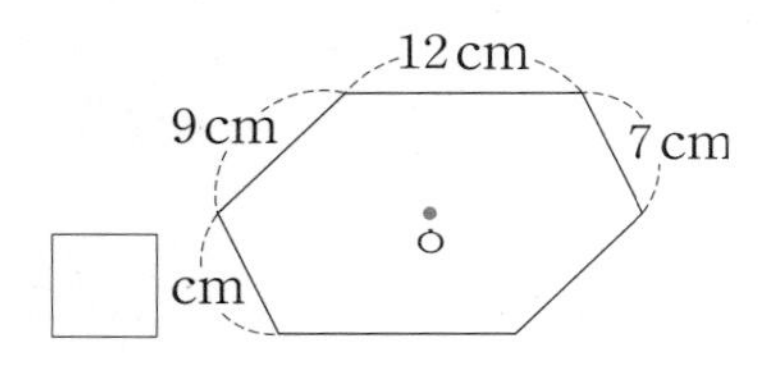

2

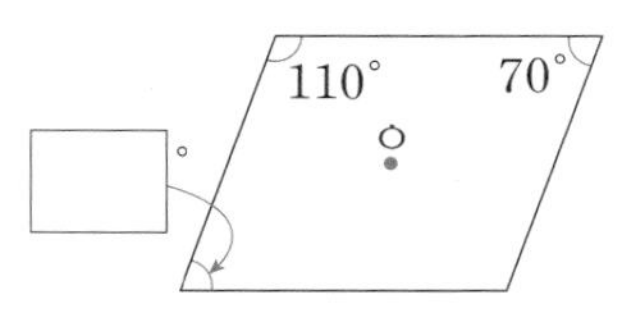

3

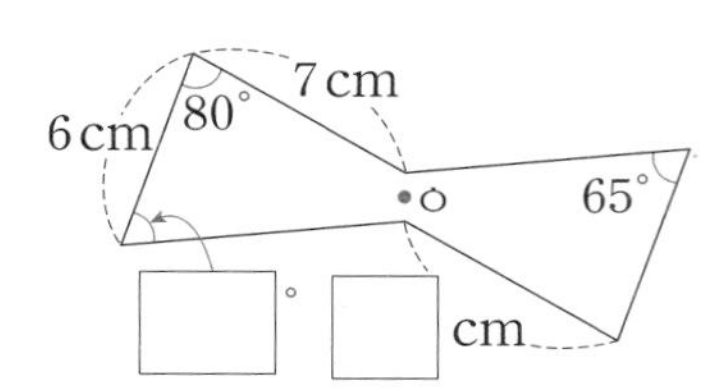

4

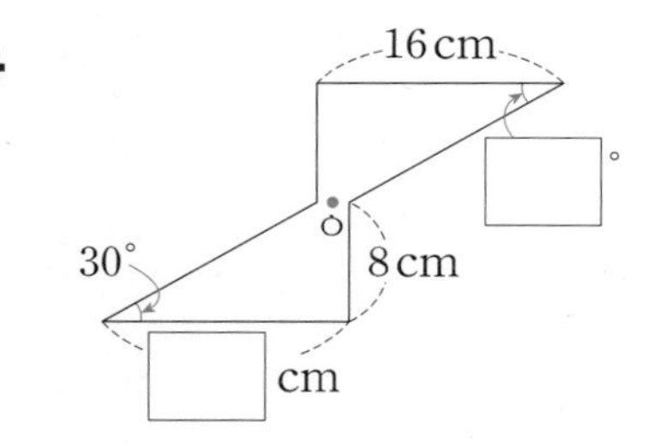

5

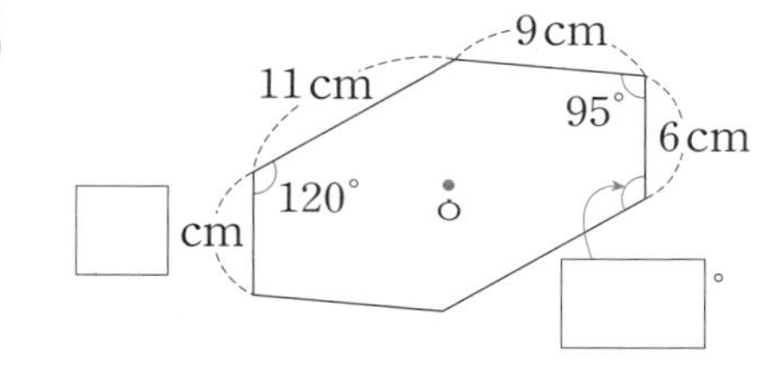

6

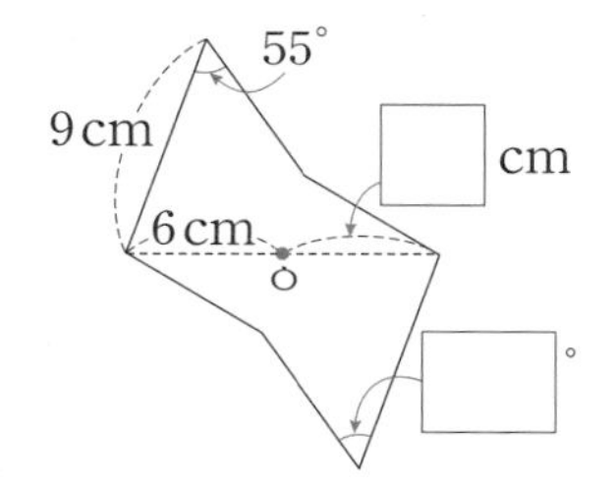

[7~10] 점 ㅇ을 대칭의 중심으로 하는 점대칭도형이 되도록 그림을 완성해 보세요.

7

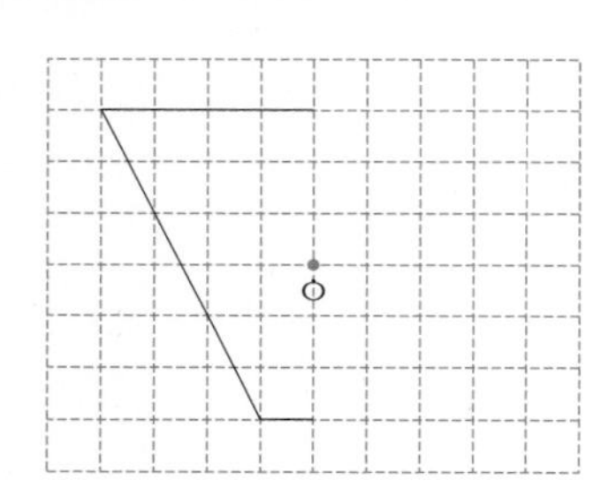

8

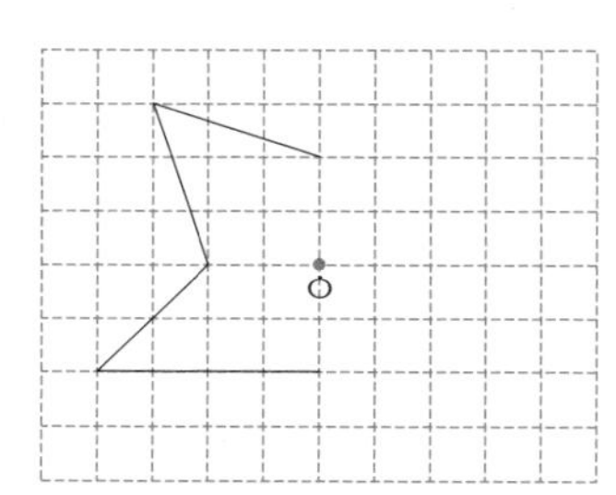

9

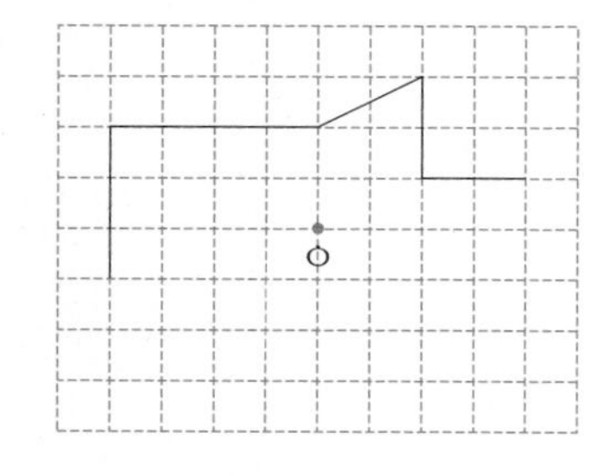

10

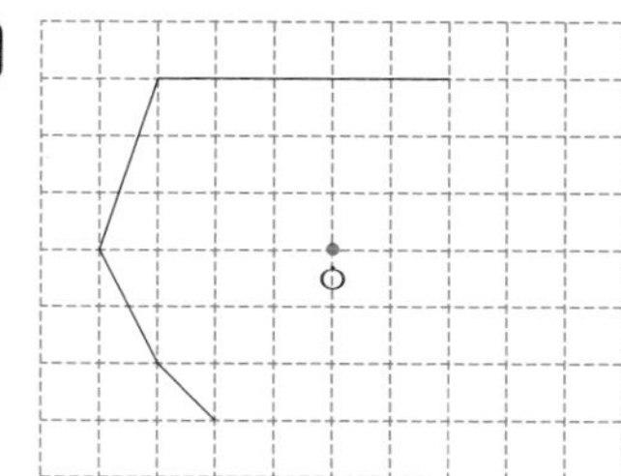

기초력 학습지 19 (1보다 작은 소수)×(자연수)

진도북 081쪽

● 정답 40쪽

[1~6] 계산해 보세요.

1 $\begin{array}{r} 0.2 \\ \times \quad 6 \\ \hline \end{array}$

2 $\begin{array}{r} 0.7 \\ \times \quad 4 \\ \hline \end{array}$

3 $\begin{array}{r} 0.4 \\ \times \quad 9 \\ \hline \end{array}$

4 $\begin{array}{r} 0.32 \\ \times \quad 3 \\ \hline \end{array}$

5 $\begin{array}{r} 0.27 \\ \times \quad 4 \\ \hline \end{array}$

6 $\begin{array}{r} 0.54 \\ \times \quad 7 \\ \hline \end{array}$

[7~18] 계산해 보세요.

7 0.8×3

8 0.5×7

9 0.3×9

10 0.8×6

11 0.9×5

12 0.6×3

13 0.48×6

14 0.63×5

15 0.38×9

16 0.76×2

17 0.35×7

18 0.92×8

기초력 학습지 20 (1보다 큰 소수) × (자연수)

진도북 081쪽

정답 40쪽

[1 ~ 6] 계산해 보세요.

1 $\begin{array}{r} 2.1 \\ \times \quad 4 \\ \hline \end{array}$

2 $\begin{array}{r} 1.6 \\ \times \quad 3 \\ \hline \end{array}$

3 $\begin{array}{r} 4.7 \\ \times \quad 6 \\ \hline \end{array}$

4 $\begin{array}{r} 1.37 \\ \times \quad 2 \\ \hline \end{array}$

5 $\begin{array}{r} 4.23 \\ \times \quad 5 \\ \hline \end{array}$

6 $\begin{array}{r} 2.69 \\ \times \quad 3 \\ \hline \end{array}$

[7 ~ 18] 계산해 보세요.

7 3.7×5

8 7.2×8

9 4.6×9

10 9.7×2

11 6.5×5

12 3.6×7

13 7.18×7

14 5.25×9

15 8.43×4

16 6.38×6

17 5.49×7

18 6.77×5

기초력 학습지 21 (자연수)×(1보다 작은 소수)

진도북 083쪽

정답 40쪽

[1~6] 계산해 보세요.

1
$$\begin{array}{r} 3 \\ \times 0.4 \\ \hline \end{array}$$

2
$$\begin{array}{r} 2 \\ \times 0.9 \\ \hline \end{array}$$

3
$$\begin{array}{r} 7 \\ \times 0.5 \\ \hline \end{array}$$

4
$$\begin{array}{r} 2 \\ \times 0.37 \\ \hline \end{array}$$

5
$$\begin{array}{r} 6 \\ \times 0.85 \\ \hline \end{array}$$

6
$$\begin{array}{r} 3 \\ \times 0.64 \\ \hline \end{array}$$

[7~18] 계산해 보세요.

7 5×0.6

8 9×0.4

9 14×0.8

10 20×0.6

11 34×0.3

12 18×0.7

13 9×0.58

14 8×0.27

15 13×0.06

16 24×0.43

17 32×0.78

18 46×0.34

학습지 4단원

기초력 학습지 22 (자연수)×(1보다 큰 소수)

진도북 083쪽

정답 40쪽

[1~6] 계산해 보세요.

1 $\begin{array}{r} 5 \\ \times 1.9 \\ \hline \end{array}$

2 $\begin{array}{r} 4 \\ \times 2.3 \\ \hline \end{array}$

3 $\begin{array}{r} 6 \\ \times 3.2 \\ \hline \end{array}$

4 $\begin{array}{r} 2 \\ \times 3.08 \\ \hline \end{array}$

5 $\begin{array}{r} 4 \\ \times 1.96 \\ \hline \end{array}$

6 $\begin{array}{r} 7 \\ \times 2.43 \\ \hline \end{array}$

[7~18] 계산해 보세요.

7 9×4.1

8 8×5.4

9 12×4.6

10 21×1.8

11 45×3.9

12 62×2.6

13 6×4.14

14 9×5.36

15 18×3.72

16 40×4.57

17 37×3.03

18 58×1.56

기초력 학습지 23 1보다 작은 소수끼리의 곱셈

진도북 087쪽

정답 41쪽

[1~6] 계산해 보세요.

1 $\begin{array}{r} 0.3 \\ \times 0.6 \\ \hline \end{array}$

2 $\begin{array}{r} 0.7 \\ \times 0.5 \\ \hline \end{array}$

3 $\begin{array}{r} 0.4 \\ \times 0.07 \\ \hline \end{array}$

4 $\begin{array}{r} 0.42 \\ \times \ 0.2 \\ \hline \end{array}$

5 $\begin{array}{r} 0.16 \\ \times 0.05 \\ \hline \end{array}$

6 $\begin{array}{r} 0.25 \\ \times 0.18 \\ \hline \end{array}$

[7~18] 계산해 보세요.

7 0.8×0.2

8 0.5×0.4

9 0.6×0.9

10 0.6×0.58

11 0.9×0.43

12 0.3×0.76

13 0.34×0.7

14 0.51×0.9

15 0.85×0.6

16 0.57×0.72

17 0.83×0.66

18 0.48×0.94

학습지

4 단원

기초력 학습지 24 1보다 큰 소수끼리의 곱셈

진도북 087쪽

정답 41쪽

[1~6] 계산해 보세요.

1
$$\begin{array}{r} 1.4 \\ \times\, 2.6 \\ \hline \end{array}$$

2
$$\begin{array}{r} 3.8 \\ \times\, 4.1 \\ \hline \end{array}$$

3
$$\begin{array}{r} 7.5 \\ \times\, 3.4 \\ \hline \end{array}$$

4
$$\begin{array}{r} 2.48 \\ \times\quad 1.6 \\ \hline \end{array}$$

5
$$\begin{array}{r} 1.02 \\ \times\quad 9.7 \\ \hline \end{array}$$

6
$$\begin{array}{r} 3.05 \\ \times\, 4.26 \\ \hline \end{array}$$

[7~18] 계산해 보세요.

7 4.2×5.8

8 8.3×6.9

9 7.2×2.6

10 1.8×9.6

11 3.9×2.7

12 6.4×4.3

13 12.6×2.5

14 6.24×3.8

15 3.25×4.6

16 5.4×4.36

17 8.3×2.16

18 2.9×5.17

기초력 학습지 25 곱의 소수점 위치

진도북 089쪽

● 정답 41쪽

[1~4] 곱의 소수점의 위치를 생각하여 계산해 보세요.

1 $0.65\times10=$ □

$0.65\times100=$ □

$0.65\times1000=$ □

2 $4.26\times10=$ □

$4.26\times100=$ □

$4.26\times1000=$ □

3 $3720\times0.1=$ □

$3720\times0.01=$ □

$3720\times0.001=$ □

4 $560\times0.1=$ □

$560\times0.01=$ □

$560\times0.001=$ □

[5~8] 보기 를 이용하여 계산해 보세요.

5 보기

$7\times3=21$

$0.7\times0.3=$ □

$0.7\times0.03=$ □

$0.07\times0.03=$ □

6 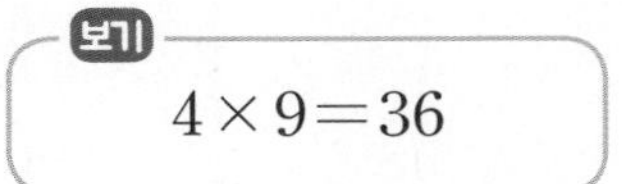

$0.4\times0.9=$ □

$0.04\times0.9=$ □

$0.04\times0.09=$ □

7 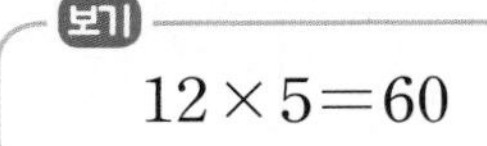

$1.2\times0.5=$ □

$1.2\times0.05=$ □

$0.12\times0.05=$ □

8 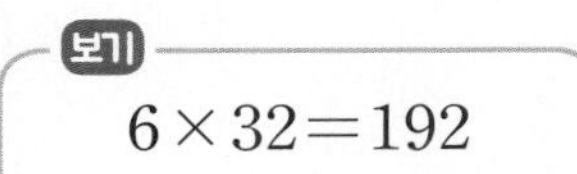

$0.6\times3.2=$ □

$0.06\times3.2=$ □

$0.06\times0.32=$ □

학습지 4 단원

기초력 학습지 26 직육면체의 성질

진도북 109쪽

정답 41쪽

[1~6] 색칠한 면과 평행한 면을 찾아 색칠해 보세요.

1

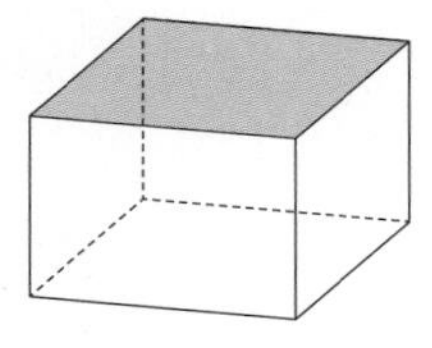

2

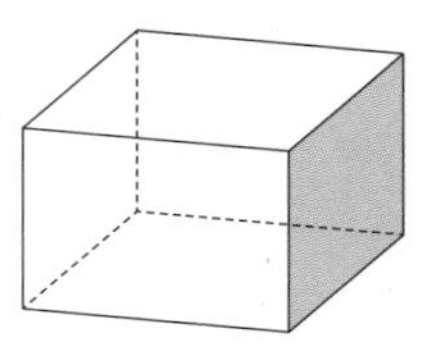

3

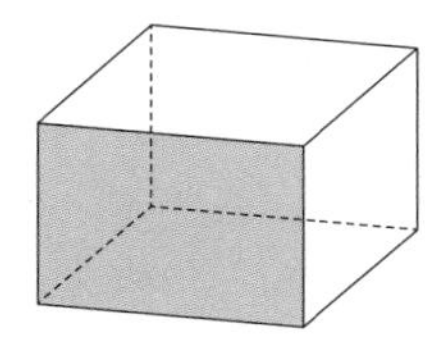

4

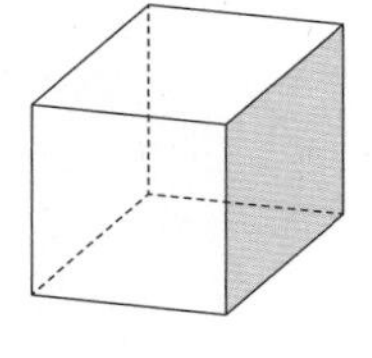

5

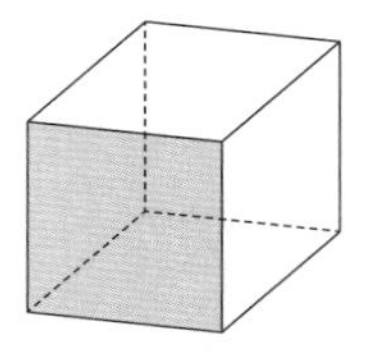

6

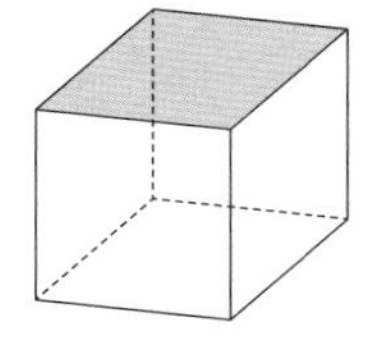

[7~12] 색칠한 면과 수직인 면을 모두 찾아 쓰세요.

7

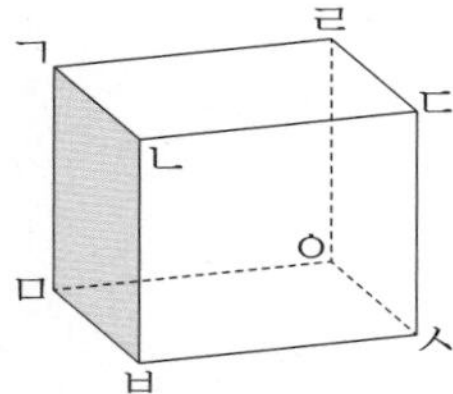

면 (　　　　　　　　)
면 (　　　　　　　　)
면 (　　　　　　　　)
면 (　　　　　　　　)

8

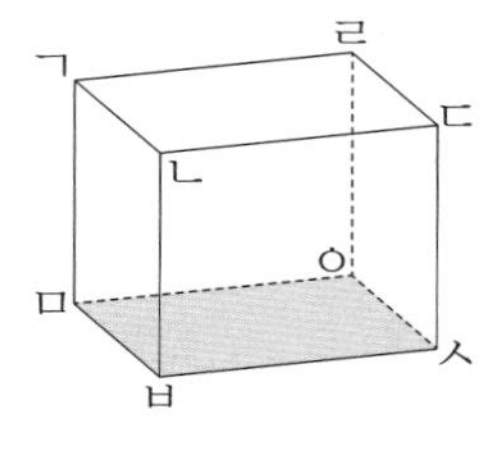

면 (　　　　　　　　)
면 (　　　　　　　　)
면 (　　　　　　　　)
면 (　　　　　　　　)

9

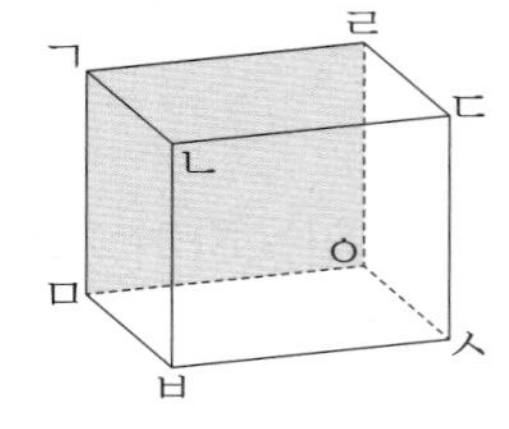

면 (　　　　　　　　)
면 (　　　　　　　　)
면 (　　　　　　　　)
면 (　　　　　　　　)

10

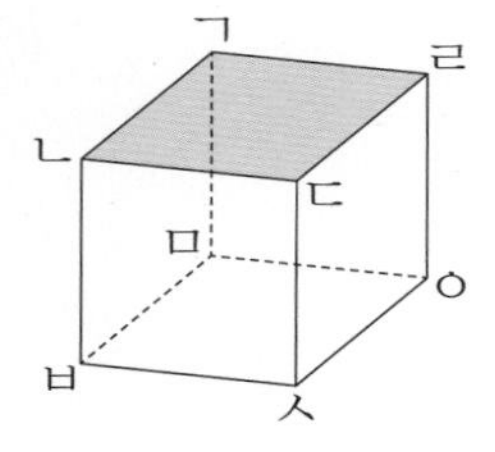

면 (　　　　　　　　)
면 (　　　　　　　　)
면 (　　　　　　　　)
면 (　　　　　　　　)

11

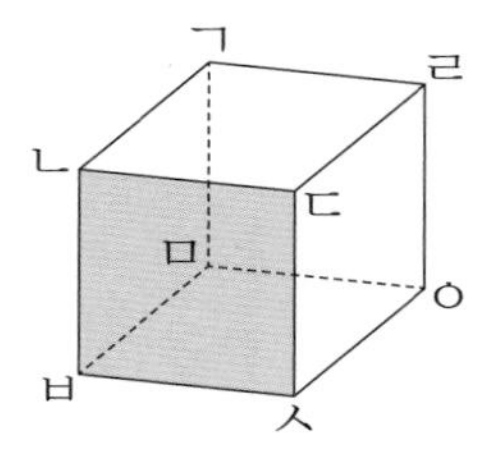

면 (　　　　　　　　)
면 (　　　　　　　　)
면 (　　　　　　　　)
면 (　　　　　　　　)

12

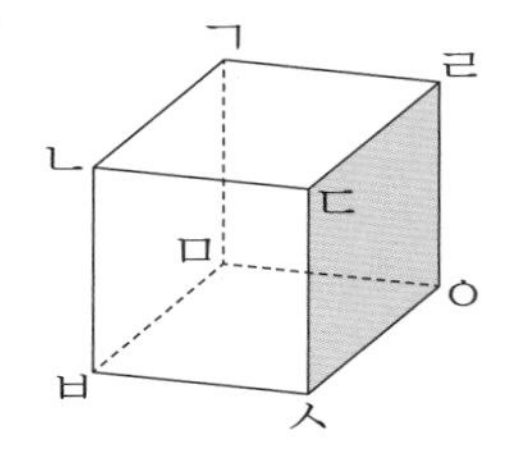

면 (　　　　　　　　)
면 (　　　　　　　　)
면 (　　　　　　　　)
면 (　　　　　　　　)

기초력 학습지 27 정육면체의 전개도

진도북 113쪽

● 정답 41쪽

[1 ~ 4] 전개도를 접어서 정육면체를 만들 수 있으면 ○표, 만들 수 없으면 ×표 하세요.

1
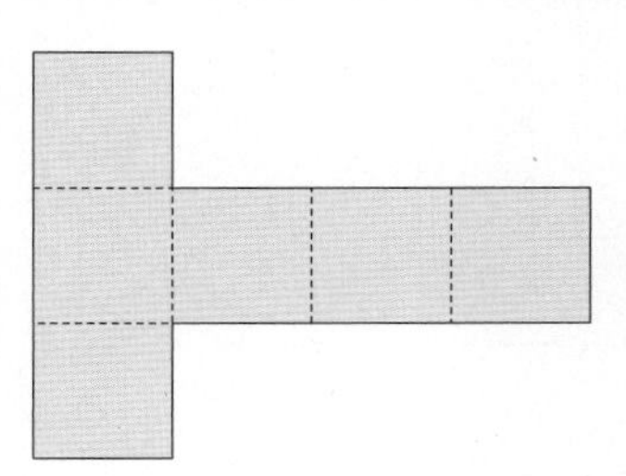
(　　　)

2
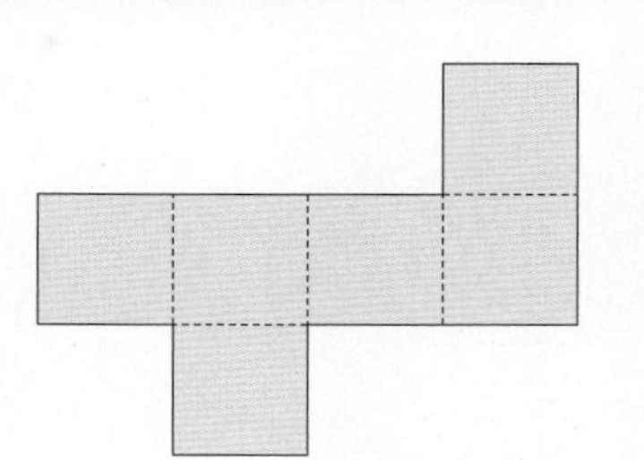
(　　　)

3
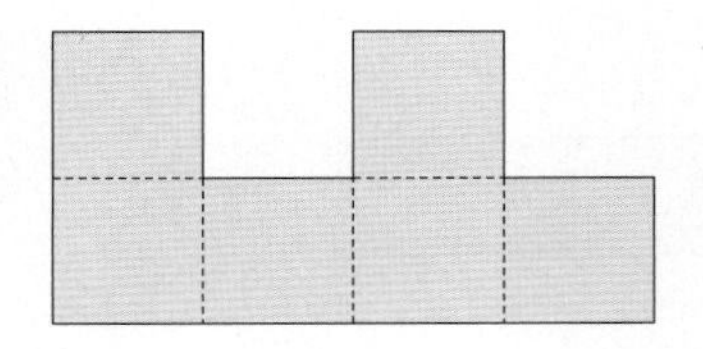
(　　　)

4
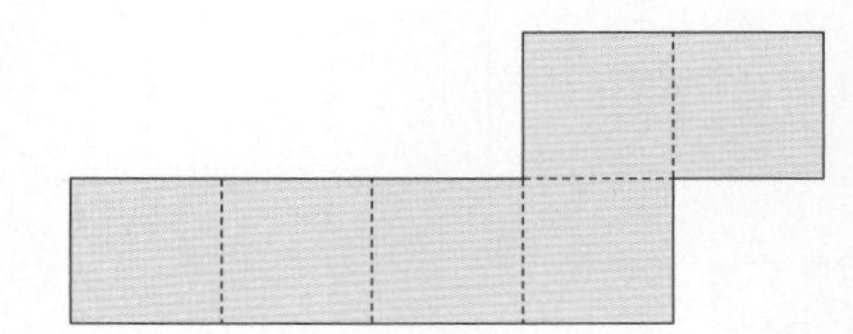
(　　　)

[5 ~ 8] 정육면체의 전개도를 완성해 보세요.

5
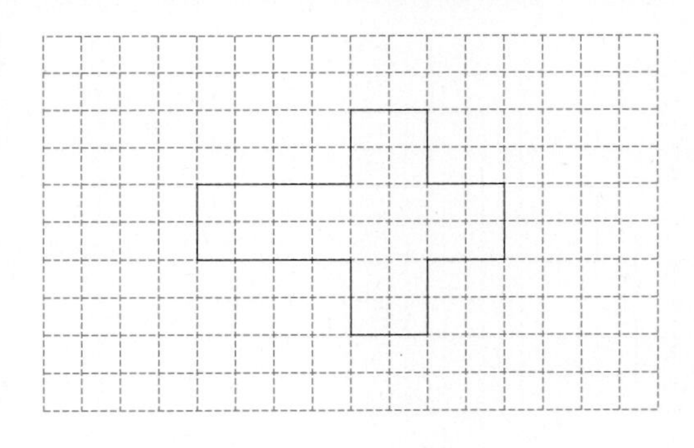

6
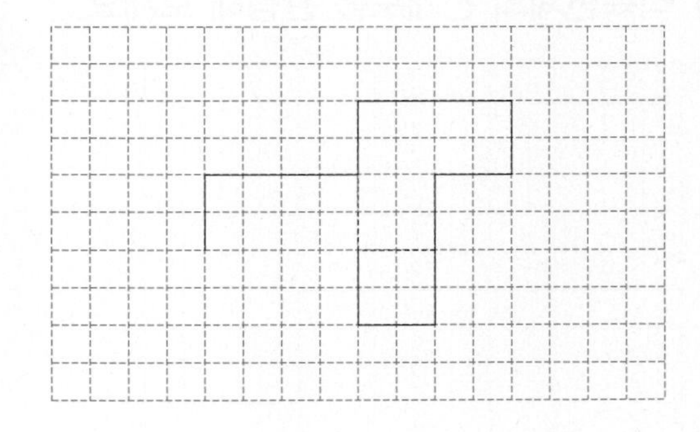

7
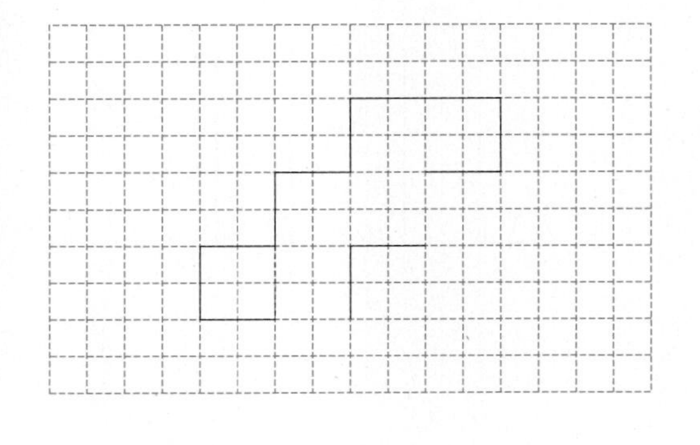

8
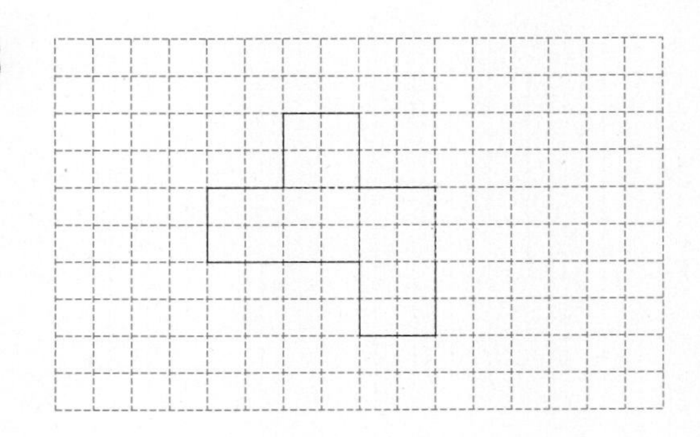

기초력 학습지 28 직육면체의 전개도

진도북 115쪽

정답 42쪽

[1~4] 전개도를 접어서 직육면체를 만들 수 있으면 ○표, 만들 수 없으면 ×표 하세요.

1

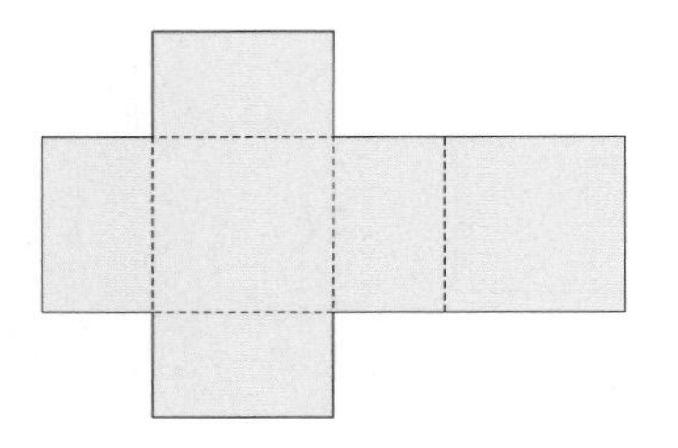

(　　　)

2

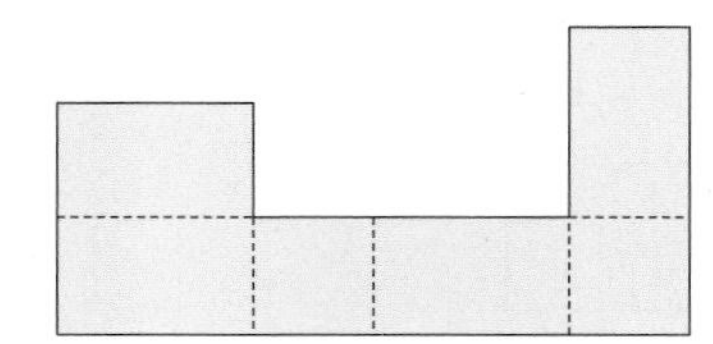

(　　　)

3

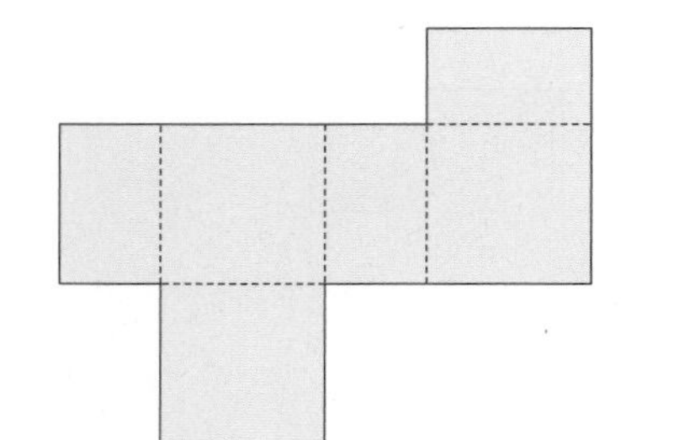

(　　　)

4

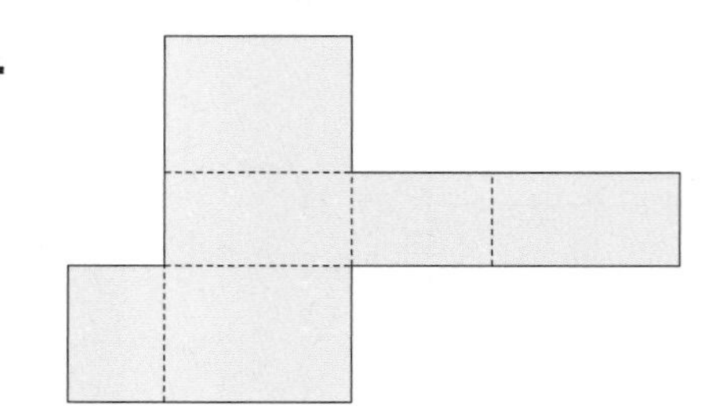

(　　　)

[5~8] 직육면체의 전개도를 완성해 보세요.

5

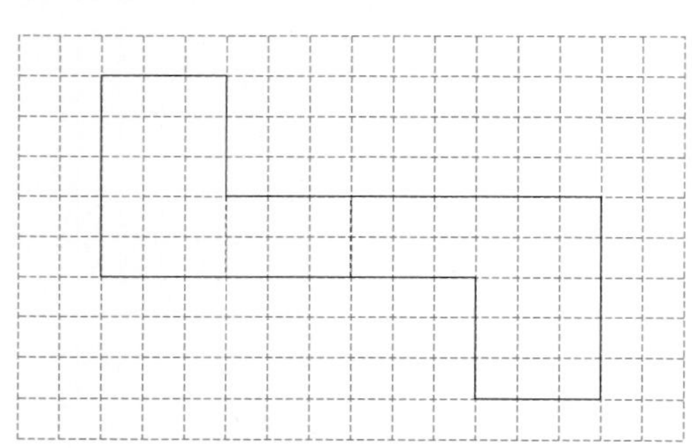

6

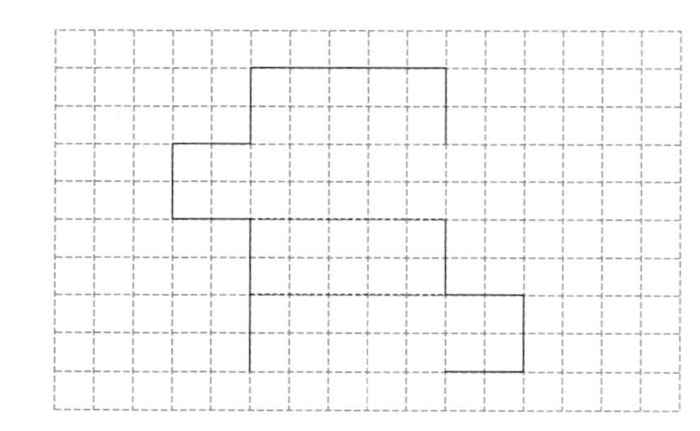

7

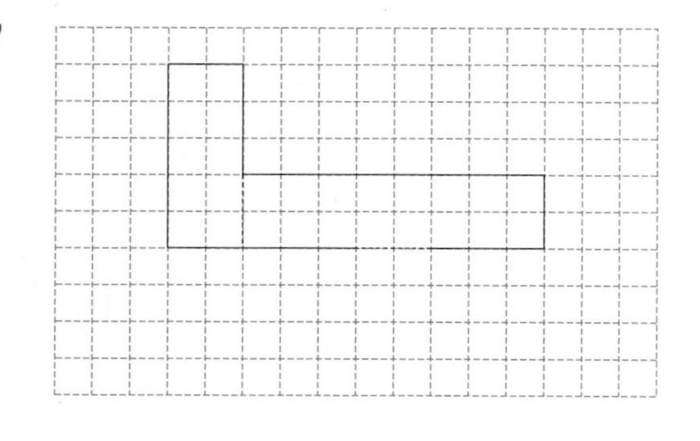

8

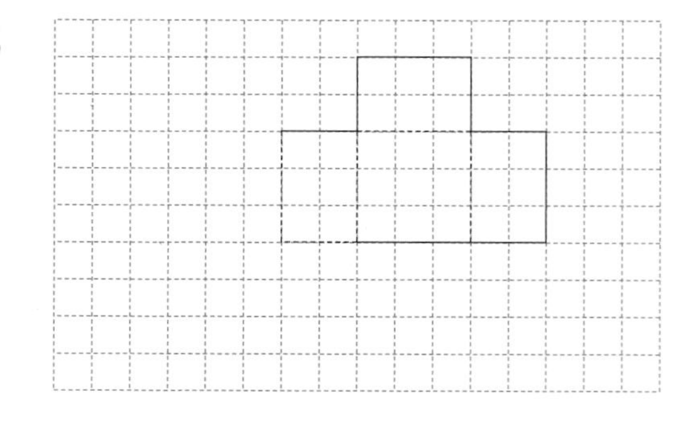

기초력 학습지 29 평균 구하기 / 평균 이용하기

진도북 129쪽, 131쪽

● 정답 42쪽

[1~4] 표를 보고 주어진 자료의 평균을 구하세요.

1

학생 수

반	1반	2반	3반	4반
학생 수(명)	36	32	34	30

(　　　　　　　)

2

몸무게

이름	정아	지수	희준	정현
몸무게(kg)	44	39	41	36

(　　　　　　　)

3

앉은키

이름	현주	진환	윤재	지원	병준
앉은키(cm)	72	73	70	69	76

(　　　　　　　)

4

신문 판매 부수

요일	월	화	수	목	금	토
판매 부수(부)	249	214	252	202	235	198

(　　　　　　　)

[5~8] 주어진 자료의 평균을 보고 빈칸에 알맞은 수를 써넣으세요.

5

학생 수

마을	가람	한솔	별빛
학생 수(명)	52	26	

학생 수의 평균: 47명

6

점수

과목	국어	수학	사회	과학
점수(점)	88		92	94

점수의 평균: 91점

7

읽은 동화책의 쪽수

요일	월	화	수	목	금
쪽수(쪽)		32	35	29	36

읽은 동화책 쪽수의 평균: 34쪽

8

감자 생산량

마을	가	나	다	라
생산량(kg)	420	580		360

감자 생산량의 평균: 580 kg

기초력 학습지 30 일이 일어날 가능성을 수로 표현하기

진도북 137쪽

정답 42쪽

[1~4] 각 회전판을 돌릴 때 화살이 파란색에 멈출 가능성을 ↓로 나타내어 보세요.

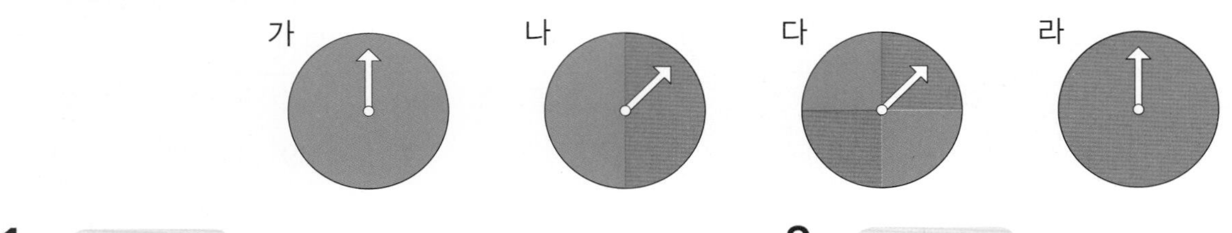

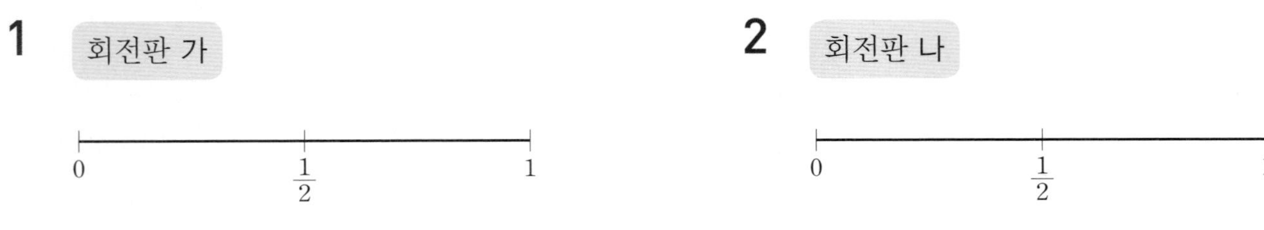

1 회전판 가

0 $\frac{1}{2}$ 1

2 회전판 나

0 $\frac{1}{2}$ 1

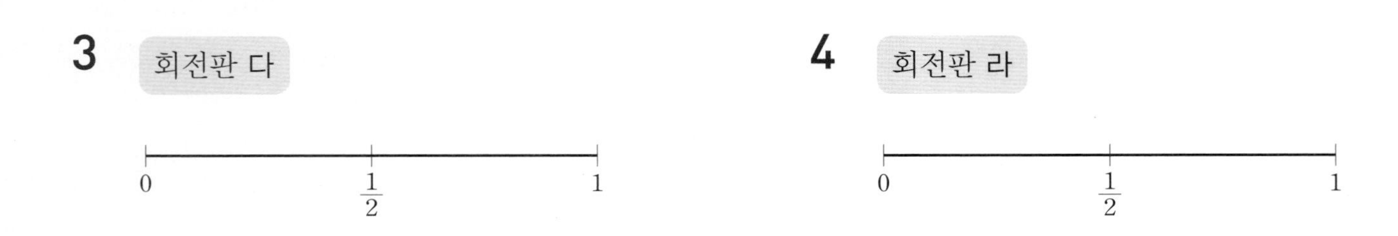

3 회전판 다

0 $\frac{1}{2}$ 1

4 회전판 라

0 $\frac{1}{2}$ 1

[5~8] 다음과 같이 바둑돌이 들어 있는 주머니에서 바둑돌 1개를 꺼낼 때, 꺼낸 바둑돌이 흰색일 가능성을 수로 표현해 보세요.

5 (   )

6 (   )

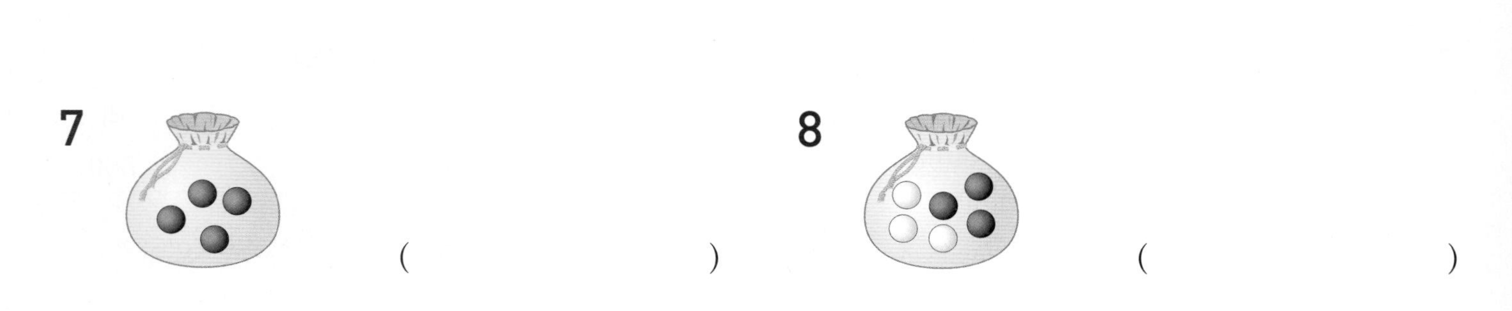

7 (   )

8 (   )

미리 보는 수학 익힘 이상과 이하

진도북 024쪽

● 정답 43쪽

1 희수네 반 학생들의 키를 조사하여 나타낸 표입니다. 물음에 답하세요.

희수네 반 학생들의 키

이름	희수	정윤	재영	지원	영민
키(cm)	143.0	140.6	145.2	157.0	138.5

(1) 키가 143 cm와 같거나 큰 학생의 이름을 모두 쓰세요.

( )

(2) 키가 143 cm 이상인 학생의 키를 모두 쓰세요.

( )

2 성준이네 반 학생들의 몸무게를 조사하여 나타낸 표입니다. 몸무게가 46 kg 이하인 학생의 몸무게를 모두 쓰세요.

성준이네 반 학생들의 몸무게

이름	성준	민아	정훈	소희	현아
몸무게(kg)	46.0	51.3	48.5	45.7	43.9

( )

3 16 이상인 수에 ○표, 16 이하인 수에 △표 하세요.

14 15 16 17 18 19

4 수의 범위를 수직선에 나타내어 보세요.

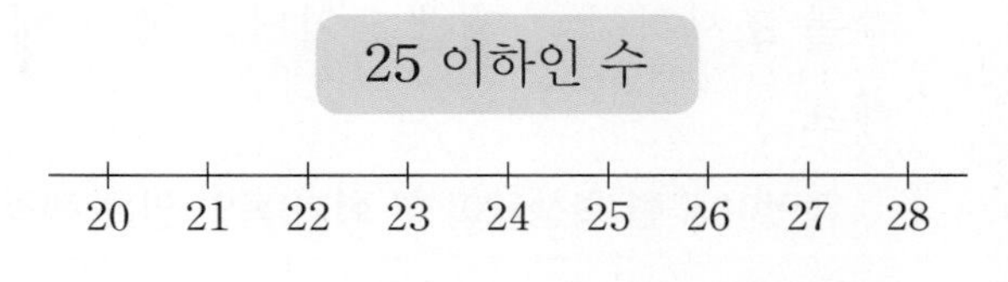

5 우리나라에서 투표할 수 있는 나이는 만 18세 이상입니다. 우리 가족 중에서 투표할 수 있는 사람을 모두 쓰세요.

우리 가족의 만 나이

가족	동생	나	삼촌	누나
만 나이(세)	15	17	35	18

( )

6 놀이공원에 있는 어떤 놀이 기구의 탑승 기준입니다. 이 놀이 기구를 탈 수 있는 학생의 이름을 모두 쓰세요.

이름	태경	은재	선영	근희	민성
키(cm)	138.2	139.3	141.5	150.4	140.0

( )

미리 보는 수학 익힘 초과와 미만

진도북 024쪽

정답 43쪽

1 경민이네 반 학생들이 한 학기 동안 읽은 책의 수를 조사하여 나타낸 표입니다. 물음에 답하세요.

경민이네 반 학생들이 한 학기 동안 읽은 책의 수

이름	경민	연수	준기	지훈	혜정
책의 수(권)	32	37	28	34	30

(1) 한 학기 동안 읽은 책이 32권보다 많은 학생의 이름을 모두 쓰세요.

( )

(2) 한 학기 동안 읽은 책이 32권 초과인 학생이 읽은 책의 수를 모두 쓰세요.

( )

2 수지네 반 학생들이 2분 동안 넘은 줄넘기 횟수를 조사하여 나타낸 표입니다. 줄넘기 횟수가 115회 미만인 학생의 줄넘기 횟수를 모두 쓰세요.

수지네 반 학생들의 줄넘기 횟수

이름	수지	승재	민호	준희	나은
횟수(회)	115	126	97	132	108

( )

3 17 초과인 수에 ○표, 17 미만인 수에 △표 하세요.

15 16 17 18 19 20

4 수의 범위를 수직선에 나타내어 보세요.

46 초과인 수

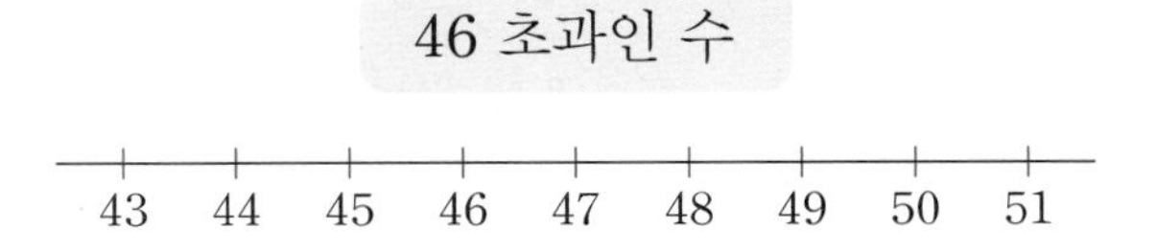

5 현장 체험 학습을 가기 위해 학년별로 버스를 타려고 합니다. 버스 한 대의 정원은 45명입니다. 학생 수가 정원을 초과한 학년을 모두 찾아 쓰세요.

학년	1학년	2학년	3학년
학생 수(명)	51	42	39
학년	4학년	5학년	6학년
학생 수(명)	45	40	47

( )

6 통과 제한 높이가 3 m인 도로가 있습니다. 도로를 통과할 수 있는 자동차를 모두 찾아 기호를 쓰세요.

3 m 미만 통과 가능

자동차	㉠	㉡	㉢	㉣	㉤
높이(cm)	310	300	285	305	250

( )

미리 보는 수학 익힘 수의 범위 활용하기

진도북 024쪽

정답 43쪽

1 43 이상 46 미만인 수에 ○표 하세요.

42　43　44　45　46　47

2 윤성이네 학교 남자 태권도 선수들의 몸무게와 체급별 몸무게를 나타낸 표입니다. 물음에 답하세요.

윤성이네 학교 남자 태권도 선수들의 몸무게

이름	윤성	지호	경훈	성재	민석
몸무게(kg)	35.8	34.2	34.0	36.0	33.5

체급별 몸무게(초등학교 남학생용)

체급	몸무게(kg)
핀급	32 이하
플라이급	32 초과 34 이하
밴텀급	34 초과 36 이하
페더급	36 초과 39 이하
라이트급	39 초과

(출처: 초등부 고학년부(5, 6학년) 남자, 대한 태권도 협회, 2019.)

(1) 윤성이와 같은 체급에 속한 학생의 몸무게를 모두 쓰세요.

(　　　　　　)

(2) 경훈이가 속한 체급의 몸무게 범위를 수직선에 나타내어 보세요.

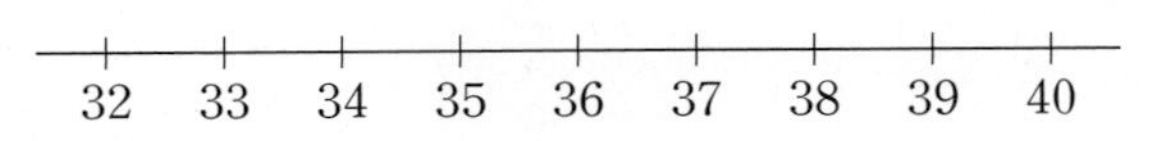

3 다음 설명이 옳으면 ○표, 틀리면 ×표 하세요.

(1) 83은 83 초과인 수에 포함됩니다.
(　　　　)

(2) 45는 45 이하인 수에 포함됩니다.
(　　　　)

(3) 35, 36, 37 중에서 36 이상인 수는 37뿐입니다. (　　　　)

(4) 23, 24, 25 중에서 24 미만인 수는 23뿐입니다. (　　　　)

4 64를 포함하는 수의 범위를 찾아 기호를 쓰세요.

㉠ 64 초과 68 이하인 수
㉡ 63 초과 67 미만인 수
㉢ 61 이상 63 이하인 수

(　　　　　　)

5 수의 범위를 수직선에 나타내어 보세요.

31 이상 35 미만인 수

30　31　32　33　34　35　36　37　38

미리 보는 수학 익힘 올림

진도북 025쪽

● 정답 44쪽

1 올림하여 주어진 자리까지 나타내어 보세요.

수	십의 자리	백의 자리
318		
924		

2 소수를 올림해 보세요.

(1) 2.31을 올림하여 소수 첫째 자리까지 나타내면 얼마인지 쓰세요.

( )

(2) 3.756을 올림하여 소수 둘째 자리까지 나타내면 얼마인지 쓰세요.

( )

3 어림한 후, 어림한 수의 크기를 비교하여 ○ 안에 >, =, <를 알맞게 써넣으세요.

1138을 올림하여 백의 자리까지 나타낸 수 → □ ○ 1221을 올림하여 십의 자리까지 나타낸 수 → □

4 병우의 여행 가방 비밀번호를 올림하여 백의 자리까지 나타내면 2500입니다. 병우의 여행 가방 비밀번호를 구하세요.

병우: 내 여행 가방의 비밀번호는 □□28이야.

( )

5 1733을 올림하여 천의 자리까지 나타낸 수와 올림하여 십의 자리까지 나타낸 수의 차를 구하려고 합니다. □ 안에 알맞은 수를 써넣으세요.

1733을 올림하여 천의 자리까지 나타내면 □이고, 1733을 올림하여 십의 자리까지 나타내면 □입니다.
따라서 어림한 두 수의 차는
□ − □ = □ 입니다.

6 올림하여 백의 자리까지 나타낸 수가 가장 큰 수를 찾아 쓰세요.

8700　　8650　　8703

( )

미리 보는 수학 익힘 버림

진도북 025쪽

정답 44쪽

1 버림하여 주어진 자리까지 나타내어 보세요.

수	십의 자리	백의 자리
531		
675		

2 3.189를 버림하여 소수 첫째 자리까지 나타내면 얼마인지 쓰세요.

( )

3 어림한 후, 어림한 수의 크기를 비교하여 ○ 안에 >, =, <를 알맞게 써넣으세요.

(1) 358을 버림하여 백의 자리까지 나타낸 수 → □ ○ 316을 버림하여 십의 자리까지 나타낸 수 → □

(2) 1705를 버림하여 십의 자리까지 나타낸 수 → □ ○ 1795를 버림하여 백의 자리까지 나타낸 수 → □

4 혜준이와 친구들이 수를 버림하여 백의 자리까지 나타낸 것입니다. 바르게 나타낸 학생은 누구인가요?

혜준: 258 → 308
재민: 9940 → 9900
지연: 86492 → 86500

( )

5 버림하여 백의 자리까지 나타내면 3600이 되는 자연수 중에서 가장 큰 수를 쓰세요.

( )

6 은지가 처음에 생각한 자연수는 무엇인지 구하려고 합니다. □ 안에 알맞은 수를 써넣으세요.

네가 생각한 자연수에 8을 곱해서 나온 수를 버림하여 십의 자리까지 나타내 봐. 얼마야?
70이야.
재호
은지

버림하여 70이 되는 자연수인 □부터 □까지의 수 중에서 8의 배수는 □입니다.
은지가 처음에 생각한 자연수를 ■라고 하면 ■×8=□이므로 ■=□입니다.

미리 보는 수학 익힘 반올림

진도북 025쪽

정답 45쪽

1 반올림하여 주어진 자리까지 나타내어 보세요.

수	4725
십의 자리	
백의 자리	
천의 자리	

2 머리핀의 길이는 몇 cm인지 반올림하여 일의 자리까지 나타내어 보세요.

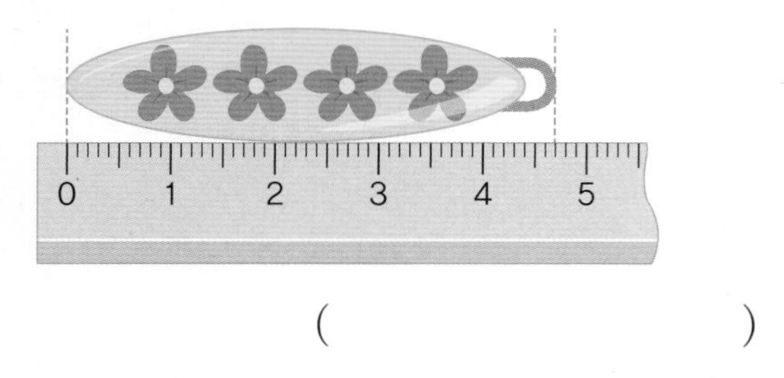

( )

3 3일 동안 야구장에 입장한 관람객의 수입니다. 입장한 관람객의 수를 반올림하여 천의 자리까지 나타내어 보세요.

1일 차 27385명 ➔ □명

2일 차 28547명 ➔ □명

3일 차 31869명 ➔ □명

4 □ 안에 들어갈 수 있는 일의 자리 수를 모두 구하세요.

526□

이 수를 반올림하여 십의 자리까지 나타내면 5260이에요.

희진

( )

5 수 카드 4장을 한 번씩만 사용하여 만든 가장 작은 네 자리 수를 반올림하여 백의 자리까지 나타내어 보세요.

5 2 7 3

( )

6 어떤 수를 반올림하여 십의 자리까지 나타내었더니 230이 되었습니다. □ 안에 알맞은 수를 써넣고, 어떤 수가 될 수 있는 수의 범위를 수직선에 나타내어 보세요.

반올림하여 십의 자리까지 나타내었을 때 230이 되는 수는 □와 같거나 크고 □보다 작은 수입니다.

220 230 240

미리 보는 수학 익힘 올림, 버림, 반올림 활용하기

진도북 026쪽

정답 45쪽

1 사과 382상자를 트럭에 모두 실으려고 합니다. 트럭 한 대에 100상자씩 실을 수 있을 때 트럭은 최소 몇 대 필요한가요?

( )

2 준혁이는 서점에서 38500원짜리 백과사전을 한 권 샀습니다. 1000원짜리 지폐로만 책값을 낸다면 최소 얼마를 내야 하나요?

( )

3 공장에서 공책을 1725권 만들었습니다. 한 상자에 10권씩 담아서 판다면 공책은 최대 몇 상자까지 팔 수 있나요?

( )

4 승훈이네 모둠 친구들의 키를 나타낸 표입니다. 각 학생들의 키를 반올림하여 일의 자리까지 나타내어 보세요.

승훈이네 모둠 친구들의 키

이름	승훈	연경	지예
키(cm)	149.7	150.3	145.5
반올림한 키(cm)			

5 어림하는 방법이 다른 한 친구를 찾아 이름을 쓰세요.

승기: 7.2 kg인 무게를 1 kg 단위로 가까운 쪽의 눈금을 읽으면 몇 kg일까?
태희: 동전 5670원을 1000원짜리 지폐로 바꾼다면 얼마까지 바꿀 수 있을까?
준석: 풀 76개를 10개씩 상자에 담아 포장하면 몇 개까지 포장할 수 있을까?

( )

6 두 가지 물건을 사는 데 필요한 돈을 어림했습니다. 물음에 답하세요.

보드게임
: 13900원
: 8400원

지현
나는 13000, 8000으로 어림했어. 21000원이면 살 수 있을 것 같아.
영석
나는 14000, 8000으로 어림했어. 22000원으로 사 봐야지.
병우
나는 14000, 9000으로 어림했어. 23000원이면 충분해.

(1) 어림한 방법은 각각 무엇인지 쓰세요.

이름	지현	영석	병우
어림 방법			

(2) 두 가지 물건을 사는 데 누구의 어림 방법이 가장 적절한가요?

( )

미리 보는 수학 익힘 (분수)×(자연수)

진도북 047쪽

● 정답 45쪽

1 여러 가지 방법으로 계산한 것입니다. □ 안에 알맞은 수를 써넣으세요.

방법 1 $\frac{3}{14}\times 7=\frac{3\times 7}{14}=\frac{\overset{\square}{\cancel{21}}}{\underset{\square}{\cancel{14}}}$

$=\frac{\square}{\square}=\square\frac{\square}{\square}$

방법 2 $\frac{3}{14}\times 7=\frac{3\times \overset{\square}{\cancel{7}}}{\underset{\square}{\cancel{14}}}=\frac{\square}{\square}=\square\frac{\square}{\square}$

방법 3 $\frac{3}{\underset{\square}{\cancel{14}}}\times \overset{\square}{\cancel{7}}=\frac{\square}{\square}=\square\frac{\square}{\square}$

2 $1\frac{1}{5}\times 2$를 계산하는 방법입니다. □ 안에 알맞은 수를 써넣으세요.

방법 1 $1\frac{1}{5}\times 2=\frac{\square}{5}\times 2=\frac{\square}{5}$

$=\square\frac{\square}{\square}$

방법 2 $1\frac{1}{5}\times 2=(1\times 2)+\left(\frac{\square}{\square}\times 2\right)$

$=\square+\frac{2}{\square}=\square\frac{\square}{\square}$

3 한 명이 피자 한 판의 $\frac{2}{9}$씩 먹으려고 합니다. 18명이 먹으려면 피자는 모두 몇 판 필요한가요?

식 ____________________

답 ____________

4 한 변의 길이가 $5\frac{3}{8}$ cm인 정육각형의 둘레는 몇 cm인가요?

식 ____________________

답 ____________

5 계산을 잘못한 친구의 이름을 쓰고, 바르게 계산한 값을 구하세요.

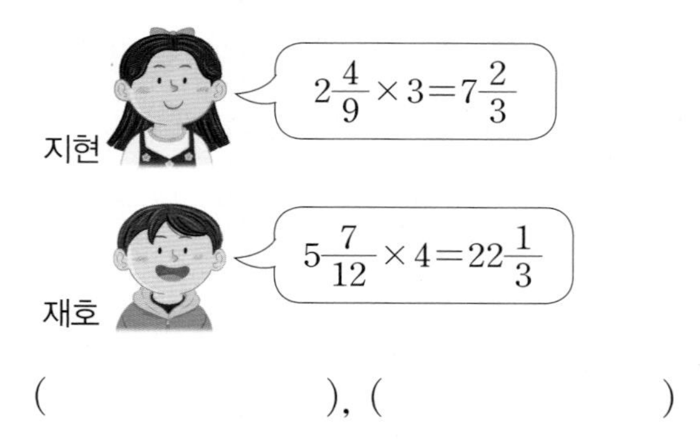

(   ), (   )

미리 보는 수학 익힘 (자연수)×(분수)

진도북 047쪽

정답 46쪽

1 여러 가지 방법으로 계산한 것입니다. □ 안에 알맞은 수를 써넣으세요.

방법 1 $6\times\frac{4}{9}=\frac{6\times4}{9}=\frac{\overset{\square}{\cancel{24}}}{\underset{\square}{\cancel{9}}}$

$=\frac{\square}{\square}=\square\frac{\square}{\square}$

방법 2 $6\times\frac{4}{9}=\frac{\overset{\square}{\cancel{6}}\times4}{\underset{\square}{\cancel{9}}}=\frac{\square}{\square}=\square\frac{\square}{\square}$

방법 3 $\overset{\square}{\cancel{6}}\times\frac{4}{\underset{\square}{\cancel{9}}}=\frac{\square}{\square}=\square\frac{\square}{\square}$

2 $4\times1\frac{1}{3}$을 계산하는 방법입니다. □ 안에 알맞은 수를 써넣으세요.

방법 1 $4\times1\frac{1}{3}=4\times\frac{\square}{3}=\frac{\square}{\square}$

$=\square\frac{\square}{\square}$

방법 2 $4\times1\frac{1}{3}=(4\times1)+\left(4\times\frac{1}{3}\right)$

$=\square+\frac{\square}{\square}=\square\frac{\square}{\square}$

3 계산 결과가 3보다 큰 식에 ○표, 3보다 작은 식에 △표 하세요.

$3\times1\frac{1}{5}$	$3\times\frac{1}{2}$	3×1	$3\times2\frac{1}{8}$

4 도화지 20장이 있습니다. 이 중 $\frac{3}{5}$을 사용했다면 사용한 도화지는 몇 장인가요?

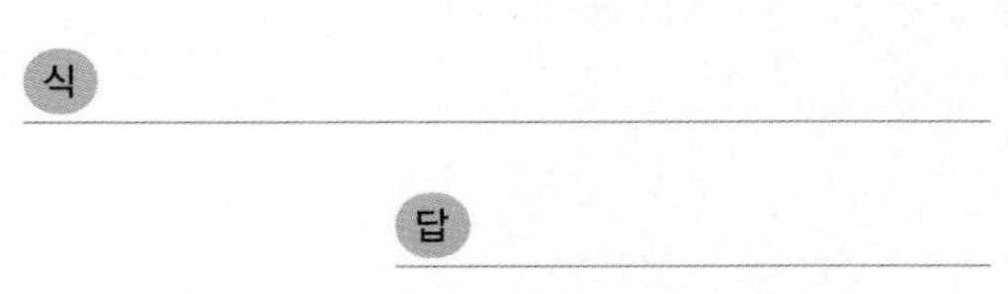
식
답

5 가로가 8 m이고, 세로가 $5\frac{1}{8}$ m인 직사각형 모양의 꽃밭이 있습니다. 이 꽃밭의 넓이는 몇 m^2인가요?

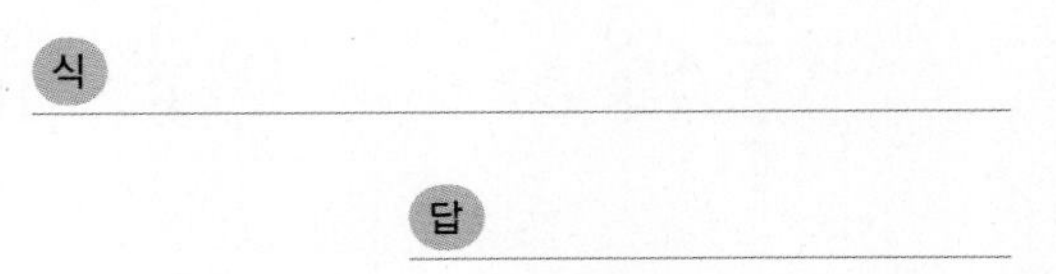
식
답

6 바르게 말한 친구는 누구인가요?

1 m의 $\frac{1}{2}$은 50 cm야.
1 kg의 $\frac{1}{5}$은 50 g이야.
병우
은지

(　　　　　　　　)

미리 보는 수학 익힘 진분수의 곱셈

진도북 048쪽

정답 46쪽

1 □ 안에 알맞은 수를 써넣으세요.

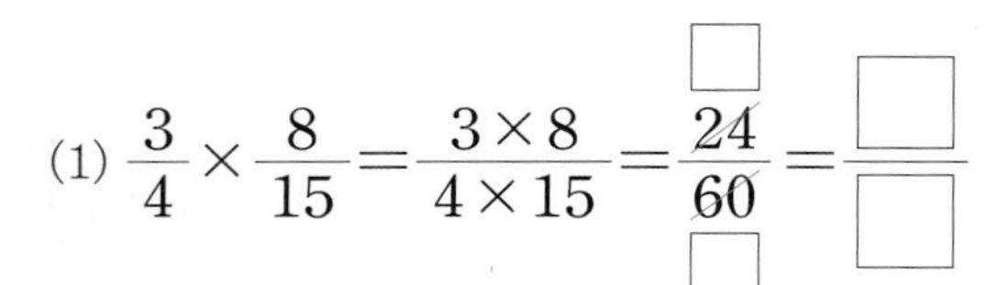

(1) $\frac{3}{4}\times\frac{8}{15}=\frac{3\times8}{4\times15}=\frac{\overset{\square}{\cancel{24}}}{\underset{\square}{\cancel{60}}}=\frac{\square}{\square}$

(2) $\frac{3}{4}\times\frac{8}{15}=\frac{\overset{\square}{\cancel{3}}\times\overset{\square}{\cancel{8}}}{\underset{\square}{\cancel{4}}\times\underset{\square}{\cancel{15}}}=\frac{\square}{\square}$

(3) $\frac{\overset{\square}{\cancel{3}}}{\underset{\square}{\cancel{4}}}\times\frac{\overset{\square}{\cancel{8}}}{\underset{\square}{\cancel{15}}}=\frac{\square}{\square}$

2 계산해 보세요.

(1) $\frac{1}{7}\times\frac{1}{2}$

(2) $\frac{5}{6}\times\frac{1}{3}$

(3) $\frac{2}{7}\times\frac{5}{8}$

(4) $\frac{5}{6}\times\frac{9}{10}$

3 ○ 안에 >, =, <를 알맞게 써넣으세요.

(1) $\frac{1}{4}$ ○ $\frac{1}{4}\times\frac{1}{5}$

(2) $\frac{2}{7}\times\frac{1}{8}$ ○ $\frac{2}{7}\times\frac{1}{3}$

(3) $\frac{1}{9}\times\frac{5}{6}$ ○ $\frac{5}{6}\times\frac{1}{9}$

4 다음 수 카드 중 두 장을 사용하여 분수의 곱셈식을 만들려고 합니다. 계산 결과가 가장 작은 식을 만들어 보세요.

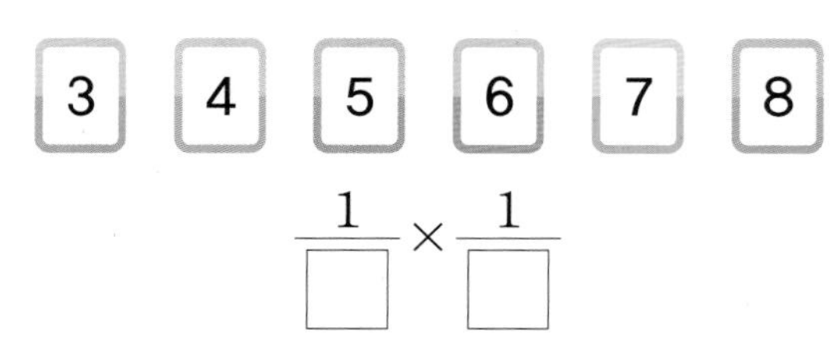

$\frac{1}{\square}\times\frac{1}{\square}$

5 색 테이프를 8등분한 것입니다. 색칠한 부분의 가로는 몇 m인가요?

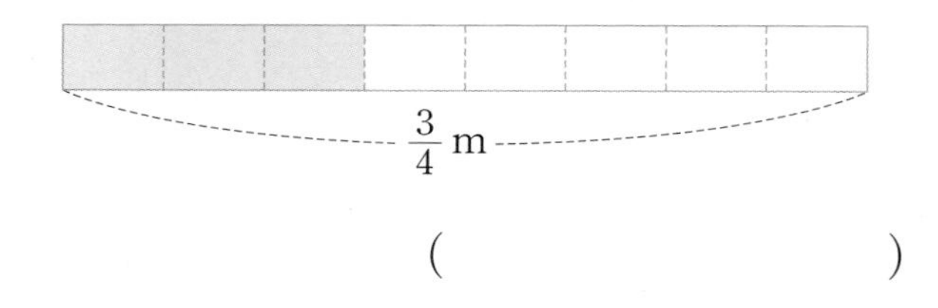

(　　　　　　)

6 윤호는 어제 책 한 권의 $\frac{1}{4}$을 읽었습니다. 오늘은 어제 읽고 난 나머지의 $\frac{4}{5}$를 읽었습니다. 물음에 답하세요.

(1) 어제 읽고 난 나머지의 양은 책 전체의 얼마인가요?

(　　　　　　)

(2) 오늘 읽은 양은 책 전체의 얼마인가요?

(　　　　　　)

(3) 책 한 권이 160쪽일 때, 오늘 읽은 양은 모두 몇 쪽인가요?

(　　　　　　)

미리 보는 수학 익힘

대분수의 곱셈 / 세 분수의 곱셈

진도북 049쪽

● 정답 47쪽

1 그림을 보고 □ 안에 알맞은 수를 써넣으세요.

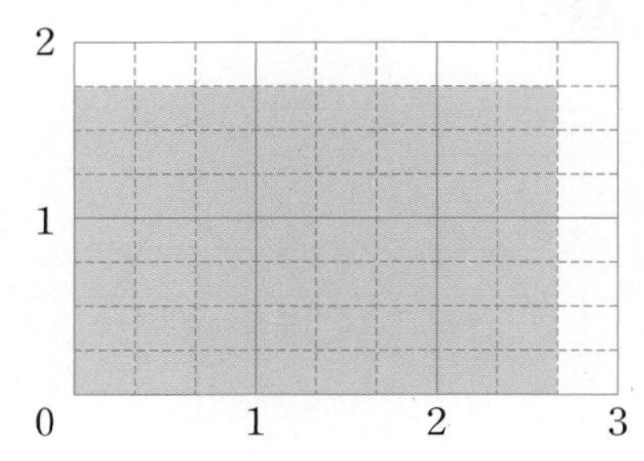

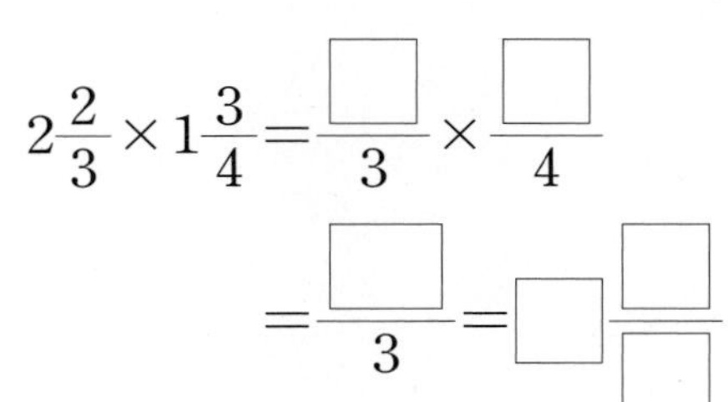

$$2\frac{2}{3}\times1\frac{3}{4}=\frac{\square}{3}\times\frac{\square}{4}=\frac{\square}{3}=\square\frac{\square}{\square}$$

2 그림을 보고 □ 안에 알맞은 수를 써넣으세요.

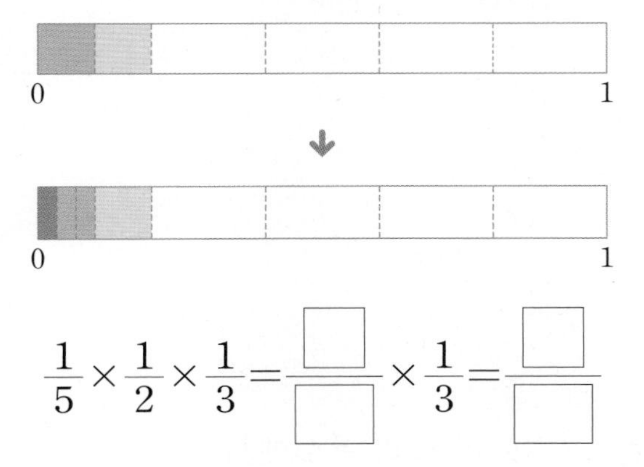

$$\frac{1}{5}\times\frac{1}{2}\times\frac{1}{3}=\frac{\square}{\square}\times\frac{1}{3}=\frac{\square}{\square}$$

3 계산해 보세요.

(1) $1\frac{7}{10}\times1\frac{1}{3}$

(2) $\frac{3}{7}\times\frac{2}{3}\times\frac{5}{8}$

4 직사각형의 넓이는 몇 cm^2인가요?

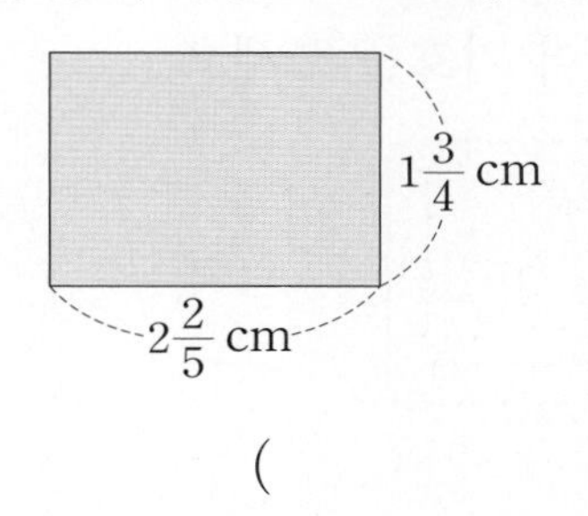

(　　　　　　　　)

5 어느 학교 5학년 학생 수는 전체 학생의 $\frac{3}{16}$입니다. 5학년의 $\frac{5}{9}$는 남학생이고, 그중 $\frac{4}{7}$는 농구를 좋아합니다. 농구를 좋아하는 5학년 남학생은 전체 학생의 얼마인가요?

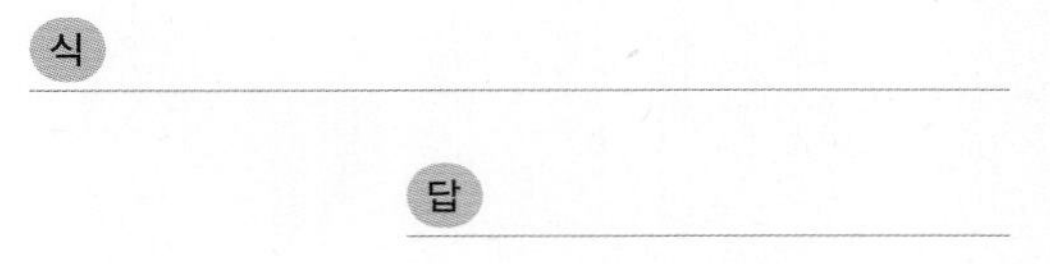

6 수 카드를 한 번씩만 사용하여 가장 큰 대분수와 가장 작은 대분수를 만들었습니다. 물음에 답하세요.

(1) 만들 수 있는 가장 큰 대분수와 가장 작은 대분수를 차례로 쓰세요.

(　　　　　), (　　　　　)

(2) 만들 수 있는 가장 큰 대분수와 가장 작은 대분수의 곱을 구하세요.

(　　　　　　　　)

수학 익힘
2 단원

미리 보는 수학 익힘 도형의 합동

진도북 068쪽

● 정답 47쪽

1 왼쪽 도형과 포개었을 때 완전히 겹치는 도형을 찾아 기호를 쓰세요.

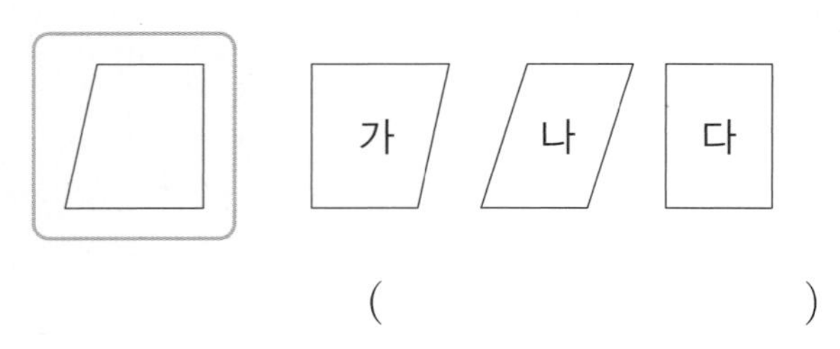

(　　　　　　　　　　)

2 다음과 같이 종이 두 장을 포개어 놓고 그림을 오렸을 때 두 그림의 모양과 크기가 똑같습니다. 이러한 두 도형의 관계를 무엇이라고 하나요?

(　　　　　　　　　　)

3 서로 합동인 도형을 찾아 기호를 쓰세요.

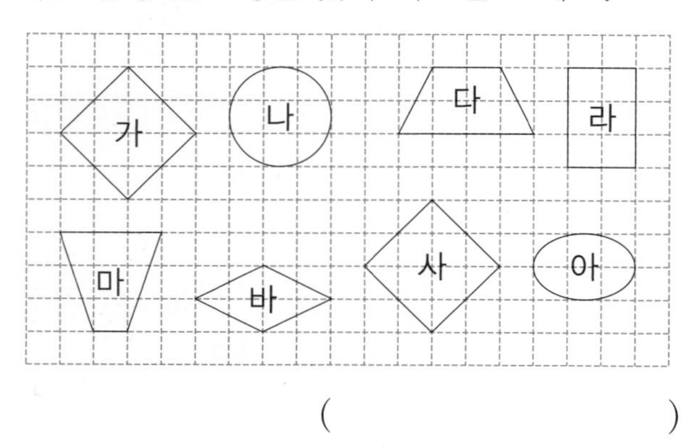

(　　　　　　　　　　)

4 나머지 셋과 합동이 아닌 도형을 찾아 기호를 쓰세요.

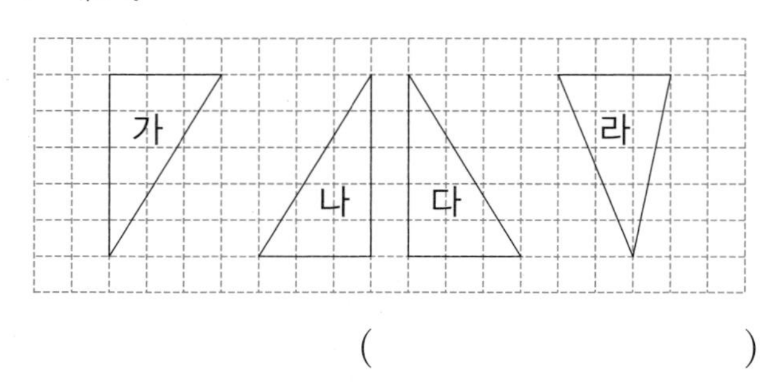

(　　　　　　　　　　)

5 주어진 도형과 서로 합동인 도형을 그려 보세요.

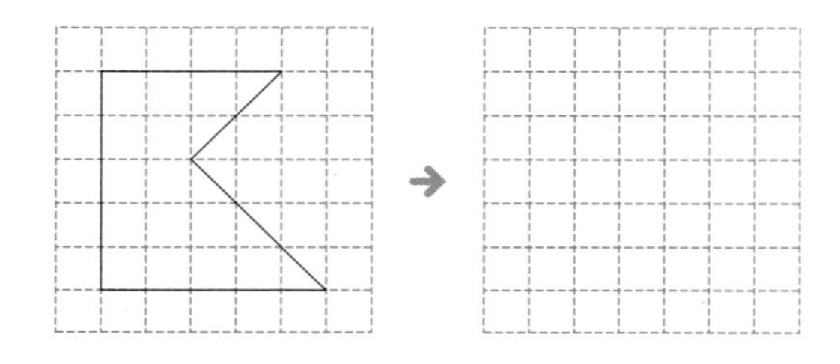

6 윤경이네 집의 욕실에서 깨진 타일을 새 타일로 바꾸어 붙이려고 합니다. 두 타일 중에서 바꾸어 붙일 수 있는 타일을 찾아 기호를 쓰세요.

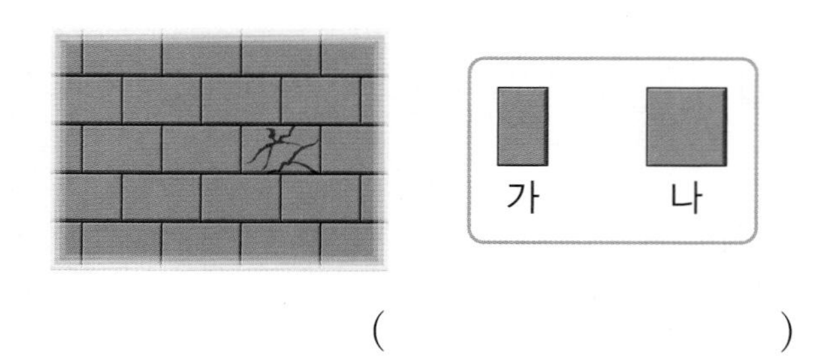

(　　　　　　　　　　)

미리 보는 수학 익힘 합동인 도형의 성질

진도북 068쪽

정답 48쪽

1 두 삼각형은 서로 합동입니다. 물음에 답하세요.

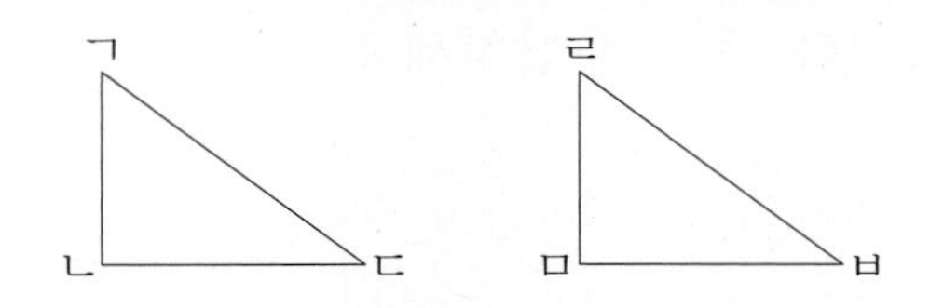

(1) 점 ㄴ의 대응점을 쓰세요.

( )

(2) 변 ㄱㄷ의 대응변을 쓰세요.

( )

(3) 각 ㄴㄱㄷ의 대응각을 쓰세요.

( )

2 두 도형은 서로 합동입니다. 대응변, 대응각이 각각 몇 쌍 있는지 쓰세요.

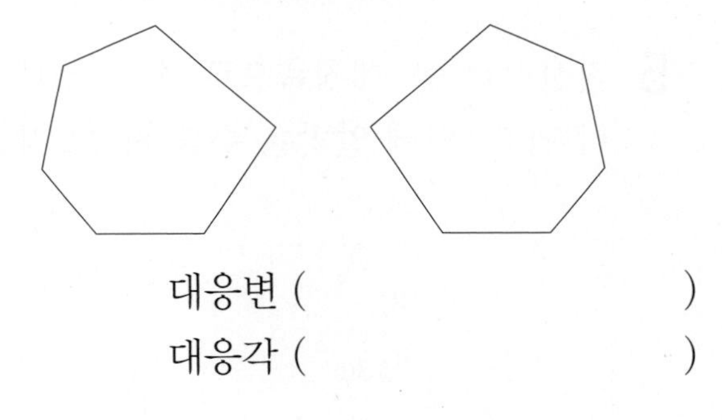

대응변 ( )
대응각 ( )

3 두 삼각형은 서로 합동입니다. 물음에 답하세요.

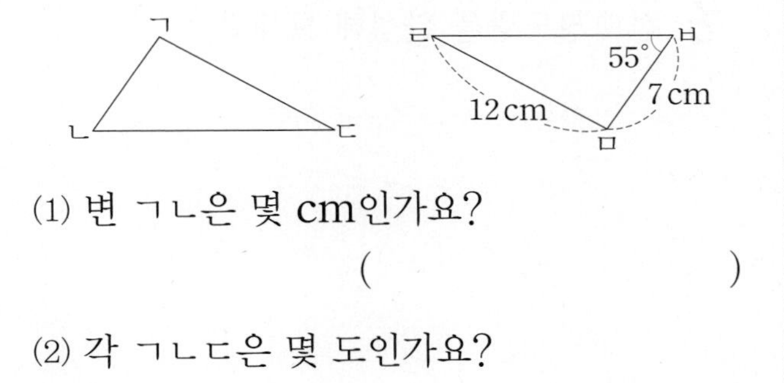

(1) 변 ㄱㄴ은 몇 cm인가요?

( )

(2) 각 ㄱㄴㄷ은 몇 도인가요?

( )

4 두 사각형은 서로 합동입니다. 물음에 답하세요.

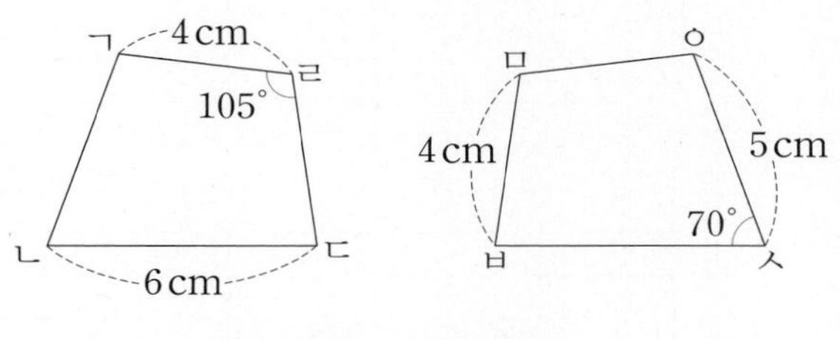

(1) 각 ㄱㄴㄷ은 몇 도인가요?

( )

(2) 사각형 ㄱㄴㄷㄹ의 둘레는 몇 cm인가요?

( )

5 그림과 같은 사각형 모양의 땅이 있습니다. 사각형 ㄱㄴㄷㅁ의 둘레에 울타리를 칠 때 울타리를 몇 m 쳐야 하는지 구하려고 합니다. □ 안에 알맞은 수를 써넣으세요. (삼각형 ㄱㄹㅁ과 삼각형 ㄹㄴㄷ은 서로 합동입니다.)

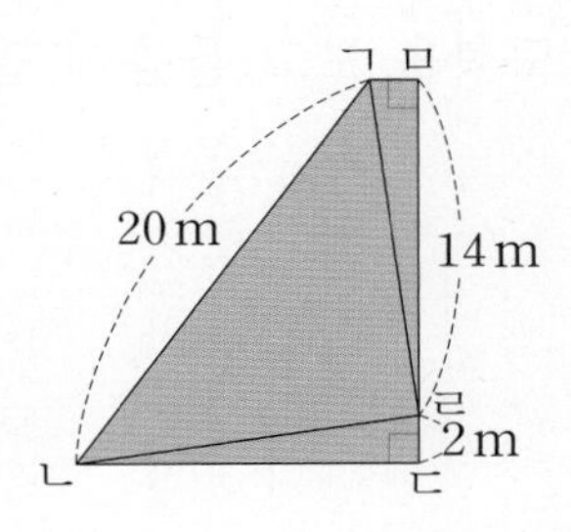

삼각형 ㄱㄹㅁ과 삼각형 ㄹㄴㄷ이 서로 합동이므로

(변 ㄱㅁ)=(변 □)=□ m이고,

(변 ㄴㄷ)=(변 □)=□ m입니다.

→ (사각형 ㄱㄴㄷㅁ의 둘레)=□ m

따라서 울타리를 □ m 쳐야 합니다.

미리 보는 수학 익힘 선대칭도형과 그 성질

진도북 069쪽

정답 48쪽

1 선대칭도형을 모두 찾아 ○표 하세요.

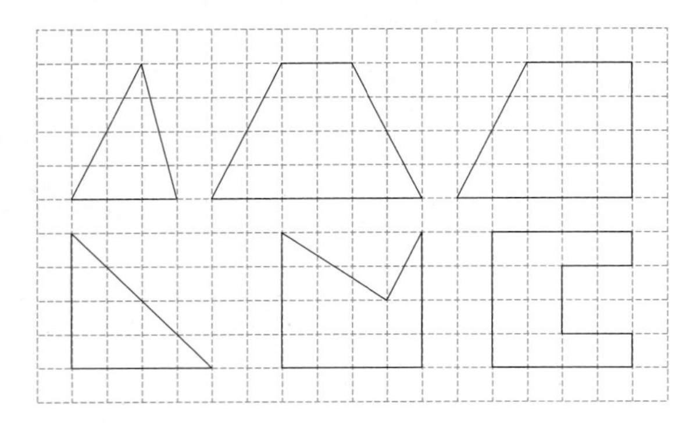

2 다음 도형은 선대칭도형입니다. 대칭축을 모두 그려 보세요.

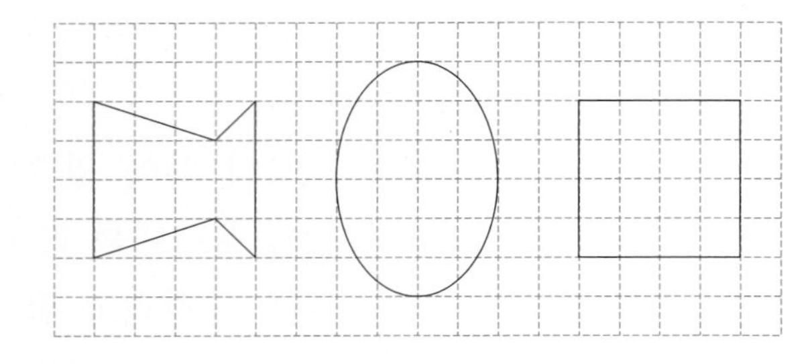

3 선대칭도형을 보고 물음에 답하세요.

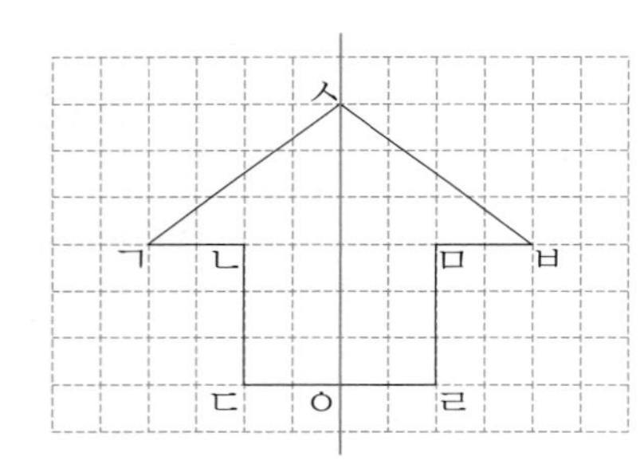

(1) 점 ㄷ의 대응점을 쓰세요.

( )

(2) 변 ㄴㄷ의 대응변을 쓰세요.

( )

(3) 각 ㄴㄱㅅ의 대응각을 쓰세요.

( )

4 직선 ㅁㅂ을 대칭축으로 하는 선대칭도형입니다. 물음에 답하세요.

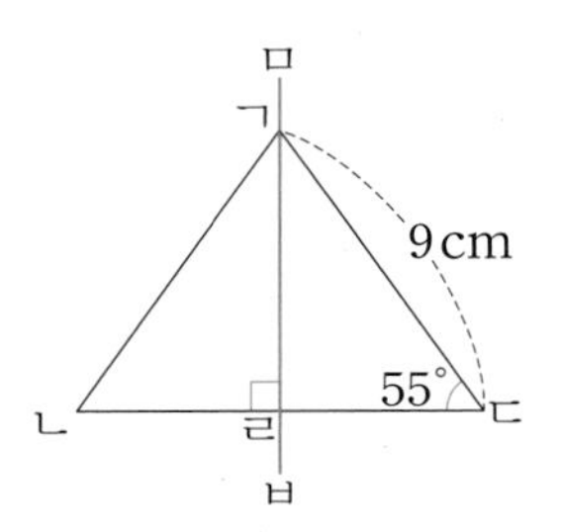

(1) 변 ㄱㄴ은 몇 cm인가요?

( )

(2) 각 ㄱㄴㄹ은 몇 도인가요?

( )

(3) 선분 ㄴㄹ이 5 cm라면 변 ㄴㄷ은 몇 cm인가요?

( )

5 직선 ㄱㄴ을 대칭축으로 하는 선대칭도형입니다. □ 안에 알맞은 수를 써넣으세요.

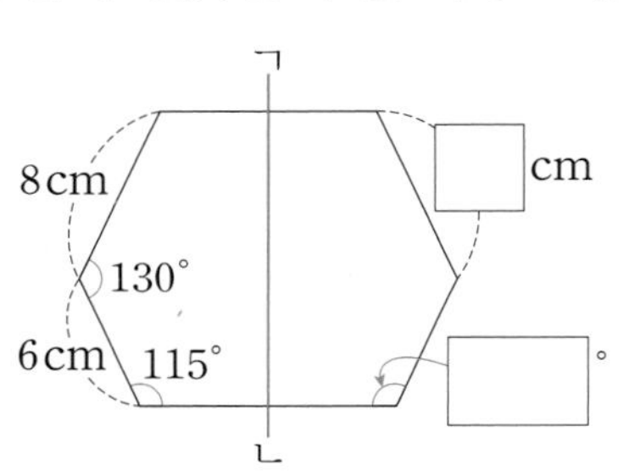

6 선대칭도형을 완성해 보세요.

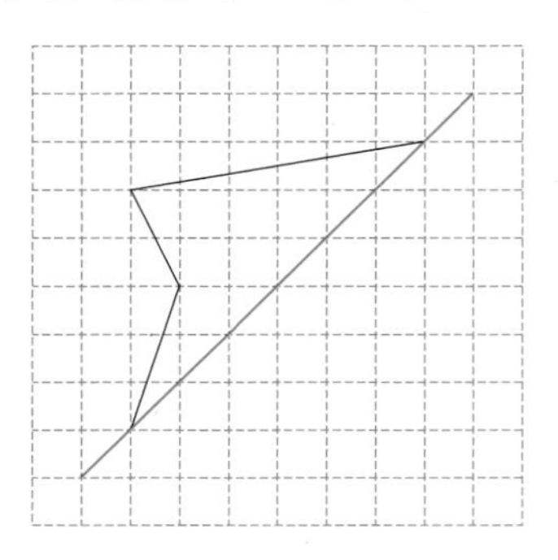

미리 보는 수학 익힘 점대칭도형과 그 성질

진도북 071쪽

정답 49쪽

1 점대칭도형을 모두 찾아 ○표 하세요.

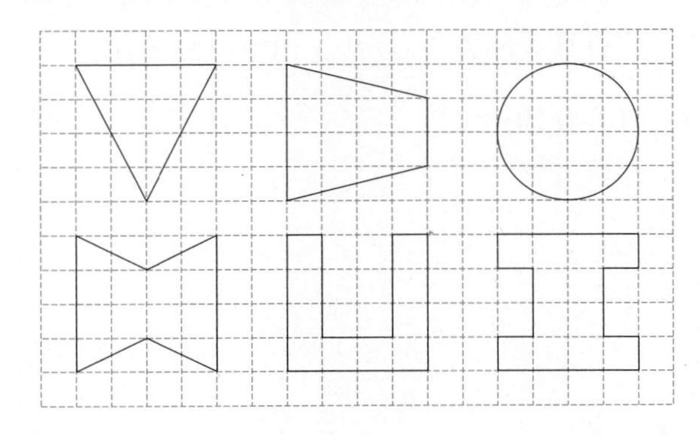

2 다음 도형은 점대칭도형입니다. 대칭의 중심을 찾아 표시해 보세요.

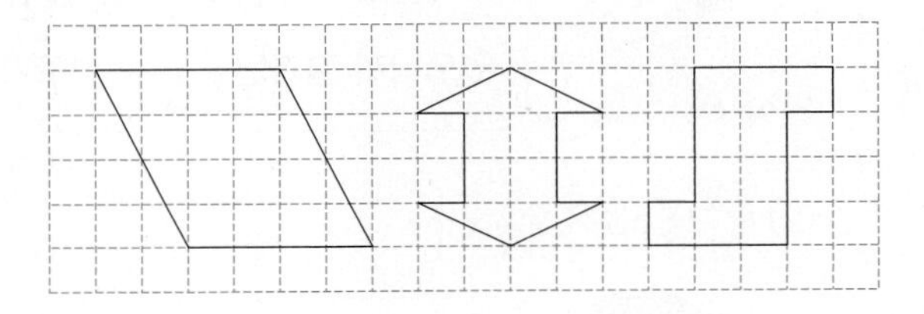

3 점 ㅇ을 대칭의 중심으로 하는 점대칭도형입니다. 물음에 답하세요.

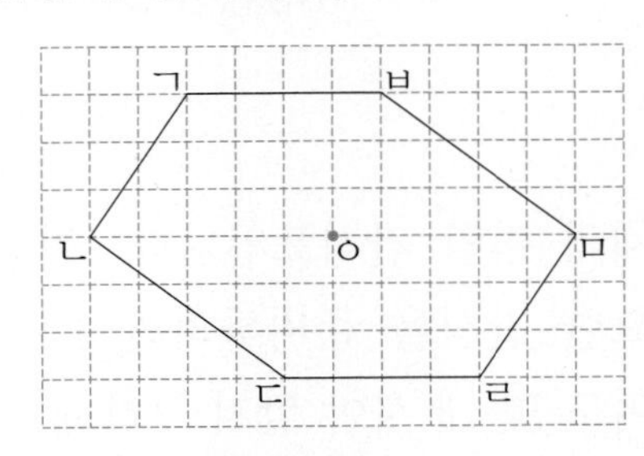

(1) 점 ㄱ의 대응점을 쓰세요.

(　　　　　　　　)

(2) 변 ㄴㄷ의 대응변을 쓰세요.

(　　　　　　　　)

(3) 각 ㄱㅂㅁ의 대응각을 쓰세요.

(　　　　　　　　)

4 점 ㅇ을 대칭의 중심으로 하는 점대칭도형입니다. □ 안에 알맞은 수를 써넣으세요.

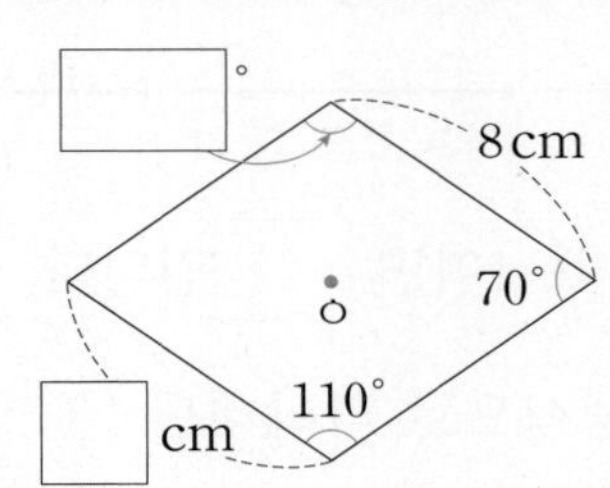

5 점 ㅇ을 대칭의 중심으로 하는 점대칭도형의 둘레가 28 cm입니다. 변 ㄴㄷ은 몇 cm인가요?

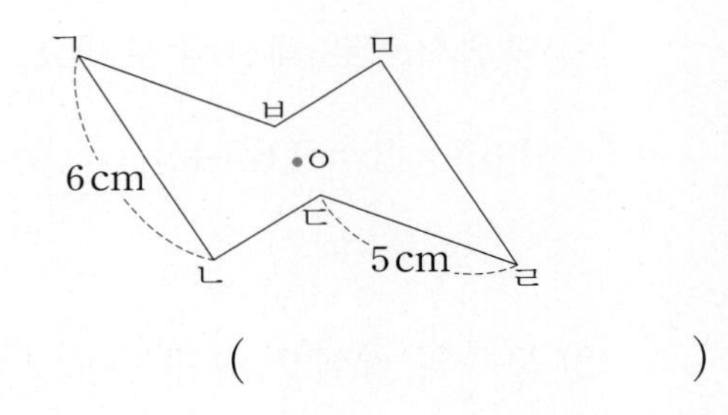

(　　　　　　　　)

6 점대칭도형을 완성해 보세요.

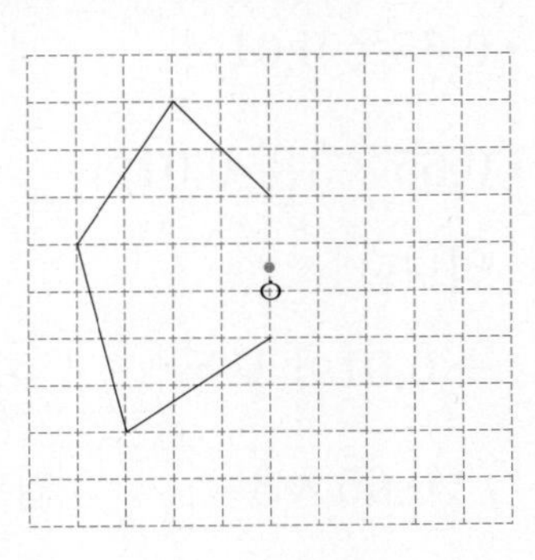

미리 보는 수학 익힘 (1보다 작은 소수)×(자연수)

진도북 092쪽

● 정답 49쪽

1 수직선을 보고 □ 안에 알맞은 수를 써넣으세요.

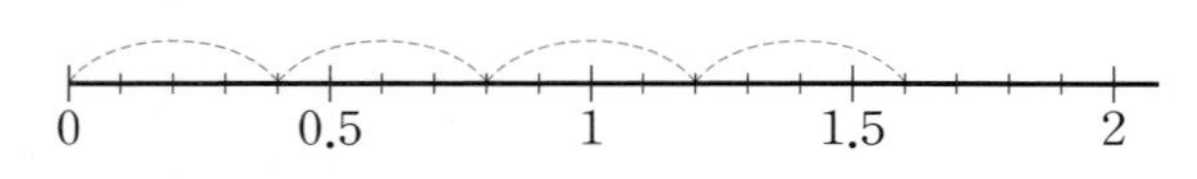

(1) 0.4씩 4이면 □입니다.

(2) 덧셈식으로 나타내면

$0.4+0.4+0.4+0.4=$□입니다.

(3) 곱셈식으로 나타내면

$0.4\times$□$=$□입니다.

2 소수와 자연수의 곱셈을 여러 가지 방법으로 계산해 보세요.

0.65×3

(1) 덧셈식으로 계산해 보세요.

$0.65\times3=0.65+$□$+$□

$=$□

(2) 분수의 곱셈으로 계산해 보세요.

$0.65\times3=\dfrac{\square}{100}\times3=\dfrac{\square\times\square}{100}$

$=\dfrac{\square}{100}=$□

(3) 0.01의 개수로 계산해 보세요.

- 0.65는 0.01이 □개입니다.
- 0.65×3은 0.01이 □개씩 □묶음입니다.

➔ 0.01이 모두 □개이므로

$0.65\times3=$□입니다.

3 계산해 보세요.

(1) 0.4×7 (2) 0.9×5

(3) 0.36×2 (4) 0.73×4

4 계산 결과를 어림하려고 합니다. □ 안에 알맞은 수를 써넣으세요.

(1) 0.78×5

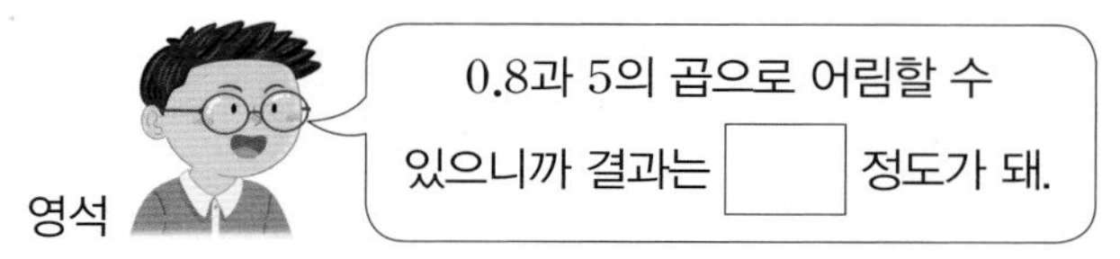

영석
0.8과 5의 곱으로 어림할 수 있으니까 결과는 □ 정도가 돼.

(2) 0.53×7

희진

53과 7의 곱은 약 350이니까 0.53과 7의 곱은 □ 정도가 돼.

5 은재의 평일 간식표입니다. 이번 주 평일에 필요한 간식을 준비하려면 1 L짜리 우유를 적어도 몇 개 사야 할지 구하세요.

은재의 간식표

월	화	수	목	금
우유 0.5 L 배 $\frac{1}{4}$개	주스 0.3 L 귤 2개	우유 0.5 L 사과 1개	우유 0.5 L 배 $\frac{1}{2}$개	주스 0.3 L 귤 2개

(　　　　　　　)

미리 보는 수학 익힘 (1보다 큰 소수)×(자연수)

진도북 092쪽

● 정답 50쪽

1 수 막대를 보고 □ 안에 알맞은 수를 써넣으세요.

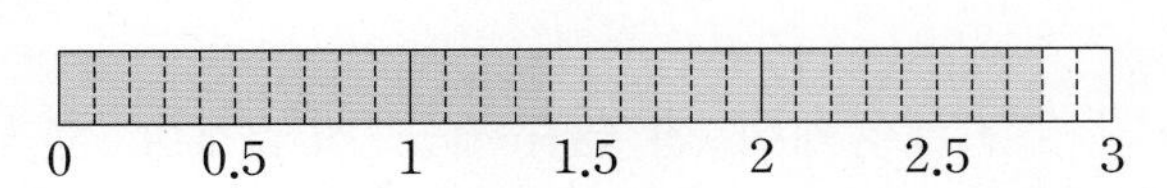

(1) 1.4씩 2이면 □입니다.

(2) 덧셈식으로 나타내면

$1.4+1.4=$ □입니다.

(3) 곱셈식으로 나타내면

$1.4\times$ □ $=$ □입니다.

2 보기 와 다른 방법으로 계산해 보세요.

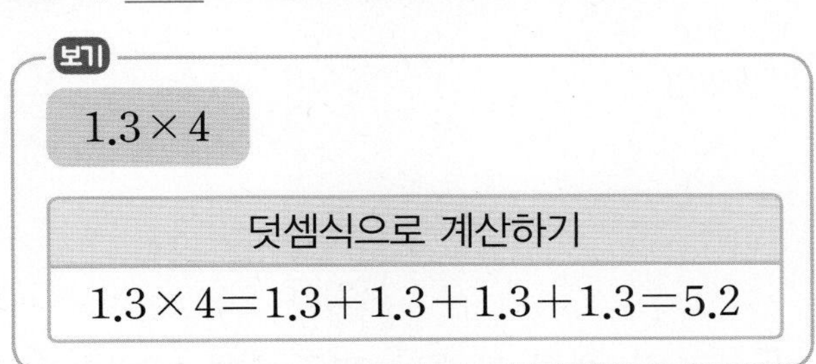

(1) 2.1×5

(2) 6.2×3

3 계산해 보세요.

(1) 1.8×7　　(2) 3.6×4

(3) 4.19×3　　(4) 7.25×5

4 준영이가 세운 운동 계획을 보고 일주일 동안 운동할 거리가 몇 km일지 구하세요.

원하는 운동

✓	운동장 1.6 km 달리기
	산책로 2.5 km 걷기

원하는 운동 횟수

	✓	
일주일에 2번	일주일에 3번	일주일에 4번

(　　　　　　)

5 희재는 매일 1.5시간씩 독서를 합니다. 월요일부터 목요일까지 희재가 독서한 시간은 모두 몇 시간인가요?

(　　　　　　)

수학 익힘
4 단원

미리 보는 수학 익힘 (자연수)×(1보다 작은 소수)

진도북 093쪽

정답 50쪽

1 주어진 방법으로 계산해 보세요.

(1) 3×0.5

분수의 곱셈으로 계산하기

(2) 4×0.7

자연수의 곱셈으로 계산하기

2 계산해 보세요.

(1) 12×0.6　　(2) 34×0.3

(3) 48×0.09　　(4) 73×0.35

3 어림하여 계산 결과가 5보다 큰 것을 찾아 기호를 쓰세요.

㉠ 7의 0.65　㉡ 9의 0.6배　㉢ 6×0.78

(　　　　　　　)

4 지구에서 현수의 몸무게는 40 kg입니다. 다음을 읽고 □ 안에 알맞은 수를 써넣으세요.

- 금성에서 잰 몸무게는 지구에서 잰 몸무게의 약 0.92배입니다.
- 수성에서 잰 몸무게는 지구에서 잰 몸무게의 약 0.39배입니다.

(1) 현수의 몸무게를 금성에서 재면 약 □ kg입니다.

(2) 현수의 몸무게를 수성에서 재면 약 □ kg입니다.

5 귤 한 개의 무게는 85 g이고, 방울토마토 한 개의 무게는 귤 한 개의 무게의 0.25배입니다. 방울토마토 한 개의 무게는 몇 g인가요?

(　　　　　　　)

6 민아네 가족은 하루에 물 250 L를 사용합니다. 수압 밸브를 약하게 조절하면 평소 사용량의 0.24배만큼 아낄 수 있습니다. 수압 밸브를 약하게 조절했을 때 민아네 가족이 하루 동안 아낄 수 있는 물은 몇 L인가요?

(　　　　　　　)

미리 보는 수학 익힘 (자연수)×(1보다 큰 소수)

진도북 094쪽

정답 50쪽

1 어림하여 계산 결과가 8보다 큰 것을 찾아 기호를 쓰세요.

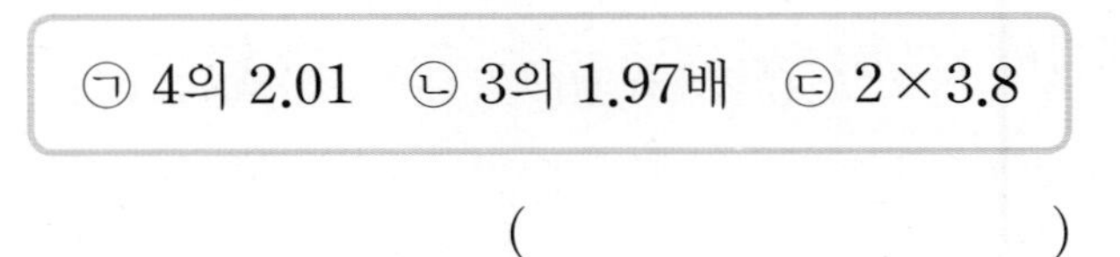

㉠ 4의 2.01 ㉡ 3의 1.97배 ㉢ 2×3.8

( )

2 보기 와 다른 방법으로 계산해 보세요.

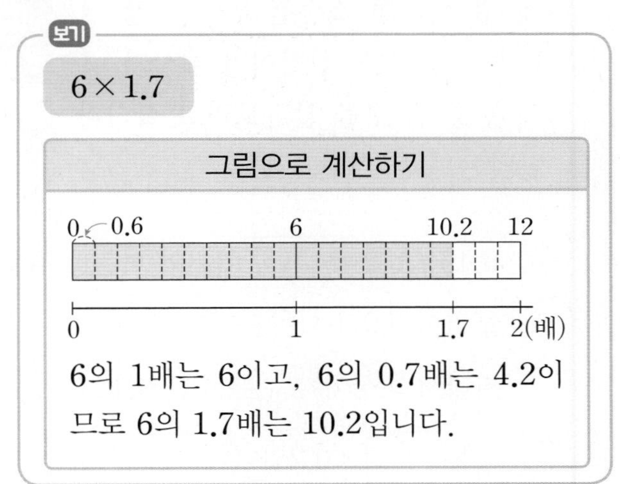

보기
6×1.7
그림으로 계산하기
0 0.6 6 10.2 12
0 1 1.7 2(배)
6의 1배는 6이고, 6의 0.7배는 4.2이므로 6의 1.7배는 10.2입니다.

(1) 5×2.3

(2) 40×1.8

3 계산해 보세요.

(1) 42×1.7 (2) 25×3.6

(3) 31×2.14 (4) 60×4.05

4 과자의 가격표가 찢어져 있을 때 3000원으로 과자를 살 수 있는지 알아보려고 합니다. 알맞은 말에 ○표 하세요.

과자를 살 수 (있습니다 , 없습니다).
왜냐하면 300×8.5는 300×10인 3000보다 (크기 , 작기) 때문입니다.

5 진우네 집에서 학교까지의 거리는 2 km입니다. 진우네 집에서 공원까지의 거리는 학교까지의 거리의 1.08배이고, 도서관까지의 거리는 1.7배입니다. 진우네 집에서 공원까지의 거리와 도서관까지의 거리를 각각 구하세요.

공원 ( )

도서관 ( )

수학 익힘 4 단원

미리 보는 수학 익힘 1보다 작은 소수끼리의 곱셈

진도북 094쪽

정답 51쪽

1 계산해 보세요.

(1) 0.38×0.4

(2)
$$\begin{array}{r} 0.62 \\ \times\ 0.45 \\ \hline \end{array}$$

2 주어진 방법으로 계산해 보세요.

(1) 0.8×0.3

자연수의 곱셈으로 계산하기

(2) 0.42×0.5

분수의 곱셈으로 계산하기

(3) 0.7×0.9

소수의 크기를 생각하여 계산하기

3 계산 결과를 비교하여 ○ 안에 >, =, <를 알맞게 써넣으세요.

0.2×0.16 ○ 0.08×0.4

4 현성이가 계산기로 0.45×0.2를 계산하려고 두 수를 눌렀는데 수 하나의 소수점 위치를 잘못 눌렀습니다. 현성이가 계산기에 누른 두 수를 알아보려고 합니다. □ 안에 알맞은 수를 써넣으세요.

$0.45 \times 0.2 =$ □이어야 하는데 잘못 눌러서 0.9가 나왔습니다.
따라서 현성이가 누른 수는 $0.45 \times$ □ 또는 □ $\times 0.2$입니다.

5 어느 밀가루 0.9 kg 한 봉지의 0.68만큼이 탄수화물 성분입니다. 탄수화물 성분이 몇 kg인지 구하세요.

식

답

미리 보는 수학 익힘 1보다 큰 소수끼리의 곱셈

진도북 095쪽

정답 51쪽

1 보기와 다른 방법으로 계산해 보세요.

보기

3.6×5.1

분수의 곱셈으로 계산하기
$3.6 \times 5.1 = \frac{36}{10} \times \frac{51}{10} = \frac{1836}{100} = 18.36$

(1) 4.4×1.5

(2) 1.35×1.2

2 가장 큰 수와 가장 작은 수의 곱을 구하세요.

6.8	73.2	2.4	18.25

(　　　　　　　)

3 149×51은 7599입니다. 1.49×5.1의 값을 어림하여 결괏값에 소수점을 찍어 보세요.

$1.49 \times 5.1 = 7\ 5\ 9\ 9$

4 채집한 잠자리의 길이는 메뚜기 길이의 1.75배입니다. 메뚜기의 길이가 3.8 cm라면 잠자리의 길이는 몇 cm인가요?

(　　　　　　　)

5 정화네 학교에서 놀이터의 가로와 세로를 각각 1.5배씩 늘려 새로운 놀이터를 만들려고 합니다. 물음에 답하세요.

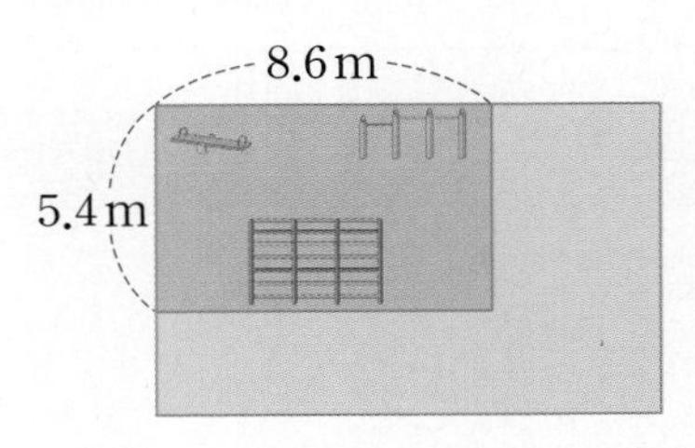

(1) 새로운 놀이터는 가로가 몇 m인가요?

(　　　　　　　)

(2) 새로운 놀이터는 세로가 몇 m인가요?

(　　　　　　　)

(3) 새로운 놀이터는 넓이가 몇 m^2인가요?

(　　　　　　　)

수학 익힘 4 단원

미리 보는 수학 익힘 곱의 소수점 위치

진도북 096쪽

정답 51쪽

1 계산 결과가 다른 것을 찾아 기호를 쓰세요.

㉠ 74의 0.1
㉡ 740의 0.001배
㉢ 0.74×10

(   )

2 다음 식을 두 가지 방법으로 계산하고, 이를 바탕으로 자연수의 곱셈 결과에서 소수점을 왼쪽으로 세 칸만큼 옮기는 이유를 쓰세요.

0.6×0.12

자연수의 곱셈으로 계산하기

$6 \times 12 = 72$

↓0.1배 ↓0.01배 ↓□배

$0.6 \times 0.12 = \square$

분수의 곱셈으로 계산하기

이유

3 보기 를 이용하여 식을 완성해 보세요.

보기
$413 \times 16 = 6608$

$4.13 \times \square = 0.6608$

4 은지가 키우는 식물은 0.278 m까지 자랐습니다. 은지가 키우는 식물의 키는 몇 cm인지 구하세요.

1 m는 100 cm야.

은지

(   )

5 민호에게 줄 생일 선물로 연주는 29.85 g짜리 색연필 10자루를, 성호는 9.4 g짜리 젤리 100개를 사서 같은 상자에 포장하였습니다. 물음에 답하세요.

(1) 연주가 주는 선물의 무게는 몇 g인가요?

(   )

(2) 성호가 주는 선물의 무게는 몇 g인가요?

(   )

(3) 누가 주는 선물이 몇 g 더 무거운가요?

(   ), (   )

미리 보는 수학 익힘 직육면체

진도북 118쪽

● 정답 52쪽

1 직육면체의 각 부분의 이름을 □ 안에 알맞게 써넣으세요.

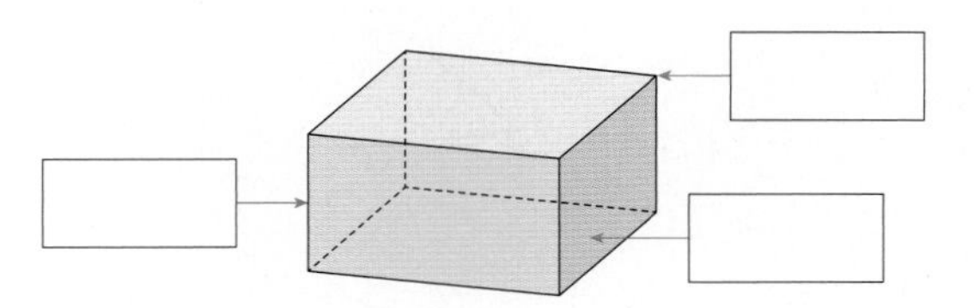

2 다음 설명이 옳으면 ○표, 틀리면 ×표 하세요.

(1) 직사각형 6개로 둘러싸인 도형을 직육면체라고 합니다. (   )

(2) 직육면체에서 면과 면이 만나는 선분을 각이라고 합니다. (   )

3 그림을 보고 직육면체를 모두 찾아 ○표 하세요.

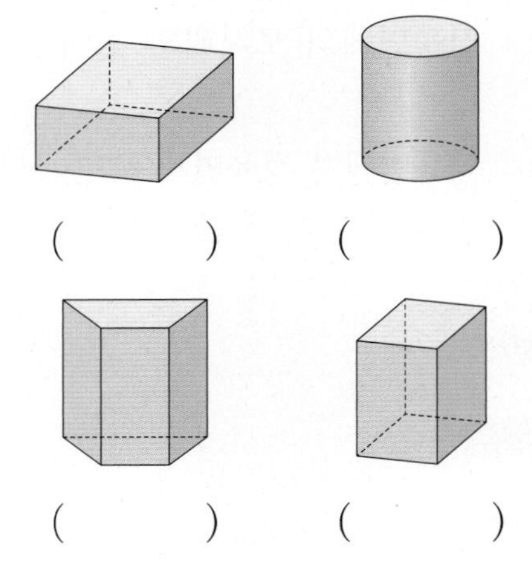

4 직육면체를 보고 물음에 답하세요.

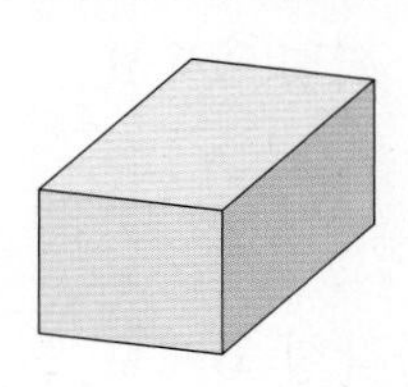

(1) 보이는 면을 모두 찾아 ○로 표시하고, 몇 개인지 쓰세요.

(   )

(2) 보이는 모서리를 모두 찾아 —으로 표시하고, 몇 개인지 쓰세요.

(   )

(3) 보이는 꼭짓점을 모두 찾아 ●으로 표시하고, 몇 개인지 쓰세요.

(   )

5 도형이 직육면체가 아닌 이유를 쓰세요.

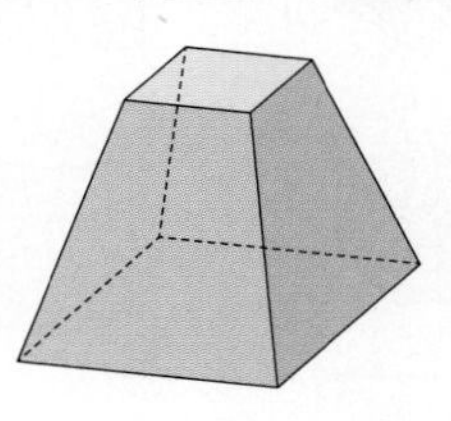

이유 직육면체는 직사각형 □개로 둘러싸인 도형인데 주어진 도형은 □개의 사다리꼴과 □개의 직사각형으로 이루어져 있습니다.

수학 익힘

5 단원

미리 보는 수학 익힘 정육면체

진도북 118쪽

정답 52쪽

1 오른쪽 그림을 보고 □ 안에 알맞은 말을 써넣으세요.

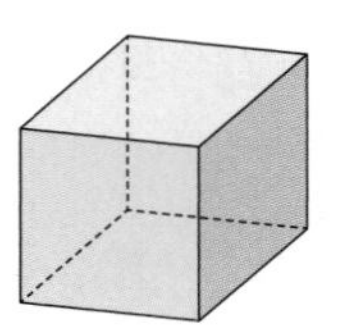

정사각형 6개로 둘러싸인 도형을 □라고 합니다.

2 바르게 말한 친구는 누구인지 쓰고, 그 이유를 설명해 보세요.

정육면체는 직육면체라고 말할 수 있어.
직육면체는 정육면체라고 말할 수 있어.
희진
영석

바르게 말한 친구

이유

3 그림을 보고 물음에 답하세요.

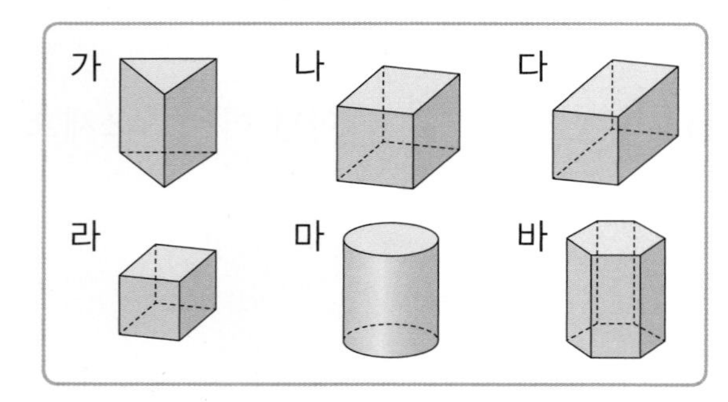

(1) 정육면체를 모두 찾아 기호를 쓰세요.

(　　　　　　　　)

(2) 직육면체가 아닌 것을 모두 찾아 기호를 쓰세요.

(　　　　　　　　)

4 정육면체에서 보이지 않는 모서리와 보이지 않는 꼭짓점의 수의 합을 구하세요.

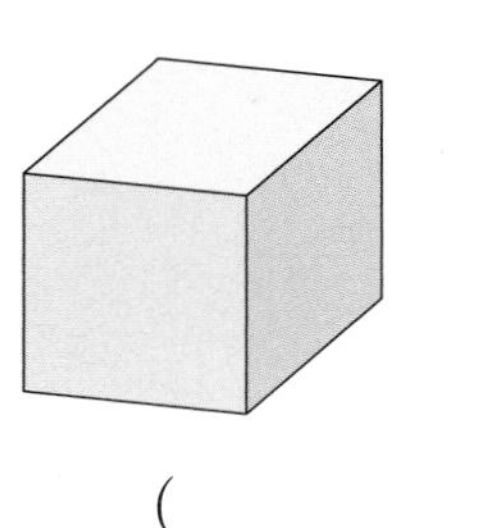

(　　　　　　　　)

5 한 모서리의 길이가 3 cm인 정육면체 모양의 주사위가 있습니다. 이 주사위의 모서리 길이의 합은 몇 cm인가요?

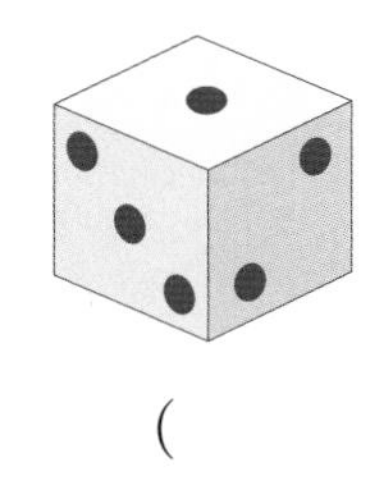

(　　　　　　　　)

6 틀린 것을 찾아 기호를 쓰고 바르게 고쳐 보세요.

㉠ 직육면체의 모서리의 길이는 모두 같습니다.

㉡ 직육면체와 정육면체는 면, 모서리, 꼭짓점의 수가 각각 같습니다.

틀린 것

고쳐 쓰기

미리 보는 수학 익힘 직육면체의 성질

진도북 118쪽

● 정답 52쪽

1 직육면체에서 색칠한 면과 평행한 면을 찾아 색칠해 보세요.

(1)

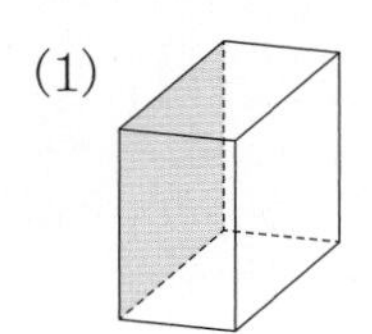

(2)

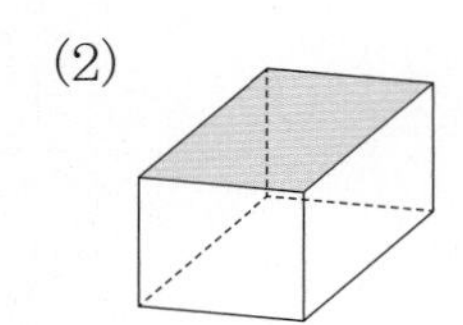

2 직육면체에서 서로 평행한 면은 모두 몇 쌍인가요?

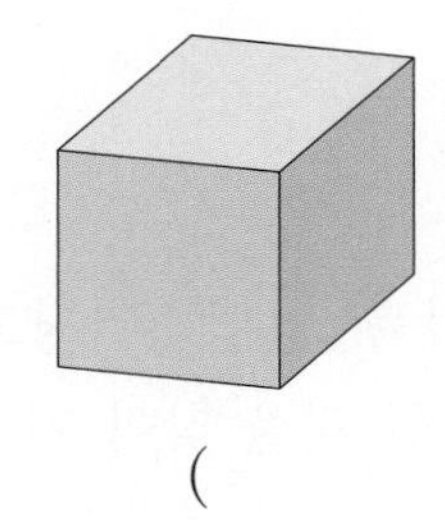

(　　　　　　　　)

3 직육면체를 보고 물음에 답하세요.

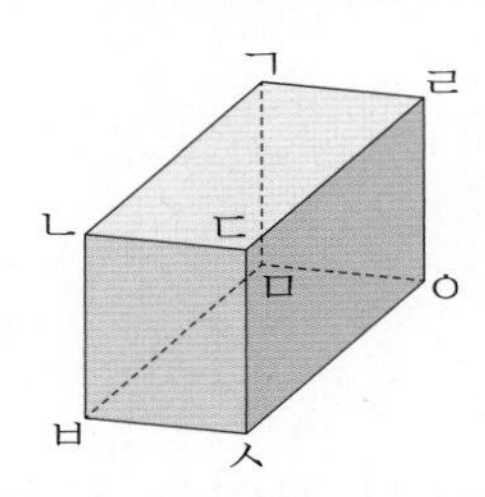

(1) 꼭짓점 ㄷ과 만나는 면을 모두 쓰세요.

(　　　　　　　　)

(2) 알맞은 것에 ○표 하세요.

꼭짓점 ㄷ과 만나는 면들에 삼각자를 대어 보면 꼭짓점 ㄷ을 중심으로 모두 (직각입니다 , 평행합니다).

4 직육면체에서 색칠한 면과 수직인 면이 아닌 것을 찾아 기호를 쓰세요.

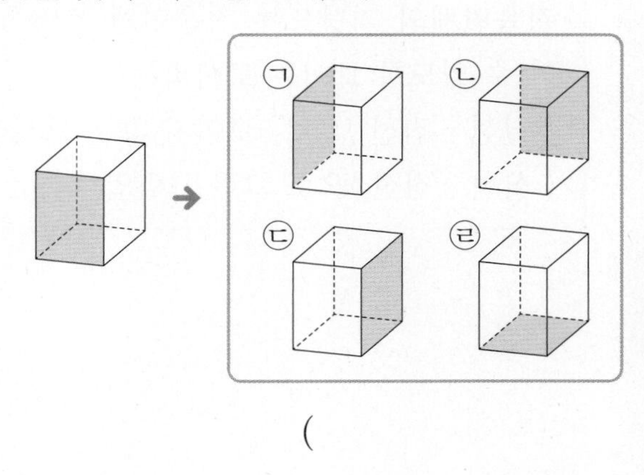

(　　　　　　　　)

5 직육면체에서 면 ㄱㄴㄷㄹ과 수직인 면을 모두 찾아 기호를 쓰세요.

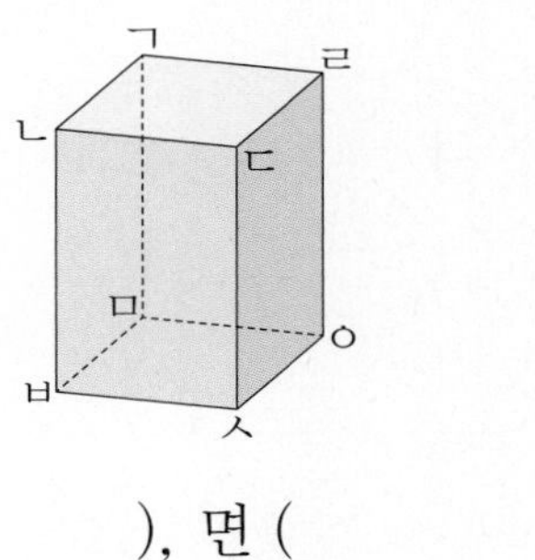

면 (　　　　　　), 면 (　　　　　　),

면 (　　　　　　), 면 (　　　　　　)

6 직육면체에서 면 ㄴㅂㅅㄷ과 평행한 면의 모서리 길이의 합은 몇 cm인가요?

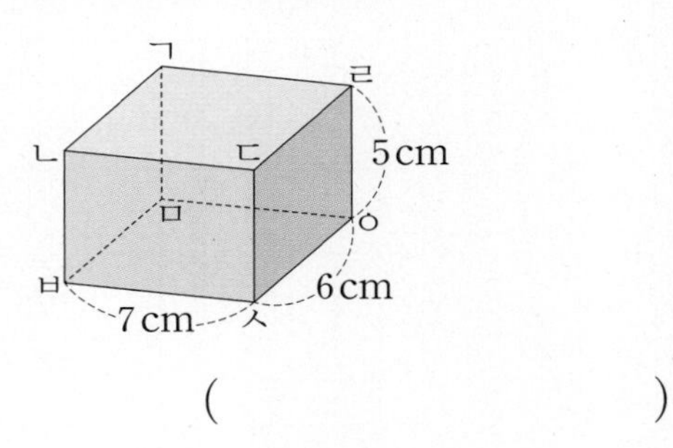

(　　　　　　　　)

수학 익힘

5 단원

미리 보는 수학 익힘 직육면체의 겨냥도

진도북 119쪽

● 정답 53쪽

1 알맞은 말에 ○표 하세요.

직육면체의 겨냥도는 직육면체 모양을 잘 알 수 있도록 보이는 모서리는
(실선 , 점선)으로, 보이지 않는 모서리는
(실선 , 점선)으로 그린 그림입니다.

2 직육면체의 겨냥도를 바르게 그린 것을 찾아 기호를 쓰세요.

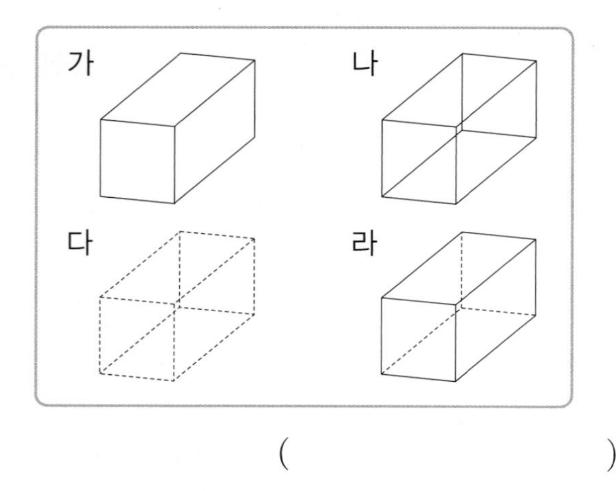

( )

3 그림에서 빠진 부분을 그려 넣어 직육면체의 겨냥도를 완성해 보세요.

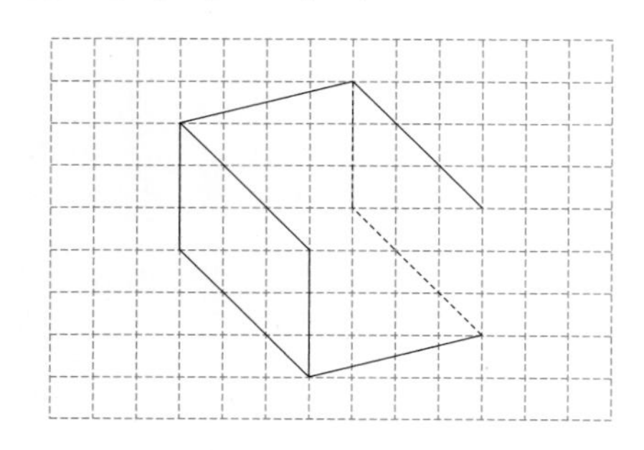

4 직육면체의 겨냥도에 빠진 부분이 있습니다. 빠진 부분을 그려 넣고 설명해 보세요.

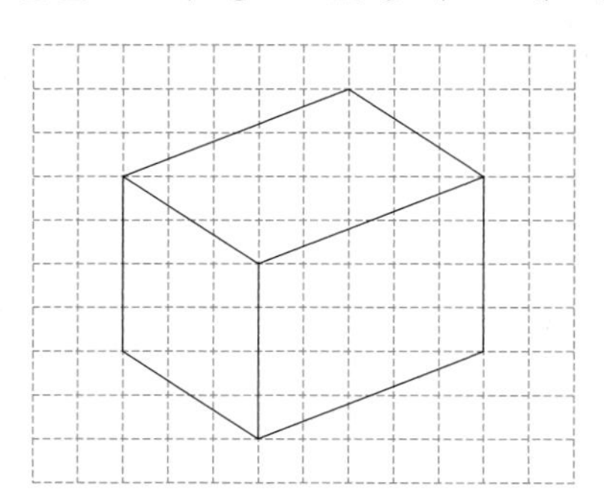

설명

5 오른쪽 직육면체의 겨냥도를 잘못 설명한 것을 찾아 기호를 쓰세요.

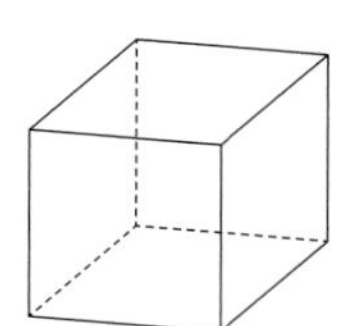

㉠ 보이는 않는 면은 3개입니다.
㉡ 보이는 않는 모서리는 9개입니다.
㉢ 보이는 꼭짓점은 7개입니다.

( )

6 직육면체에서 보이는 모서리의 길이의 합은 몇 cm인가요?

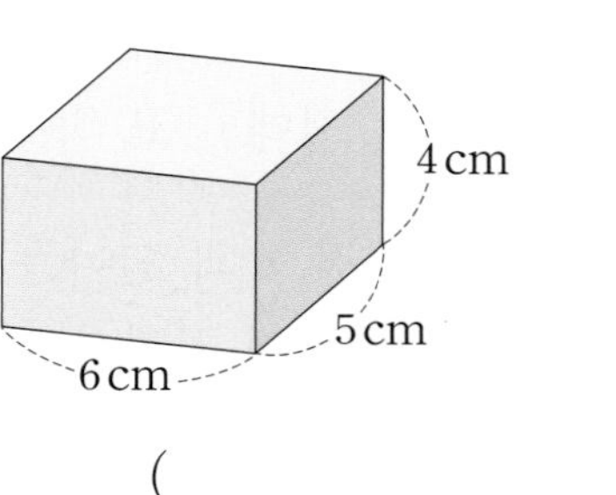

( )

미리 보는 수학 익힘 정육면체의 전개도

진도북 119쪽

정답 53쪽

1 전개도를 접어서 정육면체를 만들었습니다. 물음에 답하세요.

(1) 색칠한 면과 평행한 면에 색칠해 보세요.

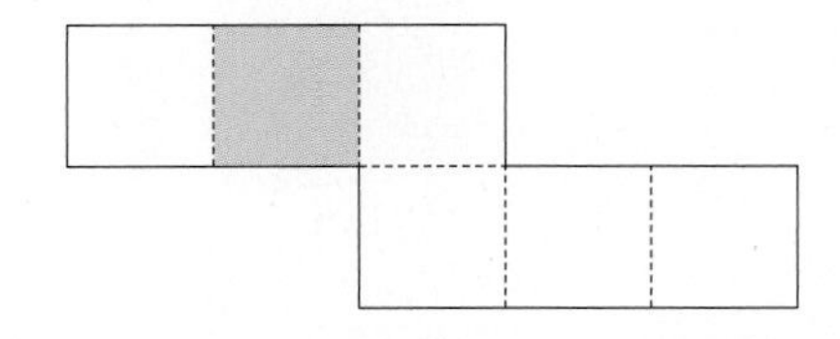

(2) 색칠한 면과 수직인 면에 모두 색칠해 보세요.

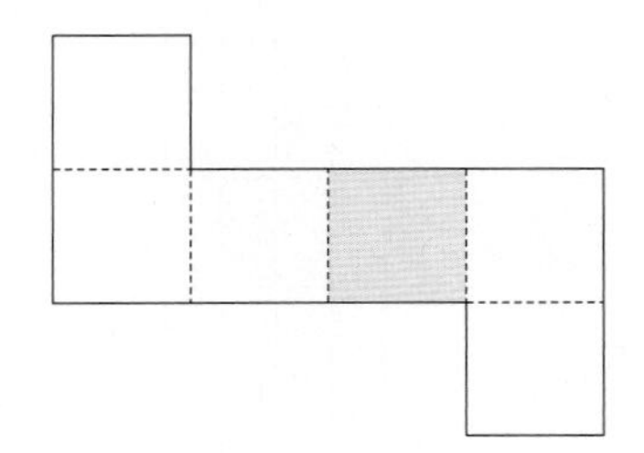

2 전개도를 접어서 정육면체를 만들었습니다. 물음에 답하세요.

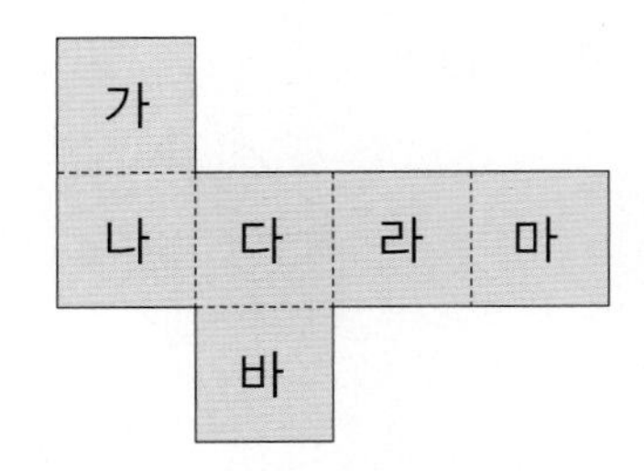

(1) 면 나와 평행한 면을 찾아 쓰세요.

( )

(2) 면 나와 수직인 면을 모두 찾아 쓰세요.

( )

3 정육면체의 모서리를 잘라서 정육면체의 전개도를 만들었습니다. □ 안에 알맞은 기호를 써넣으세요.

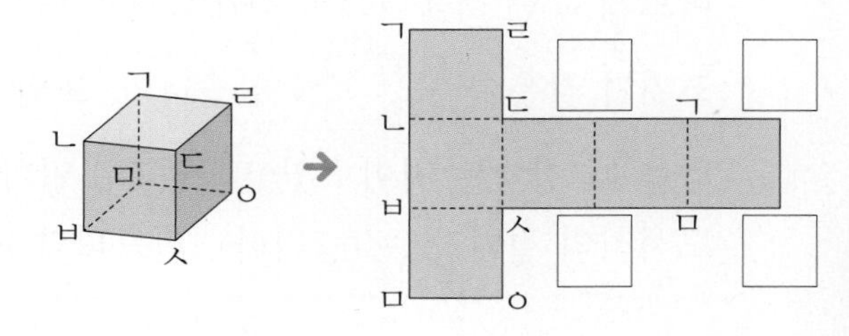

4 정육면체의 전개도가 될 수 없는 것을 찾아 기호를 쓰세요.

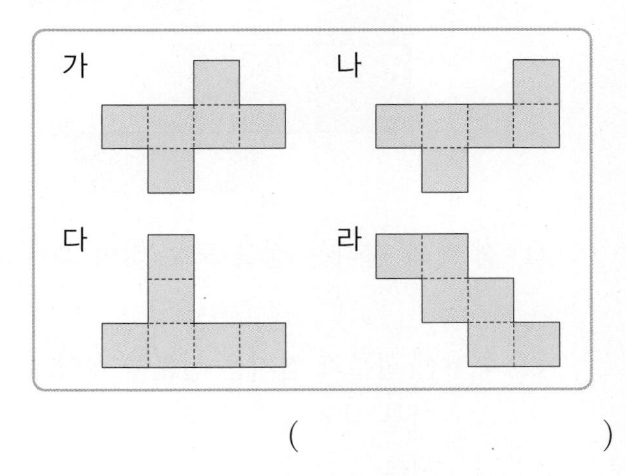

( )

5 주사위의 마주 보는 면에 있는 눈의 수를 합하면 7입니다. 정육면체 전개도의 빈 곳에 주사위 눈을 알맞게 그려 넣으세요.

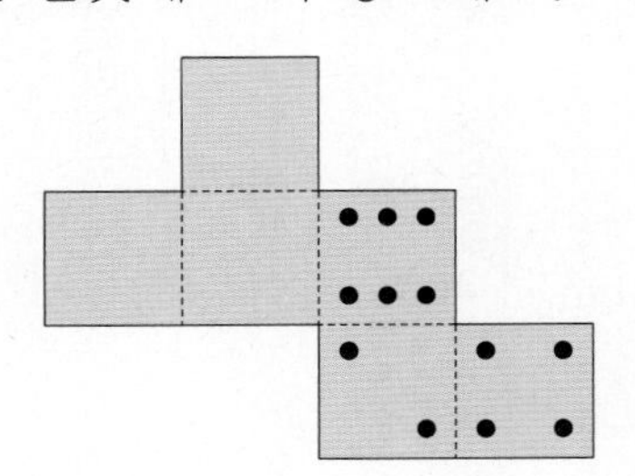

수학 익힘 5 단원

미리 보는 수학 익힘 직육면체의 전개도

진도북 120쪽

정답 53쪽

1 직육면체의 전개도를 정확하게 그렸는지 확인하는 방법을 바르게 나타내어 보세요.

바르게 그린 직육면체의 전개도에는 모양과 크기가 같은 면이 □쌍 있습니다. 또한 접었을 때 겹치는 면이 (있고 , 없고) 만나는 모서리의 길이가 (같습니다 , 다릅니다).

2 전개도를 접어서 직육면체를 만들었습니다. 물음에 답하세요.

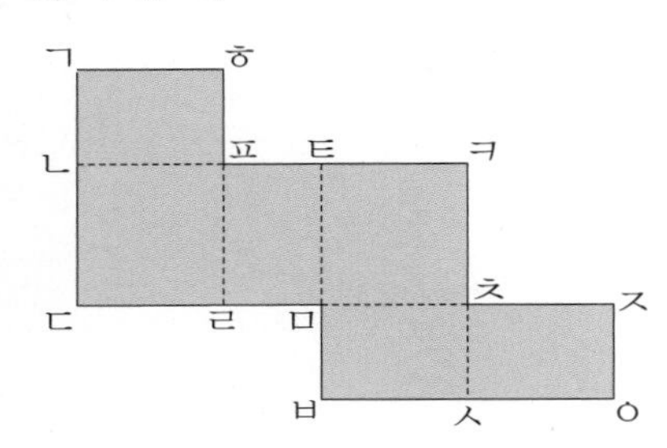

(1) 점 ㄱ과 만나는 점을 모두 찾아 쓰세요.

( )

(2) 주어진 선분과 겹치는 선분을 찾아 쓰세요.

선분 ㄱㅎ과 ( )

선분 ㄴㄷ과 ( )

3 직육면체의 전개도를 그린 것입니다. □ 안에 알맞은 수를 써넣으세요.

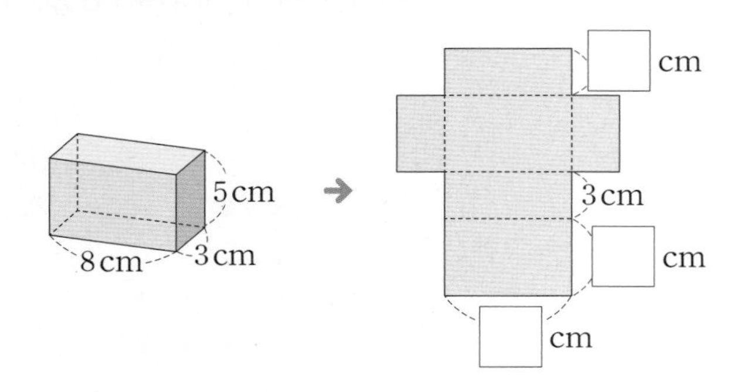

4 직육면체의 겨냥도를 보고 전개도를 그려 보세요.

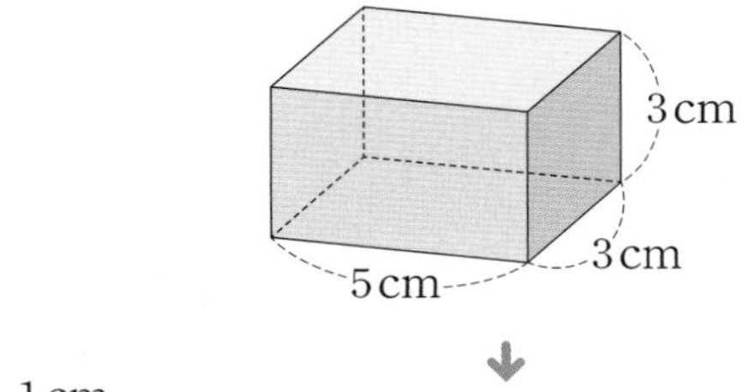

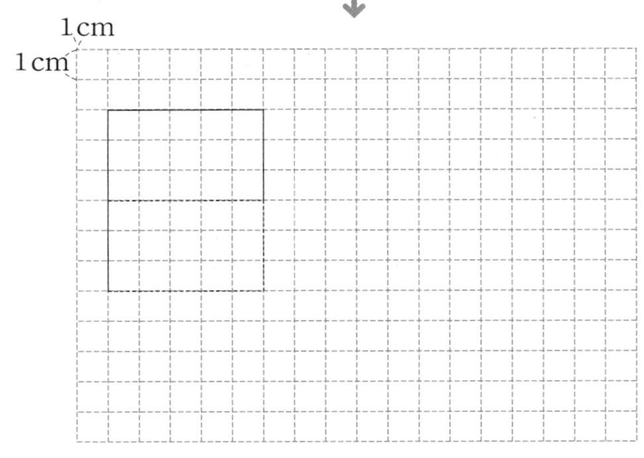

5 직육면체 모양의 상자를 색 테이프로 한 바퀴 둘러쌌습니다. 직육면체의 전개도가 다음과 같을 때 색 테이프가 지나간 자리를 바르게 그려 넣으세요.

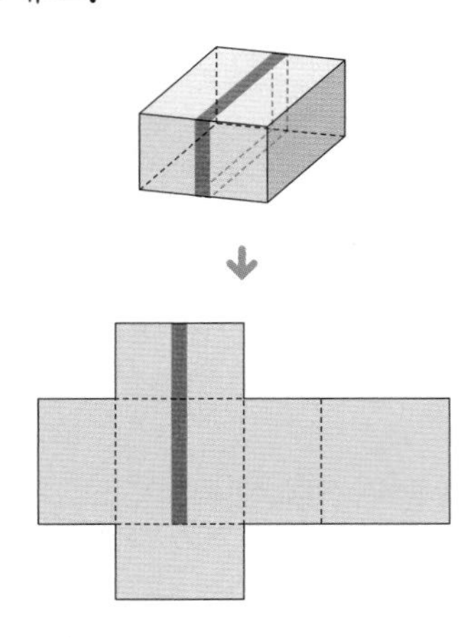

미리 보는 수학 익힘 평균

진도북 140쪽

정답 54쪽

[1~3] 윤호네 학교 5학년 학급별 학생 수를 나타낸 표입니다. 물음에 답하세요.

학급별 학생 수

학급(반)	인	의	예	지	신
학생 수(명)	24	25	25	22	24

1 대표적으로 한 학급에 몇 명의 학생이 있다고 말할 수 있나요?

( )

2 한 학급당 학생 수를 정하는 올바른 방법에 ○표 하세요.

방법	○표
각 학급의 학생 수 24, 25, 25, 22, 24 중 가장 큰 수인 25로 정합니다.	
각 학급의 학생 수 24, 25, 25, 22, 24 중 가장 작은 수인 22로 정합니다.	
각 학급의 학생 수 24, 25, 25, 22, 24를 고르게 하면 24, 24, 24, 24, 24가 되므로 24로 정합니다.	

3 한 학급에는 평균 몇 명의 학생이 있나요?

( )

[4~6] 승우네 모둠과 민서네 모둠의 고리던지기 기록을 나타낸 표입니다. 물음에 답하세요.

승우네 모둠

이름	고리던지기 기록(개)
승우	6
태호	7
지훈	3
영서	4
수현	10

민서네 모둠

이름	고리던지기 기록(개)
민서	9
혜교	6
준수	7
지원	6

4 승우네 모둠과 민서네 모둠의 고리던지기 기록의 평균은 각각 몇 개인가요?

승우네 모둠 ( )

민서네 모둠 ( )

5 어느 모둠이 더 잘했다고 볼 수 있나요?

( )

6 두 모둠의 고리던지기 기록에 대해 잘못 말한 친구를 찾아 이름을 쓰세요.

서윤: 승우네 모둠은 총 30개, 민서네 모둠은 총 28개의 고리던지기를 성공시켰으니까 승우네 모둠이 더 잘했어.

우진: 두 모둠의 고리던지기 기록의 평균을 구해 보면 어느 모둠이 더 잘했는지 비교할 수 있어.

( )

미리 보는 수학 익힘 평균 구하기

진도북 140쪽

정답 54쪽

1 지난주 월요일부터 금요일까지 최고 기온을 나타낸 표입니다. 물음에 답하세요.

요일별 최고 기온

요일	월	화	수	목	금
기온(℃)	6	3	9	3	4

(1) 지난주 요일별 최고 기온을 막대그래프로 나타내고 □ 안에 알맞은 수를 써넣으세요.

요일별 최고 기온

막대를 옮겨 칸수를 고르게 하면 모두 □칸씩입니다.

(2) 지난주 요일별 최고 기온의 평균은 몇 ℃인가요?

( )

2 수영이가 5일 동안 마신 주스의 양을 나타낸 표입니다. 수영이가 마신 주스의 양의 평균은 몇 mL인가요?

수영이가 마신 주스의 양

요일	월	화	수	목	금
주스의 양(mL)	320	400	180	350	450

( )

3 승훈이가 1분 동안 한 윗몸 말아 올리기 횟수를 나타낸 표입니다. 승훈이의 윗몸 말아 올리기 횟수의 평균을 여러 가지 방법으로 구하세요.

승훈이의 윗몸 말아 올리기 횟수

회	1회	2회	3회	4회
횟수(번)	40	43	38	39

방법 1

방법 2

4 어느 농구 팀이 경기를 4번 했을 때 얻은 점수를 나타낸 표입니다. 물음에 답하세요.

경기별 얻은 점수

경기	첫 번째	두 번째	세 번째	네 번째
얻은 점수(점)	102	105	96	109

(1) 이 농구 팀이 네 경기 동안 얻은 점수의 평균은 몇 점인가요?

( )

(2) □ 안에 알맞은 수를 써넣으세요.

다섯 경기 동안 얻은 점수의 평균이 네 경기 동안 얻은 점수의 평균보다 높으려면 다섯 번째 경기에서는 □점보다 높은 점수를 얻어야 합니다.

미리 보는 수학 익힘 평균 이용하기

진도북 141쪽

정답 55쪽

[1~3] 지수네 학교 5학년 학생들은 수학 체험의 날을 기념하기 위해 우유갑을 이용해 규칙이 있는 아름다운 구조물을 만들기로 했습니다. 물음에 답하세요.

학급별 학생 수

학급(반)	인	의	예	지
학생 수(명)	27	25	23	25

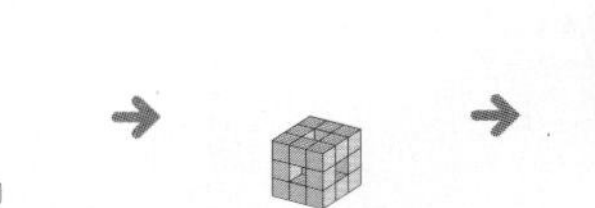
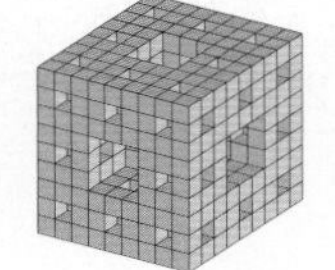

1 구조물을 만들려면 우유갑 400개가 필요합니다. 한 학급당 우유갑을 평균 몇 개씩 모아야 하나요?

( )

2 한 학급당 학생 수는 평균 몇 명인가요?

( )

3 구조물을 만들기 위해 한 명당 모아야 하는 우유갑은 평균 몇 개인가요?

( )

4 지혜네 반과 정수네 반의 학생 수와 수학 점수의 총점을 나타낸 표입니다. 물음에 답하세요.

반 학생 수와 수학 점수의 총점

반	학생 수(명)	총점(점)
지혜네 반	23	2001
정수네 반	21	1869

(1) 지혜네 반의 수학 점수의 평균은 몇 점인가요?

( )

(2) 정수네 반의 수학 점수의 평균은 몇 점인가요?

( )

(3) 어느 반의 수학 점수의 평균이 몇 점 더 높은가요?

( ), ( )

5 유정이네 학교 학년별 학생 수를 나타낸 표입니다. 학년당 학생 수의 평균이 112명일 때, 6학년 학생은 몇 명인가요?

학년별 학생 수

학년	1학년	2학년	3학년
학생 수(명)	101	117	108
학년	4학년	5학년	6학년
학생 수(명)	115	109	

( )

수학 익힘 6단원

미리 보는 수학 익힘 일이 일어날 가능성을 말로 표현하기

진도북 141쪽

● 정답 55쪽

1 □ 안에 일이 일어날 가능성을 알맞게 써넣으세요.

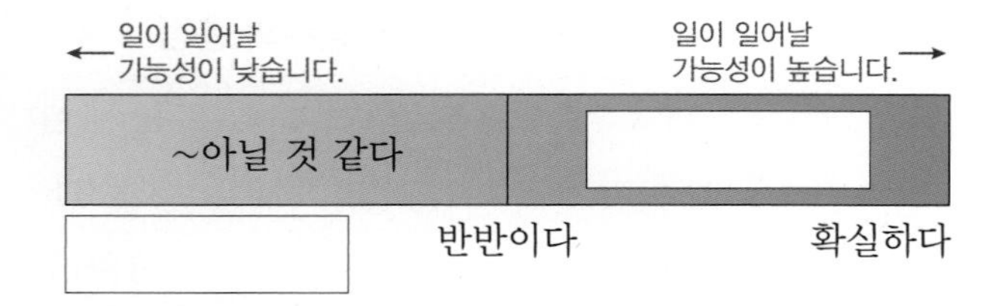

2 일이 일어날 가능성을 생각해 보고, 알맞게 표현한 것을 보기에서 찾아 기호를 쓰세요.

보기
㉠ 불가능하다 ㉡ ~아닐 것 같다
㉢ 반반이다 ㉣ ~일 것 같다
㉤ 확실하다

(1) 흰색 바둑돌만 있는 상자에서 꺼낸 바둑돌은 흰색일 것입니다.

( )

(2) 내일 아침에 서쪽에서 해가 뜰 것입니다.

( )

(3) 100원짜리 동전을 던지면 숫자 면이 나올 것입니다.

( )

(4) 주사위를 두 번 굴리면 주사위 눈의 수가 모두 4가 나올 것입니다.

( )

3 일이 일어날 가능성을 나타낼 수 있는 상황을 찾아 이어 보세요.

(1)	확실하다 •	• 서울의 1월 평균 기온은 30 ℃보다 높을 것입니다.
(2)	반반이다 •	• 367명의 사람들 중에 서로 생일이 같은 사람이 있을 것입니다.
(3)	불가능하다 •	• 1부터 6까지 쓰인 주사위를 굴리면 짝수의 눈이 나올 것입니다.

4 1번부터 15번까지의 번호표가 들어 있는 상자 안에서 번호표를 한 개 꺼낼 때 17번 번호표를 꺼낼 가능성을 잘못 이야기한 친구의 이름을 쓰세요.

병우: 상자 안에서 17번 번호표를 꺼낼 가능성은 불가능해.

지현: 상자 안에서 17번 번호표를 꺼낼 가능성은 확실해.

( )

미리 보는 수학 익힘 일이 일어날 가능성을 비교하기

진도북 141쪽

정답 55쪽

[1~3] 5학년 친구들이 말한 일이 일어날 가능성을 비교해 보세요.

수진: 오늘은 수요일이니까 내일은 목요일이야.
재훈: 내일 태어나는 동생은 여동생일 거야.
민준: 내일 날씨는 춥다던데 긴팔을 입고 온 친구가 반팔을 입고 온 친구보다 많겠지?
지혜: 지금은 오후 2시니까 1시간 후에는 오후 4시가 될 거야.
선아: 주머니에 든 구슬 100개 중 3개만 초록색이야. 내가 그 주머니에서 구슬 1개를 꺼낼 때 그 구슬은 초록색일 거야.

1 일이 일어날 가능성이 '불가능하다'인 경우를 말한 친구는 누구인가요?

( )

2 1과 같은 상황에서 일이 일어날 가능성이 '확실하다'가 되도록 친구의 말을 바꿔 보세요.

3 일이 일어날 가능성이 높은 친구부터 순서대로 이름을 쓰세요.

(, , , ,)

4 일이 일어날 가능성이 가장 낮은 것에 ○표 하세요.

○× 문제의 답이 ○일 가능성 ( )

친구의 혈액형이 A형일 가능성 ( )

화요일 전날이 월요일일 가능성 ( )

5 빨간색, 파란색, 노란색으로 이루어진 회전판과 회전판을 80번 돌려 화살이 멈춘 횟수를 나타낸 표입니다. 일이 일어날 가능성이 가장 비슷한 회전판을 찾아 기호를 쓰세요.

색깔	빨강	파랑	노랑
횟수(회)	27	26	27

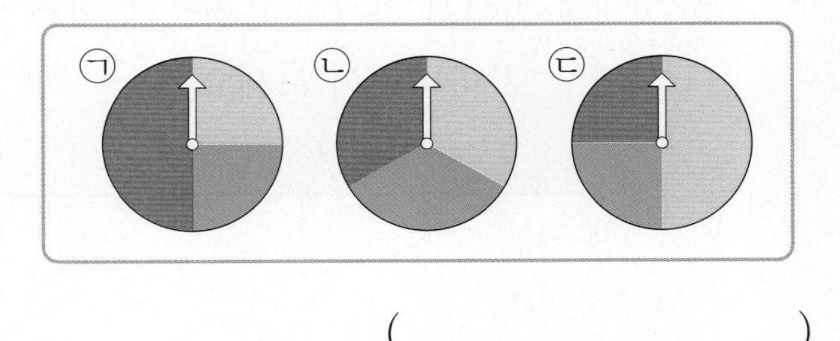

( )

6 조건 에 알맞은 회전판이 되도록 색칠해 보세요.

조건
- 화살이 초록색에 멈출 가능성이 가장 높습니다.
- 화살이 파란색에 멈출 가능성은 빨간색에 멈출 가능성의 3배입니다.

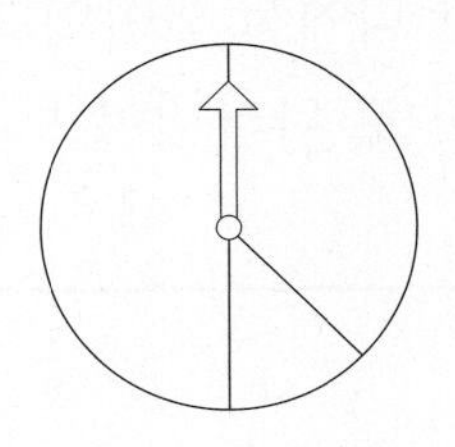

미리 보는 수학 익힘 일이 일어날 가능성을 수로 표현하기

진도북 142쪽

정답 56쪽

1 소희네 모둠이 회전판 돌리기를 하고 있습니다. 일이 일어날 가능성이 '불가능하다'이면 0, '반반이다'이면 $\frac{1}{2}$, '확실하다'이면 1로 표현할 때, 물음에 답하세요.

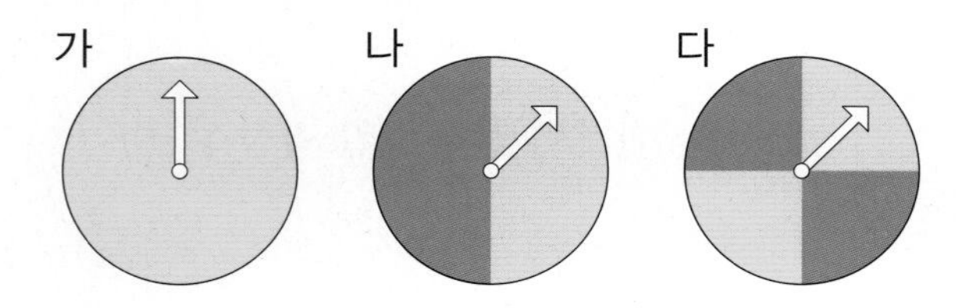

(1) 회전판 가에서 화살이 초록색에 멈출 가능성에 ↓로 나타내어 보세요.

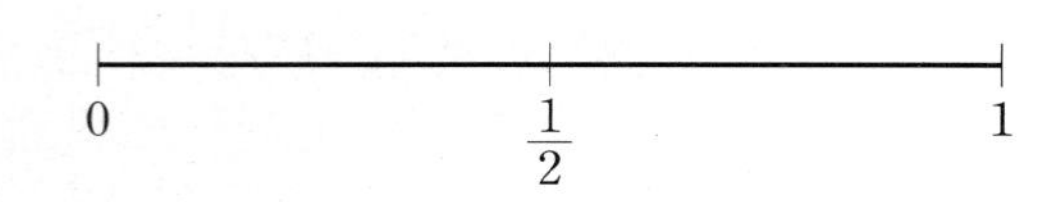

(2) 회전판 가에서 화살이 노란색에 멈출 가능성에 ↓로 나타내어 보세요.

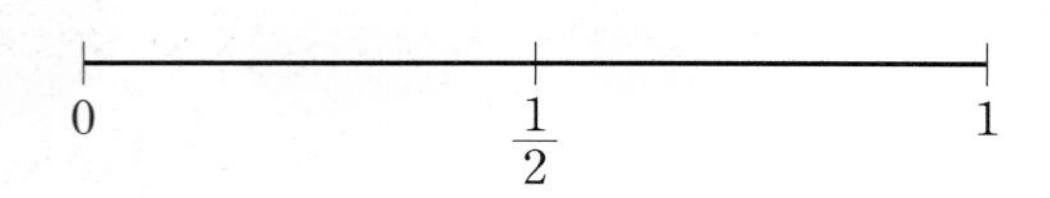

(3) 회전판 나에서 화살이 노란색에 멈출 가능성에 ↓로 나타내어 보세요.

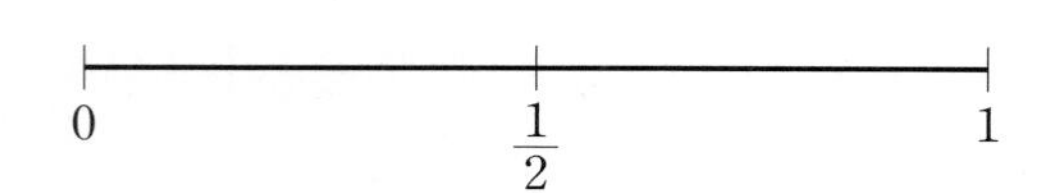

(4) 회전판 다에서 화살이 초록색에 멈출 가능성에 ↓로 나타내어 보세요.

0 $\frac{1}{2}$ 1

2 우리 반 학생 수가 홀수일 가능성을 말과 수로 표현해 보세요.

말 ______

수 ______

3 당첨 제비만 8개 들어 있는 제비뽑기 상자에서 제비 1개를 뽑았습니다. 뽑은 제비가 당첨 제비일 가능성을 수로 표현해 보세요.

4 주호가 구슬 개수 맞히기를 하고 있습니다. 구슬 8개가 들어 있는 주머니에서 1개 이상의 구슬을 꺼냈을 때, 물음에 답하세요.

(1) 꺼낸 구슬의 개수가 짝수일 가능성을 말로 표현해 보세요.

(2) 꺼낸 구슬의 개수가 짝수일 가능성과 화살이 빨간색에 멈출 가능성이 같도록 회전판을 색칠해 보세요.

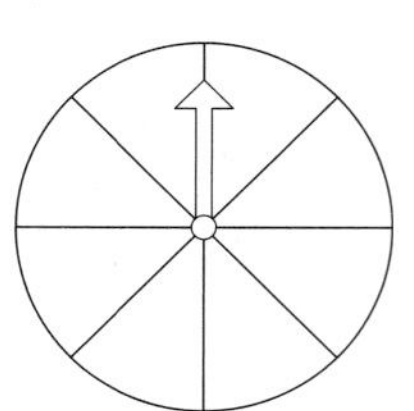

큐브 수학 개념

매칭북 5·2

엄마 매니저의 큐브수학 STORY

초등수학 문제집 추천

닉네임
사*

3년째 큐브수학 개념으로 엄마표 수학 완성!

4학년부터 개념은 큐브수학으로 시작했는데요. 설명이 쉽게 되어 있어서 접근하기가 좋더라고요. 기초개념만 제대로 잡히면 그다음 단계로 올라가는 건 어렵지 않아요. 처음부터 너무 어려우면 부담스러워 피하기도 하는데 아이가 쉽게 잘 풀어나가는게 효과가 아주 좋았어요. **기초 잡기에는 큐브수학 개념이 제일 만족스러웠어요.**

닉네임
ㄱ**

쉽고 재미있게 개념도 탄탄하게!

큐브수학 개념을 계속해서 선택한 이유는 **기초 수학을 체계적으로 풀어가면서 수학 실력을 쌓을 수 있기 때문이에요.** 무료 스마트러닝 개념 동영상 강의도 쉽고 재미나서 혼자서도 충실하게 잘 듣더라고요! 수학 익힘 문제, 더 확장된 문제들까지 다양하게 풀어 볼 수 있어서 좋았어요. 큐브수학만큼 만족도가 큰 문제집은 없는 것 같네요.

닉네임
매****

무료 동영상 강의로 빈틈 없는 홈스쿨링

엄마표 수학을 진행하고 있기 때문에 아이가 잘 따라올 수 있는 수준의 문제집을 고르려고 해요. **특히 홈스쿨링으로 예습을 할 때 가장 좋은 건 동영상 강의예요.** QR코드를 찍으면 바로 동영상을 볼 수 있고, 선생님이 제가 알려주는 것보다 더 알기 쉽게 알려주세요. 부족한 학습은 동영상을 통해 채워줄 수 있어서 정말 좋아요. 혼자서도 언제 어느 때나 강의를 들을 수 있다는 점이 최고!

큐브 수학

개념

정답 및 풀이

5·2

모바일

쉽고 편리한 빠른 정답

동아출판

정답 및 풀이

차례

5·2

진도북 정답 및 풀이

모바일 빠른 정답
QR코드를 찍으면 **정답 및 풀이**를 쉽고 빠르게 확인할 수 있습니다.

1 수의 범위와 어림하기

009쪽 STEP 1 교과서 개념 잡기

1 (1) 152, 140 (2) '이상'에 ○표
(3) 76, 105 (4) '이하'에 ○표
2 (1) 45, 51, 40 (2) 30, 10, 28
3 21, 30, 20에 ○표 / 12, 15에 △표
4 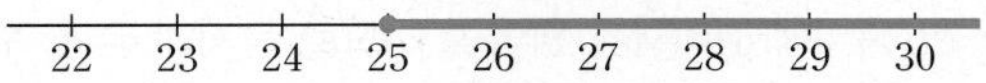

1 (1) 140과 같거나 큰 수를 찾으면 152, 140입니다.
(3) 105와 같거나 작은 수를 찾으면 76, 105입니다.

2 (1) 40과 같거나 큰 수: 45, 51, 40
(2) 30과 같거나 작은 수: 30, 10, 28

3 • 20과 같거나 큰 수: 21, 30, 20
• 15와 같거나 작은 수: 12, 15

4 25와 같거나 큰 수이므로 25에 점 ●을 그리고 오른쪽 방향으로 선을 긋습니다.

011쪽 STEP 1 교과서 개념 잡기

1 (1) 92, 89, 94 (2) '초과'에 ○표
(3) 75 (4) '미만'에 ○표
2 (1) 37, 45, 61 (2) 25, 18, 29
3 77, 52에 ○표 / 44, 37, 40에 △표
4 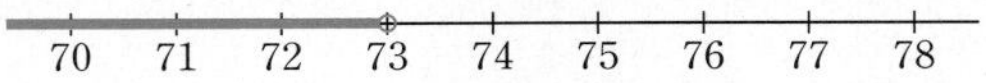

1 (1) 85보다 큰 수를 찾으면 92, 89, 94입니다.
(3) 80보다 작은 수를 찾으면 75입니다.

2 (1) 33보다 큰 수: 37, 45, 61
(2) 30보다 작은 수: 25, 18, 29

3 • 51보다 큰 수: 77, 52
• 45보다 작은 수: 44, 37, 40

4 73보다 작은 수이므로 73에 점 ○을 그리고 왼쪽 방향으로 선을 긋습니다.

013쪽 STEP 1 교과서 개념 잡기

1 (1) 25, 50, 350
(2) 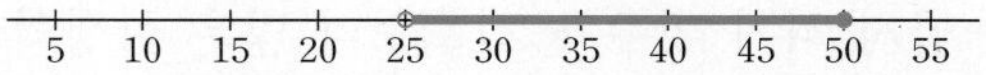

2 29, 30, 31, 32에 ○표
3 (1) 이상, 미만 (2) 초과, 이하

1 (1) 윤하가 보낼 편지의 무게는 45 g이고 45는 25 초과 50 이하의 범위에 속하므로 윤하가 내야 하는 우편 요금은 350원입니다.
(2) 25에 점 ○을 그리고, 50에 점 ●을 그린 후 두 점 사이를 잇는 선을 긋습니다.

2 28보다 크고 32와 같거나 작은 수는 29, 30, 31, 32입니다.

3 (1) 3은 포함되고 7은 포함되지 않습니다.
➔ 3 이상 7 미만인 수
(2) 10은 포함되지 않고 16은 포함됩니다.
➔ 10 초과 16 이하인 수

014쪽 STEP 2 개념 한 번 더 잡기

01 15, 17, 14에 ○표
02 4학년, 5학년
03 4개
04 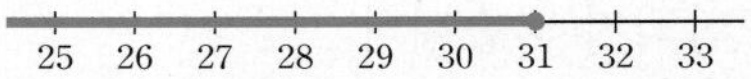

05 23회, 25회, 24회
06 송화, 가은
07 35, 33.5, 34.7
08 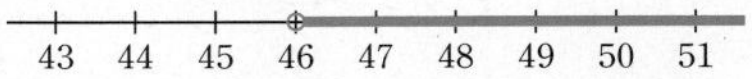

09 47, 47.8, 50.5, 48에 ○표
10 8 초과 12 이하인 수
11 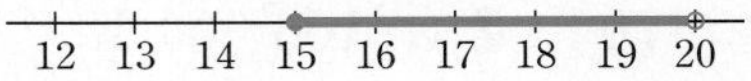

12 청장급
13 ㉢

01 14권과 같거나 많은 책의 수: 15권, 17권, 14권

02 학생 수가 150명과 같거나 적은 학년을 찾으면 4학년(142명), 5학년(150명)입니다.

03 35와 같거나 큰 수는 35, 38, 100, 40으로 모두 4개입니다.

04 31과 같거나 작은 수이므로 31에 점 ●을 그리고 왼쪽 방향으로 선을 긋습니다.

05 팔 굽혀 펴기 횟수가 21회보다 많은 학생의 팔 굽혀 펴기 횟수: 23회, 25회, 24회

06 키가 145 cm보다 작은 학생을 찾으면 송화(143.9 cm), 가은(142.5 cm)입니다.

07 38보다 작은 수는 35, 33.5, 34.7입니다.

08 46보다 큰 수이므로 46에 점 ○을 그리고 오른쪽 방향으로 선을 긋습니다.

09 47과 같거나 크고 51보다 작은 수는 47, 47.8, 50.5, 48입니다.

10 8은 포함되지 않고 12는 포함됩니다.
➔ 8 초과 12 이하인 수

11 15는 포함되므로 15에 점 ●을 그리고, 20은 포함되지 않으므로 20에 점 ○을 그린 후 두 점 사이를 잇는 선을 긋습니다.

12 50 kg이 속한 몸무게의 범위가 45 초과 50 이하이므로 청장급입니다.

13 ㉠ 25보다 크고 30보다 작은 수
➔ 25가 포함되지 않습니다.
㉡ 26과 같거나 크고 29보다 작은 수
➔ 25가 포함되지 않습니다.
㉢ 23보다 크고 28과 같거나 작은 수
➔ 25가 포함됩니다.

017쪽 STEP 1 교과서 개념 잡기

1 (1) 170개 (2) 170 **2** (1) 160 (2) 37
3 (1) 600개 (2) 600 **4** (1) 480 (2) 7.9

1 (1) 10개씩 묶음으로 산다면 160개, 170개, ...를 살 수 있으므로 부족하지 않게 최소 170개를 사야 합니다.
(2) 163 ➔ 170 (3 → 올립니다.)

코칭Tip '최소', '적어도' 얼마만큼인지 구할 때 올림의 개념을 적용합니다. 지우개를 10개씩 묶음으로 사야 하므로 사야 할 지우개 수는 163을 올림하여 십의 자리까지 나타내야 합니다.

2 (1) 156 ➔ 160 (6 → 올립니다.) (2) 36.2 ➔ 37 (2 → 올립니다.)

3 (1) 한 봉지에 100개씩 담으면 600개는 담을 수 있고 나머지 47개는 봉지에 담을 수 없으므로 최대 600개까지 담을 수 있습니다.
(2) 647 ➔ 600 (47 → 버립니다.)

코칭Tip '최대' 얼마만큼인지 구할 때 버림의 개념을 적용합니다. 사탕을 한 봉지에 100개씩 담아야 하므로 봉지에 담을 수 있는 사탕 수는 647을 버림하여 백의 자리까지 나타내야 합니다.

4 (1) 485 ➔ 480 (5 → 버립니다.) (2) 7.98 ➔ 7.9 (8 → 버립니다.)

019쪽 STEP 1 교과서 개념 잡기

1 (1)
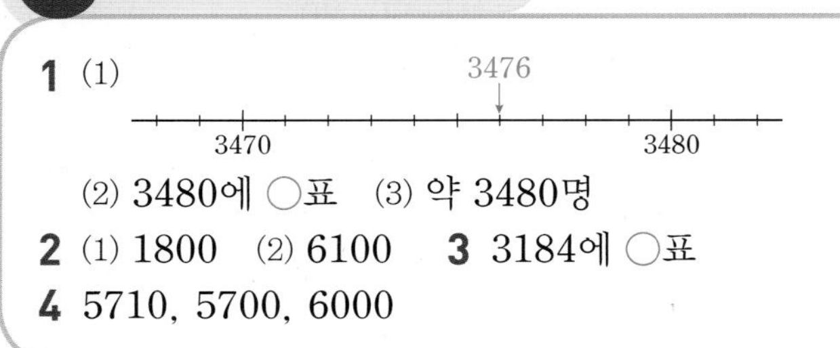

(2) 3480에 ○표 (3) 약 3480명
2 (1) 1800 (2) 6100 **3** 3184에 ○표
4 5710, 5700, 6000

1 (3) 3476은 3470보다 3480에 더 가까우므로 오늘 야구장에 입장한 어린이는 약 3480명이라고 할 수 있습니다.

2 (1) 1779 ➔ 1800 (79 → 올립니다.) (2) 6134 ➔ 6100 (34 → 버립니다.)

3 천의 자리 바로 아래 자리의 숫자인 백의 자리 숫자를 확인합니다.
• 2256 ➔ 2000 (×) (256 → 버립니다.) • 3184 ➔ 3000 (○) (184 → 버립니다.)
• 3921 ➔ 4000 (×) (921 → 올립니다.)

4 • 십의 자리까지 나타내기: 5713 ➔ 5710 (3 → 버립니다.)
• 백의 자리까지 나타내기: 5713 ➔ 5700 (13 → 버립니다.)
• 천의 자리까지 나타내기: 5713 ➔ 6000 (713 → 올립니다.)

021쪽 STEP 1 교과서 개념 잡기

1 (1) '올림', 130에 ○표 (2) 13
2 (1) 버림 (2) 5장
3 139, 142

1 (1) 한 번에 10명씩 120명이 타고 남은 5명도 케이블카를 타야 하므로 125명을 130명으로 올림해야 합니다.
(2) 케이블카는 최소 $130 \div 10 = 13$(번) 운행해야 합니다.

2 (1) 4950원은 10000원짜리 지폐로 바꿀 수 없으므로 버림해야 합니다.
(2) 50000원은 10000원짜리 지폐로 최대 5장까지 바꿀 수 있습니다.

3 • 연경: 138.7 → 139 (올립니다.) • 유미: 142.1 → 142 (버립니다.)

022쪽 STEP 2 개념 한 번 더 잡기

01 5000원 **02** 5670에 ○표
03 (1) 3600 (2) 7900 **04** (1) 1.9 (2) 6.46
05 540개 **06** 130, 100
07 7.81 **08** 4289에 ○표
09 (수직선: 2800, 2887, 2900) / 약 2900명
10 (1) 2000 (2) 6000 **11** 2.4 / 2.44
12 ㉢ **13** 21번
14 9개
15 47 kg / 46 kg / 52 kg

01 4000원으로는 4500원짜리 물건을 살 수 없으므로 올림하여 최소 5000원을 내야 합니다.

코칭Tip 1000원짜리 지폐로만 물건을 사야 하므로 천의 자리 아래 수를 올려서 나타냅니다.

02 5664 → 5670 (올립니다.)

03 (1) 3584 → 3600 (올립니다.) (2) 7801 → 7900 (올립니다.)

코칭Tip 7801을 올림하여 백의 자리까지 나타낼 때 십의 자리 숫자 0만 보고 7800이라고 답하지 않도록 주의합니다.

04 (1) 1.828 → 1.9 (올립니다.) (2) 6.452 → 6.46 (올립니다.)

05 한 상자에 10개씩 담으면 540개는 담을 수 있고 나머지 6개는 상자에 담을 수 없으므로 최대 540개까지 담을 수 있습니다.

06 • 십의 자리까지 나타내기: 137 → 130 (버립니다.)
• 백의 자리까지 나타내기: 137 → 100 (버립니다.)

07 7.813 → 7.81 (버립니다.)

08 • 4289 → 4200 (○) (버립니다.) • 4120 → 4100 (×) (버립니다.)
• 4310 → 4300 (×) (버립니다.)

09 2887은 2800과 2900 중에서 2900에 더 가까우므로 오늘 박물관 입장객은 약 2900명이라고 할 수 있습니다.

10 (1) 2086 → 2000 (버립니다.) (2) 5998 → 6000 (올립니다.)

11 • 소수 첫째 자리까지 나타내기: 2.437 → 2.4 (버립니다.)
• 소수 둘째 자리까지 나타내기: 2.437 → 2.44 (올립니다.)

12 ㉠ 5511 → 5500 (버립니다.) ㉡ 5670 → 5700 (올립니다.)
㉢ 5624 → 5600 (버립니다.)

13 한 번에 10명씩 200명이 타고 남은 8명도 타야 하므로 208명을 210명으로 올림해야 합니다.
→ $210 \div 10 = 21$(번)

14 1 m=100 cm보다 짧은 끈은 사용할 수 없으므로 935 cm를 900 cm로 버림해야 합니다.
→ $900 \div 100 = 9$(개)

15 • 영호: 47.2 → 47 (버립니다.) • 수아: 45.8 → 46 (올립니다.)
• 유리: 51.5 → 52 (올립니다.)

진도북 1 단원

024쪽 STEP3 수학 익힘 문제잡기

01 3명　　02 오빠, 어머니, 아버지
03 ㉡, ㉣　　04 (1) × (2) ○
05 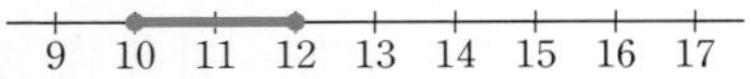

/ 10, 11, 12
06 초과, 미만
07 (1) 어린이, 1000 (2) 3000 (3) 7000
08 9408　　09 70
10 3800 / > / 3700　　11 6999
12 5, 6, 7, 8, 9　　13 8600
14 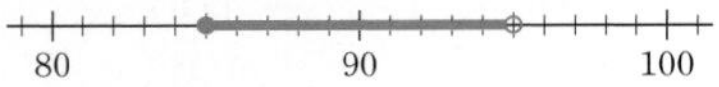

15 아현　　16 현민
17 (1) 5, 6 (2) 7, 8 (3) 5.7, 5.8, 6.7, 6.8

01 훌라후프 횟수가 100회와 같거나 적은 학생을 찾으면 민재(54회), 다현(89회), 상윤(75회)이므로 모두 3명입니다.

02 나이가 만 18세와 같거나 많은 가족을 찾으면 오빠(만 18세), 어머니(만 45세), 아버지(만 51세)입니다.

03 무게가 23 kg보다 무거운 수하물을 찾으면 ㉡ 25.3 kg과 ㉣ 24.1 kg입니다.

04 (1) 92 미만인 수는 92보다 작은 수이므로 92가 포함되지 않습니다.
(2) 26 초과인 수는 26보다 큰 수이므로 26이 포함되지 않습니다. 따라서 25, 26, 27 중에서 26 초과인 수는 27뿐입니다.

05 10과 12가 모두 포함되므로 10과 12에 점 ●을 그린 후 두 점 사이를 잇는 선을 긋습니다.

06 20보다 크고 28보다 작은 자연수
→ 20 초과 28 미만인 자연수

07 (1) 진아는 8세 이상 13세 이하에 속하므로 어린이 요금인 1000원을 내야 합니다.
(2) 아버지와 어머니는 각각 어른 요금인 3000원을 내야 합니다.
(3) 1000+3000+3000=7000(원)

08 □□08에서 백의 자리 아래 수를 올림한 수가 9500이므로 올림하기 전의 백의 자리 숫자는 5−1=4이고, 천의 자리 숫자는 9입니다.
따라서 민호의 사물함 비밀번호는 9408입니다.

09 • 올림하여 천의 자리까지 나타낸 수: 9000
• 올림하여 십의 자리까지 나타낸 수: 8930
→ 9000−8930=70

10 • 3802 → 3800 (버립니다.)　• 3791 → 3700 (버립니다.)
따라서 3800>3700입니다.

11 천의 자리 아래 수가 가장 큰 경우는 999이므로 버림하여 천의 자리까지 나타내면 6000이 되는 자연수 중에서 가장 큰 수는 6999입니다.

코칭Tip 버림하여 천의 자리까지 나타내면 6000이 되는 자연수는 6000부터 6999까지입니다.

12 십의 자리 숫자가 5에서 6이 되었으므로 일의 자리에서 올림하여 나타낸 것입니다.
따라서 □ 안에 들어갈 수 있는 수는 5, 6, 7, 8, 9입니다.

코칭Tip 구하려는 자리의 숫자가 1만큼 더 커졌으면 구하려는 자리 바로 아래 한 자리 수는 5 이상이고, 구하려는 자리의 숫자가 그대로이면 구하려는 자리 바로 아래 한 자리 수는 5 미만입니다.

13 만들 수 있는 가장 큰 네 자리 수는 8631입니다.
따라서 8631을 반올림하여 백의 자리까지 나타내면 8600입니다.

14 • 십의 자리 숫자가 8인 경우:
일의 자리 숫자가 5, 6, 7, 8, 9이어야 합니다.
→ 85 이상
• 십의 자리 숫자가 9인 경우:
일의 자리 숫자가 0, 1, 2, 3, 4이어야 합니다.
→ 95 미만
따라서 85 이상 95 미만인 수의 범위를 수직선에 나타냅니다.

코칭Tip 어떤 수가 될 수 있는 수에는 94.9와 같이 일의 자리 숫자가 4인 소수도 포함되므로 94 이하라고 나타내지 않도록 주의합니다.

15 • 연재: 10권씩 묶고 남은 5권은 팔 수 없으므로 185권을 180권으로 버림하였습니다.
• 아현: 10명씩 앉고 남은 9명도 의자에 앉아야 하므로 79명을 80명으로 올림하였습니다.
• 석희: 350원은 1000원짜리 지폐로 바꿀 수 없으므로 4350원을 4000원으로 버림하였습니다.
따라서 연재와 석희는 버림의 방법으로 어림했고, 아현이는 올림의 방법으로 어림했습니다.

16 (물건값)＝8300＋5900＝14200(원)이므로 돈이 부족하지 않게 잘 어림한 친구는 현민입니다.

코칭Tip 지혜는 반올림, 현민이는 올림하여 필요한 돈을 어림했습니다. 버림 또는 반올림하는 경우에는 돈이 부족할 수도 있으므로 올림하는 것이 알맞습니다.

17 (1) 4보다 크고 6과 같거나 작은 수는 5, 6입니다.
(2) 7과 같거나 크고 9보다 작은 수는 7, 8입니다.
(3) 만들 수 있는 소수 한 자리 수는 5.7, 5.8, 6.7, 6.8입니다.

027쪽 서술형 잡기

※서술형 문제의 예시 답안입니다.

1 ❶ 15, 16, 17, 18, 19
❷ 15, 16, 17, 18, 19, 85 / 85

2 ❶ 6 초과 11 이하인 자연수 모두 구하기 ▶ 3점
❷ 6 초과 11 이하인 자연수를 모두 더한 값 구하기 ▶ 2점

❶ 6 초과 11 이하인 자연수를 모두 구하면 7, 8, 9, 10, 11입니다.
❷ 6 초과 11 이하인 자연수를 모두 더하면 7＋8＋9＋10＋11＝45입니다. / 45

3 ❶ 3600, 4500, 8100
❷ 8100, 9000 / 9000원

4 ❶ 서윤이가 산 빵값 구하기 ▶ 2점
❷ 1000원짜리 지폐로만 낼 때 내야 하는 금액 구하기 ▶ 3점

❶ 서윤이가 산 크림빵 1개와 단팥빵 2개의 값은 1700＋1500×2＝4700(원)입니다.
❷ 4700원을 올림하여 천의 자리까지 나타내면 내야 하는 금액은 5000원입니다. / 5000원

028쪽 단원 마무리

01 이하 **02** 1070
03 3100
04 (수직선: 30 31 32 33 34 35 36 37 38, 31에 ○, 36에 ●)
05 50, 51, 52, 53에 ○표 / 49, 50에 △표
06 혜민, 민겸
07 4310, 4300, 4000 / 91820, 91800, 92000
08 1400, 1300, 1300 **09** 853, 898
10 3대 **11** 29장
12 138, 150, 148, 143
13 준영, 민선 **14** 민선
15 2명 **16** ㉠, ㉣
17 500
18 (수직선: 40, 50, 60)

서술형 ※서술형 문제의 예시 답안입니다.

19 ❶ 10 이상 15 미만인 자연수 모두 구하기 ▶ 3점
❷ 10 이상 15 미만인 자연수를 모두 더한 값 구하기 ▶ 2점

❶ 10 이상 15 미만인 자연수를 모두 구하면 10, 11, 12, 13, 14입니다.
❷ 10 이상 15 미만인 자연수를 모두 더하면 10＋11＋12＋13＋14＝60입니다. / 60

20 ❶ 진욱이가 산 물건값 구하기 ▶ 2점
❷ 10000원짜리 지폐로만 낼 때 내야 하는 금액 구하기 ▶ 3점

❶ 진욱이가 산 인형과 로봇의 값은 6400＋8500＝14900(원)입니다.
❷ 14900원을 올림하여 만의 자리까지 나타내면 내야 하는 금액은 20000원입니다. / 20000원

01 ■와 같거나 작은 수를 ■ 이하인 수라고 합니다.

02 1063 → 1070 (3 → 올립니다.) **03** 3160 → 3100 (60 → 버립니다.)

04 31에 점 ○을 그리고, 36에 점 ●을 그린 후 두 점 사이를 잇는 선을 긋습니다.

05 • 50과 같거나 큰 수: 50, 51, 52, 53
• 50과 같거나 작은 수: 49, 50

06 왕복 오래달리기 횟수가 70회보다 많은 학생을 찾으면 혜민(75회), 민겸(80회)입니다.

07

십의 자리	백의 자리	천의 자리
4307 → 4310 (올립니다.)	4307 → 4300 (버립니다.)	4307 → 4000 (버립니다.)
91824 → 91820 (버립니다.)	91824 → 91800 (버립니다.)	91824 → 92000 (올립니다.)

진도북 1 단원

08 • 올림: 1321 → 1400 (21 → 올립니다.)
• 버림: 1321 → 1300 (21 → 버립니다.)
• 반올림: 1321 → 1300 (2 → 버립니다.)

09 • 853 → 800 (○) (53 → 버립니다.)
• 902 → 900 (×) (02 → 버립니다.)
• 898 → 800 (○) (98 → 버립니다.)
• 948 → 900 (×) (48 → 버립니다.)

10 한 대에 100상자씩 200상자를 싣고 남은 97상자도 트럭에 실어야 하므로 297상자를 300상자로 올림해야 합니다.
→ $300 \div 100 = 3$(대)

11 400원은 1000원짜리 지폐로 바꿀 수 없으므로 모은 돈 29400원을 29000원으로 버림해야 합니다.
→ $29000 \div 1000 = 29$(장)

12 • 지수: 137.9 → 138 (9 → 올립니다.)
• 채윤: 150.2 → 150 (2 → 버립니다.)
• 서하: 148.1 → 148 (1 → 버립니다.)
• 영규: 142.5 → 143 (5 → 올립니다.)

13 윗몸 말아 올리기 횟수가 28회와 같거나 많은 학생을 찾으면 준영(28회), 민선(32회)입니다.

14 윗몸 말아 올리기 횟수가 30회 이상인 학생은 민선입니다.

15 봉사 활동 시간이 25시간과 같거나 많은 학생을 찾으면 민재(26시간), 승호(30시간)이므로 모두 2명입니다.

16 높이가 2 m보다 낮은 자동차를 찾으면 ㉠ 1.95 m와 ㉣ 1.64 m입니다.

17 • 버림하여 천의 자리까지 나타낸 수: 4000
• 버림하여 백의 자리까지 나타낸 수: 4500
→ $4500 - 4000 = 500$

18 • 십의 자리 숫자가 4인 경우:
일의 자리 숫자가 5, 6, 7, 8, 9이어야 합니다.
→ 45 이상
• 십의 자리 숫자가 5인 경우:
일의 자리 숫자가 0, 1, 2, 3, 4이어야 합니다.
→ 55 미만
따라서 45 이상 55 미만인 수의 범위를 수직선에 나타냅니다.

2 분수의 곱셈

035쪽 STEP 1 교과서 개념 잡기

1 3, 9, $2\frac{1}{4}$ **2** 4, 4, $\frac{20}{3}$, $6\frac{2}{3}$

3 (1) 9, 9, 2, $\frac{18}{7}$, $2\frac{4}{7}$ (2) $\frac{2}{7}$, 1, 2, $\frac{4}{7}$, $2\frac{4}{7}$

4 (1) $1\frac{1}{5}$ (2) $1\frac{1}{4}$ (3) $9\frac{1}{3}$

1 분모가 같은 분수의 덧셈은 분자끼리의 합과 같으므로 $\frac{3}{4} \times 3$의 계산 결과에서 분자는 $3 \times 3 = 9$와 같습니다.

2 분모와 자연수를 처음 분수의 곱셈 과정에서 약분한 후 분자와 자연수를 곱합니다.
이때 계산 결과가 가분수이면 대분수로 나타냅니다.

4 (1) $\frac{1}{5} \times 6 = \frac{6}{5} = 1\frac{1}{5}$
(2) $\frac{5}{\cancel{8}_4} \times \cancel{2}^1 = \frac{5}{4} = 1\frac{1}{4}$
(3) $2\frac{1}{3} \times 4 = \frac{7}{3} \times 4 = \frac{28}{3} = 9\frac{1}{3}$

037쪽 STEP 1 교과서 개념 잡기

1 2, 1, 10 **2** 8, 3, $\frac{8}{3}$, $2\frac{2}{3}$

3 방법 1 $\frac{6}{5}$, 6, 5, $\frac{18}{5}$, $3\frac{3}{5}$
방법 2 $\frac{1}{5}$, 3, $\frac{3}{5}$, $3\frac{3}{5}$

4 (1) $2\frac{1}{2}$ (2) 6 (3) $18\frac{3}{4}$

1 12의 $\frac{5}{6}$는 12의 $\frac{5}{6}$배입니다.
→ $12 \times \frac{5}{6} = \frac{\cancel{12}^2 \times 5}{\cancel{6}_1} = \frac{10}{1} = 10$

2 분수의 곱셈을 다 한 후 약분하여 계산하고, 계산 결과를 대분수로 나타냅니다.

4 (1) $\overset{5}{\cancel{10}}\times\frac{1}{\underset{2}{\cancel{4}}}=\frac{5}{2}=2\frac{1}{2}$

(2) $\overset{2}{\cancel{16}}\times\frac{3}{\underset{1}{\cancel{8}}}=6$

(3) $9\times2\frac{1}{12}=\overset{3}{\cancel{9}}\times\frac{25}{\underset{4}{\cancel{12}}}=\frac{75}{4}=18\frac{3}{4}$

038쪽 STEP2 개념 한번 더 잡기

01 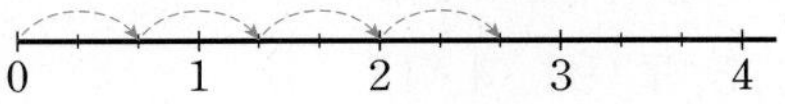

/ 4, 8, $2\frac{2}{3}$

02 (1) 15, 4, $\frac{15}{4}$, $3\frac{3}{4}$

(2) 3, 4, 3, 4, $\frac{15}{4}$, $3\frac{3}{4}$

(3) 4, 3, 3, 4, $\frac{15}{4}$, $3\frac{3}{4}$

03 예 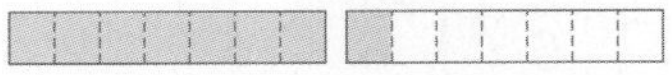 / $1\frac{1}{7}$

04 $(1\times6)+\left(\frac{5}{\underset{2}{\cancel{12}}}\times\overset{1}{\cancel{6}}\right)=6+\frac{5}{2}=6+2\frac{1}{2}=8\frac{1}{2}$

05 $4\frac{8}{9}$

06 예 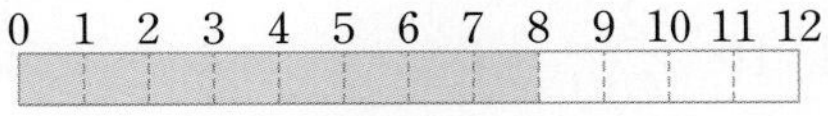

/ 8

07 (1) 6, 1, $\frac{6}{1}$, 6 (2) 2, 3, 1, $\frac{6}{1}$, 6

(3) 2, 1, $\frac{6}{1}$, 6

08 $\frac{6\times3}{8}=\frac{\overset{9}{\cancel{18}}}{\underset{4}{\cancel{8}}}=\frac{9}{4}=2\frac{1}{4}$

09 방법1 17, 17, 85, 14, 1

방법2 2, 5, 25, 4, 1, 14, 1

10 $12\frac{3}{7}$ **11** $19\frac{1}{2}$

01 계산 결과가 가분수이면 대분수로 나타냅니다.

02 (1) 분수의 곱셈을 다 한 후 약분합니다.

(2) 분수의 분자와 자연수를 곱하는 과정에서 약분합니다.

(3) 처음 분수의 곱셈 과정에서 약분합니다.

03 $\frac{2}{7}\times4=\frac{2\times4}{7}=\frac{8}{7}=1\frac{1}{7}$

04 대분수를 자연수와 진분수의 합으로 바꾸어 계산합니다.

05 $1\frac{2}{9}\times4=\frac{11}{9}\times4=\frac{44}{9}=4\frac{8}{9}$

06 $\overset{4}{\cancel{12}}\times\frac{2}{\underset{1}{\cancel{3}}}=\frac{4\times2}{1}=8$

07 (1) 분수의 곱셈을 다 한 후 약분합니다.

(2) 자연수와 분수의 분자를 곱하는 과정에서 약분합니다.

(3) 처음 분수의 곱셈 과정에서 약분합니다.

08 분수의 곱셈을 다 한 후 약분하여 계산합니다.

09 방법1 $2\frac{5}{6}$를 $\frac{17}{6}$로 바꾸어 계산합니다.

방법2 $2\frac{5}{6}$를 2와 $\frac{5}{6}$의 합으로 바꾸어 계산합니다.

10 $3\times4\frac{1}{7}=3\times\frac{29}{7}=\frac{3\times29}{7}=\frac{87}{7}=12\frac{3}{7}$

11 $15\times1\frac{3}{10}=\overset{3}{\cancel{15}}\times\frac{13}{\underset{2}{\cancel{10}}}=\frac{39}{2}=19\frac{1}{2}$

041쪽 STEP1 교과서 개념 잡기

1 (1) 예 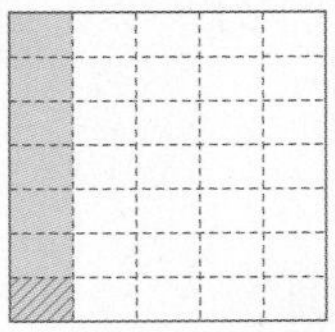 (2) 5, 7, 35

2 1, 4, $\frac{5}{24}$ **3** 5, 8, $\frac{5}{8}$

4 (1) $\frac{1}{72}$ (2) $\frac{6}{35}$ (3) $\frac{3}{4}$

1 $\frac{1}{5}\times\frac{1}{7}$은 전체를 35등분한 것 중 1만큼입니다.

2 진하게 색칠한 칸은 전체 24칸 중 5칸이므로 $\frac{5}{24}$입니다.

진도북
2 단원

3 분자는 분자끼리, 분모는 분모끼리 곱한 다음 약분이 되면 약분합니다.

4 (1) $\frac{1}{8}\times\frac{1}{9}=\frac{1\times1}{8\times9}=\frac{1}{72}$

(2) $\frac{2}{5}\times\frac{3}{7}=\frac{2\times3}{5\times7}=\frac{6}{35}$

(3) $\frac{5}{6}\times\frac{9}{10}=\frac{\cancel{5}^{1}\times\cancel{9}^{3}}{\cancel{6}_{2}\times\cancel{10}_{2}}=\frac{3}{4}$

043쪽 STEP1 교과서 개념 잡기

1 방법1 5, 11, $\frac{22}{5}$, $4\frac{2}{5}$ 방법2 12, 5, 2, $4\frac{2}{5}$

2 $\frac{1}{6}$, $\frac{1}{24}$ **3** (1) $18\frac{1}{3}$ (2) $\frac{2}{21}$

1 방법1 $2\frac{2}{5}$와 $1\frac{5}{6}$를 각각 $\frac{12}{5}$와 $\frac{11}{6}$로 바꾸어 계산합니다.

방법2 곱하는 수 $1\frac{5}{6}$를 1과 $\frac{5}{6}$의 합으로 바꾸어 계산합니다.

2 앞에서부터 두 분수씩 차례로 계산합니다.

→ $\frac{1}{3}\times\frac{1}{2}\times\frac{1}{4}=\left(\frac{1}{3}\times\frac{1}{2}\right)\times\frac{1}{4}=\frac{1}{6}\times\frac{1}{4}=\frac{1}{24}$

3 (1) $4\frac{8}{9}\times3\frac{3}{4}=\frac{\cancel{44}^{11}}{\cancel{9}_{3}}\times\frac{\cancel{15}^{5}}{\cancel{4}_{1}}=\frac{55}{3}=18\frac{1}{3}$

(2) $\frac{1}{\cancel{4}_{1}}\times\frac{\cancel{8}^{2}}{\cancel{15}_{3}}\times\frac{\cancel{5}^{1}}{7}=\frac{2}{3\times7}=\frac{2}{21}$

044쪽 STEP2 개념 한 번 더 잡기

01 예 / 3, 4, $\frac{1}{12}$

02 5, 3, $\frac{5}{27}$

03 예 / 3, 5, $\frac{9}{40}$

04 (1) 5, 18, 5 (2) 5, 1, 2, 9, 5 (3) 2, 1, 5

05 $\frac{3}{56}$, $\frac{2}{5}$ **06** $\frac{\cancel{4}^{2}\times7}{5\times\cancel{10}_{5}}=\frac{14}{25}$

07 (1) $\frac{20}{27}$ (2) $\frac{18}{55}$ **08** $\frac{1}{2}$

09 $\frac{3}{10}$

10 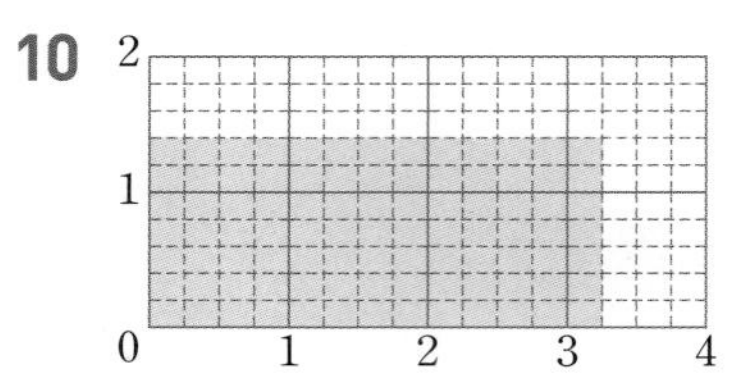

/ 13, 7, 13, 7, 91, 4, 11

11 13, 13, 39, $7\frac{4}{5}$

12 $\frac{\cancel{21}^{3}}{5}\times\frac{12}{\cancel{7}_{1}}=\frac{3\times12}{5\times1}=\frac{36}{5}=7\frac{1}{5}$

13 $4\frac{1}{6}\times1\frac{1}{5}=\left(4\frac{1}{6}\times1\right)+\left(4\frac{1}{6}\times\frac{1}{5}\right)$

$=4\frac{1}{6}+\left(\frac{\cancel{25}^{5}}{6}\times\frac{1}{\cancel{5}_{1}}\right)$

$=4\frac{1}{6}+\frac{5}{6}=5$

14 $3\frac{1}{3}$에 ○표 **15** $\frac{1}{15}$, $\frac{1}{30}$

16 9, 3, 10, $\frac{27}{400}$

17 (1) $\left(\frac{\cancel{2}^{1}}{3}\times\frac{5}{\cancel{8}_{4}}\right)\times\frac{4}{15}=\frac{\cancel{5}^{1}}{\cancel{12}_{3}}\times\frac{\cancel{4}^{1}}{\cancel{15}_{3}}=\frac{1}{9}$

(2) $\left(\frac{9}{\cancel{10}_{2}}\times\frac{\cancel{5}^{1}}{7}\right)\times\frac{13}{18}=\frac{\cancel{9}^{1}}{14}\times\frac{13}{\cancel{18}_{2}}=\frac{13}{28}$

18 $\frac{2}{9}$

01 $\frac{1}{3}\times\frac{1}{4}$은 전체를 12등분한 것 중 1만큼이므로 1칸에 색칠합니다.

02 분자는 분자끼리, 분모는 분모끼리 곱하여 계산합니다.

03 $\frac{3}{5}\times\frac{3}{8}$은 전체를 40등분한 것 중 9만큼이므로 9칸에 색칠합니다.

05 $\frac{3}{7}\times\frac{1}{8}=\frac{3\times1}{7\times8}=\frac{3}{56}$, $\frac{\overset{1}{\cancel{3}}}{\underset{1}{\cancel{7}}}\times\frac{\overset{2}{\cancel{14}}}{\underset{5}{\cancel{15}}}=\frac{2}{5}$

06 분자는 분자끼리, 분모는 분모끼리 곱하는 과정에서 약분합니다.

07 (1) $\frac{5}{\underset{3}{\cancel{6}}}\times\frac{\overset{4}{\cancel{8}}}{9}=\frac{20}{27}$

(2) $\frac{9}{\underset{5}{\cancel{10}}}\times\frac{\overset{2}{\cancel{4}}}{11}=\frac{18}{55}$

08 $\frac{\overset{1}{\cancel{6}}}{\underset{1}{\cancel{7}}}\times\frac{\overset{1}{\cancel{7}}}{\underset{2}{\cancel{12}}}=\frac{1}{2}$

09 (직사각형의 넓이)=(가로)×(세로)

$=\frac{3}{\underset{2}{\cancel{4}}}\times\frac{\overset{1}{\cancel{2}}}{5}=\frac{3}{10}$ (m^2)

10 $3\frac{1}{4}\times1\frac{2}{5}$는 가로가 $3\frac{1}{4}$, 세로가 $1\frac{2}{5}$인 직사각형의 넓이와 같습니다.

11 $3\frac{3}{5}$을 $\frac{18}{5}$로, $2\frac{1}{6}$을 $\frac{13}{6}$으로 바꾼 후 분자는 분자끼리, 분모는 분모끼리 곱하는 과정에서 약분합니다.

12 $4\frac{1}{5}$을 $\frac{21}{5}$로, $1\frac{5}{7}$를 $\frac{12}{7}$로 바꾼 후 약분하여 계산합니다.

13 곱하는 수 $1\frac{1}{5}$을 1과 $\frac{1}{5}$의 합으로 바꾸어 계산합니다.

14 $2\frac{1}{3}\times1\frac{3}{7}=\frac{\overset{1}{\cancel{7}}}{3}\times\frac{10}{\underset{1}{\cancel{7}}}=\frac{10}{3}=3\frac{1}{3}$

15 앞에서부터 두 분수씩 차례로 계산합니다.
→ $\frac{1}{3}\times\frac{1}{5}\times\frac{1}{2}=\left(\frac{1}{3}\times\frac{1}{5}\right)\times\frac{1}{2}=\frac{1}{15}\times\frac{1}{2}=\frac{1}{30}$

16 분자는 분자끼리, 분모는 분모끼리 한꺼번에 곱하여 계산합니다.

17 앞에서부터 두 분수씩 차례로 계산합니다.

18 $\frac{\overset{1}{\cancel{3}}}{\underset{1}{\cancel{4}}}\times\frac{\overset{1}{\cancel{5}}}{\underset{3}{\cancel{9}}}\times\frac{\overset{2}{\cancel{8}}}{\underset{3}{\cancel{15}}}=\frac{2}{3\times3}=\frac{2}{9}$

047쪽 STEP3 수학 익힘 문제 잡기

01 $\frac{5}{6}$

02 방법1 예 $2\frac{1}{7}\times3=\frac{15}{7}\times3=\frac{15\times3}{7}$
$=\frac{45}{7}=6\frac{3}{7}$

방법2 예 $2\frac{1}{7}\times3=(2\times3)+\left(\frac{1}{7}\times3\right)$
$=6+\frac{3}{7}=6\frac{3}{7}$

03 민혁

04 $\frac{7}{9}\times5=3\frac{8}{9}$ / $3\frac{8}{9}$ L

05 (1) • ─ • (2) •

06 (△)(○)
(○)(△)

07 $12+\frac{3}{6\times8}$에 ○표 /
$(6\times2)+\left(6\times\frac{3}{8}\right)=12+\frac{6\times3}{8}$
$=12+\frac{\overset{9}{\cancel{18}}}{\underset{4}{\cancel{8}}}=12+\frac{9}{4}=12+2\frac{1}{4}=14\frac{1}{4}$

08 (1) 30 (2) 25 (3) 200 (4) 100

09 $56\times\frac{5}{8}=35$ / 35 kg

10 $3\times2\frac{5}{9}=7\frac{2}{3}$ / $7\frac{2}{3}$ m^2

11 (위에서부터) $\frac{7}{72}$, $\frac{7}{15}$

12 (1) > (2) <

13 6, 7, 42 또는 7, 6, 42

14 $\frac{6}{7}\times\frac{2}{9}=\frac{4}{21}$ / $\frac{4}{21}$ m

15 $1\frac{5}{6}$

16 1, 3, 2

17 나

18 $5\frac{1}{3}$, $1\frac{3}{5}$ / $8\frac{8}{15}$

19 $\frac{7}{48}$

20 (1) $1\frac{3}{4}\times\frac{3}{7}$에 색칠 (2) $2\frac{2}{3}\times\frac{7}{12}\times4$에 색칠

21 $\frac{3}{10}\times\frac{4}{9}\times\frac{5}{12}=\frac{1}{18}$ / $\frac{1}{18}$

22 (1) $\frac{4}{5}$ (2) $\frac{3}{10}$ (3) 48쪽

01 $\frac{1}{6}\times5=\frac{1\times5}{6}=\frac{5}{6}$

02 대분수를 가분수로 바꾸거나 대분수를 자연수와 진분수의 합으로 바꾸어 계산합니다.

03 (진분수)×(자연수)에서 자연수는 분자에만 곱해야 하므로 바르게 계산한 친구는 민혁입니다.

04 $\frac{7}{9}\times5=\frac{35}{9}=3\frac{8}{9}$ (L)

05 (1) $4\times3\frac{2}{3}=4\times\frac{11}{3}$로 대분수를 가분수로 바꾸어 계산합니다.

(2) $6\times1\frac{5}{9}=6\times\frac{14}{9}$로 계산할 수 있고, 자연수와 분자를 곱하기 때문에 $\frac{14}{9}\times6$과 계산 결과가 같습니다.

06 • 10에 단위분수나 진분수를 곱하면 계산 결과는 10보다 작습니다.

➔ $10\times\frac{1}{3}=\frac{10}{3}=3\frac{1}{3}$, $10\times\frac{5}{9}=\frac{50}{9}=5\frac{5}{9}$

• 10에 대분수나 가분수를 곱하면 계산 결과는 10보다 큽니다.

➔ $10\times2\frac{2}{5}=\overset{2}{\cancel{10}}\times\frac{12}{\underset{1}{\cancel{5}}}=24$,

$\overset{5}{\cancel{10}}\times\frac{7}{\underset{2}{\cancel{4}}}=\frac{35}{2}=17\frac{1}{2}$

07 (자연수)×(분수)에서 자연수와 분자를 곱해야 하는데 자연수 6과 분모 8을 곱해 잘못 계산했습니다.

08 (1) $60\times\frac{1}{2}=30$(분)

(2) $100\times\frac{1}{4}=25$ (cm)

(3) $1000\times\frac{1}{5}=200$ (mL)

(4) $1000\times\frac{1}{10}=100$ (g)

09 (태민이의 몸무게) $=\overset{7}{\cancel{56}}\times\frac{5}{\underset{1}{\cancel{8}}}=35$ (kg)

10 (평행사변형의 넓이)

$=3\times2\frac{5}{9}=\overset{1}{\cancel{3}}\times\frac{23}{\underset{3}{\cancel{9}}}=\frac{23}{3}=7\frac{2}{3}$ (m^2)

11 $\frac{7}{12}\times\frac{1}{6}=\frac{7}{72}$, $\frac{7}{\underset{3}{\cancel{12}}}\times\frac{\overset{1}{\cancel{4}}}{5}=\frac{7}{15}$

12 (1) 단위분수에 단위분수를 곱한 값은 처음 단위분수보다 작습니다.

(2) 곱해지는 수가 같으므로 $\frac{1}{9}$에 더 큰 수를 곱한 값이 큽니다.

$\frac{1}{7}<\frac{1}{5}$ ➔ $\frac{1}{9}\times\frac{1}{7}<\frac{1}{9}\times\frac{1}{5}$

13 (단위분수)×(단위분수)이므로 두 분수의 분모의 곱이 가장 클 때 계산 결과가 가장 작습니다.
따라서 계산 결과가 가장 작은 식을 만들려면 수 카드 6과 7을 사용해야 합니다.

➔ $\frac{1}{6}\times\frac{1}{7}=\frac{1}{42}$ 또는 $\frac{1}{7}\times\frac{1}{6}=\frac{1}{42}$

14 $\frac{\overset{2}{\cancel{6}}}{7}\times\frac{2}{\underset{3}{\cancel{9}}}=\frac{4}{21}$ (m)

15 ㉠ $1\frac{1}{4}\times2\frac{2}{15}=\frac{\overset{1}{\cancel{5}}}{\underset{1}{\cancel{4}}}\times\frac{\overset{8}{\cancel{32}}}{\underset{3}{\cancel{15}}}=\frac{8}{3}=2\frac{2}{3}$

㉡ $3\frac{6}{7}\times1\frac{1}{6}=\frac{\overset{9}{\cancel{27}}}{\underset{1}{\cancel{7}}}\times\frac{\overset{1}{\cancel{7}}}{\underset{2}{\cancel{6}}}=\frac{9}{2}=4\frac{1}{2}$

➔ ㉡−㉠ $=4\frac{1}{2}-2\frac{2}{3}=4\frac{3}{6}-2\frac{4}{6}$

$=3\frac{9}{6}-2\frac{4}{6}=1\frac{5}{6}$

16 • $1\frac{1}{9}\times2\frac{2}{5}=\frac{\overset{2}{\cancel{10}}}{\underset{3}{\cancel{9}}}\times\frac{\overset{4}{\cancel{12}}}{\underset{1}{\cancel{5}}}=\frac{8}{3}=2\frac{2}{3}$

• $2\frac{4}{5}\times\frac{1}{7}=\frac{\overset{2}{\cancel{14}}}{5}\times\frac{1}{\underset{1}{\cancel{7}}}=\frac{2}{5}$

• $1\frac{1}{3}\times1\frac{1}{5}=\frac{4}{\underset{1}{\cancel{3}}}\times\frac{\overset{2}{\cancel{6}}}{5}=\frac{8}{5}=1\frac{3}{5}$

➔ $2\frac{2}{3}>1\frac{3}{5}>\frac{2}{5}$

17 • 가: $1\frac{1}{7}\times1\frac{1}{7}=\frac{8}{7}\times\frac{8}{7}=\frac{64}{49}=1\frac{15}{49}$ (cm^2)

• 나: $1\frac{6}{7}\times\frac{5}{7}=\frac{13}{7}\times\frac{5}{7}=\frac{65}{49}=1\frac{16}{49}$ (cm^2)

➔ $1\frac{15}{49}<1\frac{16}{49}$이므로 나가 더 넓습니다.

18 • 만들 수 있는 가장 큰 대분수: $5\frac{1}{3}$

• 만들 수 있는 가장 작은 대분수: $1\frac{3}{5}$

➔ $5\frac{1}{3}\times1\frac{3}{5}=\frac{16}{3}\times\frac{8}{5}=\frac{128}{15}=8\frac{8}{15}$

코칭Tip 가장 큰 대분수는 자연수 부분에 가장 큰 수를 놓은 다음 나머지 수로 진분수를 만들고, 가장 작은 대분수는 자연수 부분에 가장 작은 수를 놓은 다음 나머지 수로 진분수를 만듭니다.

19 $\frac{7}{\cancel{9}_{3}}\times\frac{\cancel{3}^{1}}{\cancel{5}_{1}}\times\frac{\cancel{5}^{1}}{16}=\frac{7}{48}$

20 (1) • $1\frac{3}{4}\times\frac{3}{7}=\frac{\cancel{7}^{1}}{4}\times\frac{3}{\cancel{7}_{1}}=\frac{3}{4}$

• $\frac{\cancel{2}^{1}}{\cancel{5}_{1}}\times\frac{3}{\cancel{4}_{2}}\times\frac{\cancel{5}^{1}}{7}=\frac{3}{14}$

➔ $\frac{3}{4}>\frac{3}{14}$

(2) • $5\times1\frac{8}{35}=\cancel{5}^{1}\times\frac{43}{\cancel{35}_{7}}=\frac{43}{7}=6\frac{1}{7}$

• $2\frac{2}{3}\times\frac{7}{12}\times4=\frac{8}{3}\times\frac{7}{\cancel{12}_{3}}\times\cancel{4}^{1}=\frac{56}{9}=6\frac{2}{9}$

➔ $6\frac{1}{7}\left(=6\frac{9}{63}\right)<6\frac{2}{9}\left(=6\frac{14}{63}\right)$

21 • (5학년 학생 수)=(전체 학생 수)$\times\frac{3}{10}$

• (5학년 여학생 수)=(전체 학생 수)$\times\frac{3}{10}\times\frac{4}{9}$

• (수학을 좋아하는 5학년 여학생 수)

=(전체 학생 수)$\times\frac{3}{10}\times\frac{4}{9}\times\frac{5}{12}$

➔ $\frac{\cancel{3}^{1}}{\cancel{10}_{2}}\times\frac{\cancel{4}^{1}}{\cancel{9}_{3}}\times\frac{\cancel{5}^{1}}{\cancel{12}_{3}}=\frac{1}{18}$

22 (1) (어제 읽고 난 나머지)=(전체)−(어제 읽은 양)

$=1-\frac{1}{5}=\frac{4}{5}$

(2) (오늘 읽은 양)=(어제 읽고 난 나머지)$\times\frac{3}{8}$

$=\frac{\cancel{4}^{1}}{5}\times\frac{3}{\cancel{8}_{2}}=\frac{3}{10}$

(3) $\cancel{160}^{16}\times\frac{3}{\cancel{10}_{1}}=48$(쪽)

051쪽 서술형 잡기

※서술형 문제의 예시 답안입니다.

1 가분수 / $1\frac{1}{15}\times9=\frac{16}{\cancel{15}_{5}}\times\cancel{9}^{3}=\frac{48}{5}=9\frac{3}{5}$

2
❶ 계산이 잘못된 이유 쓰기 ▶ 3점
❷ 바르게 계산하기 ▶ 2점

❶ 대분수를 가분수로 바꾸지 않고 그대로 약분하여 잘못 계산했습니다.

❷ $6\times1\frac{3}{14}=\cancel{6}^{3}\times\frac{17}{\cancel{14}_{7}}=\frac{51}{7}=7\frac{2}{7}$

3 ❶ 2, 3
❷ 20, 3, 60 / 60자루

4
❶ 남은 인형은 전체의 얼마인지 구하기 ▶ 2점
❷ 남은 인형은 몇 개인지 구하기 ▶ 3점

❶ 가게에 있는 인형 전체를 1이라고 하면 남은 인형은 전체의 $1-\frac{5}{6}=\frac{1}{6}$입니다.

❷ 남은 인형은 $\cancel{72}^{12}\times\frac{1}{\cancel{6}_{1}}=12$(개)입니다.

/ 12개

052쪽 단원 마무리

01 4, 4, 2, 8

02 2, 1, $\frac{6}{1}$, 6

03 11, $\frac{77}{9}$, $8\frac{5}{9}$

04 2, 1, 14, 7, $14\frac{7}{8}$

05 2, 3, 2, 3, $\frac{10}{21}$

06 $\frac{\cancel{21}^{3}}{8}\times\frac{15}{\cancel{14}_{2}}=\frac{45}{16}=2\frac{13}{16}$

07 $\frac{1}{24}$

08 $\frac{1}{32}$

09 $\frac{3}{11}$, $4\frac{2}{7}$

10 (○)(　)(○)

11 $\frac{1}{120}$

12 $4\frac{1}{2}$ m^2

진도북 2단원

13 (1) • ─ ─ •
(2) • ─ ─ •
•

14 $<$

15 은하

16 $\frac{8}{9}\times\frac{3}{4}=\frac{2}{3}$ / $\frac{2}{3}$ m

17 $8\frac{2}{3}$ cm

18 3, 4, 12 또는 4, 3, 12

서술형 ※서술형 문제의 예시 답안입니다.

19 ❶ 계산이 잘못된 이유 쓰기 ▶ 3점
❷ 바르게 계산하기 ▶ 2점

❶ 대분수를 가분수로 바꾸지 않고 그대로 약분하여 잘못 계산했습니다.

❷ $1\frac{2}{9}\times1\frac{1}{4}=\frac{11}{9}\times\frac{5}{4}=\frac{55}{36}=1\frac{19}{36}$

20 ❶ 남은 아이스크림은 전체의 얼마인지 구하기 ▶ 2점
❷ 남은 아이스크림은 몇 개인지 구하기 ▶ 3점

❶ 마트에 있는 아이스크림 전체를 1이라고 하면 남은 아이스크림은 전체의 $1-\frac{3}{7}=\frac{4}{7}$입니다.

❷ 남은 아이스크림은 $\overset{13}{\cancel{91}}\times\frac{4}{\underset{1}{\cancel{7}}}=52$(개)입니다.

/ 52개

01 $\frac{4}{9}\times2$는 $\frac{4}{9}$를 두 번 더한 것과 같습니다.

02 8의 $\frac{3}{4}$은 8의 $\frac{3}{4}$배입니다.

03 $1\frac{2}{9}$를 $\frac{11}{9}$로 바꾸어 계산합니다.

04 $2\frac{1}{8}$을 2와 $\frac{1}{8}$의 합으로 바꾸어 계산합니다.

05 처음 분수의 곱셈 과정에서 약분한 후 계산합니다.

06 대분수를 가분수로 바꾼 후 진분수의 곱셈과 같은 방법으로 계산합니다.

07 $\frac{\overset{1}{\cancel{2}}}{3}\times\frac{1}{\underset{8}{\cancel{16}}}=\frac{1}{24}$

08 $\frac{\overset{1}{\cancel{3}}}{4}\times\frac{1}{\underset{2}{\cancel{14}}}\times\frac{\overset{1}{\cancel{7}}}{\underset{4}{\cancel{12}}}=\frac{1}{32}$

09 $\frac{1}{11}\times3=\frac{1\times3}{11}=\frac{3}{11}$,
$\frac{5}{\underset{7}{\cancel{14}}}\times\overset{6}{\cancel{12}}=\frac{30}{7}=4\frac{2}{7}$

10 $\frac{5}{9}$에 1보다 큰 수를 곱한 식을 찾습니다.

코칭 Tip
- (곱하는 수)>1 ➔ 계산 결과가 곱해지는 수보다 큽니다.
- (곱하는 수)$=1$ ➔ 계산 결과가 곱해지는 수와 같습니다.
- (곱하는 수)<1 ➔ 계산 결과가 곱해지는 수보다 작습니다.

11 $\frac{1}{4}\times\frac{1}{5}\times\frac{1}{6}=\frac{1\times1\times1}{4\times5\times6}=\frac{1}{120}$

12 $2\frac{2}{5}\times1\frac{7}{8}=\frac{\overset{3}{\cancel{12}}}{\underset{1}{\cancel{5}}}\times\frac{\overset{3}{\cancel{15}}}{\underset{2}{\cancel{8}}}=\frac{9}{2}=4\frac{1}{2}$ (m^2)

13 (1) $1\frac{2}{3}\times7=\frac{5}{3}\times7=\frac{35}{3}=11\frac{2}{3}$
(2) $2\frac{4}{9}\times3=\frac{22}{\underset{3}{\cancel{9}}}\times\overset{1}{\cancel{3}}=\frac{22}{3}=7\frac{1}{3}$

14 • $\frac{5}{7}\times9=\frac{45}{7}=6\frac{3}{7}$
• $1\frac{3}{4}\times5=\frac{7}{4}\times5=\frac{35}{4}=8\frac{3}{4}$
➔ $6\frac{3}{7}<8\frac{3}{4}$

15 재현: 1시간$=$60분 ➔ $60\times\frac{1}{5}=12$(분)
은하: 1 m$=$100 cm ➔ $100\times\frac{1}{10}=10$ (cm)

16 더 긴 나무 도막의 길이는 나무 막대 전체의 $\frac{3}{4}$입니다. ➔ $\frac{\overset{2}{\cancel{8}}}{\underset{3}{\cancel{9}}}\times\frac{\overset{1}{\cancel{3}}}{\underset{1}{\cancel{4}}}=\frac{2}{3}$ (m)

17 $1\frac{4}{9}\times6=\frac{13}{\underset{3}{\cancel{9}}}\times\overset{2}{\cancel{6}}=\frac{26}{3}=8\frac{2}{3}$ (cm)

18 (단위분수)×(단위분수)이므로 두 분수의 분모의 곱이 가장 작을 때 계산 결과가 가장 큽니다.
따라서 계산 결과가 가장 큰 식을 만들려면 수 카드 3과 4를 사용해야 합니다.
➔ $\frac{1}{3}\times\frac{1}{4}=\frac{1}{12}$ 또는 $\frac{1}{4}\times\frac{1}{3}=\frac{1}{12}$

3 합동과 대칭

059쪽 STEP 1 교과서 개념 잡기

1 (1) 마 (2) 마, 합동
2 ( )( )(○)
3 (왼쪽부터) ㅁ, ㅂ / ㅁㅂ, ㄹㅂ / ㄹㅂㅁ, ㅁㄹㅂ

1 모양과 크기가 같아서 포개었을 때 완전히 겹치는 두 도형을 서로 합동이라고 합니다.

2 점선을 따라 잘랐을 때 만들어지는 세 도형의 모양과 크기가 같은 것을 찾습니다.

3 서로 합동인 두 도형을 포개었을 때 완전히 겹치는 점을 대응점, 겹치는 변을 대응변, 겹치는 각을 대응각이라고 합니다.
코칭Tip 합동인 두 도형에서 대응변과 대응각을 찾을 때는 먼저 각각의 대응점을 찾은 후에 대응점과 같은 순서로 기호를 씁니다.

061쪽 STEP 1 교과서 개념 잡기

1 가, 다
2 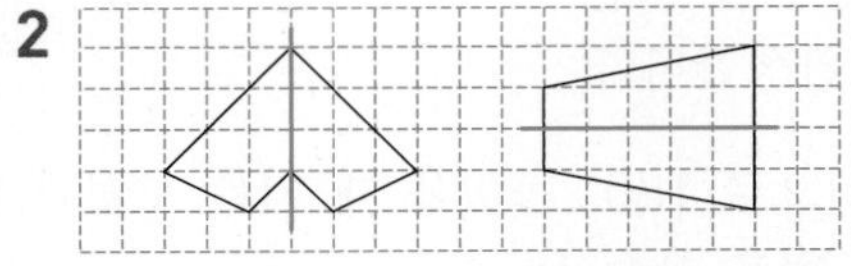
3 (1) ㅂㅁ, ㅁㄹ, ㅅㅇ / '같습니다'에 ○표
(2) ㅂㅁㄹ, ㅂㅅㅇ / '같습니다'에 ○표

2 접었을 때 완전히 겹치도록 대칭축을 그립니다.
코칭Tip 선대칭도형의 대칭축은 세로뿐만 아니라 가로, 대각선 등으로 다양하게 찾아봅니다.

063쪽 STEP 1 교과서 개념 잡기

1 (1) 나, 라 (2) 점대칭도형 (3) 대칭의 중심
2 (○)( )(○)( )
3 (1) ㅁ, ㅂ
(2) ㅁㅂ, ㅂㄱ / '같습니다'에 ○표
(3) ㄹㅁㅂ, ㅁㅂㄱ, ㅁㄹㄷ / '같습니다'에 ○표

2 첫 번째 도형과 세 번째 도형은 점 ㅇ을 중심으로 180° 돌리면 처음 도형과 완전히 겹치므로 점대칭도형입니다.

➔ 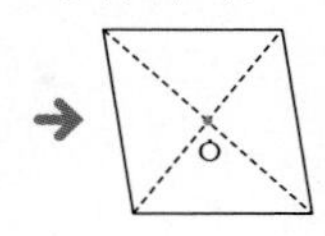 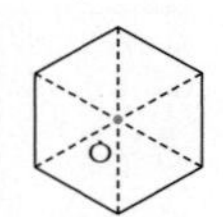

064쪽 STEP 2 개념 한번 더 잡기

01 합동
02 나
03 ( )(○)( )
04 나와 바
05 예 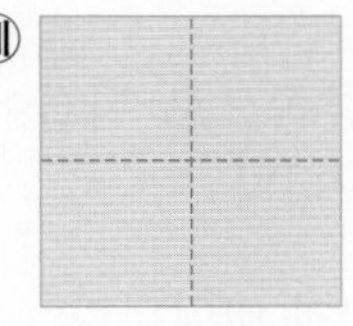
06 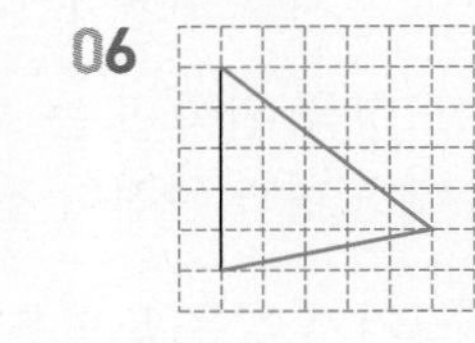
07 (1) 점 ㅁ, 점 ㅂ, 점 ㅅ, 점 ㅇ
(2) 변 ㅁㅂ, 변 ㅂㅅ, 변 ㅇㅅ, 변 ㅁㅇ
(3) 각 ㅁㅂㅅ, 각 ㅂㅅㅇ, 각 ㅇㅁㅂ, 각 ㅁㅇㅅ
08 (1) '같습니다'에 ○표 (2) '같습니다'에 ○표
09 6, 6, 6
10 (1) 15 cm (2) 70°
11 11 / 75
12 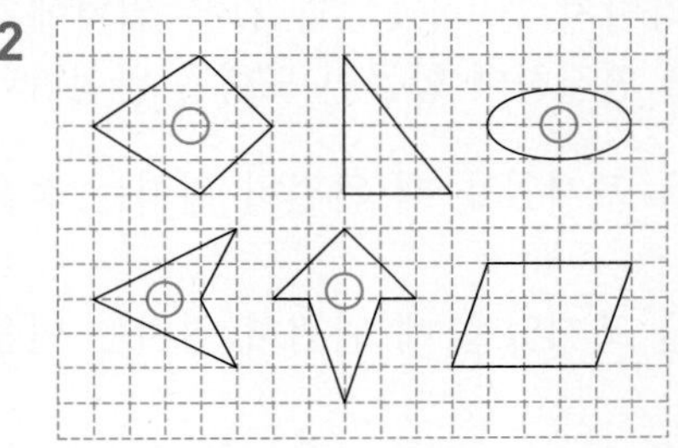
13 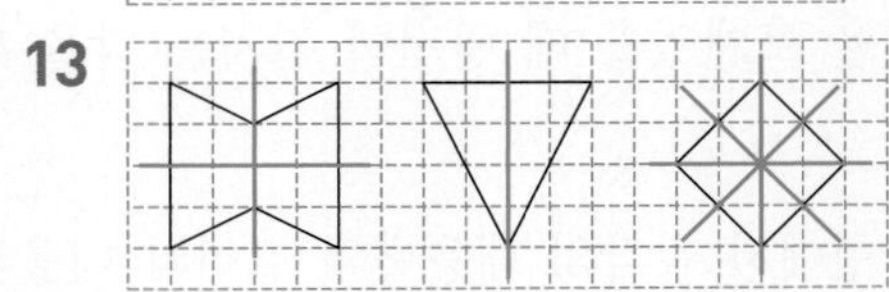
14 (1) ㄹㅈ (2) 90
15 6 cm
16 60°
17 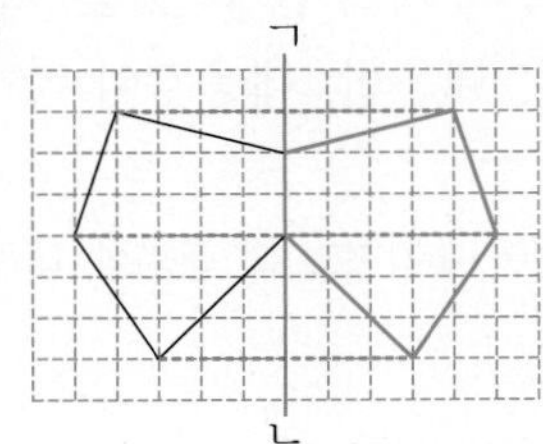

18 (○)( )
( )(○)
19 1개
20 선분 ㄷㅇ / 선분 ㄹㅇ

진도북 3 단원

21 (왼쪽부터) 6, 7, 9
22 115°
23 ㉡, ㉢, ㉠ / 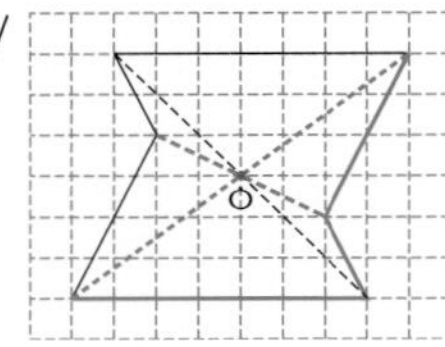

01 모양과 크기가 같아서 포개었을 때 완전히 겹치는 두 도형을 서로 합동이라고 합니다.

02 왼쪽 도형을 시계 방향으로 90°만큼 돌려서 포개면 도형 나와 완전히 겹칩니다.

03 주어진 도형을 왼쪽 또는 오른쪽으로 뒤집어서 포개면 가운데 도형과 완전히 겹칩니다.

04 모양과 크기가 같은 도형은 나와 바입니다.

05 다음과 같이 잘라도 서로 합동인 사각형 4개를 만들 수 있습니다.
➔ 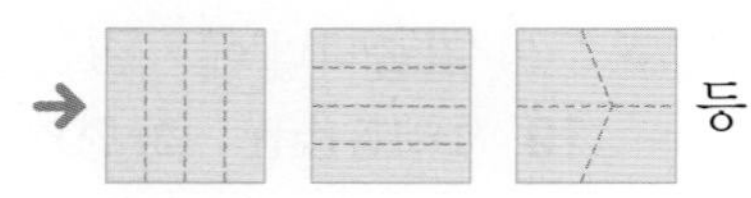 등

06 왼쪽 도형의 나머지 한 꼭짓점과 같은 위치에 점을 찍은 후 점들을 연결하여 합동인 도형을 완성합니다.

07 (1) 두 사각형을 포개었을 때 완전히 겹치는 점을 찾습니다.
(2) 두 사각형을 포개었을 때 완전히 겹치는 변을 찾습니다.
(3) 두 사각형을 포개었을 때 완전히 겹치는 각을 찾습니다.

08 합동인 두 도형에서 각각의 대응변의 길이와 대응각의 크기는 서로 같습니다.

09 육각형은 꼭짓점, 변, 각이 각각 6개이므로 서로 합동인 육각형에는 대응점, 대응변, 대응각이 각각 6쌍 있습니다.

코칭Tip 서로 합동인 두 도형이 ■각형일 때 대응점, 대응변, 대응각은 각각 ■쌍 있습니다.

10 (1) 각각의 대응변의 길이가 서로 같습니다.
➔ (변 ㅂㅅ)=(변 ㄷㄴ)=15 cm
(2) 각각의 대응각의 크기가 서로 같습니다.
➔ (각 ㄱㄴㄷ)=(각 ㅇㅅㅂ)=70°

11 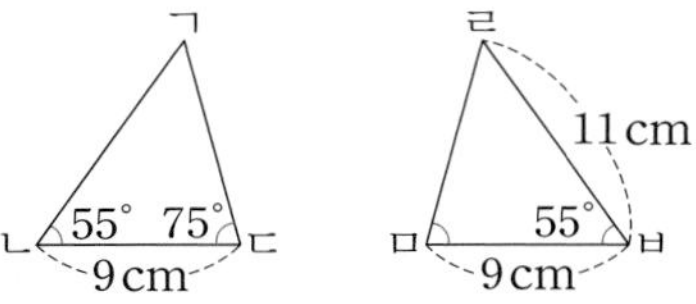

• 변 ㄱㄴ의 대응변은 변 ㄹㅂ이므로
(변 ㄱㄴ)=(변 ㄹㅂ)=11 cm입니다.
• 각 ㄹㅁㅂ의 대응각은 각 ㄱㄷㄴ이므로
(각 ㄹㅁㅂ)=(각 ㄱㄷㄴ)=75°입니다.

12 한 직선을 따라 접었을 때 완전히 겹치는 도형을 찾습니다.

13 접었을 때 완전히 겹치도록 대칭축을 그립니다.

14 (1) 각각의 대응점에서 대칭축까지의 거리는 같습니다.
(2) 대응점끼리 이은 선분은 대칭축과 수직으로 만납니다.

15 선대칭도형에서 각각의 대응변의 길이가 서로 같습니다.
➔ (변 ㄹㄷ)=(변 ㄱㄴ)=6 cm

16 선대칭도형에서 각각의 대응각의 크기가 서로 같습니다.
➔ (각 ㄱㄷㄹ)=(각 ㄱㄷㄴ)=60°

17 각 점에서 대칭축에 수선을 긋고 대칭축까지의 거리가 같도록 대응점을 찍은 후 대응점을 차례로 이어 선대칭도형을 완성합니다.

18 어떤 점을 중심으로 180° 돌렸을 때 처음 도형과 완전히 겹치는 도형을 찾습니다.

19 점대칭도형에서 대칭의 중심은 항상 1개입니다.

20 점대칭도형에서 각각의 대응점에서 대칭의 중심까지의 거리가 같습니다.
➔ (선분 ㄱㅇ)=(선분 ㄷㅇ),
(선분 ㄴㅇ)=(선분 ㄹㅇ)

21 점대칭도형에서 각각의 대응변의 길이가 서로 같습니다.
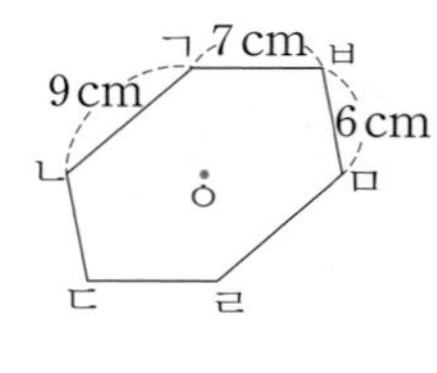

➔ (변 ㄴㄷ)=(변 ㅁㅂ)=6 cm,
(변 ㄷㄹ)=(변 ㅂㄱ)=7 cm,
(변 ㄹㅁ)=(변 ㄱㄴ)=9 cm
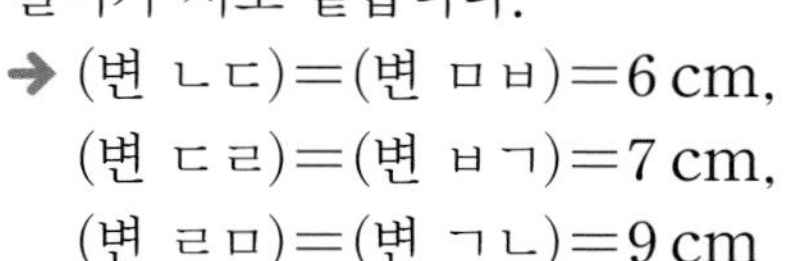

22 점대칭도형에서 각각의 대응각의 크기가 서로 같습니다.
➔ (각 ㄴㄷㄹ)=(각 ㄹㄱㄴ)=115°

068쪽 STEP 3 수학 익힘 문제잡기

01

02 나

03 ②, ④

04 나

05

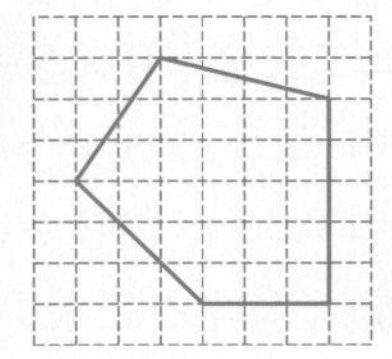

06 (1) 16 cm (2) 60°

07 (1) 7 cm / 10 cm (2) 32 cm

08 (1) 110° / 80° (2) 100°

09 80 m

10 3개

11 4개

12 ( )(○)( )

13 점 ㅅ, 점 ㅂ, 점 ㅁ
/ 변 ㅅㅇ, 변 ㅅㅂ, 변 ㅂㅁ, 변 ㅁㄹ
/ 각 ㅇㅅㅂ, 각 ㅅㅂㅁ, 각 ㅂㅁㄹ

14 16 cm

15 60

16 / ㄷ

17 50 cm

18 가, 다, 라, 마

19

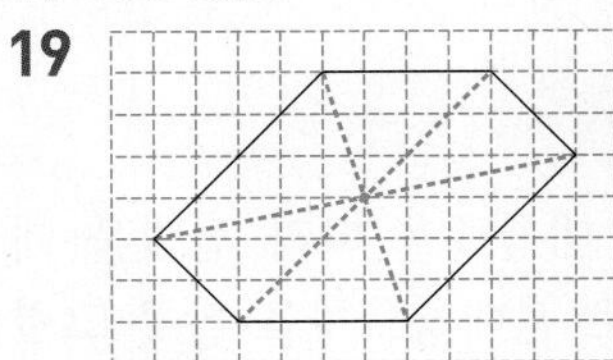

20 점 ㄹ, 점 ㅁ, 점 ㅂ
/ 변 ㄹㄷ, 변 ㄷㄴ, 변 ㄴㄱ
/ 각 ㄹㄷㄴ, 각 ㄷㄴㄱ, 각 ㅂㄱㄴ

21 ㉣

22 (왼쪽부터) 8, 50

23 6

24

25 8 cm

26 (1) 가, 다, 마, 바 (2) 나, 다, 라, 바 (3) 2개

01 모양과 크기가 같아서 포개었을 때 완전히 겹치는 도형을 찾으면 가와 사, 다와 아입니다.

02 포개었을 때 완전히 겹치지 않는 도형은 나입니다.

03 ② ④

04 모양과 크기가 같아서 완전히 겹치는 모양의 보도블록은 나입니다.

05 왼쪽 도형의 꼭짓점과 같은 위치에 점을 찍은 후 점들을 연결하여 합동인 도형을 그립니다.

06 (1) 각각의 대응변의 길이가 서로 같습니다.
➔ (변 ㄴㄷ)=(변 ㅂㅁ)=16 cm
(2) 각각의 대응각의 크기가 서로 같습니다.
➔ (각 ㄹㅂㅁ)=(각 ㄱㄴㄷ)=60°

07 (1) (변 ㄱㄹ)=(변 ㅇㅁ)=7 cm,
(변 ㄴㄷ)=(변 ㅅㅂ)=10 cm
(2) (사각형 ㄱㄴㄷㄹ의 둘레)=9+10+6+7
=32 (cm)

코칭Tip 합동인 도형에서 각각의 대응변의 길이가 서로 같으므로 길이가 주어지지 않은 변은 대응변을 찾아 그 길이를 구할 수 있습니다.

08 (1) (각 ㅂㅁㅇ)=(각 ㄷㄹㄱ)=110°,
(각 ㅂㅅㅇ)=(각 ㄷㄴㄱ)=80°
(2) (각 ㅁㅂㅅ)=360°−110°−70°−80°=100°

코칭Tip 사각형의 네 각의 크기의 합은 360°임을 이용하여 나머지 한 각의 크기를 구합니다.

09 삼각형 ㄱㄴㄷ과 삼각형 ㄷㄹㅁ이 서로 합동이므로
(변 ㄴㄷ)=(변 ㄹㅁ)=8 m,
(변 ㄷㄹ)=(변 ㄱㄴ)=15 m,
(변 ㄱㄷ)=(변 ㄷㅁ)=17 m입니다.
➔ (땅의 둘레)=15+8+15+8+17+17
=80 (m)

10

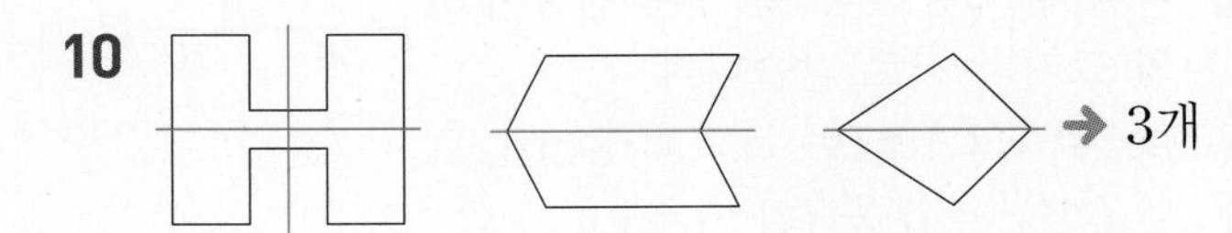

➔ 3개

11

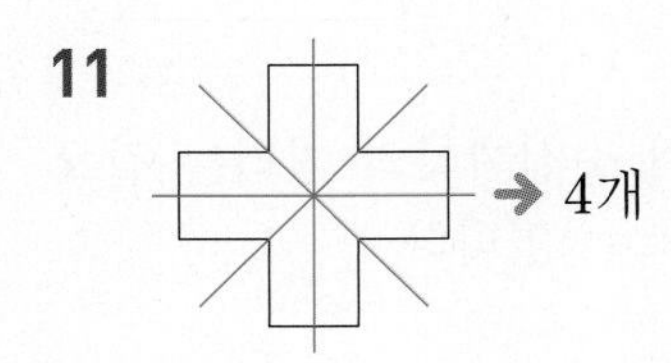

➔ 4개

12 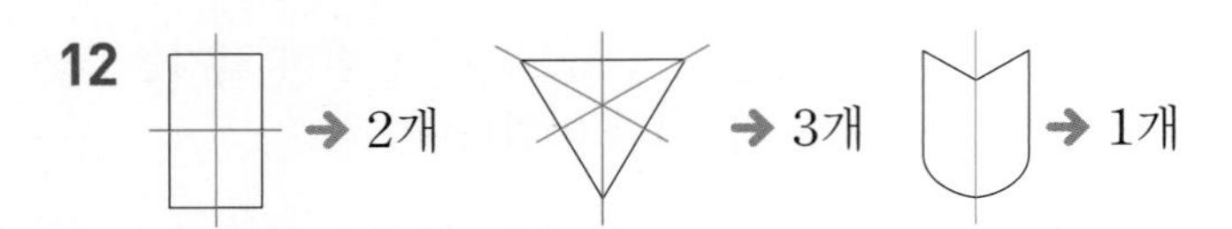

13 선대칭도형을 직선 ㅈㅊ을 따라 접었을 때 겹치는 점을 대응점, 겹치는 변을 대응변, 겹치는 각을 대응각이라고 합니다.

14 (선분 ㄷㄹ)=(선분 ㄱㄹ)=8 cm이므로
(변 ㄱㄷ)=8+8=16 (cm)입니다.

15 대칭축을 따라 반으로 자르면 서로 합동인 두 사각형으로 나누어집니다.
→ □°=360°−(50°+140°+110°)=60°

16 대칭축을 따라 접었을 때 완전히 겹치도록 그림을 완성하면 글자 'ㄷ'이 됩니다.

17 선대칭도형에서 대응변의 길이는 같으므로
(변 ㄱㅁ)=(변 ㄹㅁ)=4 cm,
(변 ㄱㄴ)=(변 ㄹㄷ)=12 cm,
(변 ㄴㅂ)=(변 ㄷㅂ)=9 cm입니다.
→ (선대칭도형의 둘레)=(4+12+9)×2
=50 (cm)

18 

19 점대칭도형에서 대응점끼리 이은 선분이 만나는 점이 대칭의 중심입니다.

20 점대칭도형을 점 ㅇ을 중심으로 180° 돌렸을 때 겹치는 점을 대응점, 겹치는 변을 대응변, 겹치는 각을 대응각이라고 합니다.

21 ㉣ 점대칭도형에서 대칭의 중심은 대응점끼리 이은 선분을 둘로 똑같이 나눕니다.
→ (선분 ㄴㅇ)=(선분 ㅁㅇ),
(선분 ㄷㅇ)=(선분 ㅂㅇ)

22 각각의 대응변의 길이와 대응각의 크기가 서로 같습니다.
→ (변 ㄴㄷ)=(변 ㅁㅂ)=8 cm,
(각 ㄷㄹㅁ)=(각 ㅂㄱㄴ)
=50°

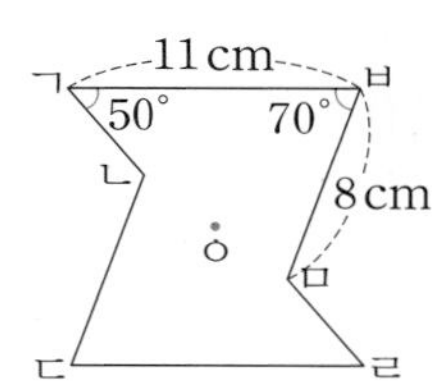

23 각각의 대응점에서 대칭의 중심까지의 거리는 같으므로 (선분 ㄱㅇ)=(선분 ㄷㅇ)입니다.
→ □=12÷2=6 (cm)

24 각 점에서 대칭의 중심을 지나는 직선을 긋고, 대칭의 중심까지의 거리가 같도록 대응점을 찍은 후 대응점을 차례로 이어 점대칭도형을 완성합니다.

25 점대칭도형에서 대응변의 길이는 같으므로
(변 ㄷㄹ)=(변 ㅅㅇ)=7 cm,
(변 ㅁㅂ)=(변 ㄱㄴ)=9 cm,
(변 ㅂㅅ)=(변 ㄴㄷ)=13 cm입니다.
→ (점대칭도형의 둘레)
=7×2+9×2+13×2+(변 ㄹㅁ)×2=74,
(변 ㄹㅁ)×2=74−14−18−26=16,
(변 ㄹㅁ)=16÷2=8 (cm)

다른 풀이 점대칭도형은 대응변의 길이가 같으므로 변 ㄱㄴ, 변 ㄴㄷ, 변 ㄷㄹ, 변 ㄹㅁ의 길이의 합이 둘레의 반인 37 cm임을 이용하여 구할 수도 있습니다.
→ (변 ㄹㅁ)=37−(9+13+7)=8 (cm)

26 (1) 가 E 다 O 마 U 바 X
(2) 나 N 다 O 라 S 바 X
(3) 선대칭도형이면서 점대칭도형인 알파벳은 다, 바로 모두 2개입니다.

073쪽 서술형 잡기

※서술형 문제의 예시 답안입니다.

1 겹치지

2 선대칭도형을 잘못 그린 이유 쓰기 ▶ 5점

상현이가 그린 도형은 대칭축을 따라 접었을 때 완전히 겹치지 않으므로 선대칭도형을 잘못 그렸습니다.

3 ❶ ㅂㄱ, 5 / ㄱㄴ, 2 / ㄷㄴ, 3
❷ 5, 2, 3, 20 / 20 cm

4 ❶ 점대칭도형의 각 변의 길이 구하기 ▶ 3점
❷ 점대칭도형의 둘레 구하기 ▶ 2점

❶ (변 ㅂㅁ)=(변 ㄴㄱ)=6 cm,
(변 ㅅㅂ)=(변 ㄷㄴ)=3 cm,
(변 ㅇㅅ)=(변 ㄹㄷ)=7 cm,
(변 ㄱㅇ)=(변 ㅁㄹ)=9 cm입니다.
❷ (점대칭도형의 둘레)
=(6+3+7+9)×2=50 (cm) / 50 cm

074쪽 단원 마무리

01 바
02 마
03 점 ㄹ, 점 ㅁ, 점 ㅂ
04
05 가, 라, 마
06 다, 라, 마, 바
07 변 ㄹㅁ, 변 ㅁㅂ, 변 ㅂㄱ
08 각 ㄹㅁㅂ, 각 ㅁㅂㄱ, 각 ㅂㄱㄴ
09 4, 4, 4
10 13 cm
11

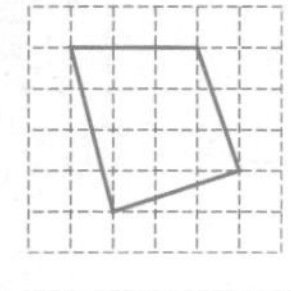

12 80
13 2 cm
14

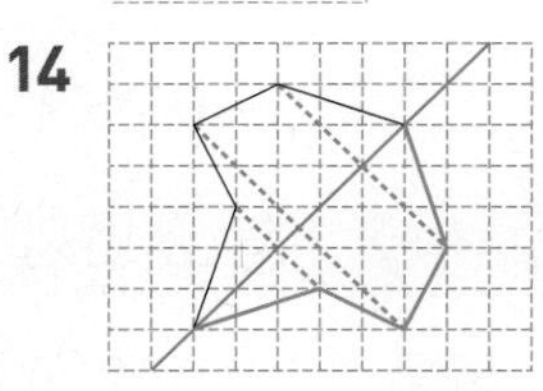

15 (왼쪽부터) 115, 13
16
17 9 cm
18 80

※서술형 문제의 예시 답안입니다.

서술형

19 선대칭도형을 잘못 그린 이유 쓰기 ▶ 5점

연재가 그린 도형은 대칭축을 따라 접었을 때 완전히 겹치지 않으므로 선대칭도형을 잘못 그렸습니다.

20 ❶ 점대칭도형의 각 변의 길이 구하기 ▶ 3점
❷ 점대칭도형의 둘레 구하기 ▶ 2점

❶ (변 ㄹㅁ)=(변 ㅇㄱ)=10 cm,
(변 ㅂㅁ)=(변 ㄴㄱ)=8 cm,
(변 ㅅㅂ)=(변 ㄷㄴ)=4 cm,
(변 ㅅㅇ)=(변 ㄷㄹ)=2 cm입니다.
❷ (점대칭도형의 둘레)
$=(10+8+4+2)\times2=48$ (cm) / 48 cm

01 가와 모양과 크기가 같은 도형은 바입니다.

02 라와 포개었을 때 완전히 겹치는 도형은 마입니다.

03 두 삼각형을 포개었을 때 완전히 겹치는 점이 대응점입니다.

04 접었을 때 완전히 겹치도록 대칭축을 그립니다.

05 가 라 마

06 다 라 마 바

07 점 ㅇ을 중심으로 180° 돌렸을 때 겹치는 변을 찾습니다.

08 점 ㅇ을 중심으로 180° 돌렸을 때 겹치는 각을 찾습니다.

09 서로 합동인 사각형에는 대응점, 대응변, 대응각이 각각 4쌍 있습니다.

10 (변 ㄴㄷ)=(변 ㅁㅂ)=13 cm

11 왼쪽 도형의 꼭짓점과 같은 위치에 점을 찍은 후 점들을 연결하여 합동인 도형을 그립니다.

12 합동인 두 도형에서 각각의 대응각의 크기가 서로 같으므로 □=80입니다.

13 선대칭도형에서 각각의 대응점에서 대칭축까지의 거리는 같으므로 (선분 ㄷㅌ)=(선분 ㅁㅌ)입니다.
➔ (선분 ㄷㅌ)$=4\div2=2$ (cm)

14 각 점에서 대칭축에 수선을 긋고, 대칭축까지의 거리가 같도록 대응점을 찍은 후 대응점을 차례로 이어 선대칭도형을 완성합니다.

15

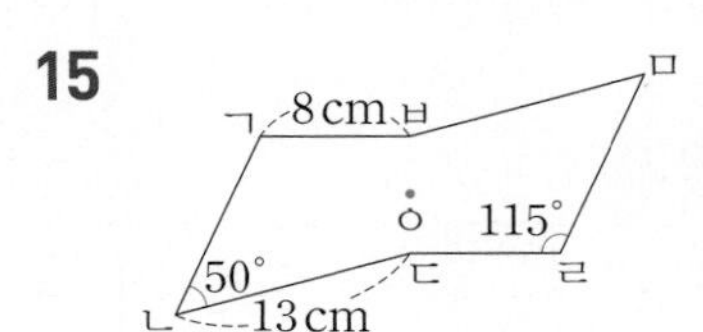

➔ (각 ㅂㄱㄴ)=(각 ㄷㄹㅁ)=115°,
(변 ㅂㅁ)=(변 ㄷㄴ)=13 cm

16 각 점에서 대칭의 중심을 지나는 직선을 긋고, 대칭의 중심까지의 거리가 같도록 대응점을 찍은 후 대응점을 차례로 이어 점대칭도형을 완성합니다.

17 (변 ㄹㅂ)=(변 ㄴㄷ)=6 cm
➔ (변 ㅁㅂ)$=20-(5+6)=20-11=9$ (cm)

18 대칭축을 따라 반으로 자르면 서로 합동인 두 삼각형으로 나누어집니다.
➔ $\square^\circ=180^\circ-(45^\circ+55^\circ)=180^\circ-100^\circ=80^\circ$

진도북 3단원

4 소수의 곱셈

081쪽 STEP1 교과서 개념 잡기

1 (1) 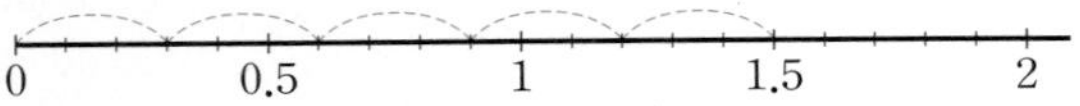
/ 1.5, 1.5
(2) 0.3, 0.3, 0.3, 0.3, 1.5
2 1.2, 1.2, 4.2
3 (1) 8, 8, 56, 5.6 (2) 204, 204, 1224, 12.24
4 (1) 3.12 (2) 14.8

1 (2) 0.3×5는 0.3을 5번 더한 것과 같습니다.

2 $1.4=1+0.4$이므로 1.4×3은 1이 $1\times3=3$(개), 0.1이 $4\times3=12$(개)입니다.

3 (1) 0.8은 소수 한 자리 수이므로 분모가 10인 분수로 고쳐서 계산합니다.
(2) 2.04는 소수 두 자리 수이므로 분모가 100인 분수로 고쳐서 계산합니다.

4 (1) $0.39\times8=\dfrac{39}{100}\times8=\dfrac{39\times8}{100}=\dfrac{312}{100}=3.12$
(2) $3.7\times4=\dfrac{37}{10}\times4=\dfrac{37\times4}{10}=\dfrac{148}{10}=14.8$

083쪽 STEP1 교과서 개념 잡기

1 (1) '작습니다'에 ○표
(2) 예 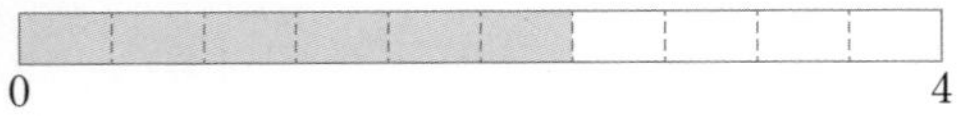
/ 2.4
2 (1) 5, 5, 45, 4.5 (2) 124, 124, 868, 8.68
3 34, 3.4
4 (1) 1.62 (2) 26.4

1 (1) 0.6은 1보다 작은 수이므로 4의 0.6배는 4보다 작습니다.
(2) 4를 10등분한 것이므로 6칸을 색칠합니다.
따라서 한 칸의 크기가 0.4이므로 6칸의 크기는 2.4입니다.

2 (1) 0.5는 소수 한 자리 수이므로 분모가 10인 분수로 고쳐서 계산합니다.
(2) 1.24는 소수 두 자리 수이므로 분모가 100인 분수로 고쳐서 계산합니다.

3 곱하는 수가 $\dfrac{1}{10}$배가 되면 계산 결과도 $\dfrac{1}{10}$배가 됩니다.

4 (1) $9\times0.18=9\times\dfrac{18}{100}=\dfrac{9\times18}{100}=\dfrac{162}{100}=1.62$
(2) $11\times2.4=11\times\dfrac{24}{10}=\dfrac{11\times24}{10}=\dfrac{264}{10}=26.4$

084쪽 STEP2 개념 한 번 더 잡기

01 방법1 0.12, 0.12, 0.36
방법2 12, 12, 36, 0.36
02 15 / 15 / 15, 135, 1.35
03 11.2
04 2, 14 / 2, 1.4, 3.4
05 방법1 29, 29, 145, 14.5
방법2 29, 29, 145, 14.5
06 20.88
07 예 
/ 2.7
08 6, 6, 420, 4.2
09 (1) 10, 7.2 (2) 365, 100, 3.65
10 3, 3, 6 / 602, 6.02
11 방법1 26, 26, 104, 10.4
방법2 104, 10.4
12 24.18

01 (1) 0.12×3은 0.12를 3번 더한 것과 같습니다.
(2) 0.12는 소수 두 자리 수이므로 분모가 100인 분수로 고쳐서 계산합니다.

02 0.15×9는 0.01이 135개이므로 1.35입니다.

03 $0.7\times16=\dfrac{7}{10}\times16=\dfrac{112}{10}=11.2$

04 $1.7=1+0.7$이므로 1.7×2는 1이 $1\times2=2$(개), 0.1이 $7\times2=14$(개)입니다.

05 방법 1 2.9를 $\frac{29}{10}$로 나타내어 분수의 곱셈으로 계산합니다.

방법 2 • 2.9는 0.1이 29개
• 2.9×5는 0.1이 29개씩 5묶음
→ 0.1이 145개
➔ $2.9 \times 5 = 14.5$

06 $5.22 \times 4 = \frac{522}{100} \times 4 = \frac{2088}{100} = 20.88$

07 3을 10등분한 것이므로 9칸을 색칠합니다.
따라서 한 칸의 크기가 0.3이므로 9칸의 크기는 2.7입니다.

08 0.06은 소수 두 자리 수이므로 분모가 100인 분수로 고쳐서 계산합니다.

09 (1) 곱하는 수가 $\frac{1}{10}$배가 되면 계산 결과도 $\frac{1}{10}$배가 됩니다.
(2) 곱하는 수가 $\frac{1}{100}$배가 되면 계산 결과도 $\frac{1}{100}$배가 됩니다.

10 3.01을 3으로 어림하여 계산하였으므로 실제 계산한 값은 어림한 값 6보다 큽니다.

11 방법 1 2.6을 $\frac{26}{10}$으로 나타내어 분수의 곱셈으로 계산합니다.
방법 2 곱하는 수가 $\frac{1}{10}$배가 되면 계산 결과도 $\frac{1}{10}$배가 됩니다.

12 $6 \times 4.03 = 6 \times \frac{403}{100} = \frac{2418}{100} = 24.18$

087쪽 STEP 1 교과서 개념 잡기

1 (1) 0.01 (2) 56 (3) 0.56
2 100, 7.82
3 (1) 22, 3, 66, 0.066 (2) 62, 12, 744, 7.44
4 (1) 0.45 (2) 1.378

1 (1) 모눈 한 칸의 크기는 $0.1 \times 0.1 = 0.01$입니다.
(2) 색칠한 부분은 가로가 8칸, 세로가 7줄인 직사각형이므로 모두 $8 \times 7 = 56$(칸)입니다.
(3) 0.01이 56개이면 0.56이므로 $0.8 \times 0.7 = 0.56$입니다.

2 곱해지는 수와 곱하는 수가 각각 $\frac{1}{10}$배가 되면 계산 결과는 $\frac{1}{100}$배가 됩니다.

3 소수 한 자리 수는 분모가 10인 분수로, 소수 두 자리 수는 분모가 100인 분수로 고쳐서 계산합니다.

4 (1) $5 \times 9 = 45$
↓ $\frac{1}{10}$배 ↓ $\frac{1}{10}$배 ↓ $\frac{1}{100}$배
$0.5 \times 0.9 = 0.45$

(2) $26 \times 53 = 1378$
↓ $\frac{1}{10}$배 ↓ $\frac{1}{100}$배 ↓ $\frac{1}{1000}$배
$2.6 \times 0.53 = 1.378$

089쪽 STEP 1 교과서 개념 잡기

1 (1) 8, 72, 72
/ 8, 10, 100, 0.72
/ 10, 9, 1000, 0.072
(2) '왼쪽'에 ○표
2 (1) 34.5, 345, 3450 (2) 54.2, 5.42, 0.542
3 (1) 54270 (2) 54.27

2 (1) 곱하는 수의 0의 수만큼 곱의 소수점을 오른쪽으로 옮깁니다.
(2) 곱하는 수의 소수점 아래 자리 수만큼 곱의 소수점을 왼쪽으로 옮깁니다.

3 (1) 6.7은 그대로 있고, 8100은 81의 100배이므로 542.7의 소수점을 오른쪽으로 두 자리 옮깁니다.
➔ $6.7 \times 8100 = 54270$
(2) 81은 그대로 있고, 0.67은 6.7의 0.1배이므로 542.7의 소수점을 왼쪽으로 한 자리 옮깁니다.
➔ $0.67 \times 81 = 54.27$

진도북 4 단원

090쪽 STEP2 개념 한번더 잡기

01 예 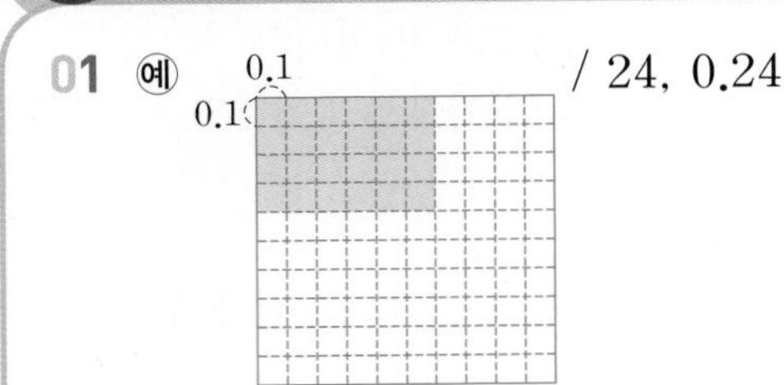 / 24, 0.24

02 7, 35, $\frac{245}{1000}$, 0.245

03 '작은'에 ○표, 0.612

04 (1) 0.49 (2) 0.152

05 0.075

06 0.28, 3.08

07 4515, 1000, 4.515

08 (1) $\frac{46}{10}\times\frac{19}{10}=\frac{874}{100}=8.74$
(2) $\frac{126}{100}\times\frac{35}{10}=\frac{4410}{1000}=4.41$

09 (1) 7.82 (2) 3.328

10 3.12

11 ㉡

12 35 / 3.5 / 0.35

13 92.7 / 927 / 9270

14 1.792

15 11.52 / 0.1152

01 모눈 한 칸의 크기는 0.01이고, 색칠한 부분은 모두 $6\times4=24$(칸)입니다.
→ 0.01이 24개이면 0.24이므로 $0.6\times0.4=0.24$입니다.

02 0.7은 분모가 10인 분수로, 0.35는 분모가 100인 분수로 고쳐서 계산합니다.

03 0.9는 1보다 작은 수이므로 $0.68\times0.9<0.68$입니다.

04 (1) $7\times7=49$ → $0.7\times0.7=0.49$
(2) $19\times8=152$ → $0.19\times0.8=0.152$

05 $3\times25=75$ → $0.3\times0.25=0.075$

06 2.8×1과 2.8×0.1의 값을 더하여 2.8×1.1을 계산합니다.

07 곱해지는 수가 $\frac{1}{10}$배, 곱하는 수가 $\frac{1}{100}$배가 되면 계산 결과는 $\frac{1}{1000}$배가 됩니다.

08 소수 한 자리 수는 분모가 10인 분수로, 소수 두 자리 수는 분모가 100인 분수로 고쳐서 계산합니다.
(2) $\frac{4410}{1000}=4.410$이므로 소수점 아래 마지막 0은 생략하여 나타낼 수 있습니다.
→ $4.410=4.41$

09 (1) $34\times23=782$ → $3.4\times2.3=7.82$
(2) $208\times16=3328$ → $2.08\times1.6=3.328$

10 $13\times24=312$ → $1.3\times2.4=3.12$

11 10은 0이 1개이므로 10을 곱하면 곱의 소수점을 오른쪽으로 한 자리 옮깁니다.
→ $2.781\times10=27.81$

12 곱하는 수의 소수점 아래 자리 수만큼 곱의 소수점을 왼쪽으로 옮깁니다.

13 곱하는 수의 0의 수만큼 곱의 소수점을 오른쪽으로 옮깁니다.

14 5.6은 그대로 있고, 0.32는 32의 $\frac{1}{100}$배이므로 179.2의 소수점을 왼쪽으로 두 자리 옮깁니다.
→ $0.32\times5.6=1.792$

15 • (소수 한 자리 수)×(소수 한 자리 수)
=(소수 두 자리 수)
$72\times16=1152$ → $7.2\times1.6=11.52$
• (소수 두 자리 수)×(소수 두 자리 수)
=(소수 네 자리 수)
$72\times16=1152$ → $0.72\times0.16=0.1152$

코칭Tip 곱하는 두 수의 소수점 아래 자리 수를 더한 것과 결괏값의 소수점 아래 자리 수가 같습니다.

092쪽 STEP 3 수학 익힘 문제 잡기

01 $0.6+0.6+0.6=1.8$ / $0.6\times3=1.8$
02 0.3, 1.5
03 0.28에 ○표
04 4개
05 3.24 / 10.2
06 28.7
07 10.8 km
08 가
09 (위에서부터) 2, 3.95
10 $40\times\frac{7}{10}=\frac{40\times7}{10}=\frac{280}{10}=28$
11 수성
12 10.8 kwh
13 예 자연수의 곱셈으로 계산하기

$$\begin{array}{ccccc} 15 & \times & 52 & = & 780 \\ & & \downarrow \frac{1}{10}\text{배} & & \downarrow \frac{1}{10}\text{배} \\ 15 & \times & 5.2 & = & 78 \end{array}$$

14 ( )(○)
(○)( )
15 2480원
16 (1) •　•
(2) •　•
•
17 (1)

$$\begin{array}{ccccc} 4 & \times & 79 & = & 316 \\ \downarrow \frac{1}{10}\text{배} & & \downarrow \frac{1}{100}\text{배} & & \downarrow \frac{1}{1000}\text{배} \\ 0.4 & \times & 0.79 & = & 0.316 \end{array}$$

(2) $0.36\times0.8=\frac{36}{100}\times\frac{8}{10}=\frac{288}{1000}=0.288$
18 =
19 ㉠
20 ( )( )(○)
21 $48.75\ cm^2$
22 5.828
23 5.985
24 (1) 17.1 m / 15.3 m (2) $261.63\ m^2$
25 ㉡
26 0.12
27 0.53 kg / 0.59 kg
28 1000배
29 (1) '클수록'에 ○표
(2) 1, 2, 21.42 / 2, 1, 21.32
(3) 21.42

01 0.6씩 3이면 1.8입니다.

02 (물의 양)$=0.3\times5=\frac{3}{10}\times5=\frac{15}{10}=1.5$ (L)

03 73과 4의 곱이 약 280이므로 73의 $\frac{1}{100}$배인 0.73과 4의 곱은 280의 $\frac{1}{100}$배가 됩니다.
따라서 0.73×4는 2.8 정도입니다.

04 (매실청 7통을 만드는 데 필요한 설탕의 양)
$=0.5\times7=3.5$ (kg)
따라서 설탕을 적어도 4 kg 사야 합니다.

05 • $1.08\times3=\frac{108}{100}\times3=\frac{324}{100}=3.24$
• $3.4\times3=\frac{34}{10}\times3=\frac{102}{10}=10.2$

06 (우리나라 돈 1000원)=(중국 돈 5.74위안)
→ (우리나라 돈 5000원)$=5.74\times5=28.7$(위안)

07 성준이는 월요일, 수요일, 금요일, 토요일에 자전거를 2.7 km씩 탈 계획입니다.
→ (이번 주에 자전거를 탈 거리)
$=2.7\times4=10.8$ (km)

08 (정삼각형 가의 둘레)$=8.1\times3=24.3$ (cm)
(정사각형 나의 둘레)$=6.03\times4=24.12$ (cm)
→ $24.3>24.12$이므로 정삼각형 가의 둘레가 더 깁니다.

09 • $5\times4=20$ → $5\times0.4=2.0=2$
• $5\times79=395$ → $5\times0.79=3.95$
코칭Tip 2.0=2와 같이 소수점 아래 마지막 0은 생략하여 나타낼 수 있습니다.

10 0.7을 $\frac{7}{10}$로 바꾸어 계산해야 합니다.

11 38 kg의 약 0.9배는 약 34 kg이고, 38 kg의 약 0.4배는 약 15 kg이므로 □ 안에 알맞은 행성은 수성입니다.
코칭Tip 0.91은 1보다 조금 작으므로 금성에서 잰 몸무게는 38 kg에 가깝고, 0.38은 0.5보다 작으므로 수성에서 잰 몸무게는 38 kg의 반인 19 kg보다 가볍습니다.

12 (현우네 가족이 한 달 동안 아낄 수 있는 전기의 양)
$=90\times0.12=90\times\frac{12}{100}=\frac{1080}{100}=10.8$ (kwh)

13 곱하는 수가 $\frac{1}{10}$배가 되면 계산 결과도 $\frac{1}{10}$배가 됩니다.
코칭Tip 수직선, 덧셈식, 0.1의 개수 등을 이용하여 구할 수도 있습니다.

14 $8\times$(1보다 작은 수)이면 계산 결과는 8보다 작고, $8\times$(1보다 큰 수)이면 계산 결과는 8보다 큽니다.
따라서 곱하는 수가 1보다 큰 것을 찾습니다.

진도북
4 단원

15 (과자 한 봉지의 가격)
$=160\times15.5=160\times\frac{155}{10}=\frac{24800}{10}=2480$(원)

16 (1) $18\times6=108$ → $0.18\times0.6=0.108$
(2) $4\times7=28$ → $0.4\times0.07=0.028$

17 (1) 자연수의 곱 $4\times79=316$입니다.
0.4×0.79에서 0.4는 4의 $\frac{1}{10}$배이고, 0.79는 79의 $\frac{1}{100}$배이므로 계산 결과는 316의 $\frac{1}{1000}$배인 0.316입니다.
(2) 소수 두 자리 수는 분모가 100인 분수로, 소수 한 자리 수는 분모가 10인 분수로 고쳐서 계산합니다.

18 $0.06\times1.2=0.072$, $0.4\times0.18=0.072$

19 0.64×0.48을 0.6의 0.5로 어림하면 0.6의 반은 0.3이므로 0.64×0.48의 값은 0.3에 가까운 값인 ㉠ 0.3072입니다.

20 $0.24\times0.5=0.12$여야 하는데 잘못 눌러서 0.012가 나왔으므로 0.24와 0.05를 눌렀거나 0.024와 0.5를 누른 것입니다.
→ $0.24\times0.05=0.012$, $0.024\times0.5=0.012$

21 5 cm를 모눈 10칸으로 똑같이 나누었으므로 모눈 한 칸의 길이는 0.5 cm입니다.
색칠된 부분은 가로가 7.5 cm, 세로가 6.5 cm이므로 그 넓이는 $7.5\times6.5=48.75$ (cm^2)입니다.

22 1.24×4.7을 1.2의 4배 정도로 어림하면 4.8보다 더 큰 값이므로 5.828입니다.

23 $5.7>3.2>1.4>1.05$이므로 가장 큰 수는 5.7이고, 가장 작은 수는 1.05입니다.
→ $5.7\times1.05=5.985$

24 (1) (새로운 텃밭의 가로)$=9.5\times1.8=17.1$ (m)
(새로운 텃밭의 세로)$=8.5\times1.8=15.3$ (m)
(2) (새로운 텃밭의 넓이)$=17.1\times15.3$
$=261.63$ (m^2)

25 ㉠ $316\times0.01=3.16$
㉡ $3.16\times100=316$
㉢ $31.6\times0.1=3.16$
따라서 계산 결과가 다른 것은 ㉡입니다.

26 자연수의 곱셈 결과에 곱하는 두 수의 소수점 아래 자리 수를 더한 것만큼 소수점을 왼쪽으로 옮깁니다.
40.6은 406의 $\frac{1}{10}$배인데 4.872는 4872의 $\frac{1}{1000}$배이므로 □ 안에 알맞은 수는 12의 $\frac{1}{100}$배인 0.12입니다.

27 1 kg$=$1000 g입니다.
• 초콜릿 1개: 5.3 g$=$0.0053 kg
→ 초콜릿 100개: $0.0053\times100=0.53$ (kg)
• 과자 10봉지: 0.059 kg
→ 과자 100봉지: $0.059\times10=0.59$ (kg)

28 • $76.96\times$㉠$=769.6$에서 76.96이 769.6으로 소수점이 오른쪽으로 한 칸 옮겨졌으므로 ㉠$=10$입니다.
• $769.6\times$㉡$=7.696$에서 769.6이 7.696으로 소수점이 왼쪽으로 두 칸 옮겨졌으므로 ㉡$=0.01$입니다.
따라서 10은 0.01의 1000배입니다.

29 (3) $21.42>21.32$이므로 곱이 가장 큰 곱셈식의 곱은 21.42입니다.

097쪽 서술형 잡기

※서술형 문제의 예시 답안입니다.

1 30, 12, 360, 36 / 36

2 ❶ 잘못 계산한 이유 쓰기 ▶ 3점
❷ 바르게 계산한 값 구하기 ▶ 2점

❶ 2와 47을 곱한 값이 아니라 20과 47을 곱한 값 940에서 소수점을 왼쪽으로 한 칸 옮겨서 94가 되어야 합니다.
❷ 94

3 ❶ 1, 25, 0.25, 0.25
❷ 0.25, 1.75 / 1.75시간

4 ❶ 30분은 몇 시간인지 소수로 나타내기 ▶ 2점
❷ 선영이가 일주일 동안 훌라후프를 한 시간 구하기 ▶ 3점

❶ $\frac{30}{60}=\frac{1}{2}=0.5$이므로 30분은 0.5시간입니다.
❷ 일주일은 7일이므로 선영이가 일주일 동안 훌라후프를 한 시간은 모두 $0.5\times7=3.5$(시간)입니다. / 3.5시간

098쪽 단원 마무리

01 2.8
02 예 (0부터 5까지 10등분한 막대에 7칸 색칠) / 3.5
03 39 / 39 / 39, 234, 2.34
04 14, 14, 56, 5.6　05 352, 3.52
06 57.13 / 571.3 / 5713
07 31.2　08 14.72
09 0.336
10 $\frac{35}{10} \times \frac{102}{100} = \frac{3570}{1000} = 3.57$
11 7, 5.6　12 >
13 979.8　14 병우
15 ㉢　16 가
17 $4.2 \times 1.2 = 5.04$ / 5.04 kg
18 649.60

※서술형 문제의 예시 답안입니다.

서술형

19
❶ 잘못 계산한 이유 쓰기 ▶ 3점
❷ 바르게 계산한 값 구하기 ▶ 2점

❶ 4와 59를 곱한 값이 아니라 40과 59를 곱한 값 2360에서 소수점을 왼쪽으로 한 칸 옮겨서 236이 되어야 합니다.
❷ 236

20
❶ 24분은 몇 시간인지 소수로 나타내기 ▶ 2점
❷ 민호가 일주일 동안 줄넘기를 한 시간 구하기 ▶ 3점

❶ $\frac{24}{60} = \frac{4}{10} = 0.4$이므로 24분은 0.4시간입니다.
❷ 일주일은 7일이므로 민호가 일주일 동안 줄넘기를 한 시간은 모두 $0.4 \times 7 = 2.8$(시간)입니다. / 2.8시간

01 1.4씩 2이면 2.8이므로 $1.4 \times 2 = 2.8$입니다.

02 5를 10등분한 것이므로 7칸을 색칠합니다.
따라서 한 칸의 크기가 0.5이므로 7칸의 크기는 3.5입니다.

03 0.39×6은 0.01이 234개이므로 $0.39 \times 6 = 2.34$입니다.

04 1.4는 소수 한 자리 수이므로 분모가 10인 분수로 고쳐서 계산합니다.

05 곱해지는 수와 곱하는 수가 각각 $\frac{1}{10}$배가 되면 계산 결과는 $\frac{1}{100}$배가 됩니다.

06 곱하는 수의 0이 하나씩 늘어날 때마다 곱의 소수점을 오른쪽으로 한 칸씩 옮깁니다.

07 $6 \times 5.2 = 6 \times \frac{52}{10} = \frac{312}{10} = 31.2$

08 $32 \times 46 = 1472$ → $3.2 \times 4.6 = 14.72$

09 $7 \times 48 = 336$ → $0.7 \times 0.48 = 0.336$

10 3.5는 소수 한 자리 수이므로 분모가 10인 분수로, 1.02는 소수 두 자리 수이므로 분모가 100인 분수로 고쳐서 계산합니다.

11 (영은이가 일주일 동안 마신 둥굴레차의 양)
$= 0.8 \times 7 = \frac{8}{10} \times 7 = \frac{56}{10} = 5.6$ (L)

12 • $0.4 \times 0.6 = 0.24$
• $0.25 \times 0.9 = 0.225$
→ $0.24 > 0.225$

13 4.6은 그대로 있고, 213은 2.13의 100배이므로 9.798의 소수점을 오른쪽으로 두 자리 옮깁니다.
→ $4.6 \times 213 = 979.8$

14 • 희진: $0.1 \times 7.8 = 0.78$
• 병우: $625 \times 0.001 = 0.625$
따라서 바르게 계산한 친구는 병우입니다.

15 2.5×0.37에서 (소수 한 자리 수)×(소수 두 자리 수)=(소수 세 자리 수)이므로 곱이 소수 세 자리 수인 것을 찾습니다.
㉠ 2.5×3.7 → 소수 두 자리 수
㉡ 25×0.37 → 소수 두 자리 수
㉢ 0.25×3.7 → 소수 세 자리 수

16 (정육각형 가의 둘레)$= 2.15 \times 6 = 12.9$ (cm)
(정오각형 나의 둘레)$= 2.7 \times 5 = 13.5$ (cm)
→ $12.9 < 13.5$이므로 정육각형 가의 둘레가 더 짧습니다.

17 (12월에 잰 고양이의 무게)
$= 4.2 \times 1.2 = \frac{42}{10} \times \frac{12}{10} = \frac{504}{100} = 5.04$ (kg)

18 320×2.03을 320의 2배 정도로 어림하면 640보다 조금 더 큰 값이므로 649.60입니다.

진도북 4단원

5 직육면체

105쪽 STEP 1 교과서 개념 잡기

1 (1) 다 (2) 직육면체
2 ㉢ / ㉡ / ㉠
3 (1) 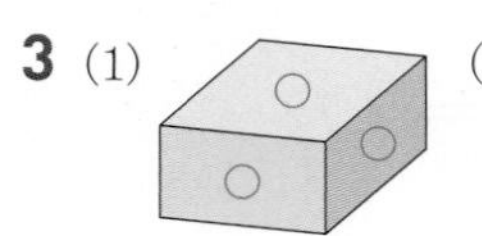 (2) 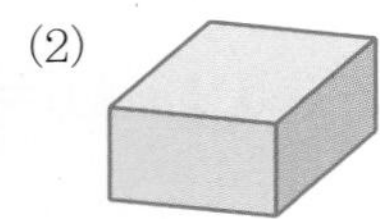 (3) 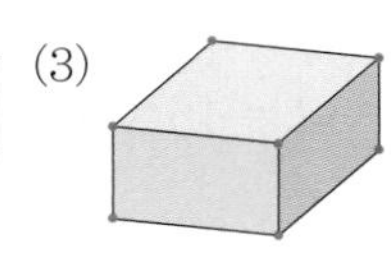

1 (1) 가: 직사각형 2개와 사각형 4개로 둘러싸인 도형
나: 원 2개와 굽은 면으로 둘러싸인 도형
다: 직사각형 6개로 둘러싸인 도형
라: 삼각형 2개와 직사각형 3개로 둘러싸인 도형

2 • 면: 선분으로 둘러싸인 부분이므로 ㉢입니다.
• 모서리: 면과 면이 만나는 선분이므로 ㉡입니다.
• 꼭짓점: 모서리와 모서리가 만나는 점이므로 ㉠입니다.

3 (1) 보이는 면 3개를 찾아 ○표 합니다.
(2) 보이는 모서리 9개를 찾아 파란색으로 표시합니다.
(3) 보이는 꼭짓점 7개를 찾아 ●으로 표시합니다.

107쪽 STEP 1 교과서 개념 잡기

1 직육면체, 정육면체
2 (1) 정사각형, 12, 8 (2) '있습니다'에 ○표
3 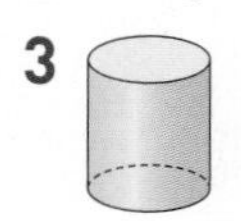 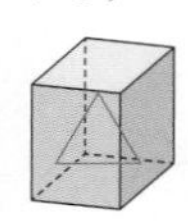 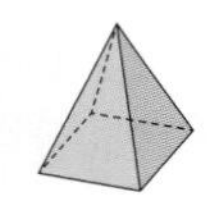 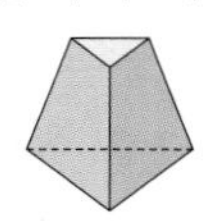 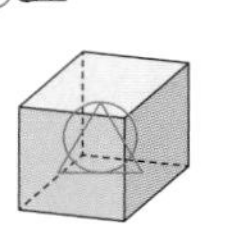

2 (1) • 면: 선분으로 둘러싸인 부분 ➔ 6개
• 모서리: 면과 면이 만나는 선분 ➔ 12개
• 꼭짓점: 모서리와 모서리가 만나는 점 ➔ 8개
(2) 정육면체의 면은 모두 정사각형이고 정사각형은 직사각형이라고 할 수 있으므로 정육면체는 직육면체라고 할 수 있습니다.

3 정육면체는 직육면체라고 할 수 있으므로 정육면체에는 ○표와 △표를 모두 합니다.

109쪽 STEP 1 교과서 개념 잡기

1 (1) ㅁㅂㅅㅇ (2) ㄱㅁㅇㄹ (3) ㄴㅂㅁㄱ
2 (1) (2) 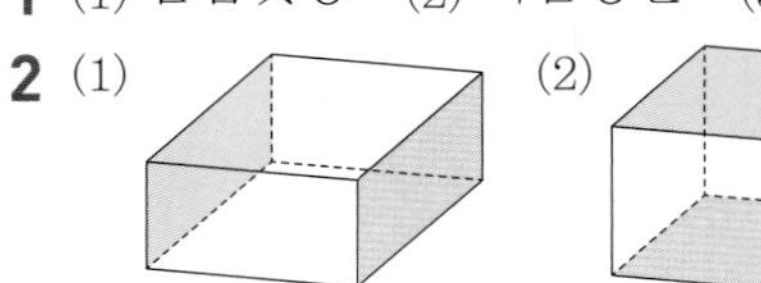
3 (○)( )(○)(○)
4 ㄱㄴㄷㄹ, ㄴㅂㅅㄷ, ㅁㅂㅅㅇ, ㄱㅁㅇㄹ

1 (1) 면 ㄱㄴㄷㄹ과 마주 보는 면은 면 ㅁㅂㅅㅇ입니다.
(2) 면 ㄴㅂㅅㄷ과 마주 보는 면은 면 ㄱㅁㅇㄹ입니다.
(3) 면 ㄷㅅㅇㄹ과 마주 보는 면은 면 ㄴㅂㅁㄱ입니다.

2 색칠한 면과 마주 보는 면을 색칠합니다.

3 색칠한 면과 만나는 면은 모두 수직인 면입니다.

4 색칠한 면과 수직인 면은 평행한 면인 면 ㄷㅅㅇㄹ을 제외한 4개의 면입니다.
채점Tip 면을 쓰는 순서가 바뀌어도 모두 정답입니다.

110쪽 STEP 2 개념 한 번 더 잡기

01 나
02 (○)( )
( )(○)
03 직사각형
04 3, 9, 7
05 나, 다
06 (왼쪽부터) 면, 꼭짓점, 모서리
07 (1) 다, 바 (2) 나, 라
08 ( )(○)( )
09 3쌍
10 4개
11 면 ㄱㅁㅇㄹ
12 (1) 3개 (2) '직각입니다'에 ○표

01 • 가: 직사각형 3개와 삼각형 2개로 둘러싸인 도형
• 다: 직사각형 5개와 오각형 2개로 둘러싸인 도형

02 직사각형 6개로 둘러싸인 도형을 찾습니다.

03 직육면체의 면의 모양은 직사각형입니다.

04 • 직육면체에서 면 6개 중 보이는 면은 3개입니다.
• 직육면체에서 모서리 12개 중 보이는 모서리는 9개입니다.
• 직육면체에서 꼭짓점 8개 중 보이는 꼭짓점은 7개입니다.

05 정사각형 모양 6개로 둘러싸인 모양의 물건을 찾습니다.

06 • 면: 선분으로 둘러싸인 부분
• 모서리: 면과 면이 만나는 선분
• 꼭짓점: 모서리와 모서리가 만나는 점

07 (1) 정사각형 6개로 둘러싸인 도형은 다, 바입니다.
(2) 직사각형 6개로 둘러싸인 도형은 가, 다, 마, 바이므로 직육면체가 아닌 것은 나, 라입니다.

08 직육면체에서 마주 보는 면은 서로 평행합니다.

09 직육면체에서 마주 보는 면은 평행하므로 서로 평행한 면은 모두 3쌍입니다.

10 색칠한 면과 수직인 면은 마주 보는 평행한 면 1개를 제외한 4개의 면입니다.

11 면 ㄴㅂㅅㄷ과 수직이 아닌 면은 면 ㄴㅂㅅㄷ과 평행한 면인 면 ㄱㅁㅇㄹ입니다.

12 (1) 꼭짓점 ㄷ과 만나는 면은 면 ㄱㄴㄷㄹ, 면 ㄴㅂㅅㄷ, 면 ㄷㅅㅇㄹ로 모두 3개입니다.
(2) 꼭짓점 ㄷ과 만나는 세 면은 서로 수직입니다.

113쪽 STEP 1 교과서 개념 잡기

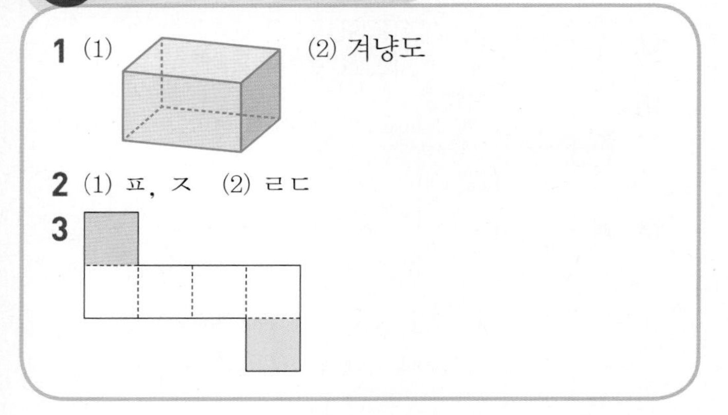

1 (1) 보이는 모서리 9개는 실선으로, 보이지 않는 모서리 3개는 점선으로 그립니다.

2 (1) 점 ㄱ과 만나서 한 꼭짓점이 되는 점은 점 ㅍ, 점 ㅈ입니다.
(2) 선분 ㄴㄷ과 겹쳐서 한 모서리가 되는 선분은 선분 ㄹㄷ입니다.

3 전개도를 접어서 정육면체를 만들었을 때 색칠한 면과 만나지 않는 면을 찾아 색칠합니다.

코칭Tip 정육면체의 전개도를 접었을 때 서로 평행한 면의 특징
① 마주 보고 있습니다.
② 만나는 모서리와 꼭짓점이 없습니다.

115쪽 STEP 1 교과서 개념 잡기

1 (1) 점 ㅅ, 점 ㅈ (2) 선분 ㅋㅌ (3) 면 라
(4) 면 가, 면 나, 면 라, 면 바에 ○표

2

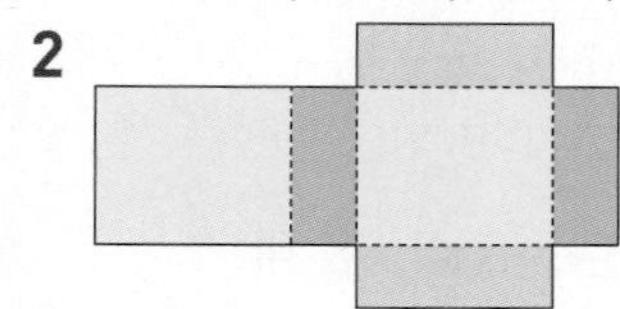

3

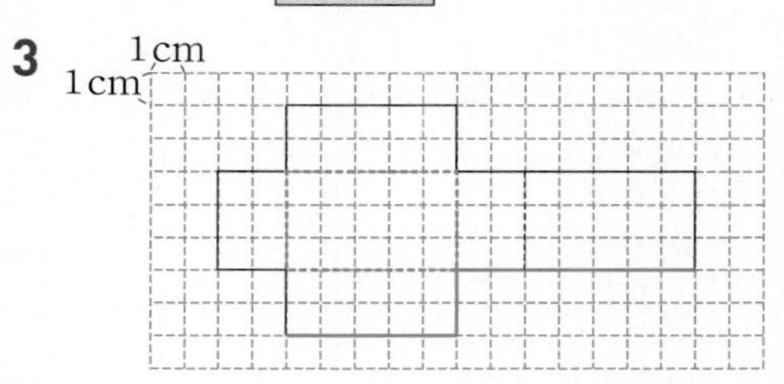

1 (1) 점 ㄷ과 만나서 한 꼭짓점이 되는 점은 점 ㅅ, 점 ㅈ입니다.
(2) 선분 ㄱㅎ과 겹쳐서 한 모서리가 되는 선분은 선분 ㅋㅌ입니다.

코칭Tip 점 ㄱ은 점 ㅋ과 만나고, 점 ㅎ은 점 ㅌ과 만나므로 선분 ㄱㅎ은 선분 ㅋㅌ(선분 ㅌㅋ)과 겹칩니다.

(3) 전개도를 접었을 때 면 나와 마주 보는 면은 면 라입니다.
(4) 전개도를 접었을 때 면 다와 만나는 면은 면 가, 면 나, 면 라, 면 바입니다.

2 전개도를 접어서 직육면체를 만들었을 때 서로 평행한 면끼리 모양과 크기가 같으므로 직육면체의 전개도에는 모양과 크기가 같은 면이 3쌍 있습니다.

3 전개도를 접었을 때 만나는 선분끼리 길이가 같게 그립니다.

116쪽 STEP2 개념 한번더 잡기

01 다

02
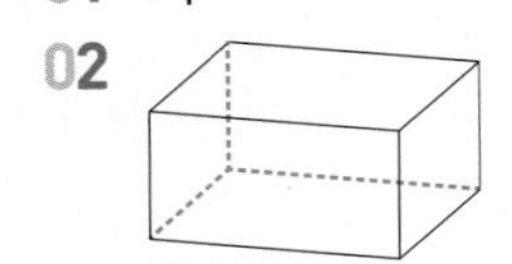

03

04 선분 ㅈㅇ / 선분 ㅅㅂ

05
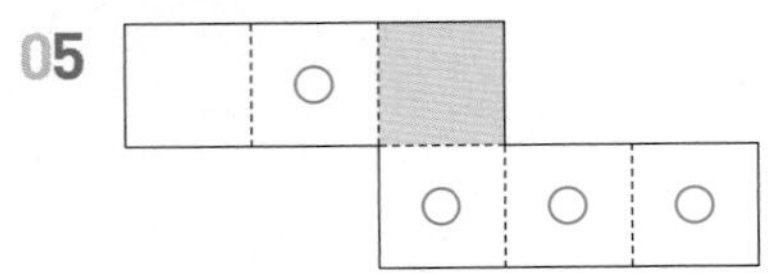

06 예

07 (　　)(×)(　　)

08 (1) 3쌍 (2) 면 가, 면 다, 면 라, 면 마

09 (왼쪽부터) 5, 7, 3

10 3 / '없고', '같습니다'에 ○표

11 다

12 1 cm 1 cm

02 보이지 않는 모서리 3개를 점선으로 그려 직육면체의 겨냥도를 완성합니다.

04 선분 ㄱㄴ과 겹쳐서 한 모서리가 되는 선분은 선분 ㅈㅇ이고, 선분 ㄷㄹ과 겹쳐서 한 모서리가 되는 선분은 선분 ㅅㅂ입니다.

05 전개도를 접었을 때 색칠한 면과 만나는 면 4개를 찾아 ○표 합니다.

06 잘린 모서리는 실선으로, 잘리지 않는 모서리는 점선으로 그리고, 정사각형 모양의 면 1개를 더 그립니다.

07 두 번째 전개도는 접었을 때 겹치는 면이 있으므로 정육면체를 만들 수 없습니다.

08 (1) 면 가와 면 라, 면 나와 면 바, 면 다와 면 마가 서로 합동이므로 모두 3쌍입니다.
(2) 전개도를 접었을 때 면 나와 만나는 면은 면 가, 면 다, 면 라, 면 마입니다.

11 • 가, 라: 전개도를 접었을 때 마주 보는 면의 모양과 크기가 다릅니다.
• 나: 전개도를 접었을 때 겹치는 면이 있습니다.

118쪽 STEP3 수학 익힘 문제 잡기

01 6개 / 12개 / 8개

02 (1) ○ (2) × (3) ×

03 혜진

04 4

05 면 ㄱㄴㄷㄹ, 면 ㄱㅁㅇㄹ, 면 ㄷㅅㅇㄹ

06 ㄱㄴㄷㄹ / ㄴㅂㅁㄱ / ㄷㅅㅇㄹ / ㅁㅂㅅㅇ

07 14 cm

08 면 ㄱㄴㄷㄹ, 면 ㅁㅂㅅㅇ

09 4개

10 ㉡

11 33 cm

12
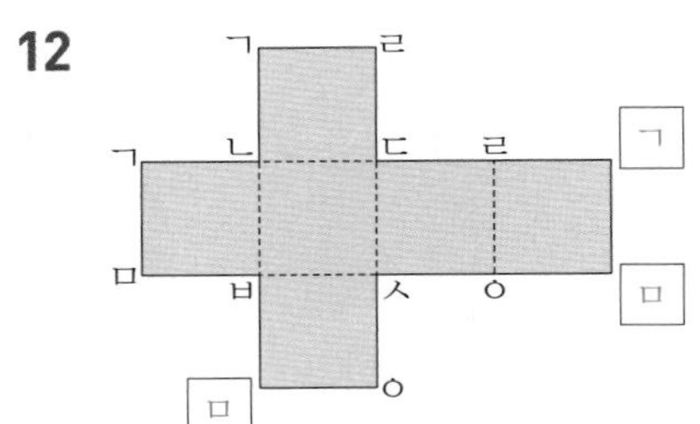

13 예
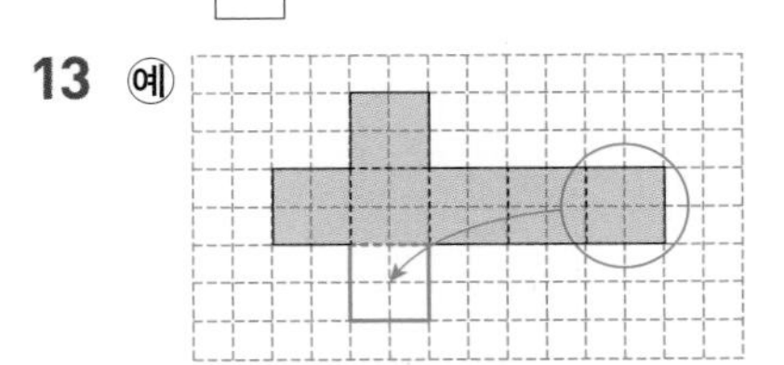

14 (1) 다, 가, 나 (2)
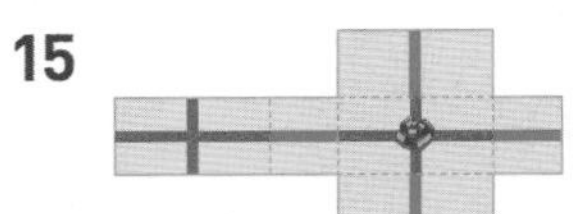

15

16 예 1 cm 1 cm

17 (1) 5 cm, 6 cm, 9 cm (2) 26 cm

01 • 면: 선분으로 둘러싸인 부분 ➔ 6개
• 모서리: 면과 면이 만나는 선분 ➔ 12개
• 꼭짓점: 모서리와 모서리가 만나는 점 ➔ 8개

02 (2) 직육면체에서 선분으로 둘러싸인 부분은 면입니다.
(3) 직육면체는 마주 보는 면끼리 서로 합동입니다.

03 정육면체는 직육면체라고 할 수 있지만 직육면체는 정육면체라고 할 수 없으므로 잘못 말한 친구는 혜진입니다.

04 • 보이지 않는 모서리의 수: 3
• 보이지 않는 꼭짓점의 수: 1
➔ $3+1=4$

05 직육면체의 한 꼭짓점에서 만나는 면은 3개입니다.

06 색칠한 면과 수직인 면은 평행한 면인 면 ㄱㅁㅇㄹ을 제외한 4개의 면입니다.
코칭Tip 직육면체에서 한 면과 수직인 면은 4개입니다.

07 직육면체는 서로 평행한 면끼리 모양과 크기가 같고, 면 ㄴㅂㅅㄷ과 평행한 면은 면 ㄱㅁㅇㄹ입니다.
➔ (면 ㄱㅁㅇㄹ의 모서리 길이의 합)
$=4+3+4+3=14$ (cm)

08 • 면 ㄴㅂㅅㄷ과 수직인 면: 면 ㄱㄴㄷㄹ, 면 ㄷㅅㅇㄹ, 면 ㅁㅂㅅㅇ, 면 ㄴㅂㅁㄱ
• 면 ㄷㅅㅇㄹ과 수직인 면: 면 ㄱㄴㄷㄹ, 면 ㄴㅂㅅㄷ, 면 ㅁㅂㅅㅇ, 면 ㄱㅁㅇㄹ
따라서 두 면에 동시에 수직인 면은 면 ㄱㄴㄷㄹ과 면 ㅁㅂㅅㅇ입니다.

09 직육면체에서 길이가 같은 모서리는 4개씩 3쌍 있습니다.

10 ㉡ 직육면체의 겨냥도에서 보이는 꼭짓점은 7개, 보이지 않는 꼭짓점은 1개입니다.

11 직육면체에서 보이는 모서리는 9개로 5 cm, 4 cm, 2 cm인 모서리가 3개씩입니다.
➔ (보이는 모서리의 길이의 합)
$=(5+4+2)\times3=11\times3=33$ (cm)

12 정육면체의 전개도를 접으면 같은 모양으로 표시한 점끼리 만납니다.

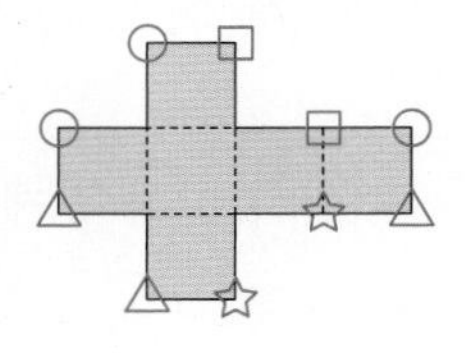

13 전개도를 접었을 때 겹치는 면이 있으므로 겹치는 한 면을 겹치지 않는 곳으로 옮깁니다.
채점Tip 전개도를 접었을 때 겹치는 면이 없게 한 면의 위치를 옮겼으면 모두 정답입니다.

14 (2) • 면 가의 눈의 수: $7-2=5$
• 면 나의 눈의 수: $7-3=4$
• 면 다의 눈의 수: $7-1=6$

15 어느 모서리를 잘라서 펼친 것인지 생각해 보고 리본 장식이 있는 면을 기준으로 끈이 지나가는 자리를 전개도에 그립니다.

16 바르게 그린 직육면체의 전개도에는 면이 6개이고, 모양과 크기가 같은 면이 3쌍 있습니다. 또, 접었을 때 겹치는 면이 없고, 만나는 모서리의 길이가 같습니다.

17 (1) 전개도를 접었을 때 겹치는 선분과 평행한 선분은 서로 길이가 같습니다.
• (선분 ㅁㅂ)=(선분 ㅅㅂ)=(선분 ㅈㅊ)=5 cm
• (선분 ㅂㅋ)=(선분 ㅅㅇ)=(선분 ㅁㄹ)=6 cm
• (선분 ㅋㅊ)=(선분 ㅋㅌ)=9 cm
(2) (선분 ㄹㅊ)=(선분 ㄹㅁ)+(선분 ㅁㅂ)
+(선분 ㅂㅋ)+(선분 ㅋㅊ)
$=6+5+6+9=26$ (cm)

121쪽 서술형 잡기

※서술형 문제의 예시 답안입니다.

1 6, 2, 4

2 정육면체가 아닌 이유 쓰기 ▶ 5점

정육면체는 정사각형 6개로 둘러싸인 도형인데 주어진 도형은 정사각형 2개와 직사각형 4개로 둘러싸여 있으므로 정육면체가 아닙니다.

3 ❶ 12, '같습니다'에 ○표
❷ 12, 84 / 84 cm

4 ❶ 정육면체의 특징 알기 ▶ 2점
❷ 정육면체의 모든 모서리의 길이의 합 구하기 ▶ 3점

❶ 정육면체의 모서리는 12개이고, 모서리의 길이가 모두 같습니다.
❷ 정육면체의 모든 모서리의 길이의 합은 $9\times12=108$ (cm)입니다. / 108 cm

122쪽 단원 마무리

01 6, 직육면체
02 모서리
03 6, 12, 8
04 정사각형
05 라, 바
06 다, 마
07 전개도
08 ①, ③, ⑤
09 ㉠, ㉣
10 ④
11
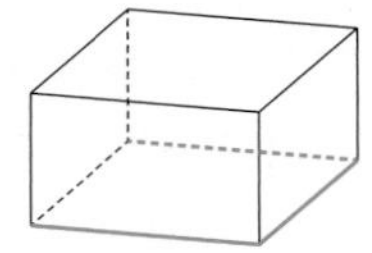
12 ㉡
13 8개
14 선분 ㅇㅅ
15 면 마
16
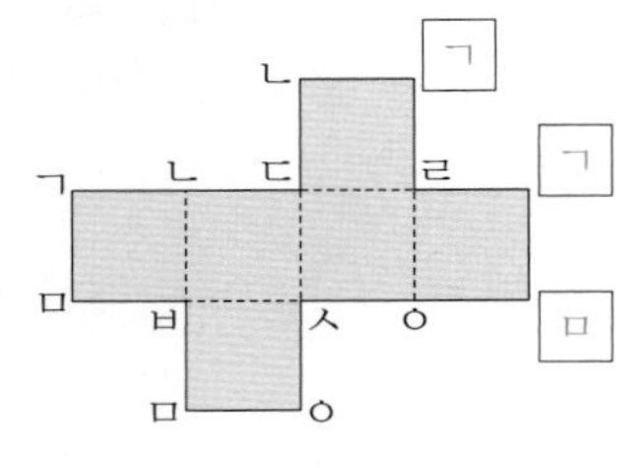

17 ⑤
18 예
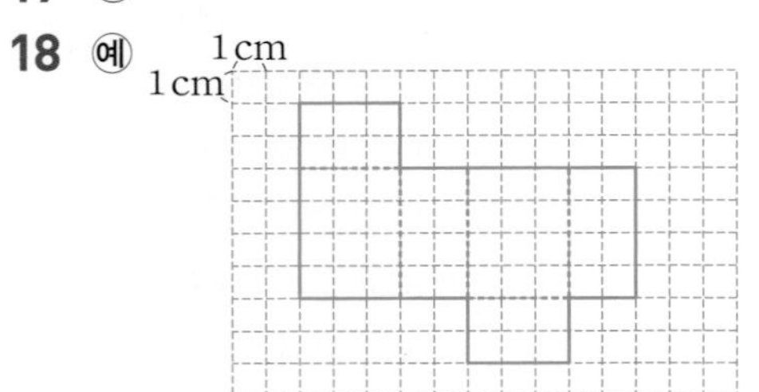

※서술형 문제의 예시 답안입니다.

서술형

19 직육면체가 아닌 이유 쓰기 ▶ 5점

직육면체는 직사각형 6개로 둘러싸인 도형인데 주어진 도형은 직사각형 3개와 삼각형 2개로 둘러싸여 있으므로 직육면체가 아닙니다.

20 ❶ 정육면체의 특징 알기 ▶ 2점
❷ 정육면체의 모든 모서리의 길이의 합 구하기 ▶ 3점

❶ 정육면체의 모서리는 12개이고, 모서리의 길이가 모두 같습니다.
❷ 정육면체의 모든 모서리의 길이의 합은 $8 \times 12 = 96$ (cm)입니다. / 96 cm

01 주어진 도형은 직사각형 6개로 둘러싸인 직육면체입니다.

02 직육면체에서 면과 면이 만나는 선분을 모서리라고 합니다.

03 • 면: 선분으로 둘러싸인 부분 ➔ 6개
• 모서리: 면과 면이 만나는 선분 ➔ 12개
• 꼭짓점: 모서리와 모서리가 만나는 점 ➔ 8개

04 정육면체의 모든 면은 정사각형 모양입니다.
코칭Tip 색칠한 면의 모양만을 보고 평행사변형이나 마름모라고 답하면 안 됩니다.

05 정사각형 6개로 둘러싸인 도형은 라, 바입니다.

06 정사각형은 직사각형이라고 할 수 있으므로 직사각형 6개로 둘러싸인 직육면체는 가, 나, 라, 바입니다.
➔ 다, 마는 위와 아래에 있는 면이 직사각형이 아니므로 직육면체가 아닙니다.

07 정육면체의 모서리를 잘라서 펼친 그림을 정육면체의 전개도라고 합니다.

08 직육면체와 정육면체는 면이 6개, 모서리가 12개, 꼭짓점이 8개로 같습니다.

09 면 ㄱㄴㄷㄹ과 면 ㅁㅂㅅㅇ, 면 ㄴㅂㅅㄷ과 면 ㄱㅁㅇㄹ, 면 ㄴㅂㅁㄱ과 면 ㄷㅅㅇㄹ이 서로 평행한 면입니다.

10 면 ㄱㅁㅇㄹ과 면 ㄴㅂㅅㄷ은 서로 마주 보는 면이므로 평행합니다.

11 보이는 모서리는 실선으로, 보이지 않는 모서리는 점선으로 그리고, 평행한 모서리는 평행하게 그립니다.

12 ㉡ 한 꼭짓점에서 만나는 면은 모두 3개입니다.

13 직육면체의 겨냥도에서 평행한 모서리의 길이는 같으므로 길이가 3 cm인 모서리는 모두 $4+4=8$(개)입니다.

14 전개도를 접으면 점 ㄴ은 점 ㅇ과 만나고, 점 ㄷ은 점 ㅅ과 만나므로 선분 ㄴㄷ은 선분 ㅇㅅ과 겹칩니다.

15 전개도를 접으면 면 가와 면 다, 면 나와 면 마, 면 라와 면 바가 서로 마주 보는 면입니다.

16 정육면체의 전개도를 접었을 때 만나는 점끼리 같은 기호를 써넣습니다.

17 ⑤
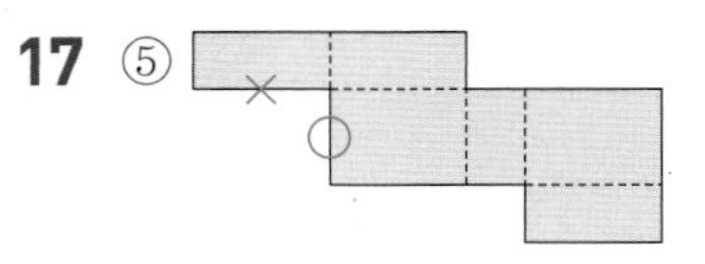
전개도를 접었을 때 겹치는 모서리의 길이가 다릅니다.

18 전개도를 접었을 때 만나는 부분끼리 길이가 같게 그립니다.

6 평균과 가능성

129쪽 STEP 1 교과서 개념 잡기

1 50 / 50, 10

2 (1) 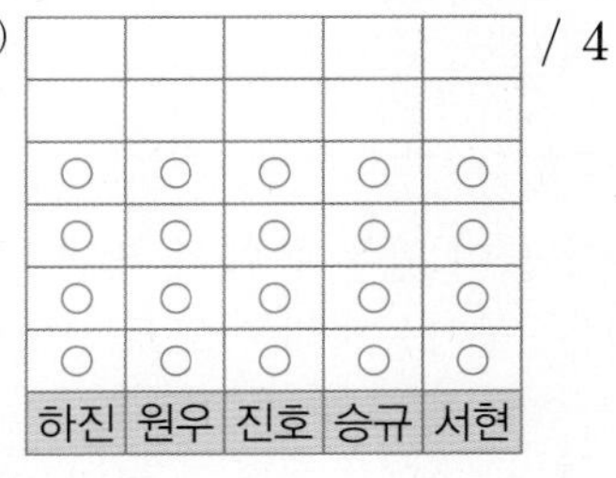 / 4

(2) 5, 20, 5, 4

1 (선호네 모둠의 2중뛰기 기록의 합)
=9+10+7+13+11=50(회)

2 (1) 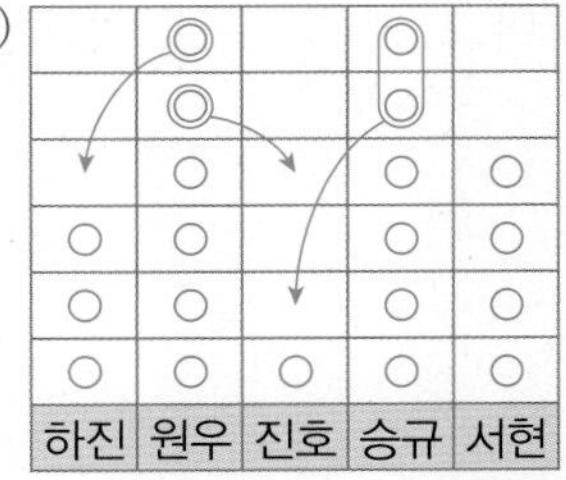

○의 위치를 옮겨 기둥에 건 고리 수가 모두 고르게 하면 한 사람당 ○가 4개씩입니다.

(2) (평균)=(자료의 값을 모두 더한 수)÷(자료의 수)
=20÷5=4(개)

131쪽 STEP 1 교과서 개념 잡기

1 (1) 4, 6, 5 (2) 나에 ○표

2 (1) 5, 120 (2) 120, 25, 39

1 (1) • (가 모둠의 공 던지기 기록의 평균)
=12÷3=4 (m)
• (나 모둠의 공 던지기 기록의 평균)
=18÷3=6 (m)
• (다 모둠의 공 던지기 기록의 평균)
=20÷4=5 (m)

(2) 평균을 비교하면 6>5>4이므로 한 명당 공 던지기 기록이 가장 좋은 모둠은 나 모둠입니다.

2 (1) (자료의 값의 합)=(평균)×(자료의 수)

(2) 자료의 값의 합에서 모르는 자료의 값을 제외한 나머지 자료의 값을 모두 뺍니다.
➔ 120−(28+17+25+11)
=120−81=39(회)

132쪽 STEP 2 개념 한 번 더 잡기

01 예 21명

02 (그림)

03 21명

04 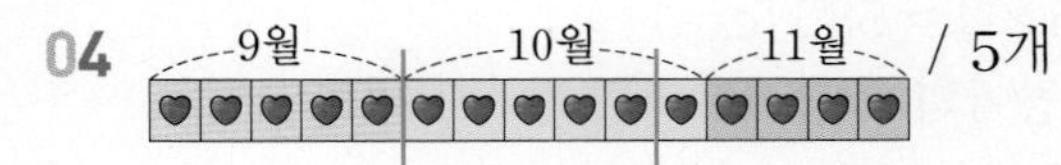 / 5개

05 서우네 집의 월별 외식 횟수 / 6회

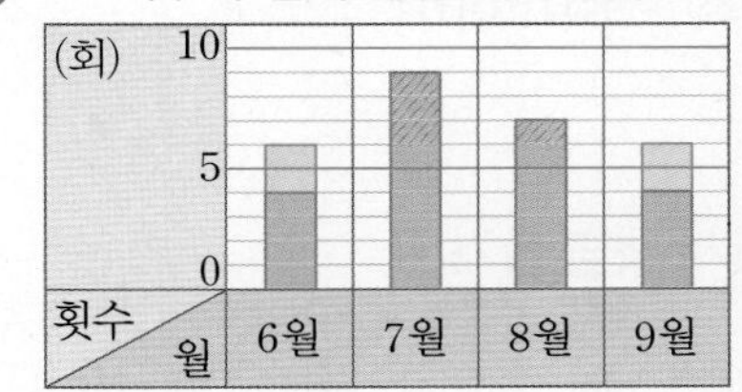

06 예 275 /
예 275, 275, 200, 350, 300, 250, 275

07 (1) 45초 (2) 9초

08 모둠 2

09 145 cm

10 151 cm

01 반별 학생 수를 고르게 하면 23−2, 20+1, 22−1, 19+2로 모두 21이 되므로 한 반당 학생 수는 21명이라고 말할 수 있습니다.

02 가장 큰 수나 가장 작은 수만으로는 한 반당 학생 수를 알기 어렵습니다.

03 각 반의 학생 수를 모두 더해 반의 수 4로 나눕니다.
23+20+22+19=84(명) ➔ 84÷4=21(명)

04 종이띠를 3등분이 되도록 나눈 한 부분은 5개이므로 월별 칭찬 붙임딱지의 수의 평균은 5개입니다.

진도북 6 단원

05 막대그래프에서 7월의 막대 3칸과 8월의 막대 1칸을 6월과 9월에 각각 2칸씩 옮겨 그리면 막대의 높이가 모두 6칸으로 고르게 됩니다.

06 자료의 값 중 중간 크기인 275를 평균으로 예상합니다.

07 (1) $9+11+10+7+8=45$(초)
(2) $45\div5=9$(초)

08 (모둠 1의 구슬 수의 평균)$=24\div3=8$(개),
(모둠 2의 구슬 수의 평균)$=30\div5=6$(개),
(모둠 3의 구슬 수의 평균)$=28\div4=7$(개)
➔ 평균을 비교하면 $6<7<8$이므로 한 명당 가지고 있는 구슬 수가 가장 적은 모둠은 모둠 2입니다.

09 $(148+150+137)\div3=435\div3=145$ (cm)

10 (4회 동안 아영이의 제자리멀리뛰기 기록의 합)
$=145\times4=580$ (cm)
➔ (아영이의 2회 제자리멀리뛰기 기록)
$=580-(140+150+139)$
$=580-429=151$ (cm)

135쪽 STEP 1 교과서 개념 잡기

1 (1) '반반이다'에 ○표 (2) '확실하다'에 ○표
(3) '반반이다'에 ○표 (4) '불가능하다'에 ○표
2 (1) 영주 (2) 태형 (3) 민서

1 (1) 우리 반 학생 수는 홀수 아니면 짝수이므로 일이 일어날 가능성은 반반입니다.
(2) 내일 등교하는 학생 중에는 반드시 남학생이 있으므로 일이 일어날 가능성은 확실합니다.
(3) 택시 다음에는 버스가 지나갈 수도 있고 아닐 수도 있으므로 일이 일어날 가능성은 반반입니다.
(4) 주사위에는 1부터 6까지의 눈이 있으므로 7의 눈이 나올 가능성은 불가능합니다.

2 (1) 파란색 부분이 없는 회전판을 만든 친구는 영주입니다.
(2) 파란색과 빨간색 부분이 반반인 회전판을 만든 친구는 태형입니다.
(3) 전체가 파란색인(빨간색 부분이 없는) 회전판을 만든 친구는 민서입니다.

137쪽 STEP 1 교과서 개념 잡기

1 ㉢, ㉡, ㉠
2 (1) '불가능하다'에 ○표 / 0
(2) '확실하다'에 ○표 / 1
3

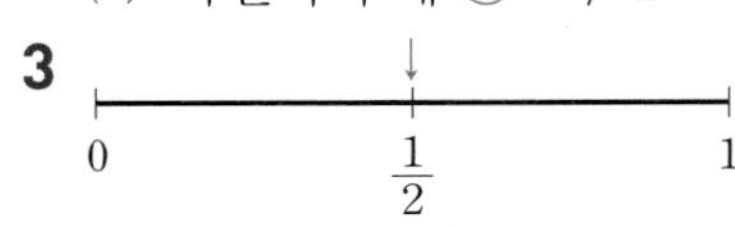

2 (1) 검은색 바둑돌이 들어 있는 통에서 꺼낸 바둑돌이 흰색일 가능성은 '불가능하다'이므로 0으로 표현할 수 있습니다.
(2) 흰색 바둑돌이 들어 있는 통에서 꺼낸 바둑돌이 흰색일 가능성은 '확실하다'이므로 1로 표현할 수 있습니다.

3 ○× 문제의 정답은 ○이거나 ×이므로 정답을 맞혔을 가능성은 '반반이다'이고, 이를 수로 표현하면 $\frac{1}{2}$입니다.

138쪽 STEP 2 개념 한 번 더 잡기

01 ~아닐 것 같다 / ~일 것 같다
02 '모레'에 ○표
03 (1) (2) (3)
04 희진
05 (1) ㉠ (2) ㉢
06 선재, 혜주, 민형
07 (1) '확실하다', 1에 ○표
(2) '반반이다', $\frac{1}{2}$에 ○표
08

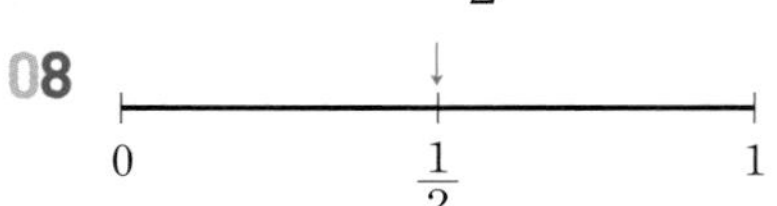

09 불가능하다 / 0
10 확실하다 / 1

01 일이 일어날 가능성의 정도는 '불가능하다', '~아닐 것 같다', '반반이다', '~일 것 같다', '확실하다'로 표현할 수 있습니다.

02 일기 예보에서 모레 오전에 눈사람 모양의 날씨 기호가 있으므로 모레 오전에 눈이 올 가능성이 가장 높습니다.

03 (1) 해는 동쪽에서 뜨므로 일이 일어날 가능성은 '확실하다'입니다.
(2) 내일 전학 오는 학생은 여학생일 수도 있고 남학생일 수도 있으므로 일이 일어날 가능성은 '반반이다'입니다.
(3) $2+3=5$이므로 6이 나올 가능성은 '불가능하다'입니다.

04 흰색 구슬만 6개 들어 있는 주머니에서 구슬 1개를 꺼낼 때 꺼낸 구슬이 흰색일 가능성은 '확실하다'입니다.

05 ㉠ 오늘이 수요일이면 내일은 목요일이므로 금요일일 가능성은 '불가능하다'입니다.
㉡ 우리나라의 장마는 6~7월이므로 12월에 일주일 내내 비가 올 가능성은 '~아닐 것 같다'입니다.
㉢ 오후 1시에서 2시간 후는 오후 3시이므로 가능성은 '확실하다'입니다.

06 초록색 부분이 넓은 순서대로 회전판을 만든 친구의 이름을 쓰면 선재, 혜주, 민형입니다.

07 (1) 보라색 구슬만 들어 있는 주머니에서 꺼낸 구슬이 보라색일 가능성은 '확실하다'입니다. ➔ 1
(2) 꺼낸 구슬의 개수는 짝수 아니면 홀수이므로 꺼낸 구슬의 개수가 짝수일 가능성은 '반반이다'입니다. ➔ $\frac{1}{2}$

08 빨간색이 3칸, 노란색이 3칸이므로 화살이 빨간색에 멈출 가능성은 '반반이다'입니다. ➔ $\frac{1}{2}$

09 상자 안에는 1번부터 10번까지의 번호표가 들어 있으므로 11번 번호표를 꺼낼 가능성은 '불가능하다'입니다. ➔ 0

10 주사위 눈의 수는 1, 2, 3, 4, 5, 6 중 하나이므로 주사위 눈의 수가 1 이상 6 이하로 나올 가능성은 '확실하다'입니다. ➔ 1

140쪽 STEP 3 수학 익힘 문제 잡기

01 80회 / 86회
02 현수네 모둠
03 수민
04 방법 1 예 21쪽 /
예 평균을 21로 예상한 후 (21, 21), (15, 32, 16)으로 수를 옮기고 짝 지어 자료의 값을 고르게 하면 정원이가 하루에 읽은 책의 쪽수의 평균은 21쪽입니다.
방법 2 예 $(21+15+21+32+16)\div5$
$=105\div5=21$(쪽)
5일 동안 읽은 책의 쪽수의 합을 날수 5로 나누면 21이므로 정원이가 하루에 읽은 책의 쪽수의 평균은 21쪽입니다.
05 83점
06 17개
07 (1) 500 (2) 25 (3) 20
08 2권
09 불가능합니다.
10 예 계산기에 '1+7='을 누르면 8이 나올 거야.
11
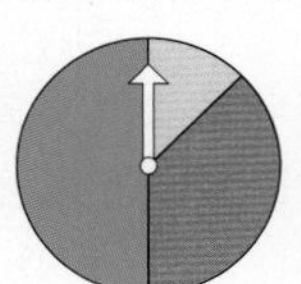
12 나
13 반반이다 / $\frac{1}{2}$
14 예
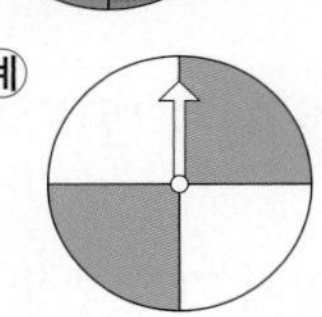
15 반반이다 / $\frac{1}{2}$
16 (1) 572 cm (2) 725 cm (3) 153 cm

01 (정후네 모둠의 평균)$=(87+63+80+75+95)\div5$
$=400\div5=80$(회)
(현수네 모둠의 평균)$=(70+82+101+91)\div4$
$=344\div4=86$(회)

02 평균을 비교하면 $80<86$이므로 현수네 모둠이 더 잘했다고 볼 수 있습니다.

03 두 모둠의 모둠 친구 수가 다르므로 기록의 합계만으로는 어느 모둠이 더 잘했는지 판단하기 어려우므로 잘못 말한 친구는 수민입니다.

05 (4회 동안 시험 점수의 평균)
$=(74+92+80+86)\div4=332\div4=83$(점)
➔ 5회 동안 시험 점수의 평균이 4회 동안 시험 점수의 평균보다 높으려면 5회의 시험 점수는 83점보다 높아야 합니다.

진도북 6 단원

06 (일주일 동안 사용한 달걀 수)$=21\times7=147$(개)
(목요일에 사용한 달걀 수)
$=147-(9+15+25+20+33+28)$
$=147-130=17$(개)

07 (1) $2000\div4=500$(개)
(2) $(24+26+25+25)\div4=100\div4=25$(명)
(3) $500\div25=20$(개)

08 5개월 동안 읽은 책의 수가 10권 더 많아지므로 5개월 동안 읽은 월별 책의 수의 평균은 $10\div5=2$(권) 더 많아집니다.

09 12월은 31일까지 있으므로 12월 달력에 날짜가 33일까지 있는 것은 불가능합니다.

10 $1+7=8$이므로 계산기에 '$1+7=$'을 누르면 8이 나오는 것은 '확실하다'입니다.
채점Tip 제시된 정답 이외에 논리적으로 타당한 경우이면 정답입니다.

11 화살이 멈출 가능성이 높은 순서대로 쓰면 초록색, 빨간색, 노란색이므로 넓은 칸부터 순서대로 초록색, 빨간색, 노란색을 색칠합니다.

12 가: 화살이 빨간색, 파란색, 노란색에 멈출 가능성이 비슷한 회전판입니다.
나: 화살이 빨간색에 멈출 가능성이 가장 높고 파란색, 노란색에 멈출 가능성이 비슷한 회전판입니다.
따라서 주어진 표와 일이 일어날 가능성이 비슷한 회전판은 나입니다.

13 당첨 제비의 수와 꽝인 제비의 수가 같으므로 뽑은 제비가 당첨 제비일 가능성은 '반반이다'입니다.
→ $\frac{1}{2}$

14 화살이 파란색에 멈출 가능성이 $\frac{1}{2}$이어야 하므로 전체 4칸 중 2칸을 색칠합니다.

15 주사위의 눈의 수 1, 2, 3, 4, 5, 6 중 4의 약수인 1, 2, 4가 나올 가능성은 '반반이다'입니다. → $\frac{1}{2}$

16 (1) $143\times4=572$ (cm)
(2) $145\times5=725$ (cm)
(3) $725-572=153$ (cm)

143쪽 서술형 잡기

※서술형 문제의 예시 답안입니다.

1 예 홀수일 것입니다.

2 일이 일어날 가능성이 '확실하다'인 상황 쓰기 ▶ 5점

오늘이 월요일이니까 내일은 화요일일 것입니다.

3 ❶ 7, 3, 14 / 12, 4, 17, 4, 13
❷ 14, 13, 서아 / 서아

4 ❶ 타자 기록의 평균 각각 구하기 ▶ 4점
❷ 타자 기록이 더 좋은 친구 구하기 ▶ 1점

❶ (정하의 평균)$=(330+315+300)\div3$
$=315$(타)
(영재의 평균)$=(300+290+310+320)\div4$
$=305$(타)
❷ 평균을 비교하면 $315>305$이므로 정하의 타자 기록이 더 좋습니다. / 정하

144쪽 단원 마무리

01 88 kg
02 4명
03 22 kg
04 52, 60, 50, 54, 54
05 ①
06 (1)–(3), (2)–(2), (3)–(1)
07 나
08 20 ℃
09 ㉡
10 4권
11 0
12 0, $\frac{1}{2}$, 1 (수직선의 1에 ↓ 표시)
13 반반이다 / $\frac{1}{2}$
14 ㉡
15 반반이다
16 82회
17 81회
18 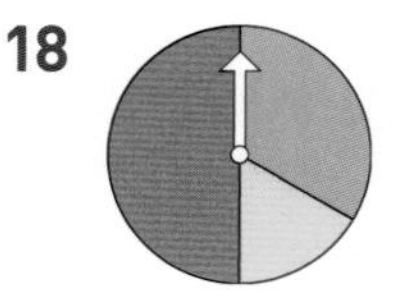

서술형

※서술형 문제의 예시 답안입니다.

19 일이 일어날 가능성이 '불가능하다'인 상황 쓰기 ▶ 5점

오후 2시에서 1시간 후에는 오후 4시가 될 것입니다.

20 ❶ 턱걸이 기록의 평균 각각 구하기 ▶ 4점
❷ 턱걸이를 더 잘한 친구 구하기 ▶ 1점

❶ (민서의 평균)$=(6+4+1+5)\div4=4$(회)
(준하의 평균)$=(8+5+2)\div3=5$(회)
❷ 평균을 비교하면 $4<5$이므로 준하가 더 잘했습니다. / 준하

05 빨간색 공만 2개 들어 있는 상자에서 꺼낸 공이 흰색일 가능성은 '불가능하다'입니다.

06 일이 일어날 가능성이 '불가능하다'이면 0, '반반이다'이면 $\frac{1}{2}$, '확실하다'이면 1로 표현합니다.

07 화살이 빨간색에 멈출 가능성이 더 높은 회전판은 빨간색 부분이 더 넓은 나입니다.

08 $(19+17+21+23+20)\div5=100\div5=20$ (℃)

09 교실에 들어올 학생은 여학생 아니면 남학생이므로 일이 일어날 가능성은 반반입니다.

10 (9월부터 12월까지 대출한 책의 수)$=6\times4=24$(권)
(10월에 대출한 책의 수)$=24-(8+5+7)=4$(권)

11 1월은 31일까지 있으므로 30일까지 있을 가능성은 '불가능하다'입니다.

12 회전판이 모두 보라색이므로 화살이 보라색에 멈출 가능성은 '확실하다'입니다. ➔ 1

13 윷을 한 개 던졌을 때 앞 아니면 뒤가 나오므로 앞이 나올 가능성은 '반반이다'입니다. ➔ $\frac{1}{2}$

14 ㉠ 불가능하다 ㉡ ~아닐 것 같다 ㉢ 확실하다

15 흰색 바둑돌이 3개, 검은색 바둑돌이 3개이므로 꺼낸 바둑돌이 흰색일 가능성은 '반반이다'입니다.

16 $(77+80+90+85+78)\div5=410\div5=82$(회)

17 3회에 가장 빨리 뛰었고, 1회에 가장 느리게 뛰었습니다.
➔ (2회, 4회, 5회에 측정한 맥박 수의 평균)
$=(80+85+78)\div3=243\div3=81$(회)

18 넓은 칸부터 화살이 멈출 가능성이 높은 순서대로 빨간색, 파란색, 노란색을 색칠합니다.

149쪽 학업 성취도 평가

01 진영
02 3개
03 853, 898
04 2351
05 60
06 2500
07 $14\frac{1}{2}$
08 $>$
09 $\frac{3}{8}$
10 $\frac{4}{7}\times\frac{3}{8}=\frac{3}{14}$ / $\frac{3}{14}$
11 $1\frac{3}{4}$
12 5, 5, 5
13 40°
14 54 cm
15 125
16 9 cm
17 10.8
18 37.6 kg
19 $<$
20 9.432
21 0.312
22 ②
23 ㄴㅂㅅㄷ / ㄷㅅㅇㄹ / ㄱㅁㅇㄹ / ㄴㅂㅁㄱ
24 ㉢
25 선분 ㄹㄷ / 선분 ㅎㄱ
26 가
27 18 ℃
28 25명
29 불가능하다
30 $\frac{1}{2}$

01 키가 140 cm와 같거나 작은 사람을 찾습니다.
따라서 풀장을 이용할 수 없는 친구는 138.9 cm인 진영입니다.

02 21보다 큰 수는 22, 21.7, 25로 모두 3개입니다.

03 버림하여 백의 자리까지 나타내면 다음과 같습니다.
• 853 → 800 (○) (53 버립니다.)
• 902 → 900 (×) (02 버립니다.)
• 898 → 800 (○) (98 버립니다.)
• 948 → 900 (×) (48 버립니다.)

04 □□51 ➔ 2400 (51 올립니다.)
• 올림하기 전 백의 자리 숫자: $4-1=3$
• 올림하기 전 천의 자리 숫자: 2
따라서 현서의 사물함 비밀번호는 2351입니다.

05 10 이상 15 미만인 자연수: 10, 11, 12, 13, 14
➔ (10 이상 15 미만인 자연수들의 합)
$=10+11+12+13+14=60$

진도북 학업 성취도 평가

06 만들 수 있는 가장 작은 네 자리 수는 2458입니다. 따라서 2458을 반올림하여 백의 자리까지 나타내면 2500입니다.

07 $3\frac{5}{8}\times4=\frac{29}{8}\times4=\frac{29}{2}=14\frac{1}{2}$

08 4에 진분수를 곱하면 계산 결과는 4보다 작아집니다.

09 $\frac{9}{14}\times\frac{5}{6}\times\frac{7}{10}=\frac{3}{8}$

10 $\frac{4}{7}\times\frac{3}{8}=\frac{3}{14}$

11 • $2\frac{1}{2}\times4\frac{1}{5}=\frac{5}{2}\times\frac{21}{5}=\frac{21}{2}=10\frac{1}{2}$

• $4\frac{2}{3}\times2\frac{5}{8}=\frac{14}{3}\times\frac{21}{8}=\frac{49}{4}=12\frac{1}{4}$

➔ $12\frac{1}{4}-10\frac{1}{2}=11\frac{5}{4}-10\frac{2}{4}=1\frac{3}{4}$

12 오각형은 꼭짓점, 변, 각이 각각 5개이므로 합동인 오각형에는 대응점, 대응변, 대응각이 각각 5쌍 있습니다.

13 (각 ㄹㅁㅂ)=(각 ㄷㄱㄴ)=85°이므로
삼각형 ㄹㅁㅂ에서
(각 ㅁㄹㅂ)=180°−85°−55°=40°입니다.

14 (변 ㄱㄴ)=(변 ㄱㄷ)=15 cm,
(선분 ㄷㄹ)=(선분 ㄴㄹ)=12 cm
➔ (삼각형 ㄱㄴㄷ의 둘레)=15×2+12×2
=54 (cm)

15 대칭축을 따라 반으로 자르면 서로 합동인 두 사각형으로 나누어집니다.
➔ □°=360°−(55°+120°+60°)=125°

16 (변 ㄱㅇ)=(변 ㅁㄹ)=5 cm,
(변 ㅇㅅ)=(변 ㄹㄷ)=10 cm,
(변 ㄴㄷ)=(변 ㅂㅅ)=5 cm
➔ (점대칭도형의 둘레)
=5×2+10×2+5×2+(변 ㄱㄴ)×2=58,
(변 ㄱㄴ)×2=58−10−20−10=18,
(변 ㄱㄴ)=9 (cm)

17 $3.6\times3=\frac{36}{10}\times3=\frac{108}{10}=10.8$

18 (동생의 몸무게)
$=40\times0.94=40\times\frac{94}{100}=\frac{3760}{100}=37.6$ (kg)

19 0.35×0.2=0.07, 0.25×0.3=0.075
➔ 0.07<0.075이므로 0.35×0.2<0.25×0.3입니다.

20 1.31×7.2를 1.3의 7배 정도로 어림하면 9.1보다 더 큰 값이므로 9.432입니다.

21 1600은 16의 100배인데 499.2는 4992의 $\frac{1}{10}$배이므로 □ 안에 알맞은 수는 312의 $\frac{1}{1000}$배인 0.312입니다.

22 ② 정육면체는 꼭짓점이 8개입니다.
코칭Tip 정육면체는 모서리가 12개입니다.

23 면 ㄱㄴㄷㄹ과 만나는 면이 수직인 면입니다.
➔ 면 ㄴㅂㅅㄷ, 면 ㄷㅅㅇㄹ,
면 ㄱㅁㅇㄹ, 면 ㄴㅂㅁㄱ

24 ㉢ 직육면체의 겨냥도에서 보이지 않는 꼭짓점은 1개입니다.

25 선분 ㄴㄷ과 겹쳐서 한 모서리가 되는 선분은 선분 ㄹㄷ, 선분 ㅌㅋ과 겹쳐서 한 모서리가 되는 선분은 선분 ㅎㄱ입니다.

26 가: 서로 마주 보는 면 중 모양과 크기가 다른 면이 있습니다.

27 (19+16+18+20+17)÷5=90÷5=18 (℃)

28 (전체 학생 수)=24×4=96(명)
➔ (3반의 학생 수)=96−(23+22+26)
=96−71=25(명)

29 검은색 바둑돌만 들어 있는 주머니에서는 검은색 바둑돌만 나올 수 있으므로 꺼낸 바둑돌이 검은색이 아닐 가능성은 '불가능하다'입니다.

30 ♣가 3장, ♦가 3장이므로 ♣를 뽑을 가능성은 '반반이다'입니다. ➔ $\frac{1}{2}$

매칭북 정답 및 풀이

기초력 학습지

1 수의 범위와 어림하기

01쪽 이상과 이하

1 8, 9, 10에 ○표
2 15, 16, 17, 18에 ○표
3 17, 15, 24에 ○표
4 27, 20, 19에 ○표
5 36.0, 39.6, 40.2에 ○표
6 28.6, 40.0, 39.2에 ○표
7 9 10 11 12 13 14 15 16 17 18
8 4 5 6 7 8 9 10 11 12 13
9 24 25 26 27 28 29 30 31 32 33
10 15 16 17 18 19 20 21 22 23 24
11 43 44 45 46 47 48 49 50 51 52
12 49 50 51 52 53 54 55 56 57 58

02쪽 초과와 미만

1 14, 15, 16에 ○표
2 33, 34, 35에 ○표
3 21, 25, 23에 ○표
4 39, 44, 40에 ○표
5 55.3, 76.4, 57.2에 ○표
6 54.2, 43.1, 59.8에 ○표
7 12 13 14 15 16 17 18 19 20 21
8 19 20 21 22 23 24 25 26 27 28
9 32 33 34 35 36 37 38 39 40 41
10 35 36 37 38 39 40 41 42 43 44
11 43 44 45 46 47 48 49 50 51 52
12 48 49 50 51 52 53 54 55 56 57

03쪽 수의 범위 활용하기

1 13, 15, 17에 ○표
2 27, 24, 32, 30에 ○표
3 41, 38, 37에 ○표
4 17, 23, 18에 ○표
5 55, 50, 49에 ○표
6 64, 71, 68에 ○표
7 4 5 6 7 8 9 10 11 12 13
8 19 20 21 22 23 24 25 26 27 28
9 30 31 32 33 34 35 36 37 38 39
10 25 26 27 28 29 30 31 32 33 34
11 38 39 40 41 42 43 44 45 46 47
12 48 49 50 51 52 53 54 55 56 57

1 13 이상 17 이하인 수는 13과 같거나 크고 17과 같거나 작은 수입니다.

2 24 이상 32 이하인 수는 24와 같거나 크고 32와 같거나 작은 수입니다.

3 37 이상 44 미만인 수는 37과 같거나 크고 44보다 작은 수입니다.

4 15 초과 25 미만인 수는 15보다 크고 25보다 작은 수입니다.

5 48 초과 56 미만인 수는 48보다 크고 56보다 작은 수입니다.

6 62 초과 71 이하인 수는 62보다 크고 71과 같거나 작은 수입니다.

7 5에 점 ●, 10에 점 ●을 그린 후 두 점을 선으로 잇습니다.

8 21에 점 ●, 27에 점 ○을 그린 후 두 점을 선으로 잇습니다.

9 34에 점 ●, 38에 점 ○을 그린 후 두 점을 선으로 잇습니다.

10 26에 점 ○, 31에 점 ○을 그린 후 두 점을 선으로 잇습니다.

11 42에 점 ○, 46에 점 ●을 그린 후 두 점을 선으로 잇습니다.

12 50에 점 ○, 53에 점 ●을 그린 후 두 점을 선으로 잇습니다.

04쪽 올림

1	130	**2**	640	**3**	240
4	170	**5**	530	**6**	1330
7	3790	**8**	2550	**9**	5980
10	4820	**11**	500	**12**	400
13	800	**14**	200	**15**	1000
16	4100	**17**	5400	**18**	4000
19	7500	**20**	6900		

05쪽 버림

1	140	**2**	560	**3**	230
4	480	**5**	730	**6**	2250
7	5300	**8**	1480	**9**	3960
10	8870	**11**	400	**12**	300
13	500	**14**	900	**15**	800
16	1200	**17**	4700	**18**	2100
19	8300	**20**	7600		

06쪽 반올림

1	320	**2**	260	**3**	420
4	690	**5**	740	**6**	2710
7	3290	**8**	1520	**9**	4050
10	7200	**11**	300	**12**	500
13	800	**14**	500	**15**	1000
16	1300	**17**	5700	**18**	3100
19	2900	**20**	6400		

1~20 구하려는 자리 바로 아래 자리의 숫자가 0, 1, 2, 3, 4이면 버리고, 5, 6, 7, 8, 9이면 올려서 나타냅니다.

2 분수의 곱셈

07쪽 (진분수)×(자연수)

1	$\frac{3}{4}$	**2**	$\frac{2}{5}$	**3**	$\frac{4}{7}$
4	$1\frac{1}{8}$	**5**	$1\frac{2}{9}$	**6**	$\frac{2}{3}$
7	$\frac{1}{3}$	**8**	$\frac{2}{3}$	**9**	$2\frac{1}{3}$
10	$2\frac{1}{2}$	**11**	$1\frac{1}{2}$	**12**	$\frac{2}{5}$
13	$2\frac{2}{3}$	**14**	$1\frac{2}{7}$	**15**	$2\frac{2}{9}$
16	6	**17**	$2\frac{1}{2}$	**18**	$4\frac{2}{3}$
19	$3\frac{3}{4}$	**20**	$1\frac{1}{3}$	**21**	$6\frac{3}{5}$
22	$5\frac{1}{3}$	**23**	$4\frac{1}{2}$	**24**	$5\frac{3}{5}$

08쪽 (대분수)×(자연수)

1 8, $\frac{24}{5}$, $4\frac{4}{5}$

2 11, $\frac{55}{3}$, $18\frac{1}{3}$

3 13, $\frac{52}{3}$, $17\frac{1}{3}$

4 13, 3, 2, $\frac{26}{3}$, $8\frac{2}{3}$

5 29, 2, 3, $\frac{87}{2}$, $43\frac{1}{2}$

6 43, 3, 4, 172, $57\frac{1}{3}$

7	$9\frac{1}{3}$	**8**	$3\frac{7}{9}$	**9**	$9\frac{6}{7}$
10	$9\frac{4}{5}$	**11**	$13\frac{1}{2}$	**12**	$15\frac{1}{3}$
13	$14\frac{2}{3}$	**14**	$20\frac{1}{4}$	**15**	$57\frac{1}{2}$
16	$43\frac{1}{5}$	**17**	$83\frac{1}{3}$	**18**	$7\frac{2}{3}$

7 $2\frac{1}{3}\times4=\frac{7}{3}\times4=\frac{28}{3}=9\frac{1}{3}$

8 $1\frac{8}{9}\times2=\frac{17}{9}\times2=\frac{34}{9}=3\frac{7}{9}$

9 $3\frac{2}{7}\times3=\frac{23}{7}\times3=\frac{69}{7}=9\frac{6}{7}$

10 $1\frac{2}{5}\times7=\frac{7}{5}\times7=\frac{49}{5}=9\frac{4}{5}$

11 $2\frac{1}{4}\times6=\frac{9}{\underset{2}{\cancel{4}}}\times\overset{3}{\cancel{6}}=\frac{27}{2}=13\frac{1}{2}$

12 $3\frac{5}{6}\times4=\frac{23}{\underset{3}{\cancel{6}}}\times\overset{2}{\cancel{4}}=\frac{46}{3}=15\frac{1}{3}$

13 $1\frac{2}{9}\times12=\frac{11}{\underset{3}{\cancel{9}}}\times\overset{4}{\cancel{12}}=\frac{44}{3}=14\frac{2}{3}$

14 $3\frac{3}{8}\times6=\frac{27}{\underset{4}{\cancel{8}}}\times\overset{3}{\cancel{6}}=\frac{81}{4}=20\frac{1}{4}$

15 $5\frac{3}{4}\times10=\frac{23}{\underset{2}{\cancel{4}}}\times\overset{5}{\cancel{10}}=\frac{115}{2}=57\frac{1}{2}$

16 $2\frac{7}{10}\times16=\frac{27}{\underset{5}{\cancel{10}}}\times\overset{8}{\cancel{16}}=\frac{216}{5}=43\frac{1}{5}$

17 $4\frac{1}{6}\times20=\frac{25}{\underset{3}{\cancel{6}}}\times\overset{10}{\cancel{20}}=\frac{250}{3}=83\frac{1}{3}$

18 $2\frac{5}{9}\times3=\frac{23}{\underset{3}{\cancel{9}}}\times\overset{1}{\cancel{3}}=\frac{23}{3}=7\frac{2}{3}$

09쪽 (자연수)×(진분수)

1 2	2 4	3 4
4 9	5 15	6 12
7 28	8 18	9 9
10 $\frac{2}{5}$	11 $2\frac{1}{4}$	12 $1\frac{1}{9}$
13 $9\frac{1}{6}$	14 $9\frac{3}{5}$	15 $11\frac{3}{7}$
16 $4\frac{1}{2}$	17 $3\frac{1}{3}$	18 $7\frac{1}{2}$
19 $9\frac{1}{6}$	20 $2\frac{4}{5}$	21 $5\frac{1}{3}$
22 $3\frac{3}{4}$	23 $13\frac{1}{2}$	24 $11\frac{1}{4}$

10쪽 (자연수)×(대분수)

1 5, $\frac{15}{2}$, $7\frac{1}{2}$

2 10, $\frac{40}{7}$, $5\frac{5}{7}$

3 31, $\frac{93}{4}$, $23\frac{1}{4}$

4 3, 23, 2, $\frac{69}{2}$, $34\frac{1}{2}$

5 4, 40, 3, $\frac{160}{3}$, $53\frac{1}{3}$

6 3, 39, 2, $\frac{117}{2}$, $58\frac{1}{2}$

7 $3\frac{1}{5}$	8 $10\frac{5}{6}$	9 $19\frac{1}{4}$
10 $4\frac{2}{3}$	11 24	12 36
13 $12\frac{3}{4}$	14 $28\frac{1}{2}$	15 $38\frac{2}{3}$
16 $11\frac{1}{3}$	17 $19\frac{1}{6}$	18 $41\frac{1}{3}$

7 $2\times1\frac{3}{5}=2\times\frac{8}{5}=\frac{16}{5}=3\frac{1}{5}$

8 $5\times2\frac{1}{6}=5\times\frac{13}{6}=\frac{65}{6}=10\frac{5}{6}$

9 $7\times2\frac{3}{4}=7\times\frac{11}{4}=\frac{77}{4}=19\frac{1}{4}$

10 $4\times1\frac{1}{6}=\overset{2}{\cancel{4}}\times\frac{7}{\underset{3}{\cancel{6}}}=\frac{14}{3}=4\frac{2}{3}$

11 $9\times2\frac{2}{3}=\overset{3}{\cancel{9}}\times\frac{8}{\underset{1}{\cancel{3}}}=24$

12 $8\times4\frac{1}{2}=\overset{4}{\cancel{8}}\times\frac{9}{\underset{1}{\cancel{2}}}=36$

13 $6\times2\frac{1}{8}=\overset{3}{\cancel{6}}\times\frac{17}{\underset{4}{\cancel{8}}}=\frac{51}{4}=12\frac{3}{4}$

14 $9\times3\frac{1}{6}=\overset{3}{\cancel{9}}\times\frac{19}{\underset{2}{\cancel{6}}}=\frac{57}{2}=28\frac{1}{2}$

15 $12\times3\frac{2}{9}=\overset{4}{\cancel{12}}\times\frac{29}{\underset{3}{\cancel{9}}}=\frac{116}{3}=38\frac{2}{3}$

16 $10\times1\frac{2}{15}=\overset{2}{\cancel{10}}\times\frac{17}{\underset{3}{\cancel{15}}}=\frac{34}{3}=11\frac{1}{3}$

17 $15\times1\frac{5}{18}=\overset{5}{\cancel{15}}\times\frac{23}{\underset{6}{\cancel{18}}}=\frac{115}{6}=19\frac{1}{6}$

18 $16\times2\frac{7}{12}=\overset{4}{\cancel{16}}\times\frac{31}{\underset{3}{\cancel{12}}}=\frac{124}{3}=41\frac{1}{3}$

11쪽 진분수의 곱셈

1 $\frac{1}{12}$	**2** $\frac{1}{14}$	**3** $\frac{1}{24}$
4 $\frac{1}{45}$	**5** $\frac{1}{40}$	**6** $\frac{1}{66}$
7 $\frac{2}{15}$	**8** $\frac{1}{21}$	**9** $\frac{1}{16}$
10 $\frac{3}{35}$	**11** $\frac{1}{27}$	**12** $\frac{4}{45}$
13 $\frac{8}{15}$	**14** $\frac{15}{56}$	**15** $\frac{35}{66}$
16 $\frac{2}{3}$	**17** $\frac{3}{14}$	**18** $\frac{3}{10}$
19 $\frac{1}{8}$	**20** $\frac{7}{24}$	**21** $\frac{5}{28}$
22 $\frac{4}{27}$	**23** $\frac{2}{15}$	**24** $\frac{9}{10}$

12쪽 대분수의 곱셈 / 세 분수의 곱셈

1 $2\frac{2}{15}$	**2** $3\frac{19}{24}$	**3** $6\frac{23}{42}$
4 $3\frac{7}{9}$	**5** 11	**6** $4\frac{9}{14}$
7 27	**8** $7\frac{7}{8}$	**9** $13\frac{2}{9}$
10 $15\frac{2}{5}$	**11** $7\frac{4}{5}$	**12** 8
13 $\frac{1}{72}$	**14** $\frac{3}{16}$	**15** $\frac{3}{14}$
16 $\frac{1}{12}$	**17** $\frac{5}{54}$	**18** $\frac{16}{135}$
19 $\frac{1}{3}$	**20** $\frac{1}{13}$	

1 $1\frac{1}{3}\times1\frac{3}{5}=\frac{4}{3}\times\frac{8}{5}=\frac{32}{15}=2\frac{2}{15}$

2 $1\frac{3}{4}\times2\frac{1}{6}=\frac{7}{4}\times\frac{13}{6}=\frac{91}{24}=3\frac{19}{24}$

3 $3\frac{4}{7}\times1\frac{5}{6}=\frac{25}{7}\times\frac{11}{6}=\frac{275}{42}=6\frac{23}{42}$

4 $2\frac{2}{3}\times1\frac{5}{12}=\frac{\overset{2}{\cancel{8}}}{3}\times\frac{17}{\underset{3}{\cancel{12}}}=\frac{34}{9}=3\frac{7}{9}$

5 $4\frac{2}{5}\times2\frac{1}{2}=\frac{\overset{11}{\cancel{22}}}{\underset{1}{\cancel{5}}}\times\frac{\overset{1}{\cancel{5}}}{\underset{1}{\cancel{2}}}=11$

6 $3\frac{4}{7}\times1\frac{3}{10}=\frac{\overset{5}{\cancel{25}}}{7}\times\frac{13}{\underset{2}{\cancel{10}}}=\frac{65}{14}=4\frac{9}{14}$

7 $5\frac{5}{8}\times4\frac{4}{5}=\frac{\overset{9}{\cancel{45}}}{\underset{1}{\cancel{8}}}\times\frac{\overset{3}{\cancel{24}}}{\underset{1}{\cancel{5}}}=27$

8 $7\frac{1}{2}\times1\frac{1}{20}=\frac{\overset{3}{\cancel{15}}}{2}\times\frac{21}{\underset{4}{\cancel{20}}}=\frac{63}{8}=7\frac{7}{8}$

9 $6\frac{2}{9}\times2\frac{1}{8}=\frac{\overset{7}{\cancel{56}}}{9}\times\frac{17}{\underset{1}{\cancel{8}}}=\frac{119}{9}=13\frac{2}{9}$

10 $4\frac{9}{10}\times3\frac{1}{7}=\frac{\overset{7}{\cancel{49}}}{\underset{5}{\cancel{10}}}\times\frac{\overset{11}{\cancel{22}}}{\underset{1}{\cancel{7}}}=\frac{77}{5}=15\frac{2}{5}$

11 $7\frac{1}{5}\times1\frac{1}{12}=\frac{\overset{3}{\cancel{36}}}{5}\times\frac{13}{\underset{1}{\cancel{12}}}=\frac{39}{5}=7\frac{4}{5}$

12 $3\frac{7}{15}\times2\frac{4}{13}=\frac{\overset{4}{\cancel{52}}}{\underset{1}{\cancel{15}}}\times\frac{\overset{2}{\cancel{30}}}{\underset{1}{\cancel{13}}}=8$

17 $\frac{\overset{1}{\cancel{4}}}{9}\times\frac{\overset{1}{\cancel{7}}}{\underset{3}{\cancel{12}}}\times\frac{5}{\underset{2}{\cancel{14}}}=\frac{5}{54}$

18 $\frac{\overset{4}{\cancel{8}}}{9}\times\frac{1}{\underset{3}{\cancel{6}}}\times\frac{4}{5}=\frac{16}{135}$

19 $\frac{\overset{1}{\cancel{3}}}{\underset{1}{\cancel{5}}}\times\frac{\overset{1}{\cancel{5}}}{\underset{1}{\cancel{7}}}\times\frac{\overset{1}{\cancel{7}}}{\underset{3}{\cancel{9}}}=\frac{1}{3}$

20 $1\frac{3}{8}\times\frac{4}{13}\times\frac{2}{11}=\frac{\overset{1}{\cancel{11}}}{\underset{\underset{1}{\cancel{2}}}{\cancel{8}}}\times\frac{\overset{1}{\cancel{4}}}{13}\times\frac{\overset{1}{\cancel{2}}}{\underset{1}{\cancel{11}}}=\frac{1}{13}$

3 합동과 대칭

13쪽 도형의 합동

1 (○)(　)
2 (　)(○)
3 (○)(　)
4 (　)(○)
5
6
7
8

14쪽 합동인 도형의 성질

1 점 ㄹ / 변 ㅁㅂ / 각 ㄹㅁㅂ
2 점 ㅅ / 변 ㅁㅇ / 각 ㅂㅅㅇ
3 점 ㅂ / 변 ㄹㅁ / 각 ㅂㄹㅁ
4 점 ㅅ / 변 ㅇㅅ / 각 ㅇㅁㅂ
5 점 ㅁ / 변 ㄹㅂ / 각 ㅂㅁㄹ
6 점 ㅇ / 변 ㅂㅁ / 각 ㅇㅅㅂ

15쪽 선대칭도형과 그 성질

1
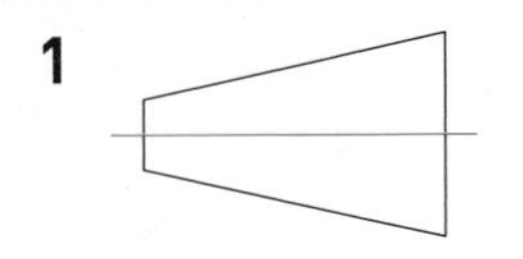
2
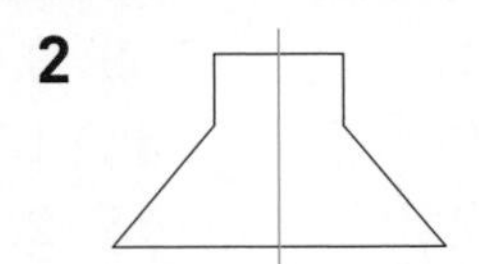
3
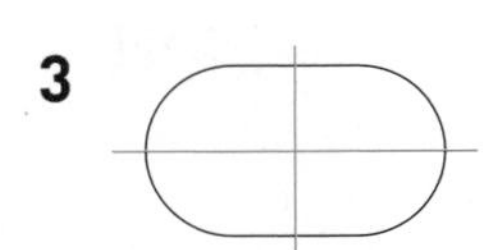
4
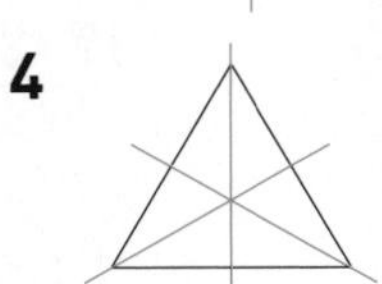
5
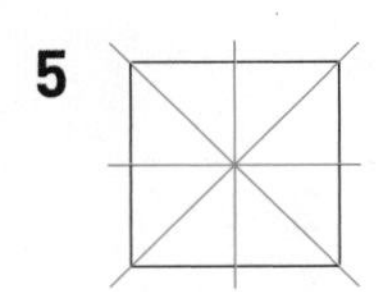
6

7 점 ㄹ / 변 ㅁㄹ / 각 ㅁㄹㄷ
8 점 ㄷ / 변 ㄷㄹ / 각 ㄷㄴㄹ
9 점 ㄷ / 변 ㄷㄹ / 각 ㄷㄹㅁ
10 점 ㄹ / 변 ㅁㄹ / 각 ㄴㄷㅇ

16쪽 선대칭도형과 그 성질

1
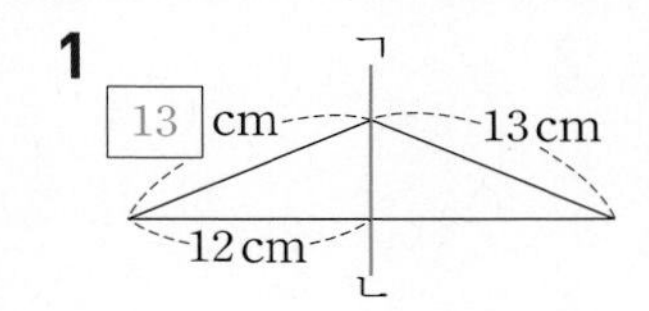

2
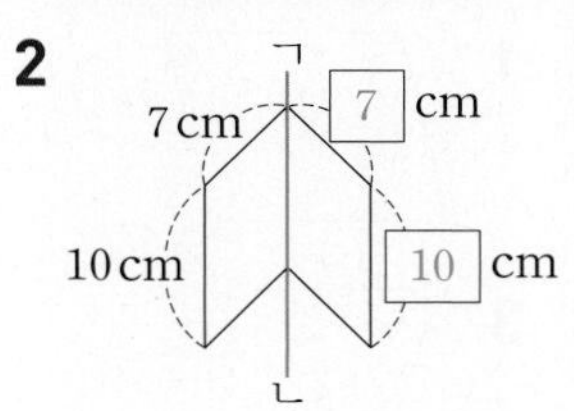

3
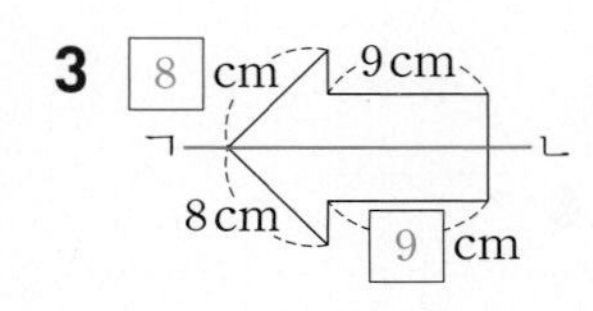

4
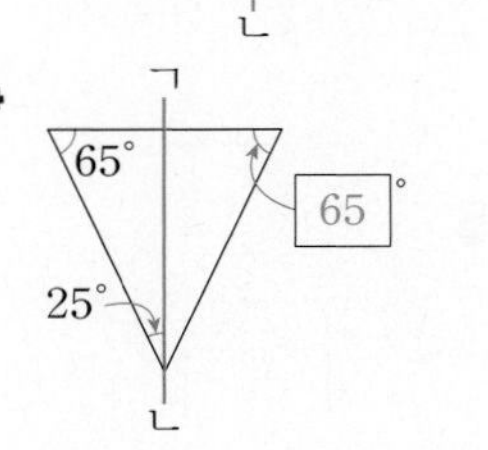

5
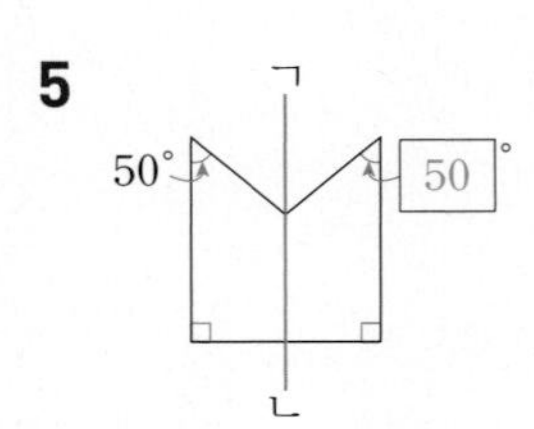

6
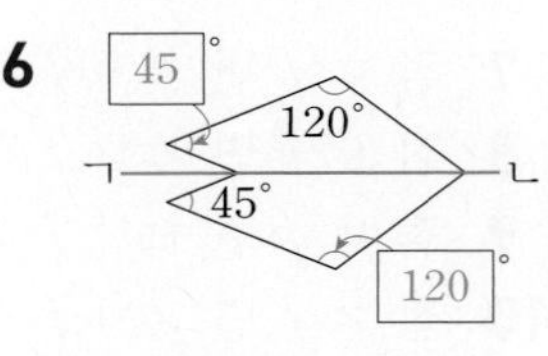

7
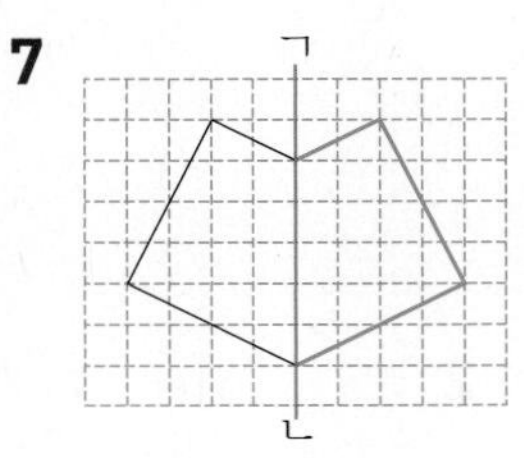

8
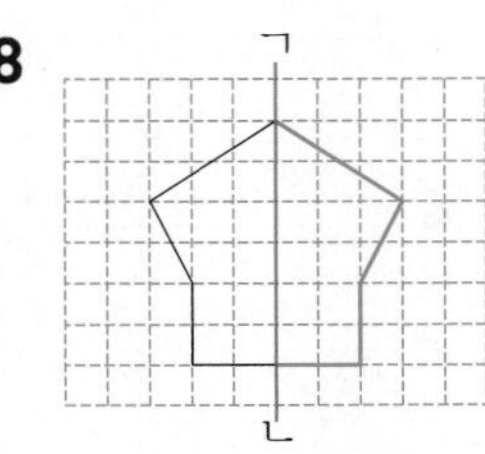

9
10
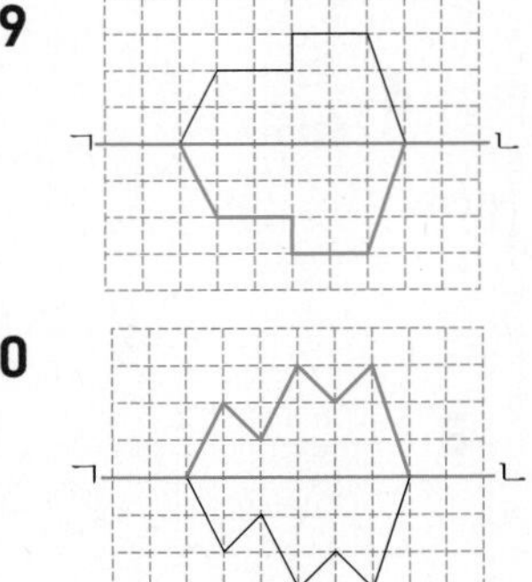

4 선대칭도형에서 대응각의 크기는 서로 같습니다.

7 대칭축에서 거리가 같고 방향이 반대인 곳에 대응점을 찍어 표시한 후 차례대로 이어 선대칭도형을 완성합니다.

17쪽 점대칭도형과 그 성질

1

2 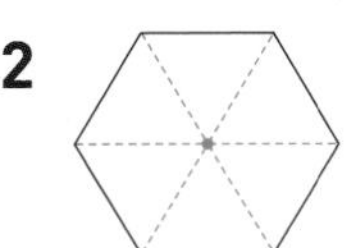

3

4 

5

6 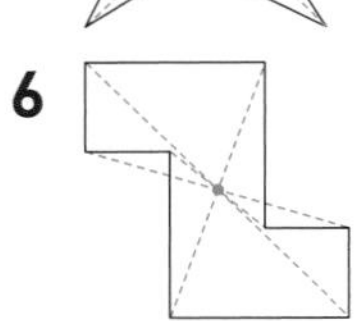

7 점 ㄷ / 변 ㄹㄱ / 각 ㄹㄷㄴ
8 점 ㅂ / 변 ㄹㅁ / 각 ㅁㅂㄱ
9 점 ㅁ / 변 ㄹㄷ / 각 ㄷㄴㄱ
10 점 ㅈ / 변 ㅈㄱ / 각 ㅂㅁㄹ

18쪽 점대칭도형과 그 성질

1 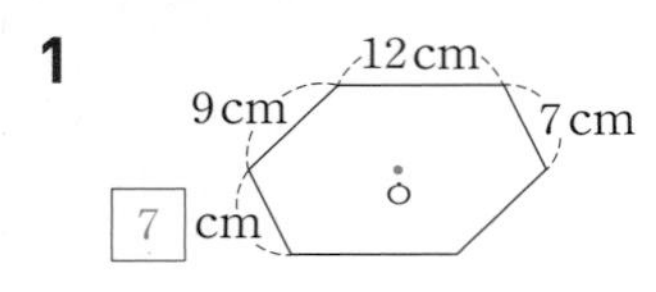

2 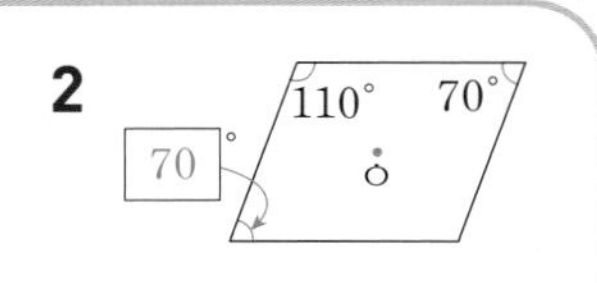

3 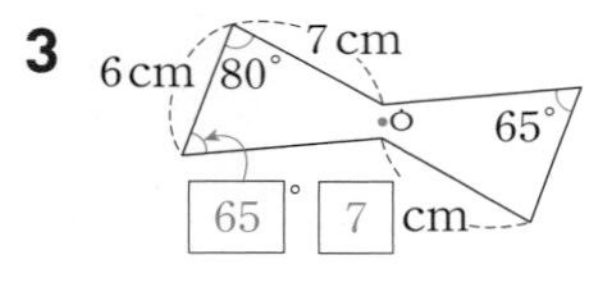

4 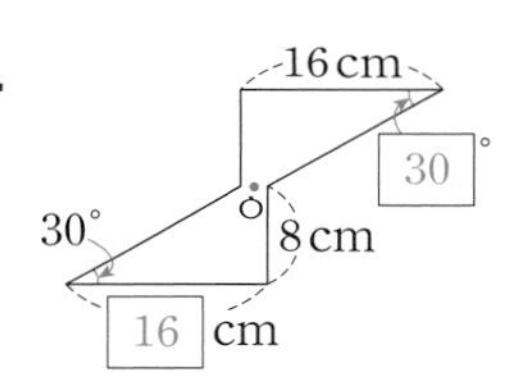

5 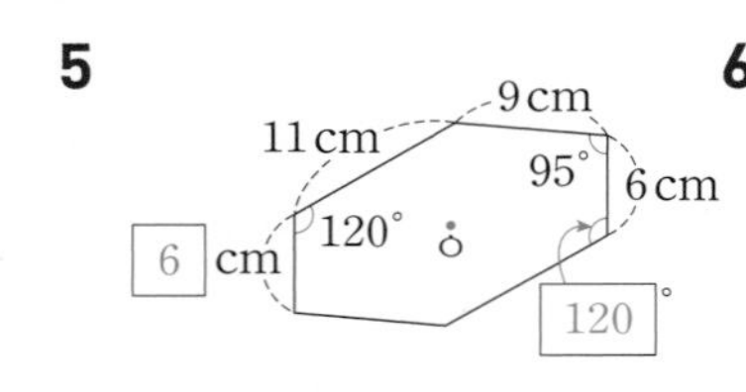

6 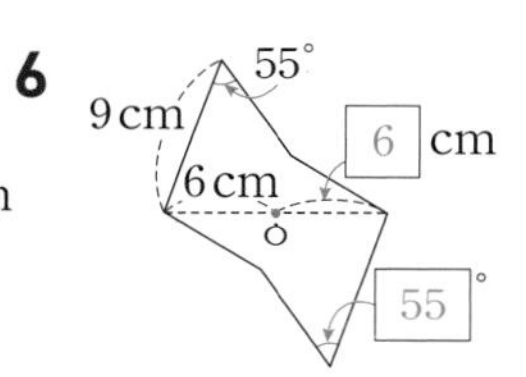

7 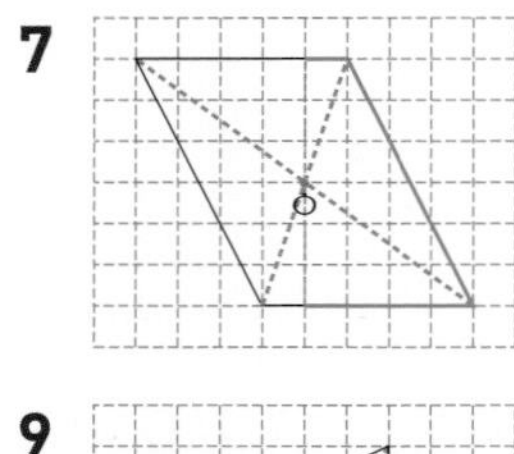

8 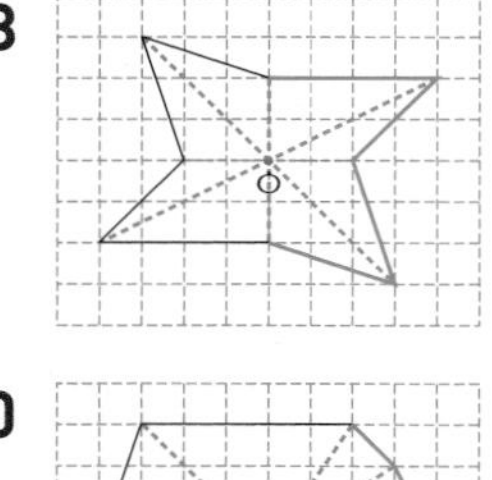

9 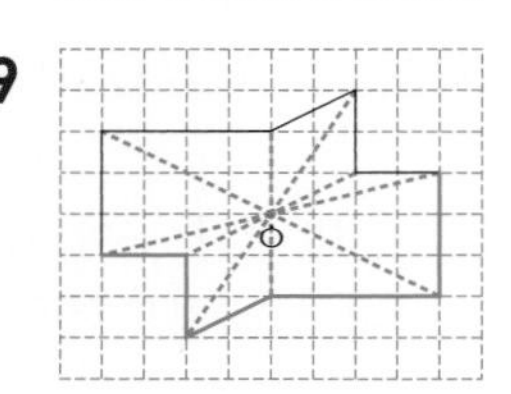

10 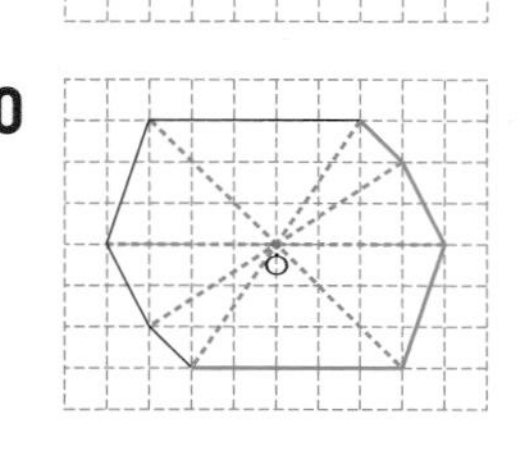

4 소수의 곱셈

19쪽 (1보다 작은 소수) × (자연수)

1	1.2	2	2.8	3	3.6
4	0.96	5	1.08	6	3.78
7	2.4	8	3.5	9	2.7
10	4.8	11	4.5	12	1.8
13	2.88	14	3.15	15	3.42
16	1.52	17	2.45	18	7.36

20쪽 (1보다 큰 소수) × (자연수)

1	8.4	2	4.8	3	28.2
4	2.74	5	21.15	6	8.07
7	18.5	8	57.6	9	41.4
10	19.4	11	32.5	12	25.2
13	50.26	14	47.25	15	33.72
16	38.28	17	38.43	18	33.85

21쪽 (자연수) × (1보다 작은 소수)

1	1.2	2	1.8	3	3.5
4	0.74	5	5.1	6	1.92
7	3	8	3.6	9	11.2
10	12	11	10.2	12	12.6
13	5.22	14	2.16	15	0.78
16	10.32	17	24.96	18	15.64

22쪽 (자연수) × (1보다 큰 소수)

1	9.5	2	9.2	3	19.2
4	6.16	5	7.84	6	17.01
7	36.9	8	43.2	9	55.2
10	37.8	11	175.5	12	161.2
13	24.84	14	48.24	15	66.96
16	182.8	17	112.11	18	90.48

23쪽 1보다 작은 소수끼리의 곱셈

1 0.18 **2** 0.35 **3** 0.028
4 0.084 **5** 0.008 **6** 0.045
7 0.16 **8** 0.2 **9** 0.54
10 0.348 **11** 0.387 **12** 0.228
13 0.238 **14** 0.459 **15** 0.51
16 0.4104 **17** 0.5478 **18** 0.4512

24쪽 1보다 큰 소수끼리의 곱셈

1 3.64 **2** 15.58 **3** 25.5
4 3.968 **5** 9.894 **6** 12.993
7 24.36 **8** 57.27 **9** 18.72
10 17.28 **11** 10.53 **12** 27.52
13 31.5 **14** 23.712 **15** 14.95
16 23.544 **17** 17.928 **18** 14.993

25쪽 곱의 소수점 위치

1 6.5, 65, 650
2 42.6, 426, 4260
3 372, 37.2, 3.72
4 56, 5.6, 0.56
5 0.21, 0.021, 0.0021
6 0.36, 0.036, 0.0036
7 0.6, 0.06, 0.006
8 1.92, 0.192, 0.0192

1 곱하는 수의 0의 수만큼 곱의 소수점을 오른쪽으로 옮깁니다.

3 곱하는 수의 소수점 아래 자리 수만큼 곱의 소수점을 왼쪽으로 옮깁니다.

5 곱하는 두 수의 소수점 아래 자리 수를 더한 것만큼 곱의 소수점을 왼쪽으로 옮깁니다.

5 직육면체

26쪽 직육면체의 성질

1 **2**
3 **4**
5 **6**
7 ㄱㄴㄷㄹ / ㄴㅂㅅㄷ / ㅁㅂㅅㅇ / ㄱㅁㅇㄹ
8 ㄱㅁㅇㄹ / ㄱㅁㅂㄴ / ㄴㅂㅅㄷ / ㄹㅇㅅㄷ
9 ㄱㄴㄷㄹ / ㄱㅁㅂㄴ / ㅁㅂㅅㅇ / ㄹㅇㅅㄷ
10 ㄴㅂㅅㄷ / ㄷㅅㅇㄹ / ㄱㅁㅇㄹ / ㄴㅂㅁㄱ
11 ㄱㄴㄷㄹ / ㄷㅅㅇㄹ / ㅁㅂㅅㅇ / ㄴㅂㅁㄱ
12 ㄱㄴㄷㄹ / ㄴㅂㅅㄷ / ㅁㅂㅅㅇ / ㄱㅁㅇㄹ

27쪽 정육면체의 전개도

1 ○ **2** ○ **3** × **4** ×

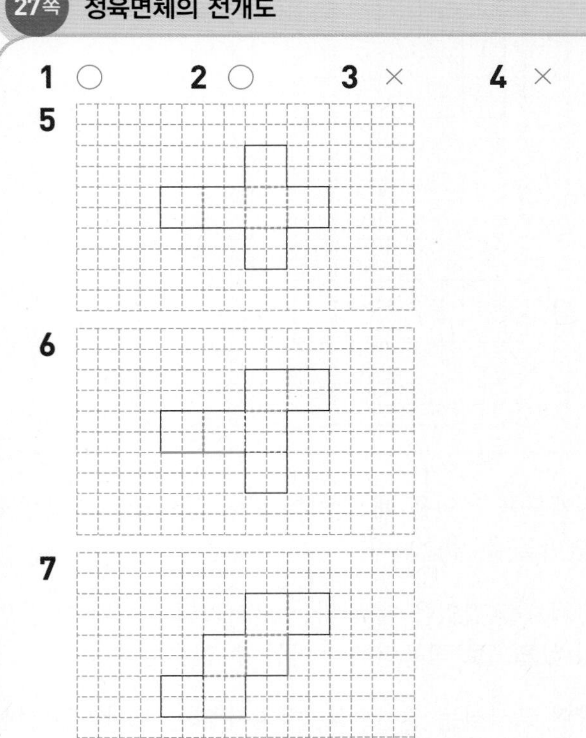

매칭북
학습지

8

28쪽 직육면체의 전개도

1 ○ 2 × 3 × 4 ○

5

6

7

8

2 전개도를 접었을 때 겹치는 면이 있으므로 직육면체를 만들 수 없습니다.

3 전개도를 접었을 때 만나는 모서리의 길이가 다른 면이 있으므로 직육면체를 만들 수 없습니다.

5 잘린 모서리는 실선으로, 잘리지 않는 모서리는 점선으로 그리고, 서로 겹치는 면이 없도록 그립니다.

6 평균과 가능성

29쪽 평균 구하기 / 평균 이용하기

1 33명 2 40 kg 3 72 cm 4 225부
5 63 6 90 7 38 8 960

1 $(36+32+34+30)\div 4=132\div 4=33$(명)

2 $(44+39+41+36)\div 4=160\div 4=40$ (kg)

3 $(72+73+70+69+76)\div 5$
$=360\div 5=72$ (cm)

4 $(249+214+252+202+235+198)\div 6$
$=1350\div 6=225$(부)

5 $47\times 3-(52+26)=141-78=63$(명)

6 $91\times 4-(88+92+94)=364-274=90$(점)

7 $34\times 5-(32+35+29+36)$
$=170-132=38$(쪽)

8 $580\times 4-(420+580+360)$
$=2320-1360=960$ (kg)

30쪽 일이 일어날 가능성을 수로 표현하기

1
2
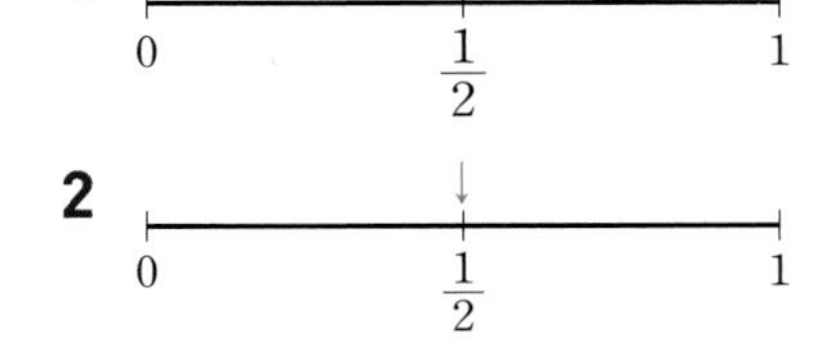

3
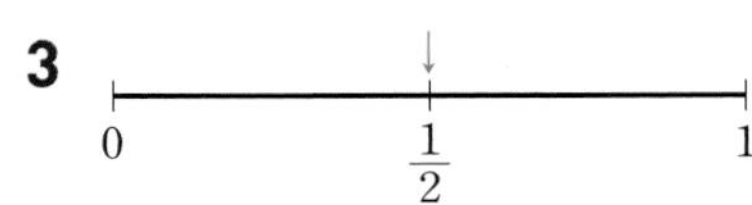

4
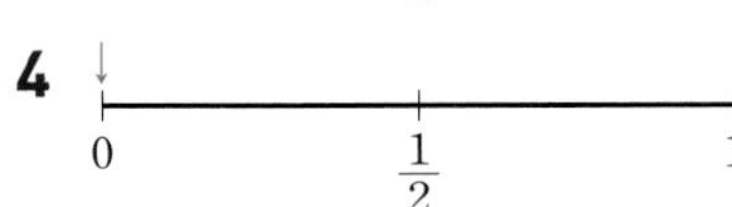

5 $\frac{1}{2}$ 6 1 7 0 8 $\frac{1}{2}$

미리 보는 수학 익힘

1 수의 범위와 어림하기

31쪽 이상과 이하

1 (1) 희수, 재영, 지원
(2) 143.0 cm, 145.2 cm, 157.0 cm
2 46.0 kg, 45.7 kg, 43.9 kg
3 16, 17, 18, 19에 ○표 / 14, 15, 16에 △표
4 20 21 22 23 24 25 26 27 28
5 삼촌, 누나
6 선영, 근희, 민성

1 (1) 키가 143 cm와 같거나 큰 학생은 희수(143.0 cm), 재영(145.2 cm), 지원(157.0 cm)입니다.
(2) 키가 143 cm와 같거나 큰 학생의 키를 모두 씁니다.

2 몸무게가 46 kg과 같거나 적은 학생의 몸무게는 46.0 kg, 45.7 kg, 43.9 kg입니다.

3 • 16 이상인 수:
16과 같거나 큰 수이므로 16, 17, 18, 19입니다.
• 16 이하인 수:
16과 같거나 작은 수이므로 14, 15, 16입니다.

4 25 이하인 수는 25를 포함하므로 25에 점 ●을 그리고 왼쪽 방향으로 선을 긋습니다.
코칭Tip 이상과 이하는 기준이 되는 수를 포함하므로 점 ●으로 그립니다.

5 18 이상인 수는 18과 같거나 큰 수입니다.
따라서 나이가 만 18세와 같거나 많은 사람은 삼촌, 누나입니다.

6 놀이 기구를 탈 수 있으려면 키가 140 cm 이상이어야 합니다.
따라서 키가 140 cm와 같거나 큰 사람은 선영(141.5 cm), 근희(150.4 cm), 민성(140.0 cm)입니다.

32쪽 초과와 미만

1 (1) 연수, 지훈 (2) 37권, 34권
2 97회, 108회
3 18, 19, 20에 ○표 / 15, 16에 △표
4 43 44 45 46 47 48 49 50 51
5 1학년, 6학년
6 ㉢, ㉤

1 (1) 한 학기 동안 읽은 책이 32권보다 많은 학생은 연수(37권), 지훈(34권)입니다.
(2) 한 학기 동안 읽은 책의 수가 32권보다 많은 학생이 읽은 책의 수를 모두 씁니다.

2 줄넘기 횟수가 115회보다 적은 학생의 줄넘기 횟수는 97회, 108회입니다.

3 • 17 초과인 수:
17보다 큰 수이므로 18, 19, 20입니다.
• 17 미만인 수:
17보다 작은 수이므로 15, 16입니다.

4 46 초과인 수는 46을 포함하지 않으므로 46에 점 ○을 그리고 오른쪽 방향으로 선을 긋습니다.

5 학생 수가 45명을 초과하는 학년은 1학년(51명), 6학년(47명)입니다.

6 3 m=300 cm입니다.
따라서 높이가 300 cm보다 낮은 자동차는 ㉢ 285 cm, ㉤ 250 cm입니다.

33쪽 수의 범위 활용하기

1 43, 44, 45에 ○표
2 (1) 34.2 kg, 36.0 kg
(2) 32 33 34 35 36 37 38 39 40
3 (1) × (2) ○ (3) × (4) ○
4 ㉡
5 30 31 32 33 34 35 36 37 38

매칭북 수학 익힘

1 43과 같거나 크고 46보다 작은 수는 43, 44, 45입니다.

2 (1) 윤성이의 몸무게는 35.8 kg이므로 밴텀급에 속합니다. 몸무게가 34 kg 초과 36 kg 이하인 다른 학생의 몸무게는 34.2 kg, 36.0 kg입니다.
(2) 경훈이의 몸무게는 34.0 kg이므로 32 kg 초과 34 kg 이하인 플라이급에 속합니다. 따라서 32에 점 ○을 그리고, 34에 점 ●을 그린 후 두 점을 잇는 선을 긋습니다.

3 (1) 83 초과인 수에는 83이 포함되지 않습니다.
(2) 45 이하인 수에는 45가 포함됩니다.
(3) 36 이상인 수에는 36이 포함되므로 35, 36, 37 중에서 36 이상인 수는 36, 37입니다.
(4) 24 미만인 수에는 24가 포함되지 않으므로 23, 24, 25 중에서 24 미만인 수는 23뿐입니다.

4 ㉠ 64 65 66 67 68
㉡ 63 64 65 66 67
㉢ 60 61 62 63 64
따라서 64를 포함하는 수의 범위는 ㉡입니다.

5 31에 점 ●을 그리고, 35에 점 ○을 그린 후 두 점을 잇는 선을 긋습니다.

34쪽 올림

1 320, 400 / 930, 1000
2 (1) 2.4 (2) 3.76
3 1200, <, 1230
4 2428
5 2000, 1740, 2000, 1740, 260
6 8703

1 구하려는 자리 아래 수를 올려서 나타냅니다.
- 318 → 320, 318 → 400
- 924 → 930, 924 → 1000

2 (1) 2.31 → 2.4 (2) 3.756 → 3.76

3 1138 → 1200, 1221 → 1230

4 □□28 → 2500
- 올림하기 전 백의 자리 숫자: 5−1=4
- 올림하기 전 천의 자리 숫자: 2

따라서 병우의 여행 가방 비밀번호는 2428입니다.

5 1733 → 2000, 1733 → 1740
따라서 어림한 두 수의 차는 2000−1740=260입니다.

6 8700 → 8700, 8650 → 8700, 8703 → 8800
따라서 올림하여 백의 자리까지 나타낸 수가 가장 큰 수는 8703입니다.

35쪽 버림

1 530, 500 / 670, 600
2 3.1
3 (1) 300, <, 310 (2) 1700, =, 1700
4 재민
5 3699
6 70, 79, 72, 72, 9

1 구하려는 자리 아래 수를 버려서 나타냅니다.
- 531 → 530, 531 → 500
- 675 → 670, 675 → 600

2 3.189 → 3.1

3 (1) 358 → 300, 316 → 310
(2) 1705 → 1700, 1795 → 1700

4
- 혜준: 258 → 200 (×)
- 재민: 9940 → 9900 (○)
- 지연: 86492 → 86400 (×)

5 버림하여 백의 자리까지 나타내면 3600이 되는 자연수는 3600부터 3699까지이므로 가장 큰 수는 3699입니다.

6 버림하여 70이 되는 자연수 중에서 8의 배수를 찾으면 72입니다.
따라서 72÷8=9이므로 은지가 처음에 생각한 자연수는 9입니다.

36쪽 반올림

1 4730, 4700, 5000　2 5 cm
3 27000, 29000, 32000
4 0, 1, 2, 3, 4　5 2400
6 225, 235 / (수직선: 220, 230, 240)

1 • 4725 → 4730 (올립니다.)　• 4725 → 4700 (버립니다.)
• 4725 → 5000 (올립니다.)

2 머리핀의 길이는 4.7 cm입니다.
따라서 머리핀의 길이를 반올림하여 일의 자리까지 나타내면 5 cm입니다.

3 • 27385 → 27000 (버립니다.)　• 28547 → 29000 (올립니다.)
• 31869 → 32000 (올립니다.)

4 526□ → 5260
526□를 반올림하여 십의 자리까지 나타내었을 때 십의 자리 숫자가 그대로이므로 □ 안에 들어갈 수 있는 일의 자리 수는 0, 1, 2, 3, 4입니다.

5 $2<3<5<7$이므로 만들 수 있는 가장 작은 네 자리 수는 2357입니다.
따라서 2357을 반올림하여 백의 자리까지 나타내면 2400입니다.

6 • 십의 자리 숫자가 2인 경우:
일의 자리 숫자가 5, 6, 7, 8, 9이어야 합니다.
→ 225 이상
• 십의 자리 숫자가 3인 경우:
일의 자리 숫자가 0, 1, 2, 3, 4이어야 합니다.
→ 235 미만

37쪽 올림, 버림, 반올림 활용하기

1 4대　2 39000원
3 172상자　4 150, 150, 146
5 승기
6 (1) 버림, 반올림, 올림　(2) 병우

1 트럭 3대에 100상자씩 싣고 남은 82상자를 실을 트럭 한 대가 더 필요합니다. 따라서 트럭은 최소 4대 필요합니다.

2 38500원을 1000원짜리 지폐로만 낸다면 최소 39000원을 내고, 500원의 거스름돈을 받게 됩니다.

3 공책을 한 상자에 10권씩 담으면 172상자에 10권씩 담고 5권이 남습니다. 따라서 상자에 담아서 팔 수 있는 공책은 최대 172상자입니다.

4 • 승훈: 149.7 → 150 (올립니다.)　• 연경: 150.3 → 150 (버립니다.)
• 지예: 145.5 → 146 (올립니다.)

5 승기: 반올림, 태희: 버림, 준석: 버림
따라서 어림하는 방법이 다른 한 친구는 승기입니다.

6 (2) 두 가지 물건의 값이 $13900+8400=22300$(원)이므로 버림과 반올림을 하면 물건을 살 수 없습니다. 따라서 병우가 어림한 방법인 올림이 가장 적절합니다.

2 분수의 곱셈

38쪽 (분수)×(자연수)

1 방법 1 3, 2, $\frac{3}{2}$, $1\frac{1}{2}$
방법 2 1, 2, $\frac{3}{2}$, $1\frac{1}{2}$
방법 3 2, 1, $\frac{3}{2}$, $1\frac{1}{2}$

2 방법 1 6, 12, $2\frac{2}{5}$
방법 2 $\frac{1}{5}$, 2, 5, $2\frac{2}{5}$

3 $\frac{2}{9}\times18=4$, 4판

4 $5\frac{3}{8}\times6=32\frac{1}{4}$, $32\frac{1}{4}$ cm

5 지현, $7\frac{1}{3}$

1 약분하는 순서에 따라 여러 가지 방법으로 계산합니다.

2 방법 1 대분수를 가분수로 고쳐서 계산합니다.

방법 2 대분수를 자연수 부분과 진분수 부분으로 나타내어 계산합니다.

3 (필요한 피자의 수)$=\frac{2}{\cancel{9}_{1}}\times\cancel{18}^{2}=4$(판)

4 정육각형은 6개의 변의 길이가 모두 같습니다.

➔ (정육각형의 둘레)$=5\frac{3}{8}\times6=\frac{43}{\cancel{8}_{4}}\times\cancel{6}^{3}$

$=\frac{129}{4}=32\frac{1}{4}$ (cm)

5 • 지현: $2\frac{4}{9}\times3=\frac{22}{\cancel{9}_{3}}\times\cancel{3}^{1}=\frac{22}{3}=7\frac{1}{3}$

• 재호: $5\frac{7}{12}\times4=\frac{67}{\cancel{12}_{3}}\times\cancel{4}^{1}=\frac{67}{3}=22\frac{1}{3}$

따라서 계산을 잘못한 친구는 지현입니다.

39쪽 (자연수)×(분수)

1 방법 1 8, 3, $\frac{8}{3}$, $2\frac{2}{3}$

방법 2 2, 3, $\frac{8}{3}$, $2\frac{2}{3}$

방법 3 2, 3, $\frac{8}{3}$, $2\frac{2}{3}$

2 방법 1 4, $\frac{16}{3}$, $5\frac{1}{3}$

방법 2 4, $\frac{4}{3}$, $5\frac{1}{3}$

3 $3\times1\frac{1}{5}$, $3\times2\frac{1}{8}$에 ○표 / $3\times\frac{1}{2}$에 △표

4 $20\times\frac{3}{5}=12$ / 12장

5 $8\times5\frac{1}{8}=41$ / 41 m^2

6 병우

1 약분하는 순서에 따라 여러 가지 방법으로 계산할 수 있습니다.

2 방법 1 대분수를 가분수로 고쳐서 계산합니다.

방법 2 대분수를 자연수 부분과 진분수 부분으로 나타내어 계산합니다.

3 • 3에 진분수를 곱하면 계산 결과는 3보다 작습니다. ➔ $3\times\frac{1}{2}$

• 3에 1을 곱하면 그대로 3입니다. ➔ $3\times1=3$

• 3에 대분수나 가분수를 곱하면 계산 결과는 3보다 큽니다. ➔ $3\times1\frac{1}{5}$, $3\times2\frac{1}{8}$

4 (사용한 도화지의 수)$=\cancel{20}^{4}\times\frac{3}{\cancel{5}_{1}}=12$(장)

5 (꽃밭의 넓이)=(가로)×(세로)

$=8\times5\frac{1}{8}=\cancel{8}^{1}\times\frac{41}{\cancel{8}_{1}}=41$ (m^2)

6 • 병우: 1 m=100 cm ➔ $\cancel{100}^{50}\times\frac{1}{\cancel{2}_{1}}=50$ (cm)

• 은지: 1 kg=1000 g ➔ $\cancel{1000}^{200}\times\frac{1}{\cancel{5}_{1}}=200$ (g)

따라서 바르게 말한 친구는 병우입니다.

40쪽 진분수의 곱셈

1 (1) 2, 5, $\frac{2}{5}$ (2) 1, 2, 1, 5, $\frac{2}{5}$

(3) 1, 1, 2, 5, $\frac{2}{5}$

2 (1) $\frac{1}{14}$ (2) $\frac{5}{18}$ (3) $\frac{5}{28}$ (4) $\frac{3}{4}$

3 (1) > (2) < (3) =

4 7, 8 또는 8, 7

5 $\frac{9}{32}$ m

6 (1) $\frac{3}{4}$ (2) $\frac{3}{5}$ (3) 96쪽

2 (1) $\frac{1}{7}\times\frac{1}{2}=\frac{1}{14}$ (2) $\frac{5}{6}\times\frac{1}{3}=\frac{5}{18}$

(3) $\frac{\cancel{2}^{1}}{7}\times\frac{5}{\cancel{8}_{4}}=\frac{5}{28}$ (4) $\frac{\cancel{5}^{1}}{\cancel{6}_{2}}\times\frac{\cancel{9}^{3}}{\cancel{10}_{2}}=\frac{3}{4}$

3 (1) 어떤 수에 진분수를 곱하면 계산 결과는 어떤 수보다 작습니다.

$\rightarrow \frac{1}{4} > \frac{1}{4} \times \frac{1}{5}$

(2) $\frac{1}{8} < \frac{1}{3}$이므로 $\frac{2}{7}$에 $\frac{1}{3}$을 곱한 결과가 $\frac{2}{7}$에 $\frac{1}{8}$을 곱한 결과보다 큽니다.

$\rightarrow \frac{2}{7} \times \frac{1}{8} < \frac{2}{7} \times \frac{1}{3}$

(3) 두 수를 바꾸어 곱해도 계산 결과가 같습니다.

$\rightarrow \frac{1}{9} \times \frac{5}{6} = \frac{5}{6} \times \frac{1}{9}$

4 (단위분수)×(단위분수)이므로 두 분수의 분모의 곱이 가장 클 때 계산 결과가 가장 작습니다. 계산 결과가 가장 작은 식을 만들려면 수 카드 7과 8을 사용해야 합니다.

5 (색칠한 부분의 가로)

$= \frac{3}{4} \times \frac{3}{8} = \frac{3 \times 3}{4 \times 8} = \frac{9}{32}$ (m)

6 (1) 어제 읽고 난 나머지의 양은 책 전체의 $1 - \frac{1}{4} = \frac{3}{4}$입니다.

(2) (오늘 읽은 양)=(어제 읽고 난 나머지의 양)$\times \frac{4}{5}$

$= \frac{3}{\cancel{4}_1} \times \frac{\cancel{4}^1}{5} = \frac{3}{5}$

(3) (오늘 읽은 쪽수)$= \cancel{160}^{32} \times \frac{3}{\cancel{5}_1} = 96$(쪽)

41쪽 대분수의 곱셈 / 세 분수의 곱셈

1 8, 7, 14, $4\frac{2}{3}$ **2** $\frac{1}{10}$, $\frac{1}{30}$

3 (1) $2\frac{4}{15}$ (2) $\frac{5}{28}$ **4** $4\frac{1}{5}$ cm^2

5 $\frac{3}{16} \times \frac{5}{9} \times \frac{4}{7} = \frac{5}{84}$ / $\frac{5}{84}$

6 (1) $5\frac{2}{3}$, $2\frac{3}{5}$ (2) $14\frac{11}{15}$

1 $2\frac{2}{3} \times 1\frac{3}{4} = \frac{\cancel{8}^2}{3} \times \frac{7}{\cancel{4}_1} = \frac{14}{3} = 4\frac{2}{3}$

2 앞에서부터 두 분수씩 차례로 계산합니다.

$\rightarrow \frac{1}{5} \times \frac{1}{2} \times \frac{1}{3} = \frac{1}{10} \times \frac{1}{3} = \frac{1}{30}$

3 (1) $1\frac{7}{10} \times 1\frac{1}{3} = \frac{17}{\cancel{10}_5} \times \frac{\cancel{4}^2}{3} = \frac{34}{15} = 2\frac{4}{15}$

(2) $\frac{\cancel{3}^1}{7} \times \frac{\cancel{2}^1}{\cancel{3}_1} \times \frac{5}{\cancel{8}_4} = \frac{5}{28}$

4 (직사각형의 넓이)$= 2\frac{2}{5} \times 1\frac{3}{4}$

$= \frac{\cancel{12}^3}{5} \times \frac{7}{\cancel{4}_1} = \frac{21}{5} = 4\frac{1}{5}$ (cm^2)

5 농구를 좋아하는 5학년 남학생은 전체 학생의 $\frac{\cancel{3}^1}{\cancel{16}_4} \times \frac{5}{\cancel{9}_3} \times \frac{\cancel{4}^1}{7} = \frac{5}{84}$입니다.

6 (1) 만들 수 있는 가장 큰 대분수는 $5\frac{2}{3}$, 가장 작은 대분수는 $2\frac{3}{5}$입니다.

(2) $5\frac{2}{3} \times 2\frac{3}{5} = \frac{17}{3} \times \frac{13}{5} = \frac{221}{15} = 14\frac{11}{15}$

3 도형의 합동

42쪽 도형의 합동

1 가 **2** 합동

3 가와 사 **4** 라

5

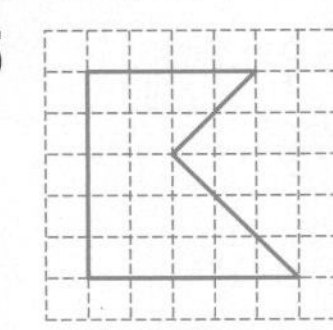

6 가

1 왼쪽 도형과 포개었을 때 완전히 겹치는 도형은 가입니다.

2 모양과 크기가 같아서 포개었을 때 완전히 겹치는 두 도형을 서로 합동이라고 합니다.

3 두 도형을 포개었을 때 완전히 겹치는 도형은 가와 사입니다.

4 가, 나, 다는 모양과 크기가 같아 포개었을 때 완전히 겹칩니다.

5 왼쪽 도형의 꼭짓점과 같은 위치에 점을 찍은 후 점들을 연결하여 그립니다.

6 깨진 타일과 합동인 모양을 찾으면 가입니다.
따라서 바꾸어 붙일 수 있는 타일은 가입니다.

43쪽 합동인 도형의 성질

1 (1) 점 ㅁ (2) 변 ㄹㅂ (3) 각 ㅁㄹㅂ
2 6쌍, 6쌍
3 (1) 7 cm (2) 55°
4 (1) 70° (2) 19 cm
5 ㄹㄷ, 2, ㄹㅁ, 14, 52, 52

1 서로 합동인 두 도형을 포개었을 때 완전히 겹치는 점을 대응점, 겹치는 변을 대응변, 겹치는 각을 대응각이라고 합니다.

2 육각형은 변과 각이 각각 6개씩이므로 대응변, 대응각이 각각 6쌍씩 있습니다.

3 (1) 변 ㄱㄴ의 대응변은 변 ㅁㅂ입니다.
→ (변 ㄱㄴ)=(변 ㅁㅂ)=7 cm
(2) 각 ㄱㄴㄷ의 대응각은 각 ㅁㅂㄹ입니다.
→ (각 ㄱㄴㄷ)=(각 ㅁㅂㄹ)=55°

4 (1) 각 ㄱㄴㄷ의 대응각은 각 ㅇㅅㅂ입니다.
→ (각 ㄱㄴㄷ)=(각 ㅇㅅㅂ)=70°
(2) (변 ㄱㄴ)=(변 ㅇㅅ)=5 cm,
(변 ㄷㄹ)=(변 ㅂㅁ)=4 cm
→ (사각형 ㄱㄴㄷㄹ의 둘레)=5+6+4+4
=19 (cm)

5 (사각형 ㄱㄴㄷㅁ의 둘레)
=(변 ㄱㄴ)+(변 ㄴㄷ)+(변 ㄷㅁ)+(변 ㅁㄱ)
=20+14+(2+14)+2=52 (m)

44쪽 선대칭도형과 그 성질

1

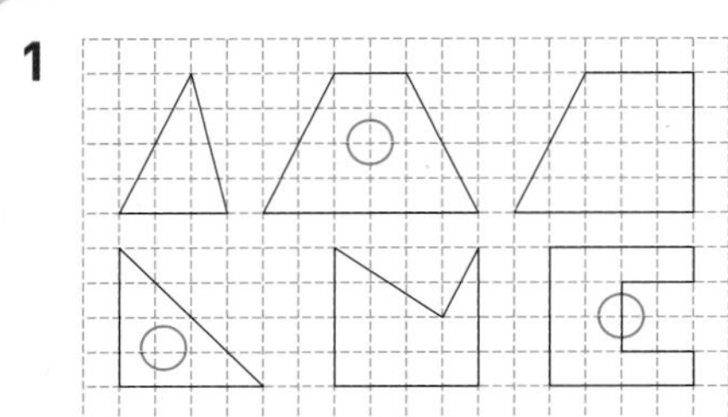

2

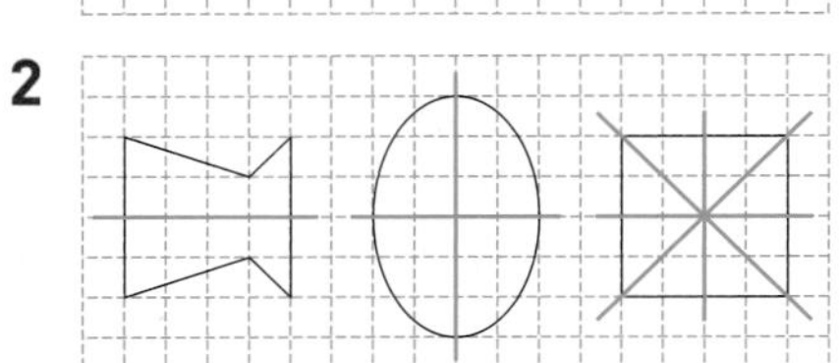

3 (1) 점 ㄹ (2) 변 ㅁㄹ (3) 각 ㅁㅂㅅ
4 (1) 9 cm (2) 55° (3) 10 cm
5 8, 115
6

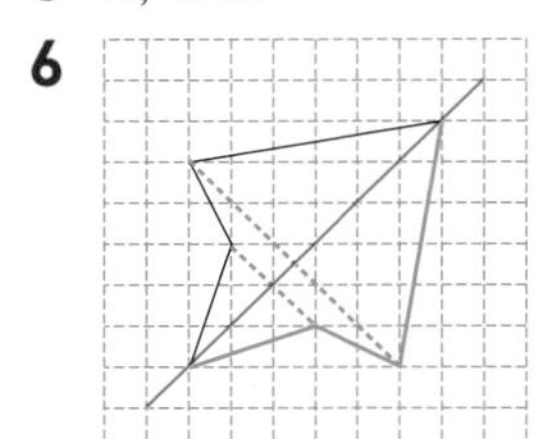

1 한 직선을 따라 접어서 완전히 겹치는 도형을 모두 찾습니다.

2 도형이 완전히 겹치도록 접을 수 있는 선을 모두 그립니다. 이때 대칭축이 세로뿐만 아니라 가로, 대각선 등 여러 방향일 수 있으므로 다양하게 생각합니다.

3 선대칭도형을 대칭축을 따라 접었을 때 겹치는 점을 대응점, 겹치는 변을 대응변, 겹치는 각을 대응각이라고 합니다.

4 (1) (변 ㄱㄴ)=(변 ㄱㄷ)=9 cm
(2) (각 ㄱㄴㄹ)=(각 ㄱㄷㄹ)=55°
(3) (선분 ㄴㄹ)=(선분 ㄷㄹ)=5 cm이므로
(변 ㄴㄷ)=5+5=10 (cm)입니다.

5

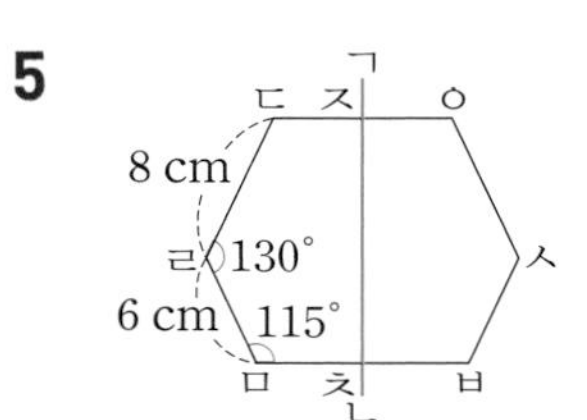

선대칭도형은 각각의 대응변의 길이와 대응각의 크기가 서로 같습니다.

→ (변 ㅅㅇ)=(변 ㄹㄷ)=8 cm,
(각 ㅅㅂㅊ)=(각 ㄹㅁㅊ)=115°

6 대칭축에서 거리가 같고 방향이 반대인 곳에 대응점을 찍어 표시한 후 차례로 이어 선대칭도형을 완성합니다.

45쪽 점대칭도형과 그 성질

1

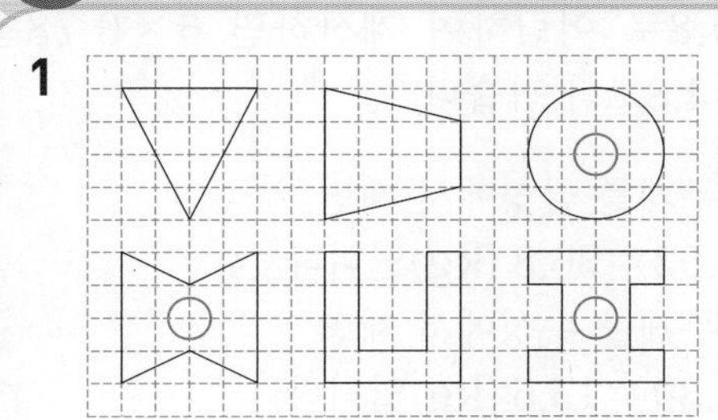

2

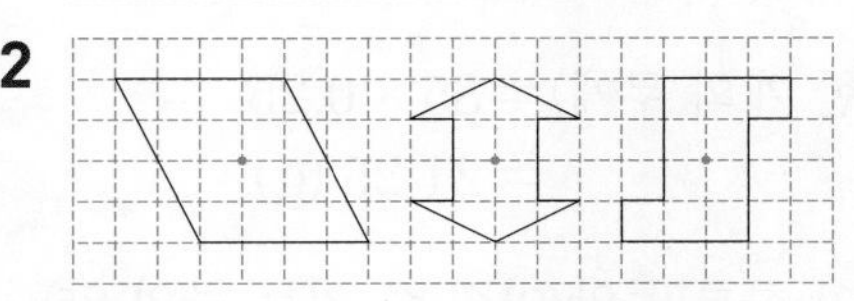

3 (1) 점 ㄹ (2) 변 ㅁㅂ (3) 각 ㄹㄷㄴ

4 110, 8 **5** 3 cm

6

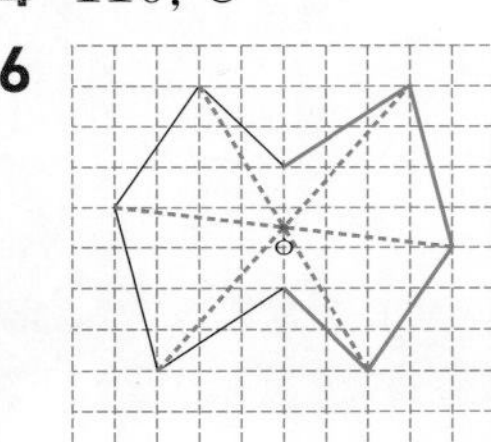

1 어떤 점을 중심으로 180° 돌렸을 때 처음 도형과 완전히 겹치는 도형을 모두 찾습니다.

2 어떤 점을 중심으로 180° 돌렸을 때 처음 도형과 완전히 겹치게 하는 점을 표시합니다.

3 점대칭도형을 점 ㅇ을 중심으로 180° 돌렸을 때 겹치는 점을 대응점, 겹치는 변을 대응변, 겹치는 각을 대응각이라고 합니다.

4 점대칭도형은 각각의 대응변의 길이와 대응각의 크기가 서로 같습니다.

5 (변 ㄱㄴ)=(변 ㄹㅁ)=6 cm,
(변 ㄷㄹ)=(변 ㅂㄱ)=5 cm
➔ (점대칭도형의 둘레)
=6×2+(변 ㄴㄷ)×2+5×2=28,
(변 ㄴㄷ)×2=28−12−10=6,
(변 ㄴㄷ)=6÷2=3 (cm)

6 각 점에서 대칭의 중심까지의 거리가 같도록 대응점을 찍은 후 각 대응점을 이어 점대칭도형을 완성합니다.

4 소수의 곱셈

46쪽 (1보다 작은 소수)×(자연수)

1 (1) 1.6 (2) 1.6 (3) 4, 1.6

2 (1) 0.65, 0.65, 1.95
(2) 65, 65, 3, 195, 1.95
(3) 65 / 65, 3 / 195, 1.95

3 (1) 2.8 (2) 4.5 (3) 0.72 (4) 2.92

4 (1) 4 (2) 3.5 **5** 2개

2 (1) $0.65\times3=0.65+0.65+0.65=1.95$
(2) $0.65\times3=\frac{65}{100}\times3=\frac{65\times3}{100}=\frac{195}{100}=1.95$

3 (1) $0.4\times7=\frac{4}{10}\times7=\frac{28}{10}=2.8$
(2) $0.9\times5=\frac{9}{10}\times5=\frac{45}{10}=4.5$
(3) $0.36\times2=\frac{36}{100}\times2=\frac{72}{100}=0.72$
(4) $0.73\times4=\frac{73}{100}\times4=\frac{292}{100}=2.92$

4 (1) 0.78×5에서 0.78을 0.8로 어림하면 결과는 0.8×5=4 정도가 됩니다.
(2) 53×7의 곱은 약 350이고 0.53은 53의 $\frac{1}{100}$배이므로 0.53×7의 곱은 350의 $\frac{1}{100}$배인 3.5 정도가 됩니다.

5 월요일, 수요일, 목요일에 우유를 0.5 L씩 마시므로 필요한 우유는 0.5×3=1.5 (L)입니다.
따라서 우유 1.5 L를 준비하려면 1 L짜리 우유를 적어도 2개 사야 합니다.

47쪽 (1보다 큰 소수)×(자연수)

1 (1) 2.8 (2) 2.8 (3) 2, 2.8
2 (1) 예 분수의 곱셈으로 계산하기
$2.1 \times 5 = \frac{21}{10} \times 5 = \frac{21 \times 5}{10} = \frac{105}{10} = 10.5$
(2) 예 0.1의 개수로 계산하기
6.2는 0.1이 62개이므로 6.2×3은 0.1이 186개입니다.
따라서 6.2×3=18.6입니다.
3 (1) 12.6 (2) 14.4 (3) 12.57 (4) 36.25
4 4.8 km **5** 6시간

2 분수의 곱셈, 0.1의 개수 등을 이용하여 계산할 수 있습니다.

3 (1) $1.8 \times 7 = \frac{18}{10} \times 7 = \frac{126}{10} = 12.6$
(2) $3.6 \times 4 = \frac{36}{10} \times 4 = \frac{144}{10} = 14.4$
(3) $4.19 \times 3 = \frac{419}{100} \times 3 = \frac{1257}{100} = 12.57$
(4) $7.25 \times 5 = \frac{725}{100} \times 5 = \frac{3625}{100} = 36.25$

4 (준영이가 일주일 동안 운동할 거리)
=1.6×3=4.8 (km)

5 월요일부터 목요일까지는 4일입니다.
➔ (독서한 시간)=1.5×4=6(시간)

48쪽 (자연수)×(1보다 작은 소수)

1 (1) $3 \times 0.5 = 3 \times \frac{5}{10} = \frac{3 \times 5}{10} = \frac{15}{10} = 1.5$
(2) 4 × 7 = 28
↓ $\frac{1}{10}$배 ↓ $\frac{1}{10}$배
4 × 0.7 = 2.8
2 (1) 7.2 (2) 10.2 (3) 4.32 (4) 25.55
3 ㉡ **4** (1) 36.8 (2) 15.6
5 21.25 g **6** 60 L

2 (1) 12×6=72 ➔ 12×0.6=7.2
(2) 34×3=102 ➔ 34×0.3=10.2
(3) 48×9=432 ➔ 48×0.09=4.32
(4) 73×35=2555 ➔ 73×0.35=25.55

3 ㉠ 0.65를 0.7로 어림하여 계산하면 7의 0.65는 7×0.7=4.9보다 작습니다.
㉡ 9×0.6=5.4
㉢ 0.78을 0.8로 어림하여 계산하면 6×0.78은 6×0.8=4.8보다 작습니다.

4 (1) 현수의 몸무게를 금성에서 재면
약 40×0.92=36.8 (kg)입니다.
(2) 현수의 몸무게를 수성에서 재면
약 40×0.39=15.6 (kg)입니다.

5 (방울토마토 한 개의 무게)=85×0.25
=21.25 (g)

6 (민아네 가족이 하루 동안 아낄 수 있는 물의 양)
=250×0.24=60 (L)

49쪽 (자연수)×(1보다 큰 소수)

1 ㉠
2 (1) 예 분수의 곱셈으로 계산하기
$5 \times 2.3 = 5 \times \frac{23}{10} = \frac{5 \times 23}{10} = \frac{115}{10} = 11.5$
(2) 예 자연수의 곱셈으로 계산하기
40 × 18 = 720
↓ $\frac{1}{10}$배 ↓ $\frac{1}{10}$배
40 × 1.8 = 72
3 (1) 71.4 (2) 90 (3) 66.34 (4) 243
4 '있습니다', '작기'에 ○표
5 2.16 km / 3.4 km

1 ㉠ 2.01을 2로 어림하여 계산하면 4의 2.01은 4×2=8보다 큽니다.
㉡ 1.97을 2로 어림하여 계산하면 3의 1.97배는 3×2=6보다 작습니다.
㉢ 3.8을 4로 어림하여 계산하면 2×3.8은 2×4=8보다 작습니다.

2 덧셈식, 분수의 곱셈, 자연수의 곱셈, 0.1의 개수 등을 이용하여 계산할 수 있습니다.

3 (1) $42\times17=714 \rightarrow 42\times1.7=71.4$
(2) $25\times36=900 \rightarrow 25\times3.6=90$
(3) $31\times214=6634 \rightarrow 31\times2.14=66.34$
(4) $60\times405=24300 \rightarrow 60\times4.05=243$

4 1 g당 10원인 과자가 300 g 있다고 어림하면 과자의 가격이 약 3000원입니다. 1 g당 가격이 10원보다 낮으므로 3000원으로 과자를 살 수 있습니다.

5 (공원까지의 거리)$=2\times1.08=2.16$ (km)
(도서관까지의 거리)$=2\times1.7=3.4$ (km)

50쪽 1보다 작은 소수끼리의 곱셈

1 (1) 0.152 (2) 0.279
2 (1) $8 \times 3 = 24$
$\downarrow \frac{1}{10}$배 $\downarrow \frac{1}{10}$배 $\downarrow \frac{1}{100}$배
$0.8 \times 0.3 = 0.24$
(2) $0.42\times0.5=\frac{42}{100}\times\frac{5}{10}=\frac{210}{1000}=0.21$
(3) 자연수의 곱 7×9는 63입니다.
0.7에 0.9를 곱하면 0.7보다 작은 값이 나와야 하므로 계산 결과는 0.63입니다.
3 $=$
4 0.09, 2, 4.5
5 $0.9\times0.68=0.612$ / 0.612 kg

1 (1) $38\times4=152 \rightarrow 0.38\times0.4=0.152$
(2) $62\times45=2790 \rightarrow 0.62\times0.45=0.279$

3 $0.2\times0.16=0.032$
$0.08\times0.4=0.032$

4 코칭Tip 곱의 소수점 아래 자리 수는 곱하는 두 소수의 소수점 아래 자리 수의 합과 같으므로 0.45×2와 4.5×0.2의 계산 결과는 같습니다.

5 (밀가루 한 봉지에 들어 있는 탄수화물 성분)
$=0.9\times0.68=0.612$ (kg)

51쪽 1보다 큰 소수끼리의 곱셈

1 (1) 예 자연수의 곱셈으로 계산하기
$44 \times 15 = 660$
$\downarrow \frac{1}{10}$배 $\downarrow \frac{1}{10}$배 $\downarrow \frac{1}{100}$배
$4.4 \times 1.5 = 6.6$
(2) 예 소수의 크기를 생각하여 계산하기
자연수의 곱 135×12는 1620입니다. 1.35에 1.2를 곱하면 1.35보다 큰 값이 나와야 하므로 1.62입니다.
2 175.68 **3** 7.5 9 9
4 6.65 cm
5 (1) 12.9 m (2) 8.1 m (3) 104.49 m^2

2 $73.2>18.25>6.8>2.4$이므로
가장 큰 수는 73.2, 가장 작은 수는 2.4입니다.
$\rightarrow 73.2\times2.4=175.68$

3 $149 \times 51 = 7599$
$\downarrow \frac{1}{100}$배 $\downarrow \frac{1}{10}$배 $\downarrow \frac{1}{1000}$배
$1.45 \times 5.1 = 7.599$

4 (잠자리의 길이)$=3.8\times1.75=6.65$ (cm)

5 (1) (새로운 놀이터의 가로)$=8.6\times1.5=12.9$ (m)
(2) (새로운 놀이터의 세로)$=5.4\times1.5=8.1$ (m)
(3) (새로운 놀이터의 넓이)
$=12.9\times8.1=104.49$ (m^2)

52쪽 곱의 소수점 위치

1 ㉡
2 0.001, 0.072
/ $0.6\times0.12=\frac{6}{10}\times\frac{12}{100}=\frac{72}{1000}=0.072$
/ 예 0.6은 6의 0.1배이고, 0.12는 12의 0.01배이므로 0.6×0.12의 값은 6×12의 값인 72의 0.001배입니다. 따라서 72에서 소수점을 왼쪽으로 세 칸만큼 옮깁니다.
3 0.16 **4** 27.8 cm
5 (1) 298.5 g (2) 940 g (3) 성호, 641.5 g

1 ㉠ 74의 0.1 ➔ $74 \times 0.1 = 7.4$
㉡ 740의 0.001배 ➔ $740 \times 0.001 = 0.74$
㉢ $0.74 \times 10 = 7.4$

3 4.13은 413의 0.01배인데 0.6608은 6608의 0.0001배이므로 □ 안에 알맞은 수는 16의 0.01배인 0.16입니다.

4 1 m=100 cm이므로 0.278 m=27.8 cm입니다.

5 (1) (연주가 주는 선물의 무게)$=29.85 \times 10$
$=298.5$ (g)
(2) (성호가 주는 선물의 무게)$=9.4 \times 100$
$=940$ (g)
(3) $940 > 298.5$이므로 성호가 주는 선물이 $940 - 298.5 = 641.5$ (g) 더 무겁습니다.

5 직육면체

53쪽 직육면체

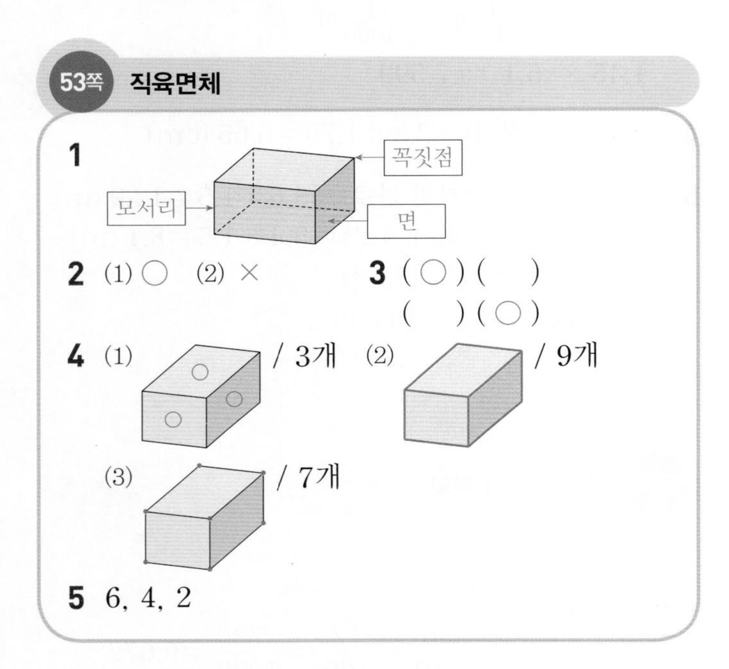

1 • 면: 선분으로 둘러싸인 부분
• 모서리: 면과 면이 만나는 선분
• 꼭짓점: 모서리와 모서리가 만나는 점

2 (2) 직육면체에서 면과 면이 만나는 선분을 모서리라고 합니다.

3 직사각형 6개로 둘러싸인 도형을 모두 찾습니다.

4 직육면체에서 보이는 면은 3개, 보이는 모서리는 9개, 보이는 꼭짓점은 7개입니다.

54쪽 정육면체

1 정육면체
2 희진 / 예 정사각형은 직사각형이라고 말할 수 있으므로 정육면체는 직육면체라고 말할 수 있습니다.
3 (1) 나, 라 (2) 가, 마, 바
4 4
5 36 cm
6 ㉠ / 예 직육면체의 모서리의 길이는 서로 다릅니다.

3 (1) 정사각형 6개로 둘러싸인 도형은 나, 라입니다.
(2) 직사각형 6개로 둘러싸인 도형이 아닌 것은 가, 마, 바입니다.

4 • 보이지 않는 모서리의 수: 3
• 보이지 않는 꼭짓점의 수: 1
➔ $3 + 1 = 4$

5 정육면체의 모서리의 수는 12개이고, 길이가 모두 같습니다.
➔ (주사위의 모서리 길이의 합)$=3 \times 12$
$=36$ (cm)

6 ㉠ 직육면체의 모서리의 길이는 서로 다르고, 정육면체의 모서리의 길이는 모두 같습니다.

55쪽 직육면체의 성질

1 (1) (2)
2 3쌍
3 (1) 면 ㄱㄴㄷㄹ, 면 ㄴㅂㅅㄷ, 면 ㄷㅅㅇㄹ
(2) '직각입니다'에 ○표
4 ㉡
5 ㄴㅂㅅㄷ, ㄷㅅㅇㄹ, ㄱㅁㅇㄹ, ㄴㅂㅁㄱ
6 24 cm

2 → 3쌍

코칭Tip 직육면체에는 서로 평행한 면이 항상 3쌍 있습니다.

4 ㉡은 색칠한 면과 평행한 면을 색칠한 것입니다.

5 면 ㄱㄴㄷㄹ과 평행한 면인 면 ㅁㅂㅅㅇ를 제외한 4개의 면이 모두 수직입니다.

6 면 ㄴㅂㅅㄷ과 평행한 면은 면 ㄱㅁㅇㄹ이므로 모서리의 길이는 7 cm, 5 cm, 7 cm, 5 cm입니다.
➔ (면 ㄱㅁㅇㄹ의 모서리 길이의 합)
$=7+5+7+5=24$ (cm)

56쪽 직육면체의 겨냥도

1 '실선', '점선'에 ○표 **2** 라

3

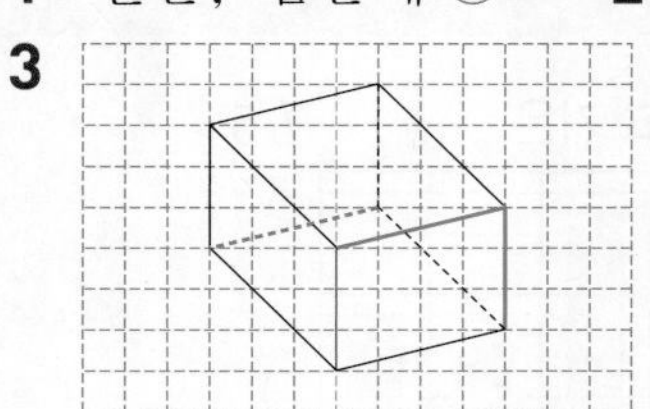

4

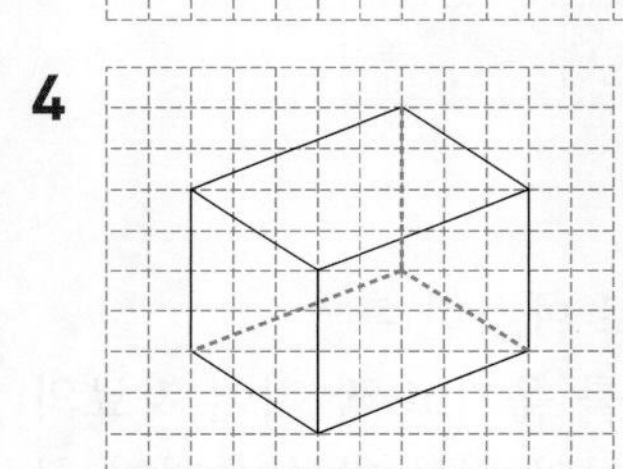

/ 예 보이지 않는 모서리는 점선으로 표시해야 합니다.

5 ㉡ **6** 45 cm

2 직육면체의 겨냥도는 보이는 모서리는 실선으로, 보이지 않는 모서리는 점선으로 그립니다.

3 평행한 모서리는 평행하게 그리고 보이는 모서리는 실선으로, 보이지 않는 모서리는 점선으로 그립니다.

5 ㉡ 직육면체의 겨냥도에서 보이지 않는 모서리는 3개입니다.

6 직육면체에서 보이는 모서리는 9개로 6 cm, 5 cm, 4 cm인 모서리가 3개씩입니다.
➔ (보이는 모서리의 길이의 합)
$=(6+5+4)\times3=15\times3=45$ (cm)

57쪽 정육면체의 전개도

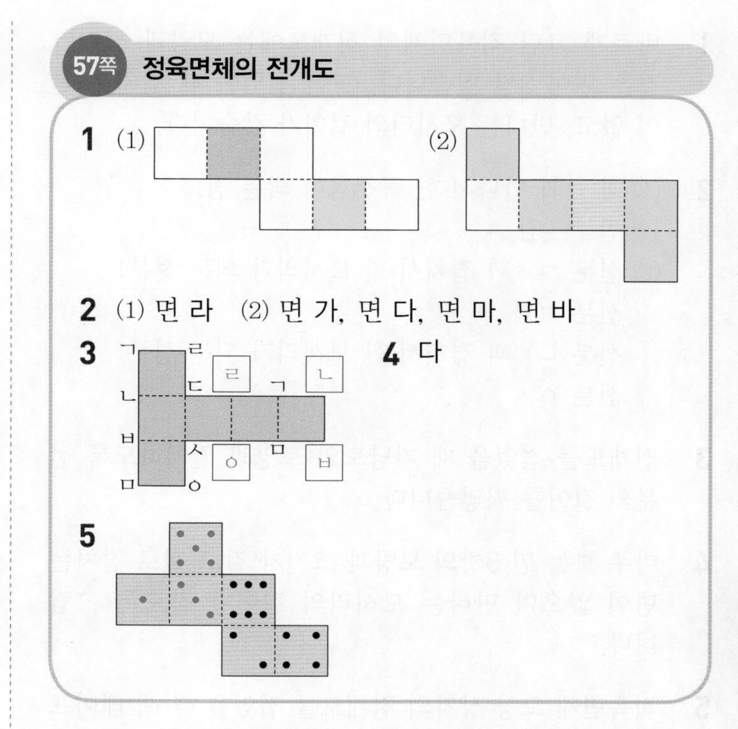

3 전개도를 접었을 때 만나는 점끼리 같은 기호를 써넣습니다.

4 다: 전개도를 접었을 때 겹치는 면이 있습니다.

5 서로 평행한 두 면을 찾아 마주 보는 면의 눈의 수의 합이 7이 되도록 주사위의 눈을 그립니다.

58쪽 직육면체의 전개도

1 3 / '없고', '같습니다'에 ○표

2 (1) 점 ㅋ, 점 ㅈ (2) 선분 ㅋㅌ, 선분 ㅇㅅ

3 (위에서부터) 3, 5, 8

4 예

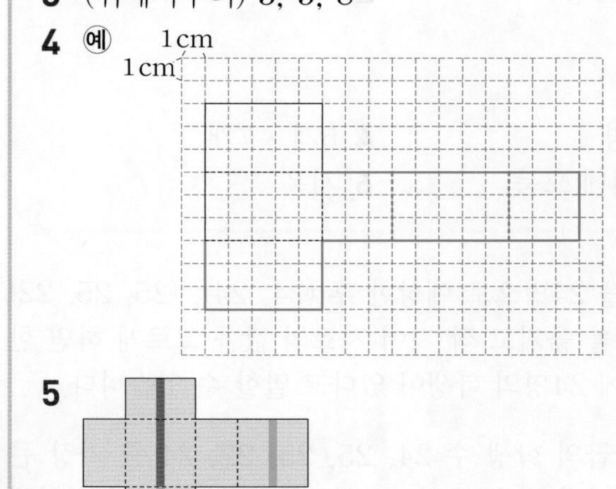

5

1 바르게 그린 직육면체의 전개도에는 모양과 크기가 같은 면이 3쌍 있습니다. 또한 접었을 때 겹치는 면이 없고, 만나는 모서리의 길이가 같습니다.

2 (1) 점 ㄱ과 만나서 한 꼭짓점이 되는 점:
점 ㅋ, 점 ㅈ
(2) 선분 ㄱㅎ과 겹쳐서 한 모서리가 되는 선분:
선분 ㅋㅌ
선분 ㄴㄷ과 겹쳐서 한 모서리가 되는 선분:
선분 ㅇㅅ

3 전개도를 접었을 때 겨냥도의 모양과 일치하도록 선분의 길이를 써넣습니다.

4 마주 보는 면 3쌍의 모양과 크기가 같고 서로 겹치는 면이 없으며 만나는 모서리의 길이가 같도록 그립니다.

5 직육면체 모양 상자의 전개도를 접었을 때 색 테이프가 지나가는 자리는 4개의 면입니다. 색 테이프가 지나가는 자리가 연결되도록 바르게 그려 넣습니다.

6 평균과 가능성

59쪽 평균

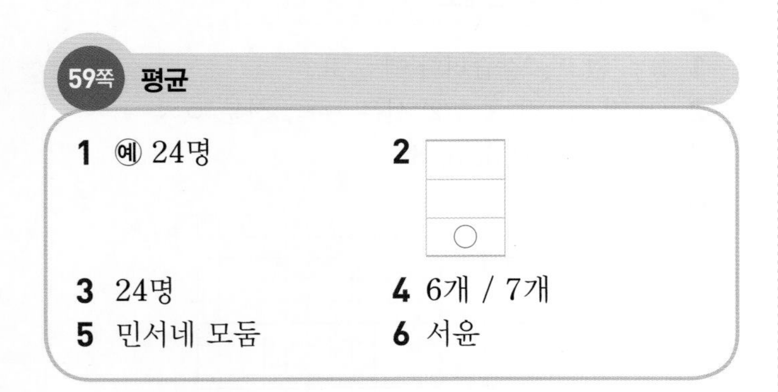

1 예 24명 **2**

3 24명 **4** 6개 / 7개

5 민서네 모둠 **6** 서윤

1 평균을 24명으로 예상한 후 (24, 24), (25, 25, 22)로 수를 옮기고 짝 지어 자료의 값을 고르게 하면 한 학급에 24명의 학생이 있다고 말할 수 있습니다.

2 각 학급의 학생 수 24, 25, 25, 22, 24 중 가장 큰 수나 가장 작은 수만으로는 각 학급당 몇 명의 학생이 있는지 알기 어렵습니다.

3 (평균)$=(24+25+25+22+24)\div5$
$=120\div5=24$(명)

4 (승우네 모둠)$=(6+7+3+4+10)\div5$
$=30\div5=6$(개)
(민서네 모둠)$=(9+6+7+6)\div4$
$=28\div4=7$(개)

5 고리던지기 기록의 평균을 비교하면 $6<7$이므로 민서네 모둠이 더 잘했다고 볼 수 있습니다.

6 서윤: 두 모둠의 모둠 친구 수가 다르므로 기록의 합계만으로는 어느 모둠이 더 잘했다고 말할 수 없습니다.

60쪽 평균 구하기

1 (1) / 5

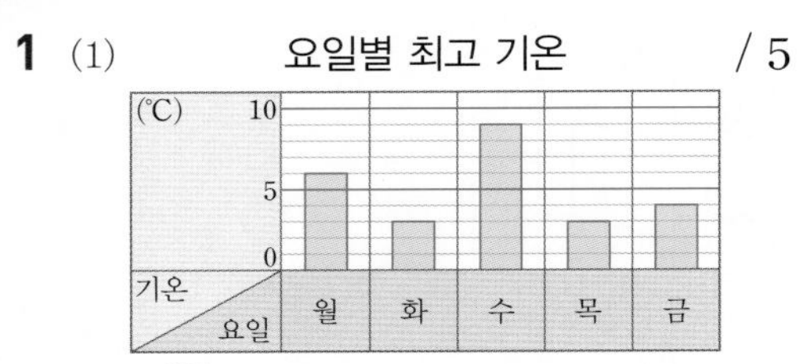

(2) 5 ℃

2 340 mL

3 방법 1 예 평균을 40으로 예상한 후
40, (43, 38, 39)로 수를 옮기고 짝 지어 자료의 값을 고르게 하면 승훈이의 윗몸 말아 올리기 횟수의 평균은 40회입니다.

방법 2 예 $(40+43+38+39)\div4=160\div4$
$=40$(회)
승훈이의 윗몸 말아 올리기 횟수의 합을 측정 시기의 수 4로 나누면 40이므로 승훈이의 윗몸 말아 올리기 횟수의 평균은 40회입니다.

4 (1) 103점 (2) 103

1 (2) 막대의 칸수를 고르게 하면 모두 5칸씩이므로 지난주 요일별 최고 기온의 평균은 5 ℃입니다.

2 $(320+400+180+350+450)\div5=1700\div5$
$=340$ (mL)

4 (1) $(102+105+96+109)\div4=412\div4$
$=103$(점)

61쪽 평균 이용하기

1 100개
2 25명
3 4개
4 (1) 87점 (2) 89점 (3) 정수네 반, 2점
5 122명

1 필요한 우유갑은 400개이고 학급 수는 4반이므로 한 학급당 우유갑을 평균 $400 \div 4 = 100$(개)씩 모아야 합니다.

2 (한 학급당 평균 학생 수)$=(27+25+23+25) \div 4$
$=100 \div 4 = 25$(명)

3 한 학급당 우유갑을 평균 100개씩 모아야 하고, 한 학급당 학생이 평균 25명씩 있습니다.
따라서 한 명당 우유갑을 평균 $100 \div 25 = 4$(개)씩 모아야 합니다.

4 (1) (지혜네 반의 수학 점수의 평균)
$=2001 \div 23 = 87$(점)
(2) (정수네 반의 수학 점수의 평균)
$=1869 \div 21 = 89$(점)
(3) $89 > 87$이므로 정수네 반의 수학 점수의 평균이 $89-87=2$(점) 더 높습니다.

5 (전체 학생 수)$=112 \times 6 = 672$(명)
→ (6학년 학생 수)
$=672-(101+117+108+115+109)$
$=672-550=122$(명)

62쪽 일이 일어날 가능성을 말로 표현하기

1 (왼쪽부터) 불가능하다, ~일 것 같다
2 (1) ㉤ (2) ㉠ (3) ㉢ (4) ㉡
3 (1)—(2)—(3) 선 잇기: (1)은 두 번째, (2)는 세 번째, (3)은 첫 번째
4 지현

2 (1) 흰색 바둑돌만 있는 상자에서 꺼낸 바둑돌은 흰색이 확실합니다.
(2) 해는 동쪽에서 떠서 서쪽으로 지기 때문에 내일 아침에 서쪽에서 해가 뜨는 것은 불가능합니다.
(3) 동전은 숫자 면 아니면 그림 면이므로 동전을 던질 때 숫자 면이 나올 가능성은 반반입니다.
(4) 주사위의 눈은 6가지이므로 주사위를 두 번 굴릴 때 주사위 눈의 수가 모두 4가 나오지 않을 것 같습니다.

3 (1) 1년은 365일이므로 367명의 사람들 중에 생일이 같은 사람이 있을 가능성은 '확실하다'입니다.
(2) 주사위의 눈은 홀수 아니면 짝수이므로 짝수의 눈이 나올 가능성은 '반반이다'입니다.
(3) 서울의 1월은 겨울이므로 평균 기온이 30 ℃보다 높을 가능성은 '불가능하다'입니다.

4 상자 안에 17번 번호표가 없으므로 17번 번호표를 꺼낼 가능성은 '불가능하다'입니다.
따라서 17번 번호표를 꺼낼 가능성을 잘못 이야기한 친구는 지현입니다.

63쪽 일이 일어날 가능성을 비교하기

1 지혜
2 예 지금은 오후 2시니까 1시간 후에는 오후 3시가 될 거야.
3 수진, 민준, 재훈, 선아, 지혜
4 ( )
(○)
( )
5 ㉡
6 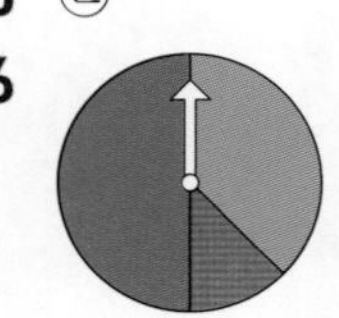

1 오후 2시에서 1시간 후는 오후 3시이므로 오후 4시가 되는 것은 불가능합니다.

2 채점Tip 제시된 정답 이외에 논리적으로 타당한 경우 정답으로 인정합니다.

3 • 수진: 수요일 다음날은 목요일이므로 내일이 목요일일 가능성은 '확실하다'입니다.
• 재훈: 내일 태어나는 동생은 여동생 아니면 남동생이므로 여동생일 가능성은 '반반이다'입니다.
• 민준: 추운 날씨에는 대부분 긴팔을 입으므로 내일 친구들이 반팔보다 긴팔을 입고 올 가능성은 '~일 것 같다'입니다.
• 지혜: 오후 2시에서 1시간 후는 4시가 될 수 없으므로 1시간 후에 4시가 될 가능성은 '불가능하다'입니다.
• 선아: 주머니에 든 구슬 100개 중 3개만 초록색이므로 구슬 1개를 꺼냈을 때 꺼낸 구슬이 초록색일 가능성은 '~아닐 것 같다'입니다.
따라서 일이 일어날 가능성이 높은 친구부터 순서대로 이름을 쓰면 수진, 민준, 재훈, 선아, 지혜입니다.

4 • ○× 문제의 답은 ○ 또는 ×이므로 답이 ○일 가능성은 '반반이다'입니다.
• 혈액형은 A형, B형 O형, AB형 중 하나이므로 친구의 혈액형이 A형일 가능성은 '~아닐 것 같다' 입니다.
• 월요일 다음날은 화요일이므로 화요일 전날이 월요일일 가능성은 '확실하다'입니다.

5 화살이 빨간색, 파란색, 노란색에 멈출 가능성이 비슷하므로 빨간색, 파란색, 노란색이 각각 회전판 전체의 $\frac{1}{3}$인 ㉡과 일이 일어날 가능성이 가장 비슷합니다.

6 화살이 초록색에 멈출 가능성이 가장 높으므로 회전판의 가장 넓은 부분은 초록색입니다.
화살이 파란색에 멈출 가능성은 빨간색에 멈출 가능성의 3배이므로 회전판의 두 번째로 넓은 부분은 파란색, 가장 좁은 부분은 빨간색입니다.

→ 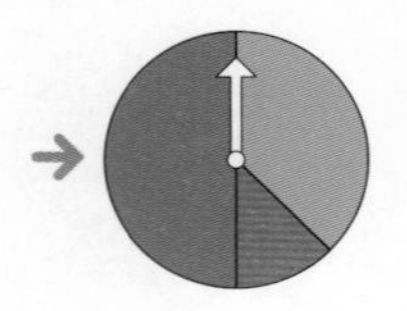

64쪽 일이 일어날 가능성을 수로 표현하기

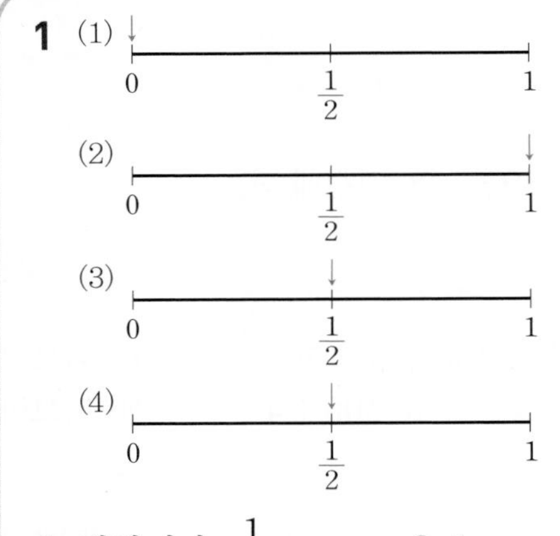

2 반반이다, $\frac{1}{2}$ **3** 1

4 (1) 반반이다 (2) 예

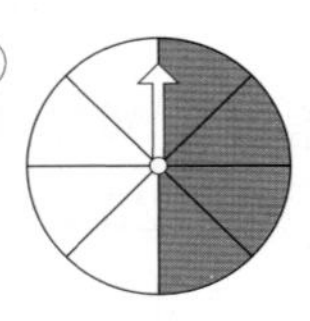

1 (1) 노란색으로만 이루어졌으므로 화살이 초록색에 멈출 가능성은 '불가능하다'입니다. → 0
(2) 노란색으로만 이루어졌으므로 화살이 노란색에 멈출 가능성은 '확실하다'입니다. → 1
(3) 노란색과 초록색의 넓이가 같으므로 화살이 노란색에 멈출 가능성은 '반반이다'입니다. → $\frac{1}{2}$
(4) 노란색과 초록색의 넓이가 같으므로 화살이 초록색에 멈출 가능성은 '반반이다'입니다. → $\frac{1}{2}$

2 우리 반 학생 수는 짝수 아니면 홀수이므로 우리 반 학생 수가 홀수일 가능성은 '반반이다'입니다. → $\frac{1}{2}$

3 당첨 제비만 들어 있는 상자에서 당첨 제비를 뽑을 가능성은 '확실하다'입니다. → 1

4 (1) 꺼낸 구슬의 개수는 홀수 아니면 짝수이므로 짝수일 가능성은 '반반이다'입니다.
(2) 꺼낸 구슬의 개수가 짝수일 가능성은 $\frac{1}{2}$이므로 전체 8칸 중 4칸에 빨간색을 색칠합니다.